教育部人文社会科学重点研究基地
北京大学东方文学研究中心

北京大学“东方大文学”研究丛书

文学对民族记忆的重构

——伊朗史诗《库什王纪》研究

刘英军 著

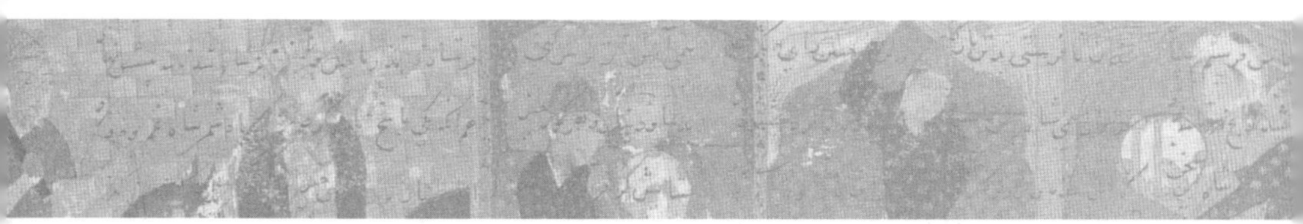

中西書局

图书在版编目(CIP)数据

文学对民族记忆的重构:伊朗史诗《库什王纪》研究 / 刘英军著. —上海:中西书局,2021
ISBN 978-7-5475-1894-6

Ⅰ.①文… Ⅱ.①刘… Ⅲ.①史诗－诗歌研究－伊朗－古代 Ⅳ.①I373.072

中国版本图书馆 CIP 数据核字(2021)第208137号

WENXUE DUI MINZUJIYI DE CHONGGOU
——YILANGSHISHI KUSHIWANGJI YANJIU

文学对民族记忆的重构
——伊朗史诗《库什王纪》研究

刘英军 著

责任编辑 刘寅春
助理编辑 姚骄桐
装帧设计 梁业礼
责任印制 朱人杰

出版发行 上海世纪出版集团
中西書局(www.zxpress.com.cn)
地　　址 上海市闵行区号景路159弄B座(邮政编码:201101)
印　　刷 上海天地海设计印刷有限公司
开　　本 700×1000毫米 1/16
印　　张 29.25
字　　数 414 000
版　　次 2021年12月第1版 2021年12月第1次印刷
书　　号 ISBN 978－7－5475－1894－6/I·222
定　　价 118.00元

丛书总序

1945年8月27日下午四时，北京大学文学院在昆明才盛巷二号召开了教授谈话会，汤用彤等11位教授出席。会上提出了文学院要添设东方语文学系、考古系，发出了中国学术界的时代呐喊，即“要取日本在学术界的地位而代之”，使中国成为亚洲学术研究中心。经胡适、傅斯年、汤用彤、陈寅恪等学者的努力，1946年8月北京大学宣告设立了东方语文学系，聘请留德十年归来的季羡林为教授兼系主任。这是中国教育界的一个创举。该系当时的主要师资有季羡林、马坚、王森；学科方面则设立梵文、阿拉伯文、蒙藏文三组。此后，金克木、于道泉等先生陆续加盟，逐步壮大了学科的力量。历经东方语文学系、东方语文系、东方语言文学系、东方学系、外国语学院的多个阶段，七十多年来，经季羡林、马坚、金克木、刘振瀛、韦旭升、张鸿年、陈嘉厚、叶奕良、仲跻昆、刘安武等前辈和数代学人的苦心经营，北京大学的东方语言文学学科一直是国内该学科的引领者。2000年成立的北京大学东方文学研究中心是教育部人文社科重点研究基地之一，也是国内该学科唯一的国家级科研与国内外东方学学术交流的平台。在王邦维教授的领导下，中心培养了一批人才，各项工作都取得了长足的进步，发扬光大了季羡林等老一辈学者开创的中国东方学研究的传统，再创中国东方学研究的辉煌。中心连续13年举办的全国东方文学研究生暑期学校，已经培训了来自国内外120余所高校的1 500名研究生与青年教师，不少人已经成为国内东方文学界的中坚力量。

近年来，面临百年未有之大变局，在全球化趋势反复拉锯的过程中，东方文学创作及其研究都迎来了前所未有的新状态与许多新问题。国内兄弟院校的发展也越来越快，优秀的东方学和东方文学研究人才及其成果也越来越多。我们的体会是，学如逆水行舟，不进则退，要想有更新更大的发展，唯有持续不断的勤奋与努力。

开新局，走大路，我们提出“东方大文学”的研究理念。一方面，呼吁东方文学研究者不再局限于文学这个单一的领域内自弹自唱，必须尽可能地扩大自己的关注视野，广泛利用传世文献（书面与口头）、出土文献与图像史料，融合文学、历史、宗教、社会、美学、哲学等多个学科的相关知识，在东方作家文学、民间文学、文艺理论、文学图像研究等学科分支开拓出更多有意义的新领域。另一方面，契合一带一路的倡议，以文化为根本维度，深入国别和区域研究的层面，推动中国与东方各国和地区的文明交流互鉴，为建构人类命运共同体做出基础性、前瞻性的工作。

为了实现“东方大文学”研究的目标，北京大学东方文学研究中心在北京大学外国语学院、中西书局的大力支持下，设立北京大学“东方大文学”研究丛书，资助中心与学院青年教师优秀的东方学与东方文学研究专著的出版。我们希望青年学者弘扬学科的优秀传统，勇猛精进，努力开创学科的美好未来。本丛书计划每年推出2—3本专著，目前已经有5部专著签订了出版合同。我们还希望，本丛书的出版，不仅可以展现北京大学新一代东方学学者的风采，还能引领国内东方学学科的进一步发展，支持国家一带一路倡议的实施，为国家的建设做出更大的贡献。

中国的东方学和东方文学的研究从来不只是个人的学术兴趣，而是与国家的教育和学术息息相关。青年学人宜牢记使命，奋发图强。学海无涯，前路漫漫，惟有大家共同努力！

北京大学东方文学研究中心　陈　明

目录

谨以此书献给张鸿年先生

创立的教学和研究传统后继有人，我们这支不大的波斯语队伍拥有不断加入的年轻力量，刘英军博士这部著作的出版，正是对前辈学业传承的成果，相信两位老师泉下一定会为此感到欣慰。

祝贺刘英军博士的第一部专著付梓，期待他的译著《库什王纪》早日出版，也期待着他未来更多的学术建树。

王一丹

2021年12月27日于燕园

料，对诗中涉及的大量人名、地名、族名等专名做了详尽注释和辨析，很见功力。论文完成后得到论文评审专家以及论文答辩委员会的一致称赞和高度评价，被评为2015年北京大学优秀博士毕业论文。

刘英军即将出版的这部著作，就是他在博士论文基础上，历经六七年时间，倾注全力，反复修改和不断补充而成的力作。它将伊朗史诗研究从传统的文学视角带入更广阔的文化研究领域，是继张鸿年老师《〈列王纪〉研究》之后伊朗史诗研究领域又一部突破性的学术成果，它的出版将拓展和加深我国研究者对伊朗民族史诗的认识，为中国—伊朗关系史的研究贡献又一份重要材料。

刘英军对波斯文学怀有浓厚的热情与兴趣，也一直关注中国与伊朗文化交流的历史与现状。他的本科、硕士和博士学习都完成于北大波斯语专业，曾在硕士毕业后就职于国家大型企业，常驻伊朗工作多年，十分熟悉伊朗社会文化和民俗风情。2011年他重新考入北大，攻读波斯文学博士学位，作为联合培养博士生前往德国波恩大学留学半年，具有开阔的国际视野以及多语言交流和研究的能力。2015年获得博士学位后，他与历史学系张帆教授合作开展博雅博士后项目，继续从事伊朗同中国以及东亚其他地区之间文化交流的研究，博士后出站后加入北大波斯语教研室，成为波斯语教学与研究团队的中坚力量。刘英军不仅语言和专业水平出色，而且具有超群的组织管理和协调能力，他的勤勉努力和工作成绩有目共睹，是一位真正的、全面的复合型人才。

在写这篇小序之时，我无意中翻到十年前的2011年11月2日为刘英军博士填写的“北京大学攻读博士学位研究生培养计划”，在“指导小组成员”名单中看到了张鸿年教授和叶奕良教授的名字，心中感触良多，再次领悟到薪火相传的意义。对于我国波斯语言研究而言，张老师和叶老师是波斯语界最早的前辈，是北大波斯语教研室和伊朗文化研究所的开创者；对于我个人而言，他们既是我求学时代的导师，也是我踏入教学生涯后最重要的依傍。我清楚记得十年前为填写这份培养计划而征求张老师和叶老师的意见时，他们给予的大力支持和鼓励，他们爽朗的笑声犹在耳边。两位老师虽已离世，但他们与其他师长共同

序

刘英军博士的专著《文学对民族记忆的重构——伊朗史诗〈库什王纪〉研究》出版在即，我作为一路见证了这部作品从最初酝酿到最终问世全过程的同行者，感到由衷的欢喜，因此很乐意遵嘱作序，以祝贺刘英军多年的耕耘结出硕果。

波斯文学拥有悠久的史诗创作传统，菲尔多西的名著《列王纪》作为伊朗史诗最杰出的代表，早已蜚声世界，为人熟知。在《列王纪》之外，波斯文学史上还曾涌现众多其他史诗作品，为研究伊朗民族历史文化提供了宝贵的材料，其中，成书于12世纪初的《库什王纪》是一部风格独特、内涵丰富的作品，故事中大量涉及中国和“中国王”的情节描写，尤其值得中国学者关注，但一直以来知之者甚少，没有得到应有的研究。刘英军在博士生阶段伊始接触到《库什王纪》后，很快就选定其作为博士论文研究对象，很有学术眼光和知难而上的勇气。他的论文将《库什王纪》这一鲜为人知的史诗故事纳入《列王纪》叙事框架中进行比较研究，着重从《库什王纪》的主角“象牙库什”的人物原型特征、《库什王纪》中的古代世界、《库什王纪》中的中国形象等多个方面展开分析，系统讨论了古代伊朗人与周边各族群的关系、12世纪之前伊朗人的世界地理知识及其集体意识中的“大国天下观”，以及伊朗人自古形成的中国认知和想象等内容，得出《库什王纪》是伊斯兰时期伊朗人对古代民族历史记忆的重构的结论。刘英军的论文立足于原典阅读，通过对《库什王纪》波斯语文本的细致梳理，发掘这部史诗作品的深层文化内涵，体现了极为扎实的波斯语言功底和驾驭文献的能力。在撰写博士论文的同时，刘英军还将《库什王纪》全书逾两万行诗句翻译成汉语，并尽可能地利用波斯语、阿拉伯语、汉语以及其他语言的材

绪 论

一、研究对象及旨趣

伊朗的史诗文学创作传统历史悠久，在漫长的达里波斯语（Fārsī-yi Darī）[1]古典文学时期有数量繁多的史诗作品问世。然而每当我们提起伊朗史诗，多数人大概立即会想到，也仅仅会想到菲尔多西（Firdawsī，940—1020）于公元980—1011年[2]所作《列王纪》（*Shāhnāma*）[3]。的确，长达6万联（12万诗行）的“《列王纪》是波斯诗歌创作的第一个高峰，是一部里程碑式的巨著”。[4]但除《列王纪》以外，还有多部伊朗民族史诗也具有重要的文学和文献价值，这些著作大多类似于《列王纪》，成书于伊斯兰时代，对前伊斯兰时代的古代伊朗口头和书面传统有所继承，内容与《列王纪》相关、互补，共同构成保存伊朗古代文化的载体系统。

本书研究对象《库什王纪》（*Kūshnāma*）[5]成书晚于《列王纪》约

---

1 亦称“新波斯语”（New Persian），常简称为“波斯语”（Fārsī或Pārsī）。本书中的波斯语和阿拉伯语转写依照*International Journal of Middle East Studies* (IJMES)转写系统，字母转写对照表参见https://www.cambridge.org/core/services/aop-file-manager/file/57d83390f6ea5a022234b400/TransChart.pdf。部分引文除外。

2 还有一种说法，诗人在生命接近终点时，即公元1020年之前，又把这部巨著修改了一次。张鸿年：《列王纪研究》，北京：北京大学出版社，2009年，第28页。

3 波斯文学传统中有多部*Shāhnāma*传世，经常被汉译作《王书》。本书中的《列王纪》专指菲尔多西所作伊朗民族史诗*Shāhnāma*。

4 张鸿年：《波斯文学史》，北京：昆仑出版社，2003年，第67页。

5 专名Kūsh有“库什”“古实”“库施”等多种汉译，本书对其汉译原则是，除引述《圣经》文献传统中的文字时，据国内已广泛流传的《圣经》汉译本将其译为“古实”以外，其他情况下一律译作“库什”。

一百年，于12世纪初由伊朗尚·本·阿比·黑尔（Īrānshān ibn Abī al-Khayr）[6]吟诵成诗并书面定型。当代整理出版的勘本共有10 129联诗句，即超过两万诗行。伊朗文学史专家扎毕胡拉·萨法（Ẕabīḥ Allāh Ṣafā）曾以内容为依据，将伊斯兰时代的波斯语史诗归为伊朗民族史诗（ḥamāsa-yi millī-yi Īrān）、历史史诗（ḥamāsa-yi tārīkhī）和宗教史诗（ḥamāsa-yi dīnī）三类。按此分类法，《库什王纪》属于伊朗民族史诗类别。

关于史诗分类问题，海达·贾森（Heda Jason）的归纳总结或可代表现当代学界的主流观点：史诗首先可分作神话史诗（mythic epic）和英雄史诗（heroic epic）两个次级类型（sub-genre）；其中的英雄史诗又可分为历史史诗（historical epic）、民族史诗（national epic）[7]和普世史诗（universal epic）[8]三个分支（division）。[9]神话史诗往往讲述有关天地开辟以及文明发轫时初民面对神格化自然力量的经历，因而有时又被称作创世史诗。而在英雄史诗中，神话色彩淡化，主要讲述人或半人半神的英雄的传奇故事，“一般认为，英雄史诗是以一定的历史事实和传说为基础的”。[10]就此而论，《库什王纪》当属英雄史诗。若再引入梅列金斯基提出的“原始英雄史诗”和“经典英雄史诗”这一对术语，《库什王纪》应被界定为经典英雄史诗。他认为，“各民族组建成国家对英雄史诗的发展起了决定性的作用。国家建立是原始英雄史诗和经典英雄史诗的分水岭”。[11]原始英雄史诗主要歌颂部落英雄的光荣事

---

6 关于这位诗人的名字尚存争议，一说应作伊朗沙赫·本·阿比·黑尔（Īrānshāh ibn Abī al-Khayr），下文另有详述。本书以下称其为伊本·阿比·黑尔（Ibn Abī al-Khayr）。

7 近代以来，“国族”（nation）概念兴起，大致可视为某些古代民族（ethnic groups）经文化、政治整合后形成的现代集合。但该术语在当前汉语语境下主要应用于政治学、社会学、人类学、民族学等学科，本书中仍沿用文学领域约定俗成的用法，即以“民族”对应nation，以“族群”对应ethnic groups。

8 又译作“一般史诗”。参见拱玉书：《“升起来吧！像太阳一样”——解析苏美尔史诗〈恩美卡与阿拉塔之王〉》，北京：昆仑出版社，2006年，第40页。

9 Heda Jason, *Ethnopoetry: Form, Content, Function*, Bonn: Linguistica Biblica, 1977, p. 53.

10 程金城：《〈英雄史诗的起源〉中译本序二》，E. M. 梅列金斯基：《英雄史诗的起源》，王亚民、张淑明、刘玉琴译，北京：商务印书馆，2007年，第9页。

11 E. M. 梅列金斯基：《英雄史诗的起源》，王亚民、张淑明、刘玉琴译，第386页。

迹，具有较浓的神魔色彩和巫术气氛；而诞生于“国家形成”过程的经典英雄史诗中的敌人形象则不再是那些妖魔鬼怪，具有历史人物的特征，其中心主题是爱国主义和英雄主义。[12]就区别于原始部落的社会形态而言，由伊朗各族群建立的前伊斯兰时代的三大王朝——阿契美尼德王朝（Hakhāmanishiyān / Achaemenid Empire，前550—前330）、安息王朝（Ashkāniyān，前247—约224）[13]和萨珊王朝（Sāsāniyān / Sassanid Empire，224—651），无疑均已具备统一王权治理广阔地域内多族群的帝国形态。伊斯兰征服二百年后，萨珊王朝贵族后裔建立萨曼王朝（Sāmāniyān / Samanid dynasty，892—999），[14]致力于复兴古代伊朗传统，[15]重塑伊朗文化认同，其中也包含重塑基于伊朗人世居之地的“伊朗人国家”认同的维度。波斯语伊朗民族史诗创作肇始于萨曼王朝，经伽色尼王朝（Ghaznaviyān / Ghaznavid Dynasty，962—1186）至塞尔柱王朝（Saljūqiyān / Seljuk dynasty，1037—1194）持续繁荣，其历史使命和功用便是辅助重塑伊朗人的文化和国家认同。成书于塞尔柱王朝时期的《库什王纪》的主角是被妖魔化的异族英雄，但一来他具有“人”的典型特征，二来他的事迹被当作“反面典型”讲述，用以反衬伊朗诸帝王与英雄的正面形象，突出的是伊朗人的爱国主义与英雄主义，使得这部史诗既与梅列金斯基提出的经典英雄史诗类别定义相吻合，又属贾森提出的英雄史诗类型下的伊朗民族史诗。

若以是否有口头传统起源为标准，史诗可再分为原生史诗（primary epic/folk epic，又称初型史诗、传统史诗或民间史诗）和文人史诗（literary epic）两大类。前者指经历漫长的民间口传阶段再由后人记录整理而定型，以及至今仍是口传活形态的史诗；后者指由文人直接书面创作而成的史诗。按此分类法，《库什王纪》乍看似属后者。然而，仔细考察《库什王纪》存世文本后可以发现，其文本定型必然经历

---

12 程金城：《〈英雄史诗的起源〉中译本序二》，第15—16页。

13 在《列王纪全集》中被译作“阿什康尼王朝”。英语作Arsacid Empire或Parthian Empire，即阿萨息斯王朝或帕提亚帝国。

14 许序雅：《中亚萨曼王朝史研究》（增订本），北京：商务印书馆，2017年，第16—18页。

15 张鸿年：《波斯文学史》，第36页。

了民间口传故事、散文体书面故事，以及诗人在散文体书面故事基础上再做加工并吟诵成诗这三个阶段，故而这部史诗不宜简单归入原生史诗或文人史诗之中的任何一类。以《列王纪》为代表的伊朗民族史诗大多与其情况类似。

作为一名中国的波斯文学研究者，笔者着重关注的是波斯语古典叙事文学里有关中国的内容。伊朗德黑兰大学历史学系古代交通史专家穆罕默德-巴盖尔·乌苏吉（Muḥammad-bāqir Vus̱ūqī）教授于2011—2012年在北京大学汉学基地做访问学者期间，曾多次建议笔者从事有关《库什王纪》的研究。作为历史学专业研究者的乌苏吉教授如此关注一部史诗，曾令笔者略感诧异。其实，《列王纪》等史诗类文献一直处于伊朗历史学者的学术视野中，这种伊朗史学研究观念与19世纪起源于德国，并得到中国现代史学界广泛响应的兰克史学观有很大不同。兰克（Leopold von Ranke）试图把历史学界定为一种独立的"严谨的科学"，尤其在研究对象材料中划定了一条清晰的界限——尽管他在强调求真的同时并不抛弃叙事，但主张把史学著作和文学作品区分开来。兰克史学相信史学家在历史研究与写作中可以不掺杂任何主观因素，做到绝对客观，通过对档案资料的考证与鉴别就可以再现真实的历史；其研究方法遵循对史料的收集、辨析、整理编排和导出结论这一模式化流程。随着20世纪中叶以后新史学的兴起，半个多世纪以前建立起来的史学、文学等学科之间的壁垒又被打破。海登·怀特（Hayden White）有言："随着19世纪历史学的科学化，历史编纂中大多数常用的方法假定，史学研究已经消解了它们与修辞性和文学性作品之间千余年来的联系"，但是"只要史学家继续使用基于日常经验的言说和写作，他们对于过去现象的表现以及对这些现象所做的思考就仍然会是'文学性的'，即'诗性的'和'修辞性的'"[16]。在强调历史著作的文学性和文学作品的历史性这一点上，伊朗史学研究的传统观念与当前的新历史主义和后现代历史编纂学主张恰有相通之处。按照新史学的主

16 海登·怀特：《中译本前言》，海登·怀特：《元史学：19世纪欧洲的历史想象》，陈新译，南京：译林出版社，2004年，第1页。

张，神话与传说也是关于某个人类族群历史的“真实”（truth）。由于史诗是神话与传说的重要语言文字载体，把史诗重新纳入史学研究视野就成了题中应有之义。要了解一个人类族群的历史，应该首先考察他们自己如何认知并叙述自己的过去。既然伊朗本国历史学者都把对本民族史诗作品的考察纳入其研究视野，阅读《库什王纪》对于那些愿意了解伊朗古代文化的外国研究者来说总会开卷有益。有鉴于此，笔者终于下定决心以《库什王纪》为文本对象进行研究，试图挖掘其所载伊朗古代文化和中西交通相关元素。当然，本研究的实质仍是对历史学研究成果有所借鉴的广义文学和文化研究。

本研究以《列王纪》载上古诸王世系构成的传说历史框架为时间参照系，以受伊朗古代地理观念影响的古典穆斯林地理学中的伊拉克学派著作为方位参照系，从伊朗传说中的诸王和英雄谱系、古代文化遗存以及历史地理信息等方面对《库什王纪》的内容进行多角度解读；在此基础上，结合伊斯兰时代初期其他一些伊朗民族史诗作品和穆斯林历史地理著作，本研究尝试对这部波斯语史诗中反映出来的古代伊朗人对世界的认知与想象加以总结和描绘，并勾勒出古代伊朗同中国之间的交通路线和古代伊朗社会集体意识里的中国形象，着力挖掘中古时期伊朗民族史诗在伊斯兰时代重构伊朗民族记忆的深层意义。

包括伊朗民族史诗在内的波斯语古典文学作品都承载着一部分古代伊朗人的集体记忆，它与记录古代伊朗信息的历史学、古典地理学、神学等不同领域著作之间必然存在相互影响、相互观照的种种联系。尤其在伊朗被阿拉伯大军征服并逐渐伊斯兰化的过程中，古代伊朗文明的直接记忆载体——巴列维语（Pahlavī）[17]文献大部分亡佚，于是用新兴的达里波斯语写成的伊朗民族史诗便具有重要文献价值，对这类文献的研究成为后人认知前伊斯兰时代和伊斯兰化过程中的伊朗文化的

17 术语巴列维语主要有两个指向：一为米底-帕提亚方言（Medo-Parthian dialects），又称北巴列维语；另一为萨珊时期的书面中古波斯语（literary Middle Persian），又称南巴列维语。参见Gilbert Lazard, “Darī,” in *EIr*, vol. 7, p. 34。本书中的巴列维语在不做特殊说明的情况下，均指萨珊王朝时期的书面中古波斯语，即南巴列维语；而中古波斯语出现得更早的另一个分支——北巴列维语，以帕提亚语来指称。

重要途径之一。从兰克史学观的角度来看，史诗难以作为史料利用，但在伊朗学界乃至近年来的西方学界，波斯语史诗还是被纳入历史与文化研究的视野，原因有三：其一，中古时期各类文献的编撰者有时并没有明确区分文学和史学著作的意识，很多著作兼具两方面性质，现当代研究者可在仔细辨析的前提下，从广泛的文字记录中提取史料。其二，在波斯文学传统中，诗歌地位远高于散文，很多自负诗才的文人更愿用诗歌体裁书写重大历史事件，可以说在伊朗存在一种特殊的"诗记史"文学传统，以至于诗歌体波斯语著作存世远多于散文体，因此在史料整理中完全忽视诗歌体文献是不可取的。其三，历史文献是对过往事件的书写，虽不同于有赖口头传统的集体记忆，但二者密切相关，相互影响；波斯语史诗多为口头传统与书面史料的集成编撰，可视作间接史料，对其进行研究有助于从多个视角探究多维度的历史真相。通过仔细考察，我们发现，《库什王纪》这部伊朗民族史诗记录的大量信息确实可以直接同很多古典历史地理著作所载内容相互印证。因此，《库什王纪》是一部具有文学、历史、地理、宗教等多方面价值的波斯语古代文献，是后人认识伊朗古代社会与文化的一个窗口，研究《库什王纪》具有多方面的意义。

首先，《库什王纪》格外值得中国学人研究。《库什王纪》的主角在作品中有"中国首领"（sālār-i Chīn）和"中国王"（shāh-i Chīn、shāh-i Chīn va Māchīn）等称号，这部史诗也曾在行文中自称为"中国王的故事"（dāstān az shāh-i Chīn）。[18]由中国研究者基于自身文化背景来解读这部波斯语"中国王的故事"，无疑是《库什王纪》研究中不可或缺的一个视角。

其次，随着对《库什王纪》的深入考察，我们发现其叙事者的视角不同于绝大多数其他伊朗民族史诗。《库什王纪》以同伊朗族群为敌的异族统帅为主角，这令它成为伊朗民族史诗中独具特色的一部。同时，《库什王纪》展现出较多上古伊朗人集体记忆中的苦难片段，以保存伊

18 关于波斯语地理专名Chīn和Māchīn的具体辨析后文有详述。本书中，在需要突出其中国相关地域的含义指向时，将其均译为"中国"；在有必要作细致辨析时，分别对音译作"秦"与"马秦"。

朗口传故事中的另类素材，凸显出其独特价值。

再次，研究一个民族的史诗作品，对于了解该民族的文学根基及其初民的社会状态均具有重大意义，还能帮助我们认识该民族文学长河中涌现出来的各种现象，且有助于理解其动态国民性。对《库什王纪》的研究有助于提升我们对伊朗文化的认知程度，增进我们对伊朗史诗和文学传统的了解。更好地了解其他民族的文学与文化，对培养我们认知他者、欣赏他者的能力无疑也会起到潜移默化的积极作用。在当今全球化进程曲折前行的时代，自觉维护文化多样性是人类文明面临的重要课题，需要避免党同伐异的机械二元对立思维模式。笔者希望对《库什王纪》的研究能够帮助我们加深对伊朗文化的认识，更好地接纳世界文化的多元性。

最后，近年来，国内学界愈加重视对西域神话与传说的研究，关注丝绸之路在文化交流与传播方面的价值，伊朗民族史诗《库什王纪》堪作研究此类问题的域外参照物。在漫长的农业文明时代，中国和伊朗两大文明都曾为人类文明的交流与发展做出重大贡献。地处丝绸之路中段的伊朗在促进欧亚大陆东西部之间的物质和文化交流起到重要作用，并且在相当长的历史时期里，与中国保持着密切的联系。然而在信息时代的当下，双方民众相互了解的程度似乎反不及技术水平相对低下的中古时期——今日的伊朗人不甚了解中国，中国人也视伊朗为陌生异域，国人大多甚至未能辨别伊朗人与阿拉伯人。通过对《库什王纪》这样的伊朗民族史诗中大量有关中国的内容进行梳理和研究，中国人会发现中古时期的伊朗人曾相当关注中国，伊朗人也会看到中国人对其传统文化的兴趣以及对其展开研究的努力：一方面有助于提升当今两国民众相互的认知度，另一方面也会对探索古代欧亚大陆上跨地域、跨族群的人类大范围物质与文化交流的研究工作起到一点添砖加瓦的作用。

二、相关研究的历史与现状

对《库什王纪》的介绍最早见于由佚名作者编纂于伊斯兰教历

520年(1126)的《历史与故事辑要》(*Mujmal al-tawārīkh wa-al-qiṣaṣ*)一书,对《库什王纪》的研究也始自对《历史与故事辑要》的研究。1843年,儒勒·莫尔(Jules Mohl,或Julius von Mohl)将巴黎本《历史与故事辑要》的第八、九、十章翻译为法语并发表在《亚洲学报》(*Journal Asiatique*)上,他提到了《巴赫曼王纪》(*Bahmannāma*)的吟诵者,也就是《库什王纪》作者的名字。[19]

约瑟夫·亚瑟·戈比诺(Joseph Arthur Gobineau)[20]在其出版于1869年的《波斯人的历史》(*Histoire Des Perses*)一书中,提到《库什王纪》作者的有关信息以及该书的故事梗概,并就其主角——象牙库什(Kūsh-i Pīl-dandān)的形象来源做了论述。《库什王纪》抄本的目录曾被戈比诺简要介绍在《亚洲杂文集》第六卷(*Mélanges Asiatiques*, vol. ⅵ, p. 404),也曾被其相对详细地刊载于英国文学期刊*Athenæum*(May 31, 1884)。[21]戈比诺是最早较为深入地研究《库什王纪》的学者,因为《库什王纪》的孤本抄本原属他的私人收藏,是包括阿萨迪·图西(Asadī Ṭūsī, 1010—1072)的《戈尔沙斯帕传》(*Garshāsbnāma*)[22]、艾哈迈德·大不里齐(Aḥmad Tabrīzī)的《诸王之王纪》(*Shāhanshāhnāma*),以及出自同一诗人之手的《巴赫曼王纪》与《库什王纪》在内共四部诗作抄本总集的一部分。这部抄本总集后来被移交给大英博物馆(British Museum)并保存在其图书馆中。随着该图书馆自大英博物馆剥离,并与其他数家图书馆重组为大英图书馆(British Library),该抄

---

19 Jalāl Matīnī, "Muqaddama" (《导言》), in Īrānshān ibn Abī al-Khayr, *Kūshnāma* (《库什王纪》), ed. Jalāl Matīnī, Tehran: ʿIlmī, 1998 (SH 1377), pp. 26—27。伊朗出版的参考文献年份信息在原始文献上皆显示为伊朗太阳历(hijrī-yi shamsī, 即Solar Hegira)纪年,为与全文其他语种参考文献信息统一格式,在本书中皆换算成公元纪年。伊朗历与公元纪年每年的天数相同而元旦不同,因此本书所及波斯语文献出版年份信息中,伊朗历纪年置于经换算的公历纪年后面的括号内备查。SH即Solar Hegira的缩写。

20 即法国学者戈比诺伯爵(Le Comte De Gobineau, 1816—1882),曾鼓吹种族主义合法化以及"雅利安人种优越论"。

21 Charles Rieu, *Supplement to the Catalogue of the Persian Manuscripts in the British Museum*, London: The British Museum, 1895, pp. 136—137.

22 或作*Karshāspnāma*、*Garshāspnāma*。

本总集最终归入大英图书馆的馆藏中。[23]出版于1895年的《大英博物馆藏波斯语抄本目录补编》(*Supplement to the Catalogue of the Persian Manuscripts in the British Museum*)把戈比诺移交的抄本总集整理在内，编号为Or. 2780。编纂者夏勒·里乌(Charles Rieu)对此抄本中的《戈尔沙斯帕传》《诸王之王纪》《巴赫曼王纪》和《库什王纪》分别做了简要介绍，他在介绍《库什王纪》时指出，象牙库什的征战业绩遍及从中国(China)到马格里布(Maghrib)的整个已知世界。[24]

诗王巴哈尔(Malik al-Shuʿarā᾽ Bahār, 即Muḥammad Taqī Bahār, 1886—1951)[25]校注的《历史与故事辑要》于1939年出版。在该书提到《库什王纪》作者的名字时，巴哈尔在注释中提出不同于此前西方学者们的观点，[26]对这个问题在伊朗学界的研究产生深远的影响。萨法在其出版于1954年的专著《伊朗史诗创作》(*Ḥamāsa-sarāyī dar Īrān*)一书中，根据在《历史与故事辑要》和戈比诺的《波斯人的历史》中看到的内容，以四页篇幅对《库什王纪》做了介绍。[27]自20世纪70年代起，不止一位学者致力于《库什王纪》的校注工作，包括伊朗马什哈德菲尔多西大学(Ferdowsi University of Mashhad)的古兰姆–侯赛因·尤素菲(Ghulām-Ḥusayn Yūsufī)教授、先后任教于马什哈德菲尔多西大学和美国加州大学伯克利分校(UC Berkeley)的贾拉尔·马提尼(Jalāl

---

23 Matīnī, “Muqaddama,” pp. 45—46.

24 Rieu, *Supplement to the Catalogue of the Persian Manuscripts in the British Museum*, p. 136.

25 在波斯文学史上，自伽色尼王朝苏丹马赫穆德(Sulṭān Maḥmūd Ghaznavī, 999—1030年在位)敕封其宫廷诗人昂萨里(ʿUnṣurī Balkhī, 961—1039/1040)为“诗人之王”(Malik al-Shuʿarā᾽)始，历代王朝敕封当时最杰出的宫廷诗人为“诗王”便成了传统。恺加王朝(Qājāriyān / Qajar dynasty, 1796—1925)穆扎法尔丁沙赫(Muẓaffar al-Dīn Shāh Qājār, 1896—1907年在位)敕封巴哈尔为诗王，使其成为波斯文学史上最后一位诗王，因此他常被称作“诗王巴哈尔”(Malik al-Shuʿarā᾽ Bahār)。在其出版书籍的编者或著者署名中，Malik al-Shuʿarā᾽ Bahār及其本名Muḥammad Taqī Bahār二者都很常见。本书中的“巴哈尔”或“诗王巴哈尔”均指Muḥammad Taqī Bahār；在提及另一位名为梅赫尔达德·巴哈尔(Mihrdād Bahār)的著名学者时，一律使用其全名。

26 Malik al-Shuʿarā᾽ Bahār (ed.), *Mujmal al-tawārīkh wa-al-qiṣaṣ* (《历史与故事辑要》), Tehrān: Chāpkhāna-yi Khāvar, 1939 (SH 1318), pp. 92—93, note 4.

27 Ẕabīḥ Allāh Ṣafā, *Ḥamāsa-sarāyī dar Īrān* (《伊朗史诗创作》), Tehran: Amīr Kabīr, 1954 (SH 1333), pp. 296—300.

Matīnī）教授、奥地利科学院伊朗学研究所的努斯拉图拉·拉斯特伽尔（Nuṣrat-Allāh Rastigār）研究员等人。最终完成全部校勘工作并使之于1998年在伊朗出版的是马提尼。此外，对《库什王纪》有所研究的著名学者还包括伊朗史诗研究专家、《列王纪》当前最完整本的校注者、德国汉堡大学（Universität Hamburg）的贾拉尔·哈立吉–穆特拉格（Jalāl Khāliqī-Muṭlaq）教授，美国加州大学洛杉矶分校（UCLA）的马赫穆德·欧米德–萨拉尔（Maḥmūd Umīd-Sālār）教授。上述研究者中，尤素菲是伊朗学者，马提尼、拉斯特伽尔、哈立吉–穆特拉格和欧米德–萨拉尔等其余几人也均为旅居海外的伊朗裔学者。

马提尼从事《库什王纪》的校勘和注释工作期间，自20世纪80年代中期起，至《库什王纪》校勘本出版的1998年，陆续发表十余篇有关《库什王纪》研究的学术论文。[28]《库什王纪》校勘本面世之后，马提尼又撰有数篇学术论文探讨关于这部史诗的问题。与此同时，其他一些伊朗的史诗研究者迄今也陆续发表了数十篇有关《库什王纪》研究的论文。这些学术论文大致可分为三类，以下略做概要评述。

第一类是专门研究《库什王纪》内部问题的文章，其主题涵盖《库什王纪》的文本校勘、诗中人名与地名信息考证，以及故事情节分析与解读等。这类论文中有多篇为马提尼发表于《库什王纪》校勘本出版以前，属应用新材料和开拓新领域的研究，行文逻辑也往往比较简单。如马提尼在1985年初发表的《库什与象耳库什：父与子的战斗》（"Kūsh va Kūsh-i Pīlgūsh: Nabard-i pidar va pisar"）一文，他在文中首次把《库什王纪》中库什（Kūsh）弃子、父子对阵疆场，以及象耳库什归顺生父这段传奇故事全面地展现在当代人面前。[29]此文发表于马提尼对《库什王纪》抄本的校勘工作开始后不久，因此仅满足于对这一新发现的故事加以介绍，而没有做更深入的论述。

第二类是将《库什王纪》的内容与《列王纪》等其他伊朗民族史诗乃至史料文献相互参照讨论的文章。这类论文大多把伊朗史诗作品

---

28 本节以下述及有关论文，若仅是简单提及而非引述其观点，发表信息均见书后"参考文献"。

29 Jalāl Matīnī, "Kūsh va Kūsh-i Pīlgūsh: Nabard-i pidar va pisar"（《库什与象耳库什：父与子的战斗》）, *Īrānnāma*（《伊朗学报》）10, no. 4 (1985 [SH Zimistān 1363]): 290—300.

中的某些神话传说、古代文书篇章、传统文化元素的传承等作为研究对象，涉及伊朗文化传统的口传故事、书面记述，以及实物等各个方面，以对《库什王纪》和《列王纪》两部史诗中的相关内容做比较研究为主，辅以对其他伊朗民族史诗和史料文献中相关内容的讨论，马提尼也撰有多篇此类论文。

第三类是在探讨伊朗史诗文学或伊朗古代文化有关问题时涉及《库什王纪》的文章，主题大多是对某种伊朗古代风俗或传统文化现象的研究，就其象征性意义进行分析和阐释。这类文章在行文中常涉及多部伊朗史诗和大量其他古代文献，《库什王纪》是其众多材料来源之一，其中的有关内容被用作支持论文主题和辅助论述的论据。

这些与《库什王纪》相关的研究性论文有一个共性，即作者往往着眼于一个具体而微小的主题，但在论述的过程中，尽可能地引入大量各领域古代文献作为参照。这种回到文史同源的思路上，把史诗研究从纯粹的文学研究领域带入跨文化、跨学科的广阔研究领域的实践在伊朗学界是一种常态，上文提到的几位伊朗史诗研究专家同时也都是著名的伊朗传统文化学者。伊朗中古时期的史诗与历史著作有太多共同源头和共通之处，为上述伊朗文化研究传统得以形成的独特土壤和客观条件；而在丰富的民间、文人、史家乃至思想家的创作中找寻相通之处，进而发掘和弘扬传统文化，对世界上其他古代文明和传统文化的研究者来说，也有值得借鉴之处。

近年来，研究领域涉及中西交通史的伊朗历史学学者也对《库什王纪》有所关注，乌苏吉的论文《13—16世纪穆斯林天文学文献中新罗的地理位置》（“Geographical Location of Sillā in Muslim Astronomical Literature of the Thirteen to Sixteen Centuries CE”）便利用到该史诗内容。

有必要提及的是，马提尼发表于《库什王纪》的校勘和注释工作完成之前的多篇论文中的部分内容和观点，后来被其整合在正式出版的《库什王纪》校勘本的《导言》中。这篇《导言》长达一百多页，是目前已公开发表的有关《库什王纪》研究最有分量的成果。该文分为三大部分，分别是：A. 诗人与诗作，包括诗人的名字、诗人的宗教信仰、诗作英雄(主角)的名字、诗作的名称、诗作创作的历史背景和被诗人赞颂之人(其生活时代的塞尔柱王朝君主)、对《库什王纪》抄本的介绍和诗作情节梗概等内容;B.《库什王纪》的语法特点,作者在这部分从文学与文献风格的角度,对诗作中各种词性的词汇及其用法分门别类地作了举例分析,还总结了《库什王纪》中出现的同义词替换、旁注法、节略与重复法等修辞上的语法特点;C.关于《库什王纪》的诗作,包括《库什王纪》与菲尔多西《列王纪》的文本间关系、《库什王纪》与马斯乌迪(Masʿūdī Marvazī,10世纪初伊朗诗人)著《王书》(*Shāhnāma*)的关系、诗作年代久远的标志、诗作的格律韵律和诗作的文学技巧等几方面内容。[30]该《导言》涉及《库什王纪》研究的方方面面,是一篇综合性的研究文章。在对《库什王纪》与《列王纪》做比较研究的部分,马提尼主要从诗作语言的角度做出讨论,没有过多涉及他在其他多篇学术论文中对两者情节做具体比对的内容。

整体而言,《库什王纪》研究在伊朗学界已有一定积累,但成果主要以点状分布的期刊论文形式呈现,尚无深入挖掘这部史诗多方面价值的综合性专著问世。而其他国家学者对《库什王纪》的研究尚处于起步阶段。

因《库什王纪》是已知唯一载有古代朝鲜半岛信息的波斯语史诗,韩国学界对其颇为重视。自2009年起,李熙秀(Lee Hee Soo,韩国汉阳大学中东研究和文化人类学教授)与大流士·阿克巴尔扎德(Dayroosh Akbarzadeh,伊朗国家博物馆前馆长,现任伊朗文化遗产组织研究员)合作,使《库什王纪》的韩语节译本(副标题为"波斯王子与新罗公主的千年爱情")于2014年在韩国出版。李熙秀及其团队也就《库什王纪》展开古代朝鲜半岛与伊斯兰世界交流史有关研究,李熙秀所撰学术论文《根据对巴希拉的描述评价作为史料来源的〈库什王纪〉》("Evaluation of *Kūshnāma* as a Historical Source in Regard to Descriptions of Basīlā"),以及阿克巴尔扎德发表的《创始人新罗或王国新罗:根据〈库什王纪〉和遴选的阿拉伯-波斯语文献》("Silla the founder or

---

30 Matīnī, "Muqaddama," pp. 25—141.

Silla the Kingdom: According to *Kūš-nāmeh* and selected Arabo-Persian Texts”）等数篇论文，均属此类研究成果。

在美国，除上文所及几位前辈伊朗裔学者，近年来也有年轻学者注意到《库什王纪》的文学与文献价值，并就其内容开展研究。2019年的“大湖区阿迪班学术研讨会”（Great Lakes Adiban Workshop 2019）[31]于印第安纳大学伯明顿校区（Indiana University Bloomington）召开，班尼迪克大学（Benedictine University）助理教授卡维·赫马特（Kaveh Hemmat）和芝加哥大学（University of Chicago）博士候选人亚历珊德拉·霍夫曼（Alexandra Hoffmann）都提交了有关《库什王纪》研究的论文。卡维·赫马特与李熙秀研究团队亦有长期合作，当前他还正在做《库什王纪》全本英译。

在国内学界，《库什王纪》为中西交通史、波斯文学和伊朗史诗诸领域的研究者所关注是近十年来的事情。笔者于数年前完成《库什王纪》的全文初草汉译，是本研究的重要基础。目前译稿还在修订、打磨中，希望在这本小书面世之后，亦可与读者见面。笔者曾以该史诗为研究对象完成博士学位论文，今在其基础上增删补缀，呈于读者面前，聊作抛砖引玉之举。亦愿踵张鸿年先生翻译、研究《列王纪》之故事，为伊朗史诗在我国的研究略尽绵薄之力。

三、研究方法与文献参照系

1. 研究方法与运用思路

本书采用的基本研究方法是研究外国文学的传统方法之一——文本翻译与解读。在此基础上，本研究以比较文学主张“互为主体，互为参照系”的跨文化研究思想为指导，综合应用多种具体研究方法，包括但不限于：

通过广泛搜集和整理与首要对象文本成书年代相近的伊朗民族史

31 Adiban为波斯语词，意为“文人们”，波斯语文献和伊朗文化是该研讨会的主要议题。

诗和穆斯林史地著作中的有关记录，辅以汉语史料作为参照，对《库什王纪》提供的历史、地理、宗教、古代族群等多方信息作初步辨析，考察这部史诗成书的历史语境。

借助比较文学平行研究和影响研究法，厘清波斯语史诗类文献内部及其与穆斯林史地著作之间的相互影响与映射关系；同时通过对《库什王纪》与《列王纪》做比较研究，梳理对象文本中主要英雄角色的家族世系，明确《库什王纪》叙事情节在伊朗古代传说的历史框架中所处的位置，阐释伊朗民族史诗在传承伊朗古代文化传统上发挥的重大作用。

进一步采取交叉学科研究法——重点引入集体记忆理论，并借鉴古典历史地理学、比较文学形象学和文学人类学等多学科研究方法，比对出史诗与传统史料所载既相通又有所不同之处，确定可互证的部分，再探寻史诗所载堪作对传统史料有所补充和生发的信息，以此探讨在文学史和中西交通史维度上与《库什王纪》相关的多个值得重点关注的问题。

除《绪论》和全书结语性质的第八章外，本书主体部分分为七章。前三章主要通过对广泛文献的收集与分析，同时应用传统的文学史研究方法以及比较文学平行研究和影响研究法，再结合集体记忆理论，对伊朗史诗文献传统背景下的《库什王纪》做出整体性研究，重点在以下三个方面：其一，厘清《库什王纪》创作的时代背景、作者生平、情节概述及其独特的文献价值等几个要点问题。其二，将《库什王纪》同《列王纪》作比较研究，阐明几部重要的伊朗民族史诗共同起到重述“民间历史”，重构伊朗民族记忆的作用。其三，揭示这部史诗的叙事所涵盖的不同历史时段的古代伊朗人与其周边族群互动的历史记忆，通过将多重异族军事首领身份集成于其“箭垛式”主角一身，由重塑他者而实现辨识自我——在伊斯兰时代维护伊朗祖先、历史和文化认同——的目的。

第四章到第六章着重将《库什王纪》提供的地理信息放入穆斯林所著史地文献的参照系中，对古代伊朗人的人文地理观和世界观，以及中西交通相关的几个专题做出探究。要点包括：其一，呈现《库什王纪》描绘的古代文明世界大图景，并探讨古代伊朗人集体意识中的“天下观”。其二，讨论该史诗重要的叙事场景设定——秦（Chīn）、马秦（Māchīn）、巴希拉（B.sīlā）[32]，即古代中国与朝鲜半岛，指出史诗作者在前伊斯兰时代伊朗传说的框架内糅合伊朗人在伊斯兰时代所获地理新知，其对东方诸国的描述，是伊朗人经由长距离东西交通所获取的地理信息在该族群集体记忆中的投影。其三，通过讨论《库什王纪》叙事中有关古代伊朗与东亚之交通的几个专题，挖掘该史诗承载的文化交流意义——《库什王纪》所载伊朗与东亚多条交通路线均显示出商路的性质，这与古代亚欧大陆上的大范围物质与文化交流密切相关；该史诗载贾姆希德后裔流亡故事亦可在穆斯林所撰历史著作和汉语史料所记萨珊王子卑路斯与泥涅师（师）流亡在中亚和唐代中国的史事中找到原型；《库什王纪》载有关“骏马出于水”的叙事亦为丝路文化传播的佳例，通过耙梳此类记述在古代亚洲诸地的分布状况，可探寻类似记述之间相互影响的可能性和主要母题的流传轨迹。

第七章专门从比较文学形象学的视角讨论《库什王纪》里的“中国形象”，进而将其放在波斯语古典叙事文学语境中做出考察——清理出多种中国形象的大致轮廓，再按时间线排列起来，对中国形象在波斯语古典叙事文学里的演变做出探讨，反窥古代伊朗人看待东方他者心态的变化。

2. 文献参照系概述

基于以上研究方法和思路，本书采用多种类别文献作为研究《库什王纪》的参照系，择其要者于此加以概述。[33]

首先是与《库什王纪》文本关系最为密切的其同类伊朗民族史诗作品，主要有菲尔多西的《列王纪》、阿萨迪·图西的《戈尔沙斯帕

32　该地名原文第一个字母所带元音尚未确定，转写中暂以“.”标示。本书所及其他专名中的同类情况均按此方式处理。

33　本小标题项下所及文献出版信息，除个别在概述中即须引注之外，其余均见书后专附“参考文献”。

传》、伊本·阿比·黑尔的《巴赫曼王纪》等。

《列王纪》叙事上起创世之初，下迄萨珊王朝覆亡，同时还采纳大量东伊朗地区的勇士传说，实为研究任何其他伊朗民族史诗的天然参照系。受学界高度评价的《列王纪》儒勒·莫尔校勘本和莫斯科抄本校勘本，在过去数十年间都已在伊朗出版且多次印刷。自20世纪80年代起，哈立吉-穆特拉格以发现于1977年的《列王纪》佛罗伦萨抄本（抄写于1217年）[34]为底本，历时二十余年编订了该史诗新的勘本。除一般性的校勘和注释以外，他还结合多个其他版本，作有大量研究性和评论性注释。这部集迄今为止最完整的原文和最详尽的注释于一体的《列王纪》勘本，自1988年至2008年逐册出版完毕，计有正文8卷和注释4卷。俄亥俄州立大学哥伦布分校（The Ohio State University at Columbus）荣休教授迪克·戴维斯（Dick Davis）认为，这是“迄今为止最好的《列王纪》版本，而且无疑在相当长的时间里都会是这样”。[35]张鸿年与宋丕方合译的《列王纪》中文全译本先后作6卷本和8卷本收入2001年湖南文艺出版社“波斯经典文库”和2019年商务印书馆“汉译波斯经典文库”。

《戈尔沙斯帕传》恰成书于《列王纪》和《库什王纪》之间，三者次第间隔数十载，且其叙事的传说历史时段与《库什王纪》大体相同——主要都在贾姆希德（Jamshīd）、佐哈克（Żaḥḥāk）、法里东（Farīdūn/Firaydūn）[36]三位上古君王统治时期。在伊朗民族史诗范畴内，《戈尔沙斯帕传》的著名程度仅次于《列王纪》，迄今已有多个勘本在伊朗出版。《巴赫曼王纪》与《库什王纪》出自同一诗人之手，内有关于诗人和

34 虽然伊朗的很多重要图书馆和抄本收藏在蒙古人入侵后被摧毁，但该抄本抄写于蒙古人入侵之前，是现存抄写年代最早的《列王纪》抄本之一。

35 Dick Davis, “Reviews: Abu’l-Qasem Ferdowsi, *The Shahnameh*, vol. 3, edited by Djalal Khaleghi-Motlagh,” *International Journal of Middle East Studies* 27, no. 3 (1995): 395.

36 此处转写据《穆因大词典》，巴列维语作 frētōn，阿维斯塔语作 θraētaona。参见 *FFM*, vol. 6, p. 1360。在现今的波斯语中，除少数几位伊朗的《列王纪》研究专家倾向于读作 Farīdūn 以外，Firaydūn 是大众的普遍读法。《德胡达大辞典》另有标音作 Firīdūn。参见 *LND*, vol. 11, p. 17140。法里东之名在波斯语文献中又有 Afrīdūn、Āfarīdūn 等其他写法和读音。本书以下按《穆因大词典》的首选标音和《列王纪》研究专家的倾向，记其名作 Farīdūn。

《库什王纪》的宝贵一手资料,已有勘本于1991年在伊朗出版。

伊朗民族史诗内容涉及前伊斯兰时代的伊朗文化传统,因而出自琐罗亚斯德教(Zoroastrianism)文献传统的《阿维斯塔》(*Avistā / Avesta*)、《本达赫什》(*Bundahishn / Bundahish*)、《丁卡尔特》(*Dīnkard / Dīnkart*)等是本研究用到的另一类参考文献。《阿维斯塔》是琐罗亚斯德教经典,仅余残篇,传世篇幅仍有八万余词。《本达赫什》又译《班达希申》,意为"创世纪",另名《〈赞德〉通解》(*Zand Āgāhī*),是对经典《阿维斯塔》和经注《赞德》(*Zand*)[37]部分内容的解释翻译(interpretation),内容并不限于创世神话。《丁卡尔特》意为"宗教之行为",是百科全书式琐罗亚斯德教文献汇编。《阿维斯塔》原以阿维斯塔语(Avestan)写成,曾于阿契美尼德王朝与萨珊王朝时期官修编纂书面定型;《本达赫什》和《丁卡尔特》为伊斯兰时代的琐罗亚斯德教祭司以巴列维语编撰而成。幸而此类著作近现代以来均由伊朗和西方学者做出整理,且有波斯语、英语等文字的译本,《阿维斯塔》更有元文琪自波斯语文本所作汉译。

古典穆斯林史地著作同波斯语伊朗民族史诗有紧密的相互影响与映射的文本关系,故而这类著作亦为本研究中最重要的文献参照系。本书重点引征的穆斯林历史著作主要包括如下几部:

《雅古比历史》(*Tārīkh-i Yaʿqūbī*),成书于伊斯兰教历3世纪,即约公元9世纪,大约是最早的穆斯林所著关于整个古代已知世界的历史著作,其中亦载有大量地理信息。其作者雅古比[38](Aḥmad ibn Abī Yaʿqūb Yaʿqūbī, ? —897/898)长期居住于传统伊朗地域,且曾效力于东伊朗地区的塔希尔王朝(Ṭāhiriyān / Tahirid dynasty, 821—873),因而其书中的地理内容深受古代伊朗地理学传统影响。

《泰伯里历史》(*Tārīkh-i Ṭabarī*),即伊朗裔穆斯林历史学家伊本·贾里尔·泰伯里(Ibn Jarīr al-Ṭabarī, 839—923)用阿拉伯语所著伊斯兰世界通史巨著《历代先知和帝王史》(*Tarīkh al-rusul wa-al-mulūk*),

37 《赞德》为《阿维斯塔》的巴列维语翻译及注释。

38 另有汉译作雅库比、叶尔孤比等。

所载历史上起创世，下迄著者生活年代，篇幅巨大，内容丰富。因泰伯里谙熟前伊斯兰时代伊朗文献典籍，书中所载大量关于伊朗人传说的详尽叙事与史诗《列王纪》内容相呼应，堪为考察伊朗民族史诗的最重要史籍之一。此书有波斯语和英语全译本便于参阅。

《黄金草原和珠玑宝藏》(*Murūj al-ẕahab wa-maʻādin al-jawhar*)，阿拉伯历史学家与地理学家马苏第[39](Ibn ʻAlī al-Masʻūdī，896—957)所著。书中载有古代阿拉伯人对世界各族群历史的丰富认知，同时录有大量古代伊朗传说。该书也堪称地理巨著，其对世界地理状况的描述同样深受古代伊朗地理学传统影响。此书原著为阿拉伯语文本，有波斯语全译本，亦有耿昇译自法语译本的汉译本，汉译书名略称为《黄金草原》。

《巴尔阿密历史》(*Tārīkh-i Balʻamī*)，为萨曼王朝阿卜杜马利克一世(ʻAbd-Malik I，954—961年在位)和曼苏尔一世(Manṣūr I，961—976年在位)的维齐尔(vazīr)[40]巴尔阿密(Abū ʻAlī ibn Muḥammad ibn Muḥammad ibn ʻAbd-Allāh Balʻamī，？—974)对《泰伯里历史》整体缩略、局部增补的比较自由的波斯语翻译，被视为首部集大成的达里波斯语历史著作，其所载与《列王纪》等波斯语史诗内容大量相合。

《历史与故事辑要》(*Mujmal al-tawārīkh wa-al-qiṣaṣ*)，由塞尔柱王朝佚名作者以波斯语编纂于1126年，成书年代与《库什王纪》最为接近，且其中有相对较多的内容似直接撷取自这部史诗。

《选史》(*Tārīkh-i guzīda*)，由伊利汗王朝(Īlkhāniyān / Ilkhanate，1253—1355)时期著名历史学家哈姆杜拉·穆斯陶菲·可疾维尼[41](Ḥamd Allāh Mustawfī Qazvīnī，1281—1349)著于1334年，记载历史下迄1330年，实为一部纲要式简明通史著作，但其对前伊斯兰时代伊朗

39 《黄金草原》汉译本将作者名音译为“马苏第”，即在《道里邦国志》汉译本《前言》中被称为“马斯欧迪”的阿拉伯地理学家，此外其名还有“麦斯欧迪”“马斯乌迪”等汉译。

40 萨曼王朝到塞尔柱王朝时期的维齐尔即首席大臣，或曰首相。从职权和地位来说，相当于之前由伊朗贵族主政的阿拉伯帝国的阿拔斯王朝，以及后世奥斯曼、萨法维、莫卧儿三大伊斯兰帝国时曾设的大维齐尔(vazīr-i aʻẓam)。

41 又译卡兹维尼或加兹维尼，亦为长约75 000联的波斯语历史史诗《胜利之书》(*Ẓafarnāma*)，以及蒙古时代的波斯语地理志《心之喜悦》(*Nuzhat al-qulūb*)的作者。

传说中的历史也有较好的整理和编录。

为本书用作地理参照系的古典穆斯林地理著作主要包括：

《道里邦国志》(*Al-masālik wa-al-mamālik*)，为伊朗裔穆斯林地理学家伊本·胡尔达兹比赫(Ibn Khurdādbih[42]，820—912)所著，是阿拉伯语古典地理学著作的代表，也深受古代伊朗地理学传统的影响。德·胡耶(M. J. De Goeje)据法国皇家文库所藏抄本完成校订的刊本(1889年出版于莱顿)，被学界普遍认为是更优版本，宋岘汉译本即译自该版本。

《省道志》(*Masālik al-Mamālik*)，为地理学家伊斯塔赫里(Abū Isḥaq Ibrāhīm Iṣṭakhrī，?—957)于10世纪所著，原书为阿拉伯语文本。在《伊斯兰大百科》(*The Encyclopaedia of Islam*)和《伊朗学大百科》(*Encyclopaedia Iranica*)等工具书中，书名也被记作*Al-masālik wa-al-mamālik*。该著作自古已有波斯语译本，据伊拉治·阿夫沙尔(Īraj Afshār)推测，可能由察合台汗国君主下令自阿拉伯语翻译为波斯语。[43]阿夫沙尔在1961年和1994年两次校勘出版过该波斯语译本，为区别这两个版本，他将书名分别定为*Masālik va mamālik*和*Mamālik va masālik*。[44]按1927年在莱顿出版的德·胡耶校勘本的阿拉伯语书名*Masālik al-mamālik*，[45]将其汉译作《省道志》，也有区别于《道里邦国志》之译名的意图。故此，本书提及穆斯林史地著作汉译名时，均无须赘述其作者，即可区分清楚。

《世界境域志》(*Ḥudūd al-ʿālam: Mīn al-mashriq ilā al-maghrib*)，由佚名学者以波斯语写就，编撰完成于伊斯兰教历372年(982/983)。目

---

42 早期波斯语中有Dāl和Ẕāl两字母互通的现象，因而其名又作Ibn Khurdāẕbih，阿拉伯语转写作Ibn Khurdādhbih。

43 Īraj Afshār, "Guzārish" (《前言》), in Abū Isḥaq Ibrāhīm Iṣṭakhrī, *Mamālik va masālik* (《省道志》), trans. Muḥammad ibn Asʿad ibn ʿAbd Allāh Tustarī, ed. Īraj Afshār, Tehran: Bunyād-i Mawqūfāt-i Duktur-i Muḥammad Afshār, 1994 (SH 1373), p. 18.

44 Abū Isḥaq Ibrāhīm Iṣṭakhrī, *Masālik va mamālik* (《省道志》), ed. Īraj Afshār, Tehran: Bungāh-i Tarjuma va Nashr-i Kitāb, 1961 (SH 1340). Abū Isḥaq Ibrāhīm Iṣṭakhrī, *Mamālik va masālik* (《省道志》), trans. Muḥammad ibn Asʿad ibn ʿAbd Allāh Tustarī, ed. Īraj Afshār, Tehran: Bunyād-i Mawqūfāt-i Duktur-i Muḥammad Afshār, 1994 (SH 1373).

45 M. J. De Goeje (ed.), *Bibliotheca Geographorum Arabicorum: Viae Regnorum Auctore Abu Ishāk al-Fārisī al-Istakhrī*, Leiden: Brill, 1927.

前仅知作者应是中亚地区的居民，该书抄本于19世纪在布哈拉被发现，而书中对中亚诸地包括各城镇的描述也相对详细。伊朗学者苏托德（Manūchihr Sutūda）校勘的波斯语文本于1983年出版，米诺尔斯基（V. Minorsky）英译的《世界境域志》于更早的1937年出版，其中有体量超过原文的大量研究性注释，是极具学术价值的资料。此书有王治来译自米诺尔斯基英译的汉译本，但注释被大幅缩略。

《世界志》(*Jahānnāma*)，由纳吉布·巴克兰（Najīb Bakrān）用波斯语撰写，完成于伊斯兰教历605年（1208/1209）。全书篇幅不长，却是较早为东亚地区——包括古代中国北方和南方、朝鲜半岛，甚至日本列岛——勾勒出较清晰轮廓的穆斯林地理著作。

其他一些穆斯林地理著作也对本研究有重要参考作用，如比鲁尼（Abū Rayḥān Bīrūnī, 973—1048）著《占星学入门解答》(*Al-Tafhīm li-ʾavāʾil ṣināʿat al-tanjīm*，阿拉伯语文本和波斯语文本)，马卫集（Sharaf al-Zamān Ṭāhir Marvazī）于约1120年编撰完成的《动物之自然属性》(*Ṭabāʾiʿ al-ḥayawān*，阿拉伯语文本，简称《马卫集书》)，雅库特（Yāqūt ibn ʿAbd Allāh Ḥamawī, 1179—1229）于1124年编撰完成的《地理词典》(*Muʿjam al-buldān*)，阿布·菲达（Abū al-Fidāʾ, 1273—1331）于伊斯兰教历721年（1321）撰写完成的《地理志》(*Taqwīm al-buldān*，阿拉伯语文本)，穆斯陶菲·可疾维尼所撰波斯语文本《心之喜悦》(*Nuzhat al-qulūb*)，佚名作者于伊斯兰教历748年（1347/1348）所撰《七地区或诸气候带之面貌》(*Haft kishvar yā Ṣuvar al-aqālīm*，波斯语文本)[46]等，此不逐一展开详述。

此外，穆斯林古典著作中另有一类注重博采奇闻轶事的“奇闻录”文献，同时还兼具地理志与博物志的性质。此类奇闻录有的被或零散、或专章收录于史地著作中，有的单独成书，也颇具文学、地理、历史

46 伊朗在伊利汗王朝崩溃后至帖木儿政权（Taymūriyān）崛起之间，有一段地方王朝割据时期，该佚名作者将此书献给这一时期伊朗地方王朝之一——穆扎法尔王朝（Muẓaffariyān / Mozaffarids, 1314—1393）的君主。另，该书完全依据在古希腊地理学“气候带”理论基础上发展起来的伊斯兰地理学说——“七个气候带”的排列来记述世界各地状况，为避免与伊朗传统地理观念——“七境域说”混淆，勘本书名中的haft kishvar于此汉译为“七地区”，而非“七境域”。

等多方面的参考价值，可视为对史地著作的补充。此类著作中为本书引征者，有成书于12世纪后半叶的哈马丹尼（Muḥammad ibn Maḥmūd Hamadānī）[47]以波斯语所著《奇迹志》（*'Ajāyibnāma*），以及卡兹维尼[48]（Zakarīyā ibn Muḥammad Qazvīnī，1203—1283）于13世纪用阿拉伯语所著《创造的奥妙与万物的奇异》（*'Ajā'ib al-makhlūqāt wa-gharā'ib al-mawjūdāt*，以下简称为《创造的奥妙》）。

四、术语说明

1. 伊朗与波斯

本研究的对象文本为波斯语的伊朗民族史诗，常涉及伊朗与波斯这两个术语。就这两个称谓的词源厘清以及在不同历史时期的使用情况，西方学者已有诸多较成熟的研究结论，然而在国内学界还鲜见系统梳理和介绍，为避免读者对本书中使用的这两个术语产生误解，于此略作辨析说明。

达里波斯语中的专名Īrān来自巴列维语ērān。ērān之称最早见于萨珊王朝阿尔达希尔一世（Ardashir I，224—242年在位）的王衔中——在今伊朗法尔斯省纳克歇鲁斯塔姆（Naqš-e Rostam）的阿尔达希尔一世为神所授权的岩壁浮雕，及其钱币上的铭文中，他被称作“阿尔达希尔，ērān的诸王之王”（巴列维语：Ardašīr šāhān šāh ērān；帕提亚语：šāhān šāh aryān），即ērān的帕提亚语形式aryān。ērān和aryān源自古伊朗语aryānām（意为“［属于］ary人们的”），其中的-ān是人的复数标志；族群称谓ēr-和ary-来自古伊朗语arya-，指“雅利安人”。[49]该族群称谓在古波斯语（Old Persian）中作airya-，阿维斯塔语作airyō-，在阿

---

47 作者生卒年不详，因他将这部著作献给伊拉克塞尔柱王朝（Saljūqiyān-i 'Arāq-i 'Ajam，1117—1194）的最后一位苏丹托格洛尔三世（Abū Ṭālib Ṭughrul ibn Arsalān，1175—1194年在位），可判定该著作成书于12世纪后半叶。

48 卡兹维尼与可疾维尼均为波斯语词Qazvīnī的对音汉译，意为Qazvīn的、Qazvīn人。Qazvīn即今伊朗德黑兰以西的加兹温，在《元史・地理志・西北地附录》中作“可疾云”。

49 D. N. MacKenzie, “Ērān, Ērānšahr,” in *EIr*, vol. 8, p. 534.

契美尼德帝国的铭文和琐罗亚斯德教《阿维斯塔》文献传统中用作族群名称。[50]在萨珊王朝沙普尔一世(Shāpūr I, 239/240—270年在位)的[古]希腊语、帕提亚语和巴列维语的三语铭文中,尽管只有[古]希腊语和帕提亚语的内容保留下来,但可以推断对应帕提亚语aryānšahr的巴列维语词ērānšahr首次出现于此。在此后的萨珊铭文中ērānšahr时常出现,意为"雅利安人的国度",指称萨珊帝国。可以确定,这个词是萨珊人的创造。[51]ērānšahr进入达里波斯语后,拼作īrānshahr,后又有īrānzamīn的形式,同样意为"雅利安人[居住]之地"。其中的Īrān现用作专名对音汉译为伊朗。

达里波斯语中的法尔斯(Fārs)是一个阿拉伯语化的词,该专名本作Pārs,对音汉译作波斯。Pārs来自古波斯语词Pārsa,见于古波斯帝国阿契美尼德王朝诸帝王的铭文中。[52]该词又与古伊朗语parsava同源,推测意为"边疆、边远地区",新亚述帝国(Neo-Assyrian Empire,前911—前609)阿卡德语(Akkadian)铭文中提到的埃兰(Elam,前2700—前539)地名Parsua词源也是parsava。[53]而波斯地区,亦指后来阿契美尼德王朝的波斯行省,埃兰语(Elamite)作par-sin,阿卡德语作pa-ar-su。[54]当然,无论以亚述还是埃兰,抑或米底(Māda / Media,前678—前550)的视角,位于伊朗高原西南部扎格罗斯山麓的波斯地区确实都属边疆或边远地区。此外,作为族群和地区专名的波斯在圣经希伯来语文献中作Pāras;[55]古希腊人称阿契美尼德帝国为Persís,而拉

50 H. W. Bailey, "Arya," in *EIr*, vol. 2, pp. 681—683.

51 MacKenzie, "Ērān, Ērānšahr."

52 Ralph Norman Sharp (ed.), *The Inscriptions in Old Persian of the Achaemenian Emperors*, Shīraz: The Central Council of the Celebration of the 25th Century of the Foundation of the Iranian Empire, 1964, p. 162.

53 I. M. Diakonoff, "Media," in Ilya Gershevitch (ed.), *The Cambridge History of Iran,* vol. 2, *The Median and Achaemenian Periods*, Cambridge: Cambridge University Press, 1985, pp. 61—62.

54 Roland G. Kent, *Old Persian: Grammar Text Lexicon*, New Haven: American Oriental Society, 1950, p. 196.

55 D. Rudolf Meyer und Herbert Donner (Hrsg.), *Wilhelm Gesenius Hebräisches und Aramäisches Handwörterbuch über das Alte Testament*, 18. Auflage, 4. Lieferung, Berlin und Heidelberg: Springer-Verlag, 2007, S. 1079—1080.

丁语词Persia则被西方人用以指称萨珊朝及其后的伊朗。

随着近现代考古学和印欧比较语言学研究的不断深入，伊朗人族群如何形成的问题被提出，虽难有明确结论，但多种有学理依据的假说和推论相继出现。约在公元前两千纪到前一千纪之初，一部分古印欧人自黑海和里海北岸草原地带陆续迁徙进入中亚地区和伊朗高原，逐渐形成东西伊朗族群。就居民情况来说，波斯人是古印欧人南迁后生活在伊朗高原西南部的一个族群之称谓。该族群崛起后，通过建立阿契美尼德帝国，为其后两千多年里伊朗国族概念的逐渐形成奠定了基础，并深刻影响了古代人类文明走向。因此，波斯人是伊朗人范畴内的重要族群之一。然而，在波斯古典文学传统中鲜见波斯人这一称谓，仅部分历史文献的作者为辨识细分族群而使用Pārsiyān（单数形式为Pārsī）这一术语——或指伊朗高原西南部法尔斯地区的居民，即波斯人；或指伊斯兰时代仍信奉琐罗亚斯德教的帕西人；有时也被用以指称古代波斯人建立的阿契美尼德和萨珊诸帝国治下各族群的集合，即伊朗人。在伊朗民族史诗类著作，乃至宽泛的波斯语叙事文学作品中，伊朗人（Irāniyān）的称谓比比皆是，被作者用以指称自己的族群。故此自古以来，“伊朗人”是“自我称”，“波斯人”其实主要是“他者称”，见诸从亚述铭文到古希腊语，再到欧洲诸语的文字记录中，汉语古籍中也常以波斯指称伊朗。

归纳来说，历史上常常用以指称伊朗的专名“波斯”应视为外名（Exonym），主要是他者称，且经历了由地域而族群的概念内化过程；“伊朗”则一直是内名（Endonym），是自我称，且有自族群而地域的概念外化过程。按目前学界的普遍认知，波斯人是伊朗诸族群中的一支，波斯语是伊朗诸语中的一种。达里波斯语自其完善于9世纪以来，在伊朗地域通行至今。本书中涉及波斯语及其文学传统、具体细化族群等相关概念时，按照国内外学界约定俗成的惯例，以“波斯”作为定语名词；涉及大范围地理区域、政治集合体（伊朗国家）以及文化集合体（伊朗族群）等相关概念时，按惯例使用“伊朗”这一名称。据此，“波斯人”指具有天然血缘关系，被冠以“波斯”之名的一个族群；“伊朗人”则指生活在伊朗地域，具有共同文化背景的族群共同体。作为地名，本书中的伊朗一般指以伊朗高原为中心的“大伊朗地区”，下文另有详述；而伊朗高原西南部的“波斯地区”，根据语境的不同，在本书中作“法尔斯地区”或“法尔斯省”。

在漫长的历史时期里，伊朗人分化为多个定居和游牧部落，并与其周边的操闪米特语、突厥语等其他族群不断冲突、融合，其定居地域逐渐显现出族群构成复杂与文化多样化的特征，以至于某些现代学者认为，“伊朗这个名字自公元3世纪起，确实被用作指称印度和阿拉伯地区之间一片地域的地理名称，但这不应被误解为在那个地区存在过一个同种的伊朗民族（Iranian nation）和伊朗人的证据”。[56]但考虑到近代以来，主要是西方学者通过语言学研究，发现这片地域上的一些语言之间存在明显的关联，我们现在习惯上把操这些语言的多个族群，如米底、波斯、粟特等，统称为古代伊朗人。随着印欧人“库尔干文化起源假说”（Kurgan hypothesis）的提出及其被广泛接受，“自上古时代以降的伊朗文明，从大多被归入闪族文明之列的美索不达米亚、埃及、阿拉伯以及其他该地区文明中被分离出来。”[57]与此同理，本书中常用的“波斯语伊朗民族史诗”这个称谓，也是基于现代研究对过去某种文化现象的归纳，而不是在过去就有这样一个文献类别存在。

2. 伊朗与“大伊朗”以及“伊朗文化大陆”

本研究对象文本中的伊朗是古代的伊朗，其外延比现今民族国家时代的伊朗伊斯兰共和国要大很多。对古希腊人来说，“雅利安人之地”（Arianē），即“大伊朗”（the greater Iran），起自与希腊诸城邦之交界，终于印度人之地。[58]这片地域基本就是阿契美尼德王朝极盛时的

---

56 Mostafa Vaziri, *Iran as Imagined Nation: The Construction of National Identity*, New York: Paragon House, 1993, p. 65.

57 Vaziri, *Iran as Imagined Nation: The Construction of National Identity*, p. 62.

58 J. M. Cook, “The Rise of the Achaemenids and Establishment of Their Empire,” in Gershevitch (ed.), *The Cambridge History of Iran*, vol. 2, p. 250.

疆域。自公元3世纪前半叶萨珊王朝建立起，伊朗沙赫尔（Ērānšahr）被用作对其治下地域的称呼，意为“雅利安人之地”。上文已及，该词在波斯语中作Īrānshahr，又作Īrānzamīn，其广义外延通常与研究古代伊朗问题的学者提出的“大伊朗”相等同。综合以弗赖伊（Richard Nelson Frye）为代表的一些西方伊朗学家的观点，历史上的伊朗，即“大伊朗”，包括以伊朗高原为中心，西起美索不达米亚及高加索，东至中亚河中地区（Māvarā' al-Nahr）[59]和帕米尔高原的广大区域，其文化辐射范围甚至还包括印度西北部以及中国新疆的部分地区。《伊朗学大百科》的主编——伊朗裔的艾赫散·亚尔沙特尔（Ehsan Yarshater）也指出：“该百科全书的内容范围（Scope），包括一个广泛背景下的伊朗文化以及伊朗与其周边地区之间的相互影响。通过采用伊朗在其中发挥重要作用的‘中东文化大陆’的视角，试图避免有关伊朗的大多数参考书的普遍错误——仅仅关注伊朗人的国家（Iranian state）。”[60]2003年11月，美国哥伦比亚大学（Columbia University）校友杂志*Columbia College Today*上发表了一篇对亚尔沙特尔的专访，记者在这篇报道中引述了《伊朗学大百科》的编辑们提出的“伊朗文化大陆”（Iranian cultural continent）这一提法。[61]尽管“大伊朗”是一个并非政治实体的超国家的文化地区，无疑“伊朗文化大陆”在字面上较之更强调文化性而毫无政治意味。

立足于上面的论述，本书中出现的伊朗一词，除非特殊说明是现代国家——伊朗伊斯兰共和国，都视同于“大伊朗”或“伊朗文化大陆”的缩略语。伊朗作为专有地理名词时指阿拉伯地区与印度地区之间、以伊朗高原为中心的一片边界不很清晰的地域；作为定语名词时指以上述地域中的印欧人各族群为创造主体、由具有一定共同文化基础的人类族群共同承载的文化集合。

---

59 阿拉伯语原意“河外地”，在西方诸语中作Transoxiana，均指向东、向北过了阿姆河之地。该地在汉语中称作“河中地区”，指阿姆河与锡尔河之间的地区。

60 Ehsan Yarshater, “Introduction,” in *EIr*, vol. 1, p. 1.

61 Shira J. Boss, “*Encyclopaedia Iranica*: Comprehensive research project about the ‘Iranian Cultural Continent’ thrives on Riverside Drive,” in *Columbia College Today*, published Nov. 2003, accessed Sept. 10, 2014, http://www.college.columbia.edu/cct_archive/nov03/features5.html.

3. 秦与中国

"Chīn" 在现代波斯语中指称中国，在波斯语古典文献中也多指古代中国相关地域。"中国" 在汉语中本意为中央之城，一般指 "天子王畿" 的中心城郭；后来，其外延逐步扩展到中原地带和华夏文明中央政权直接统治的区域；而被广泛用来指称现代民族国家意义上的中国当在民国以后。中国古人指称自己的政治、文化、地理共同体时往往使用各自朝代的国号；当代中国人研究古代问题时为方便起见，通常把欧亚大陆东部具有某种文化延续性的族群、地理、政治集合体人为划归一个总体范畴，称之为 "古代中国"。古代中国之范畴在时间上包含跨度或大或小的多个集合，即历朝历代；随着时间的延续，其空间上的边界也经常发生显著变化。大致说来，"秦"（Chīn）以及西方诸语中的China等专名皆为外名，而 "中国" 则是内名。

由于本书研究的对象是中古时期的波斯语文本，其中的Chīn不宜简单译作中国，因为专名Chīn在不同波斯语著作中所指地域范围亦有所不同——有时泛指整个古代中国疆域，有时指称古代中国的部分地区——或为中国北部，或为中国西北边疆及与其毗邻的中亚地区。即在空间上，Chīn一般在古代中国范畴内，而古代中国可能同时包含Chīn与其他地区。为了尽量做出区别，本书在提及古代波斯语文献中的Chīn时，若其泛指伊朗东方直至大海的广袤地域，便将其译为 "中国"，若能明确其所指是与古代中国有关的某一片地理区域，则将其对音译为 "秦"。汉语引文或有特殊注明处除外。

4. 王与国王

古代波斯语文献中 "王" 的称谓多种多样，仅在《库什王纪》中就有 shāh（或 pādishā[h]）、shahriyār、khusraw 和 shāhanshāh（或 shāhanshah）[62]

62 该词在波斯语文献中还有 shāhānshāh、shahanshah、shahanshāh、shāh-i shāhān 等写法。

等等。此处列举的后三项可以分别译作君王、帝王(或萨珊诸王徽号“库思老”)和诸王之王来加以区分。历史与政治领域相关文献中的术语shāh主要被用以指称伊朗君主,有“沙”“沙阿”“沙赫”等汉译,也常被意译为“国王”。波斯语古典文学作品中的shāh则无差别地被用以指称任何地域、任何族群的统治者,通常被汉译为“国王”。但在本书中这样做却有不妥。因为《库什王纪》所及城市/城邦、地区/岛屿、国度/国家、东方/西方、世界/大地(设定上述并置的各个范畴按地理区域范围由小到大顺序排列)的统治者都曾被称作shāh,将其都称作国王显然不合适,且会引发歧义。故而本书尽量避免使用“国王”一词,提及原文时,若仅shāh一词,直接译为“王”;若为限定词加shāh的词组,则按“地名/族名/人名加王”的格式做汉译。汉语引文或有特殊注明处除外。

5. 集体记忆

20世纪前半叶,法国历史学家与社会学家莫里斯·哈布瓦赫(Maurice Halbwachs)开创了集体记忆理论,并将“集体记忆”(collective memory)的概念引入广泛的社会科学领域,沟通了社会学、历史学和人类学等学科的研究。该理论本身的核心研究成果是:群体自身也具有记忆的能力;[63]个体记忆要依赖于集体记忆的框架来定位,一个具有特定文化内聚性和同一性的群体能够凭着共同记忆重构自己的过去。[64]

本研究借鉴了上述理论,书中所及“集体记忆”,指在拥有相同文化背景的某个人类群体中,长期存在的关于自身过去的认知。通过引入这个术语,笔者把有关古代伊朗的书面文学作品、历史著作以及口传故事等语言文字记录,视为相互观照、映射、影响与生发的关于集体记忆的叙事现象,以便把它们置于同一个文化坐标系内作横向和纵向的

---

63 莫里斯·哈布瓦赫:《论集体记忆》,毕然、郭金华译,上海:上海人民出版社,2002年,第95页。

64 哈布瓦赫:《论集体记忆》,第303页。

考察。当笔者提及伊朗人等古代族群的“民族记忆”“历史记忆”“文化记忆”等,均为其集体记忆的一部分。

6. 纪、传、志、书

多数伊朗史诗和部分波斯语历史地理著作的书名以nāma结尾,该波斯语词本义为“文书”,指文献、书籍、信件等书写物,于此对这些著作名的汉译基本原则略加说明。当书名为“人名加nāma”时,主角为伊朗王,或不臣服于伊朗王且堪与之抗衡的异族君王的作品皆名之以“王纪”;主角是其他英雄人物的名之以“传”;当nāma用在地理文献书名时,按通行命名法译作“志”;nāma出现在以上两类情况之外的书名中时,均译作“书”。已有约定俗成汉译名的著作除外。另有一特例,因有多部*Shāhnāma*存在,为把菲尔多西的*Shāhnāma*从中区别出来,本书采纳其已有汉译名《列王纪》,余者皆译为《王书》。

第一章

伊朗史诗文学传统及《库什王纪》述要

一、伊朗史诗文学传统与民族史诗

1. 伊朗史诗的发生

根据萨法所言，[1]原始伊朗神话形成于伊朗初民迁徙和征战的过程中，与之相伴而生的伊朗史诗创作也肇始于伊朗族群形成初期。历经阿维斯塔语（Avistāyī）文学时期和巴列维语文学时期的不断积累和流变，直至达里波斯语文学时期，在特殊的历史背景下，通过对巴列维语文献以及民间口传故事的收集和整理，大量伊朗民族史诗以书面形式呈现并保存下来。

创作始于公元前10世纪以前，并在阿契美尼德王朝时期进一步完善的《阿维斯塔》，作为琐罗亚斯德教经典广为人知，同时它还是伊朗民族传说的第一部总集性文献。其中赞颂琐罗亚斯德教各助神的诗歌体颂词，例如《梅赫尔·亚什特》（*Mihr Yasht*）、《扎姆亚德·亚什特》（*Zāmyād Yasht*）[2]等，因其反映一些在伊朗族群形成初期，伴随着伊朗初民的迁徙，以及他们与原住民和入侵者的战争，形成的原始且古老的伊朗民族传说与神话，被认为是最早的伊朗史诗性质文学作品。

---

1 本章第一节"伊朗史诗文学传统与民族史诗"项下的"伊朗史诗的发生"和"伊朗伊斯兰时代的波斯语史诗"两小节中的内容主要是基于萨法的《伊朗史诗创作》中有关内容的摘要整理。参见Ṣafā, *Ḥamāsa-sarāyī dar Īrān*, pp. 21—390。于此基础上又在阿拉梅·塔巴塔巴伊大学（Allameh Tabataba'i University）副教授穆罕默德阿米尔·贾拉里（Mohammadamir Jalali）的协助下，结合最新研究做出修订。

2《亚什特》（*Yasht-hā*）是《阿维斯塔》的五大组成部分之一，是赞颂琐罗亚斯德教各助神的诗歌体颂词。此处列举皆为其中篇章。

萨珊王朝时期，巴列维语文学逐渐繁荣，出现了一系列以伊朗民族传说与史诗性质故事为主要内容的巴列维语文学作品，比如《缅怀扎里尔》(*Yādigār-i Zarīr*)、《巴赫拉姆·楚宾的故事》(*Dāstān-i Bahrām Chūbīn*)、《阿尔达希尔·巴伯康业绩书》(*Kārnāma-yi Ardashīr Bābakān*)、《鲁斯塔姆与埃斯凡迪亚尔的故事》(*Dāstān-i Rustam va Isfandiyār*)和《皮兰·维塞的故事》(*Dāstān-i Pīrān Vīsa*)等。

2. 伊朗伊斯兰时代的波斯语史诗

随着萨珊王朝在阿拉伯大军面前遭到彻底的军事失败，以及伊朗进入社会动荡与政治运动此起彼伏的时代，表现爱国主义和维护伊朗民族传统与荣耀的伊朗民族史诗类文学作品迅速繁荣。在达里波斯语兴起初期，伊朗大地上流传着一些由说书人(naqqālān)讲述的口头传说故事。在伊朗的民族尊严和民族自豪感亟待重塑的时代背景下，众多文人投身于把口头传说转化为书面作品的工作中。在此期间，仅《王书》(*Shāhnāma*)就出现了多部，包括阿布·姆耶德·巴里黑(Abū al-Mu'ayid Balkhī)的《王书》、阿布·阿里·巴里黑(Abū ʿAlī Balkhī)的《王书》、阿布·曼苏尔(Abū Manṣūr Muḥammad ibn ʿAbd al-Razzāq)的《王书》等。此外还有其他一些史诗性质的故事被编撰成散文体裁的著作。这些作品的整理也包含部分收集散佚巴列维语文献的工作。12世纪以后，随着操突厥语诸族群的入侵与征服，伊朗民族史诗创作走向衰落，历史史诗和宗教史诗的创作则随之兴起。

按照萨法的划分，伊斯兰时期的伊朗史诗作品大致分为三大类。

第一类是民族史诗，大多在10—13世纪这三四百年间成书。这类史诗的创作大抵植根于民间口头传说故事，经由文人收集整理，通过糅合一些散佚的萨珊时期书面资料以及作者本人的文学再创作加工而成。不同于后来出现的叙述与诗人同时代的君王和将领业绩的历史史诗，伊朗民族史诗的主角多为伊朗古代传说中的民族英雄和著名君王。这类作品包括马斯乌迪的《王书》(*Shāhnāma*，约成书于912年前后)、塔吉基(Daqīqī，约935—977)

的《古什塔斯帕王纪》(*Gushtāspnāma*，约成书于976—977年间)[3]、菲尔多西的《列王纪》(作于977—1020年)、阿萨迪·图西的《戈尔沙斯帕传》(*Garshāsbnāma*，成书于1063—1065年)[4]、伊本·阿比·黑尔的《巴赫曼王纪》(成书于1100年前后)[5]和《库什王纪》(完成于1107—1111年间)，以及《法拉玛尔兹传》(*Farāmarznāma*)[6]、《贾汗吉尔传》(*Jahāngīrnāma*)[7]、《布尔祖传》(*Burzūnāma*)[8]、

---

3 即塔吉基奉萨曼王朝统治者努哈·本·曼苏尔(Nūḥ ibn Manṣūr)之命所写一千余联诗作，讲到古什塔斯帕登基为王之后，定琐罗亚斯德教为国教。菲尔多西将其收入自己的《列王纪》中以示纪念。按《列王纪》之记述，古什塔斯帕是凯扬王朝(Kayāniyān)的第五位王，他有一子名作埃斯凡迪亚尔(Isfandiyār)，埃斯凡迪亚尔之子巴赫曼(Bahman)为凯扬六王，巴赫曼之女及妻胡马伊(Humāy)为七王，其子达拉布(Dārāb)为八王，达拉布一子达拉(Dārā)为九王，另一子亚历山大(Iskandar)为十王。凯扬王朝至此终结于希腊人的征服。

4 又作*Karshāspnāma*，主角戈尔沙斯帕(Garshāsb或Karshāsp)是贾姆希德六世孙、萨姆(Sām)的祖父、鲁斯塔姆(Rustam)之高祖。

5 伊朗民族史诗类别中这部《巴赫曼王纪》的主角是埃斯凡迪亚尔之子巴赫曼，即传说中的凯扬王朝第六位王。这部《巴赫曼王纪》与《库什王纪》的作者是同一个人。

6 主角是鲁斯塔姆之子法拉玛尔兹(Farāmarz)，也有伊朗学者主张此人名应标音为Farāmurz。其名在张鸿年、宋丕方汉译《列王纪全集》中作法拉玛兹(下及《列王纪全集》均指此汉译本)。萨法言及作者可能名为Khusraw Kay Kāvūs。但据最新研究，该史诗应为马尔兹班·法尔西(Marzbān Fārsī)于1160年前后所作，且这部史诗有新旧两部分。Akbar Naḥvī, “Mulāḥiẓāt-ī darbāra-yi *Farāmarznāma* va sarāyanda-yi ān”(《关于〈法拉玛尔兹传〉及其吟诵者》), *Majalla-yi Dānishkada-yi Adabiyāt va ʿUlūm-i Insānī-yi Dānishgāh-i Tihrān*(《德黑兰大学文学与人文学院学报》)164, no. 4(2003 [SH Zimistān 1381]): 119—136。

7 这部史诗由笔名为玛德赫(Mādiḥ)的卡塞姆(Qāsim)所作，主角贾汗吉尔为鲁斯塔姆之子，内容是关于他在马格里布(Maghrib)与鲁斯塔姆率领的伊朗人作战的故事，父子交战的主题在伊朗古典叙事文学中占有显著位置。其部分故事被辑录于《新布尔祖传》。Akbar Naḥvī, “Muqqadama”(《导言》), in Shams al-Dīn Muḥammad Kūsaj, *Burzūnāma: bakhsh-i kuhan*(《旧布尔祖传》), ed. Akbar Naḥvī, Tehran: Markaz-i Pazhūhishī-yi Mirās Maktūb, 2008(SH 1387), pp. 13—85。

8 主角是鲁斯塔姆之孙、苏赫拉布(Suhrāb)之子。据莫尔和萨法的先前研究，它被认为出自约11世纪的诗人阿塔伊·拉齐(ʿAṭāyī Rāzī)之手，此前有达比尔-西亚基(Dabīr-siyāqi)校勘本刊行。但在近年研究中，其新刊本校勘者阿克巴尔·纳赫维(Akbar Naḥvī)否定了上述观点。他认为《布尔祖传》包括新、旧两部分文稿：较为古老的部分约4 200联，由穆罕默德·库萨支(Shams al-Dīn Muḥammad Kūsaj)于约14世纪写成；较新的部分约29 000联，是对《旧布尔祖传》的续写，由一位名叫阿塔伊(ʿAṭāyī)的诗人在约16世纪吟诵成诗。可能也是这位阿塔伊，随后又将新旧两部《布尔祖传》连缀在一起。Naḥvī, “Muqqadama”, in Kūsaj, *Burzūnāma: bakhsh-i kuhan*。另据法尔扎德·卡埃米(Farzād Qāʾimī)，这部史诗大约创作于1170—1282年间。Farzād Qāʾimī, “Justijū-yi manābiʿ-i jadīd-ī dar rābiṭa bā nām-i sarāyanda va takhmīn-i zamān-i sarāyish-i *Burzūnāma-yi kuhan*”(《对有关〈旧布尔祖传〉吟诵者之名以及推测其创作年代的一些新材料的探索》), *Shiʿr-pazhūhī*(《诗歌研究》)43, no. 1(2020 [SH Bahār 1399]): 122—149。

《巴努-古莎斯帕传》(*Bānū-Gushaspnāma*)[9]、《沙赫里亚尔传》(*Shahriyārnāma*)[10]、《阿扎尔巴尔兹因传》(*Āẕarbarzīnnāma*)[11]、《比让传》(*Bīzhannāma*)[12]、《卢赫拉斯帕王纪》(*Luhrāspnāma*)[13]、《苏珊传》(*Sūsannāma*)[14]、《库克・库赫扎德的故事》(*Dāstān-i Kuk-i Kūhzād*)[15]、

---

9 bānū词义为"贵族女士",古莎斯帕是鲁斯塔姆之女。刊本校勘者鲁赫-安吉兹・卡拉奇(Rūḥ-angīz Karāchī)认为这部史诗可能是12世纪的作品。Rūḥ-angīz Karāchī, "Pīshguftār"(《前言》), in Rūḥ-angīz Karāchī (ed.), *Bānū-Gushaspnāma*(《巴努-古莎斯帕传》), Tehran: Pazhūhishgāh-i ʿUlūm-i Insānī va Muṭāliʿāt-i Farhangī, 2003(SH 1382), pp. 9—48。

10 主角为布尔祖之子、苏赫拉布之孙、鲁斯塔姆玄孙,是伊朗民族史诗为戈尔沙斯帕-鲁斯塔姆家族英雄立传的最后一人。《沙赫里亚尔传》有两个版本存世,一为原本,另一为转录和缩写本。从12世纪到18世纪的多位诗人曾被认为是这部史诗的作者,包括伽色尼三大宫廷诗人之一的法罗西(Farrukhī Sīstānī)、伽色尼王朝时期诗人穆赫塔里(ʿUsmān Mukhtārī Ghaznavī)、15—16世纪诗人法罗西,萨法维王朝时期的穆赫塔里。礼萨・伽伏里(Riżā Ghafūrī)在其校勘本中称这部史诗的作者为萨法维时代的诗人穆赫塔里。在新近的研究中,法尔扎德・卡埃米(Farzād Qāʾimī)提出,该诗作有两个版本,原著者名为法罗西,在15—16世纪(或更早)供职于一位名叫马赫穆德(Maḥmūd)的埃米尔之宫廷;在其死后,《沙赫里亚尔传》被另一位诗人得到,其名可能是穆赫塔里(Mukhtārī)。穆赫塔里抄袭并改写了这部诗作,将其当作自己的作品。相较于原作,新作篇幅有所缩减——从近18 000联减少到约13 000联,同时明显重复了部分诗联。该史诗已有多个校勘本刊布,但均基于篇幅约13 000联的删节和改写本,而未参考印度班吉布尔(Bankipore)的巴特那东方学图书馆(The Patna Oriental Public Library,又名Khuda Bakhsh Oriental Library)藏该史诗唯一完整(约18 000联)且更为古老的抄本,还需重新校勘。Farzād Qāʾimī, "Farrukhī yā Mukhtārī?... takmila, tavārud, iqtibās yā intiḥāl?"(《法罗西或穆赫塔里?补遗、偶合、摘录,抑或抄袭?》), *Justār-hā-yi Nawīn-i Adabī*(《文学新探》)200, no. 1(2018 [SH Bahār 1397]): 208—235。

11 主角是法拉玛尔兹之子,克什米尔(Kashmīr)王之女所生。Āzarbarzīn原是伊朗古代七大祭火坛中第六个祭火坛的名称。

12 主角比让(Bīzhan)是凯霍斯鲁(Kay Khusraw)时代的伊朗将军,与土兰(Tūrān)王阿夫拉西亚伯(Afrāsiyāb)之女玛尼日(Manīzha)相爱。凯霍斯鲁为凯扬王朝第三位王,即凯扬王朝第二位王凯卡乌斯之孙、夏沃什(Siyāvash)与土兰王阿夫拉西亚伯之女法兰吉斯(Farangīs)之子。《比让传》曾被认为是阿塔伊・拉齐所作,目前看来应是《新布尔祖传》的作者,即16世纪诗人阿塔伊所作。

13 卢赫拉斯帕(Luhrāsp)为凯扬王室后裔,是凯霍斯鲁为王当政时期的著名伊朗将领。凯霍斯鲁晚年无心政事,让位于卢赫拉斯帕,后者就此成为凯扬王朝第四位王。该史诗的诗人及时代信息不详。

14 苏珊(Sūsan)是土兰的一位女乐师和魔法师。阿夫拉西亚伯派其与大将皮尔萨姆(Pīlsam)共同出征伊朗,她迷惑并俘虏了多位伊朗英雄,后被法拉玛尔兹识破,并告知鲁斯塔姆。《苏珊传》与下及《贾姆希德故事》并非独立创作而成,而是摘自先前某些诗作如《列王纪》《布尔祖传》之一部分,或是自这些诗作中抽取部分内容,在其基础上扩写而成。

15 又名《鲁斯塔姆与库克・库赫扎德的故事》(*Dāstān-i Rustam bā Kuk-i Kūhzād*),是在锡斯坦和呼罗珊地区口口相传关于鲁斯塔姆的多个长短不一的故事之总集,由数位诗人相继合作而成。

《沙伯兰格的故事》(*Dāstān-i Shabrang*)[16]、《贾姆希德的故事》(*Dāstān-i Jamshīd*)、《萨姆传》(*Sāmnāma*)[17]等。

第二类是历史史诗,指文人仿照民族史诗的形式,赞颂当时在位君王的功业,以及记载重要历史事件的著作。在伊朗,历史史诗常被当作重要史料看待。其创作始于12世纪末,一直延续到19世纪。这类作品主要包括内扎米·甘泽维(Niẓāmī Ganjavī, 1141—1209)的《亚历山大王纪》(*Iskandarnāma*, 作于1194/1196—1200年)以及内扎米的模仿者们所写的多部《亚历山大王纪》[18]、帕伊齐(Pāyīzī)的《诸王之王纪》(*Shāhanshāhnāma*, 完成于1203年前后)[19]、哈姆杜拉·穆斯陶菲·可疾维尼(Ḥamd Allāh Mustawfī Qazvīnī)所作的《胜利之书》(*Ẓafarnāma*, 大约完成于1334年)[20]、大不里齐的《诸王之王纪》(作于1329—1337年)[21]、拉比伊(Rabīʿī)的《廓尔特书》(*Kartnāma*, 1305年之后开始创作)[22]、塞菲(Sayfī Hiravī)的《萨姆传》(*Sāmnāma*, 1316年之后开始创作)[23]、阿扎里·图西(Āẕarī Ṭūsī)的《巴赫曼王纪》(*Bahmannāma*, 作于1461年之前)、哈提菲(Hātifī Jāmī)的《帖木儿王纪》(*Timurnāma*)[24]

---

16 鲁斯塔姆与白魔之子战斗的故事。

17 萨姆是鲁斯塔姆的祖父、白头扎尔(Zāl)的父亲。该史诗由瓦希德·鲁亚尼(Vaḥīd Rūyānī)校勘并出版。诗中提到诗人名叫哈朱(Khvājū),萨法推测其即14世纪波斯语大诗人哈朱·克尔曼尼(Khvājū Kirmānī)。但鲁亚尼否认了该观点,他认为这首诗很可能是将哈朱所作《霍马与胡马云》(*Humāy va Humāyūn*)的部分内容与民间故事相结合,在16世纪以后由多位说书人集体创作,其多个抄本的篇幅在3 700联到14 500联不等。Siyyid ʿAbbās Muḥammadzāda and Vaḥīd Rūyānī, "*Sāmnāma* az kīst?"(《〈萨姆传〉由谁所作》), *Majalla-yi Dānishkada-yi Adabiyāt va ʿUlūm-i Insānī-yi Mashhad*(《马什哈德文学与人文学院学报》)158, no. 3(2007 [SH Pāyīz 1386]): 159—176。

18 本书仅及内扎米的《亚历山大王纪》,下文中的《亚历山大王纪》皆指内扎米的诗作。

19 第一部模仿菲尔多西《列王纪》的赞颂当世君王的文人史诗。

20 又译作《战功书》,接续《列王纪》的历史传说部分,记述从伊斯兰兴起直到诗人生活年代——伊斯兰教历750年(1349/1350)的伊朗历史和统治者们。

21 成吉思汗及其继任者的历史,记述下限至伊斯兰教历738年(1337/1338)。

22 廓尔特王朝(Āl-i Kart或Kartiyān, 1245—1381)史。该王朝名也可能读作Kurt,为蒙古时代由古尔人(Ghūr)所建统治呼罗珊地区、都赫拉特的地方王朝。T. W. Haig, "Kart (possibly Kurt)," revised by B. Spuler, in *EI2*, vol. 4, p. 672。其名又有汉译作库尔特(Kurt)和卡尔提德(Kartids),此处按叶奕良译《伊朗通史》中的汉译。

23 散佚,在其另一部也是唯一传世出版的著作《赫拉特史》(*Tārīkhnāma-yī Hirāt*)中存一些片断。

24 帖木儿(Taymūr / Timūr Gurkānī, 1370—1405年在位)的传记,诗人称其为"亚历山大二世"。

和《王书》(*Shāhnāma*，作于1520年之前)[25]、卡塞米(Qāsimī)的《王书》(*Shāhnāma*，成书于1533年)[26]和《沙哈鲁王纪》(*Shāhrukhnāma*，成书于1542年)[27]、伽德里(Qadrī)的《格什姆战争书》(*Jangnāma-yi Kishm*或*Jangnāma-yi Qishm*，作于1622年)[28]与《贾隆书》(*Jarūnnāma*，大约作于1622年)[29]以及萨巴(Ṣabā)的《诸王之王纪》(*Shāhanshāhnāma*，作于1822年之前)等。伊朗历史史诗数量众多，除了上面提到的这些主要作品以外，目前已知至少还有二十余部存世，此处不一一赘述。

第三类是宗教史诗，这些作品的创作年代覆盖了从15世纪前半叶至19世纪后半叶的数百年时间，其内容主要包括宗教史(多为伊斯兰教史)、宗教故事和对教义的宣讲。这类作品包括伊本·胡萨姆(Ibn Ḥusām)的《哈瓦兰书》(*Khāvarānnāma*，作于1426年)，佚名作者的《福星书》(*Ṣāḥibqirānnāma*，成书于1662年)、米尔扎·穆罕默德(Mīrzā Muḥammad Rafī' Khān Bāzil)所作的《黑达里的进攻》(*Ḥamla-yi Ḥaydarī*，大约作于1721年)、阿卜杜列扎格·贝克('Abd al-Razzāq Bayk)的《穆赫塔尔传》(*Mukhtārnāma*，成书于1545年)、黑拉提(Ḥayratī)的《王书》(*Shāhnāma*，成书于1545年)、阿西里(Asīrī)的《圣战书》(*Ghazvnāma*，完成于1559年)、拉吉(Rājī)的《进攻之书》(*Kitāb-i Ḥamla*，成书于1847年之前)、法塔赫-阿里·汗·萨巴·卡

25 萨法维王朝(Ṣafaviyān / Safavid dynasty, 1502–1735)创建者伊斯玛仪一世(Shāh Isma'īl I, 1501—1524年在位)的传记。伊斯玛仪一世在1511年征战呼罗珊之时专程到贾姆(Jām)拜访了老诗人哈提菲，请他按照此前所作《帖木儿王纪》的形式，再作一部历史史诗来颂扬萨法维王朝的胜利。尽管这部名为《王书》(*Shāhnāma*)的作品没有全部完成，它还是给后来按照菲尔多西所作《列王纪》的英雄史诗形式为萨法维诸沙赫所作的一些叙事诗树立了典范。

26 萨法维王朝的伊斯玛仪一世及其子塔赫玛斯普一世(Shāh Ṭahmāsp I, 1524—1576年在位)的传记。

27 这部作品的颂词献给伊斯玛仪一世之子塔赫玛斯普一世，内容是帖木儿之子沙哈鲁(Shāhrukh或Shāh Rukh, 1405—1447年在位)的传记。其名在叶奕良译《伊朗通史》中汉译作“肖·洛赫”。参见阿宝斯·艾克巴尔·奥希梯扬尼:《伊朗通史》，叶奕良译，北京：经济日报出版社，1997年，第695—700页。此处采用国内史学界更通用的汉译名“沙哈鲁”。

28 又称*Kishmnāma*或*Qishmnāma*，记述萨法维王朝阿巴斯大帝(Shāh 'Abbās Buzurg, 1588—1629年在位)时期，法尔斯(Fārs)省总督伊玛目-郭利·汗(Imām-Qulī Khān)于1621年自葡萄牙人手中收复格什姆(Qishm)岛的事迹。

29 记述萨法维王朝阿巴斯大帝时期，法尔斯省总督伊玛目-郭利·汗于1622年自葡萄牙人手中收复贾隆(Jarūn)，即霍尔木兹(Hurmuz)岛的事迹。

尚尼(Fatḥ-ʿAlī Khān Ṣabā Kāshānī)的《圣人传》(*Khudāvandnāma*)[30]、索鲁什·伊斯法罕尼(Surūsh Iṣfahānī)的《奥尔迪贝赫什特书》(*Urdībihishtnāma*,作于1867年之前)[31]、米尔扎·古拉姆-阿里(Mīrzā Ghulām-ʿAlī)的《开心之书》(*Dilgushānāma*,创作开始于1718年,完成于1785年之前)[32]、阿塔西(Ātashī)的《战争书》(*Jangnāma*,作于1854年之前)以及穆罕默德·塔黑尔·本·阿布·塔利布(Muḥammad Ṭāhir ibn Abū Ṭālib)所作的《阿里·阿克巴尔的故事》(*Dāstān-i ʿAlī Akbar*,完成于1880年)等。

3. 伊朗民族史诗的特点及其意义

多部重要的伊朗民族史诗的创作时代集中在10—12世纪这两三百年间,这一现象有其深刻的历史背景根源。公元7世纪中叶,萨珊王朝因阿拉伯大军的入侵而倾覆,伊朗社会发生了一系列巨变。在政治上,伊朗成了阿拉伯帝国的一个行省,原本有着根深蒂固优越感的伊朗人成了“二等公民”;在思想上,由于阿拉伯征服者恩威并施,伊朗民众逐渐放弃了原有的琐罗亚斯德教信仰,改信伊斯兰教;在语言文字上,“阿拉伯人在传播伊斯兰教的同时,推行阿拉伯语,并采取各种措施限制伊朗民族语言巴列维语的流行,销毁巴列维语书籍”,但“直到10世纪,巴列维语并未完全消亡”。[33]最终,在阿拉伯语和萨珊王朝时期的书面语巴列维语角力的过程中,达里语,即新波斯语,悄然兴起。达里语原本是一种中古波斯语口语形式,[34]在采用阿拉伯语字母体系拼

30 关于穆罕默德和阿里的事迹,本书是记载最详尽的宗教史诗。

31 奥尔迪贝赫什特是琐罗亚斯德教主神之外六大天神中的第二大天神,火神。但这部史诗赞颂的是伊斯兰教先知和以阿里为首的十二位什叶派伊玛目,主要内容讲的是伊斯兰教先知的生平事迹。

32 记述了为什叶派第三任伊玛目——阿里之子侯赛因复仇而在库法起义的穆赫塔尔·本·阿布·欧贝德·萨伽菲(Mukhtār ibn Abū ʿUbayd al-Thaqafī, 622—687)的生平事迹。

33 张鸿年:《波斯文学史》,第30页。

34 Lazard, “Darī.” 与中古波斯语口语形式相对应的中古波斯语书面语形式即巴列维语。二者关系类似于古汉语中的文言和白话,关于这一类比的提出,参见李江:《达里波斯语:从口语到文学语言的演变》,《东方文学研究通讯》2002年第1期。

写后发展成为新的伊朗书面通用语，并逐渐上升为文学语言。公元9世纪以后，受舒毕思潮[35]的影响，伊朗的文学创作转向主要使用达里波斯语。此后的一段时间里，伊朗社会各阶层，尤其是各地方王朝的贵族和文人，积极主张恢复伊朗古代文化传统，鼓励波斯语文学创作。于是，一批记录伊朗古代文化遗存，表现伊朗古代君王和英雄与异族抗争业绩的伊朗民族史诗在这一时期纷纷涌现。

上文中已作说明，“伊朗民族史诗”这个类别是萨法在其研究伊朗史诗的专著中提出的概念，而着眼点不同的西方学者另有其他观点。捷克学者吕浦卡（Jan Rypka）认为，如同围绕着荷马史诗有一系列相类似的再现式诗歌（cyclic poems），《列王纪》周边也有各种衍生史诗出现，这些作品按照内容可被分作两类，一类是次生史诗（secondary epics），一类是历史史诗（historical epics）。次生史诗主要包含萨法分类法中《列王纪》之后的伊朗民族史诗，以骑士传奇和英雄冒险故事为主要内容；历史史诗则基本囊括了萨法分类法中的后两类，都是以讲述历史事件为主要内容。[36]吕浦卡主张将荷马史诗与《列王纪》类比，并对它们周边的“衍生史诗”另作一种分类，自有一定道理；但在本书对伊朗史诗作介绍的章节中，笔者还是遵循萨法的分类法来继续探讨伊朗民族史诗的特点。毕竟本研究的主旨并不是要就伊朗史诗错综复杂的分类问题得出结论，而是要从文本研究的角度来探讨《库什王纪》这部具有独特价值的作品。在此之所以对伊朗民族史诗的特点作出归纳，是要找出《列王纪》及其同类作品所具有的共性，最终目的是为方便对《库什王纪》展开研究而将这些著作用作参照。大体来说，这类作品具有下面几方面的特点和意义。

首先，从创作素材和主题内容上来说，相较于伊朗的历史史诗和宗教史诗，伊朗民族史诗更加符合学界对史诗（epic）文体的传统界定。对于史诗这一文学体裁的定义和范畴划定，长期以来学界存有争

35 “舒毕思潮是各被征服民族共同反对阿拉伯统治者的思潮。这种思潮虽不是伊朗人所专有，但是在伊朗却表现得最为强烈。”参见张鸿年：《波斯文学史》，第30页。

36 Jan Rypka, *History of Iranian Literature*, ed. Karl Jahn, Dordrecht-Holland: D. Reidel Publishing Company, 1968, p. 162.

议，但在几项基本特征上有大致公论。“大多数史诗都具备某些特征：（1）主角英雄具有举足轻重的地位，具有民族（national，国族）性或国际性的重要性，并具有重大的历史性或传奇性的意义；（2）有广阔的地理背景设定，涵盖诸多广大国度、世界或宇宙；（3）情节由一系列异常英勇或需要超人勇气的事迹构成；（4）超自然力量——神、天使和魔鬼介入情节；（5）采用持续递进的叙事方式；（6）诗人保有一定客观性。”[37]伊朗民族史诗大都具备上述全部特征。即便进一步引入帕里（Milman Parry）、洛德（Albert B. Lord）和纳吉（Gregory Nagy）等注重口头传统研究的西方学者强调经典史诗（classical epics）具有口传起源性的主张，如往往没有固定的作者而是说书人的集体创作等，伊朗民族史诗也仍在经典史诗研究学者的视野范围之内。在伦敦大学东方与非洲学院获得波斯文学和伊朗学博士学位的日本学者山本久美子（Kumiko Yamamoto）曾专题研究过波斯语史诗的口传背景，并在其著作中借助对伊朗社群中故事讲述者的讲述行为（naqqālī）以及伊斯兰时代早期口传故事传统的研究，通过对《列王纪》的实例分析，梳理出口头表述模式（the oral performance model）的一系列形式标准（formal criteria）和主题标准（thematic criteria），并把这个模式再应用于分析《列王纪》之后的波斯语史诗（以《戈尔沙斯帕传》为实例），她得出这样的结论：“口头传统确实对波斯语史诗产生了影响，但是是间接的。口头传统持续影响着人们讲故事和听故事的方式，它深深地贯穿了波斯语史诗。这是由史诗诗人与他们的读者共享并共同发展的，它是共享知识和贮存经验的一部分，并且就其本身而言，是很少明确得到普遍承认的。”[38]伊朗民族史诗主要通过收集前伊斯兰时代部分散佚的巴列维语文献，改写文人笔记和古代文献译本等波斯语散文体著作，整理伊朗民间口传故事，由文人有选择地对素材进行选取和运用，以伊斯兰时代新兴的达里波斯语吟诵而成。其主要内容涉及伊朗古代神话与

37 William Harmon and C. Hugh Holman, *A Handbook to Literature* (8th ed.), New Jersey: Prentice Hall, 1999, p. 189.

38 Kumiko Yamamoto, *The Oral Background of Persian Epics: Storytelling and Poetry*, Leiden / Boston: Brill, 2003, p. 143.

传说，着重讲述伊朗本族群古代君王与英雄的经历和业绩。有别于对文明肇始后逐渐出现的口传史诗作忠实记录而成的传统史诗（primary epic），包括《列王纪》在内的所有伊斯兰时代伊朗民族史诗其实皆可称作次生史诗（secondary epic），它们基本上都受到口头传统的间接影响。这里的次生史诗概念并不意味着此类史诗仅是某部原生经典史诗的衍生作品，而是强调它们经由文人收集原始资料之后再创作而成的特性。

其次，从社会功用方面来看，在经历了异族征服的时代背景下，伊朗民族史诗通过传唱与歌颂伊朗古代荣耀，唤起大众对伊朗文化的认同，重塑了生活在伊朗大地上的人群之尊严，激发了伊朗人的族群自豪感，加强了伊朗族群的凝聚力，对伊朗文化的存续起到不容忽视的关键作用。萨法就此曾有深刻评价："《列王纪》乃是一座宝库。它反映了一个民族在自身发展的过程中，从一种信念过渡到另一种信念，从一种宗教信仰过渡到另一种宗教信仰，从一种传统过渡到另一种传统的过程。设想如果没有反映这种过渡的几部著作（《列王纪》是其中最为重要的一部）作为两个时代的中介和桥梁，可能在世事错综复杂的变化中，皈依了伊斯兰教的伊朗民族会完全忘记自己的古老传统。他们会与其他皈依伊斯兰教的民族一样，完全变成另外一个民族。"[39]《列王纪》与其周边的多部同类作品相关互补，共同构成了一个具有史传性质的波斯语叙事文学传统——伊朗民族史诗这一有机整体，亦即萨法所说的"反映这种过渡的几部著作"。因此，《列王纪》和《库什王纪》等伊朗民族史诗均以文学手段在一定程度上实现了对伊朗民族记忆的某种重构，并且在伊朗社会伊斯兰化的转型时期对伊朗民族文化走向产生了重要影响。

---

39 Ẕabīḥ Allāh Ṣafā, "Naẓar bi maʾkhaẕ-i *Shāhnāma* va dīgar ḥamāsa-hā-yi millī"（《关于〈列王纪〉与其他民族史诗的材料来源》）, in Ghulāmriżā Sutūda (ed.), *Namīram az īn pas ki man zanda-am: Majmūʿa-yi maqālāt-i kungra-yi jahānī-yi buzurgdāsht-i Firdawsī*（《自此以后我将永生——纪念菲尔多西世界大会论文集》）, Tehran: Intishārāt-i Dānishgāh-i Tihrān, 1995 (SH 1374), p. 47。汉译引自张鸿年：《列王纪研究》，第67—68页。

二、《库什王纪》述要

1.《库什王纪》的创作背景

《库什王纪》创作完成的时段大约在伊斯兰教历501—504年(1107—1111)。[40]诗作的序言部分明确写到，诗人把《库什王纪》献给塞尔柱王朝的苏丹吉亚苏丁·穆罕默德·本·马立克沙(Ghiyās al-Dīn Abū Shujāʿ Muḥammad ibn Malikshāh)，即穆罕默德一世(Muḥammad I)，他在位的时间是1104—1117年；诗中还提到这位苏丹攻克位于伊斯法罕(Iṣfahān)城郊山上的保坦尼耶派(Bāṭiniyān)[41]城堡肖赫迪兹(Shāhdiz)，战胜埃米尔·赛伊夫·道莱·本·萨达伽(Amīr Sayf al-Dawla ibn Ṣadaqa)[42]，以及艾哈迈德·尼札姆·穆勒克(Aḥmad ibn Niẓām al-Mulk)[43]被任命为维齐尔等事件，这些事件都发生在1106年和1107年。而艾哈迈德·尼札姆·穆勒克在1110/1111年被免职，据此推断，《库什王纪》全书完成于1107年至1110/1111年之间。

阿拉伯征服和伊斯兰的扩张，致使阿拉伯语文学在公元8—9世纪于伊朗盛行，但在客观上也推动了达里波斯语的东传，“在很大程度上促使达里波斯语统一了伊朗各地口语，这是书面新波斯语形成的决定

---

40 Matīnī, “Muqaddama,” p. 45.

41 意译为“内心派”，为什叶派支派七伊玛目派，即伊斯玛仪派(Ismāʿīliyān)的别称(在波斯语历史文献中有时又被当作其支派)。塞尔柱时期，其最大支派尼扎里派(Nizāriyān)，曾因教长(shaykh，常对音译作“谢赫”)哈桑·萨巴(Ḥasan Ṣabbāḥ)组织信徒刺杀塞尔柱王朝和十字军的各方君主与重臣，而以阿萨辛派(Ḥashshāshīn，即“刺客派”)名噪一时。阿萨辛派在中国古籍中被称为木剌夷、木罗夷或木乃奚。

42 在塞尔柱军队攻克肖赫迪兹后，为出逃的保坦尼耶派残余势力提供庇护的一位阿拉伯人埃米尔(地方统治者)。

43 尼札姆·穆勒克(Niẓām al-Mulk Ṭūsī)之子。尼札姆·穆勒克在阿尔普·阿尔斯兰(Alp Arsalān，1063—1072年在位)和马立克沙一世(Malikshāh I，1072—1092年在位)两任大塞尔柱帝国苏丹时期，作为维齐尔执掌朝政近三十年。

性因素”。[44]公元9世纪，随着伊朗东部地方王朝的兴起，达里波斯语首先在河中地区、锡斯坦（Sīstān）、呼罗珊（Khurāsān）等地开始从口语上升为文学语言；至塞尔柱王朝早期，约在11世纪中叶，成为通行于伊朗东西部的文学语言。即在阿拉伯人征服伊朗的伊斯兰时代初期，作为口语的达里波斯语从伊朗西部向东部发展；而在两百年后的伊朗文化复兴时期，作为文学语言的达里波斯语则起源于伊朗东部，并随后逐渐向西部发展。[45]在萨曼王朝、伽色尼王朝等伊朗东部政权宫廷的支持下，达里波斯语诗歌创作迅速走向繁荣，在文风上首先形成呼罗珊风格（sabk-i Khurāsānī）[46]，从公元9世纪延续到12世纪，尤其盛于10—11世纪。随着塞尔柱政权自呼罗珊向西征服伊朗中西部，达里波斯语作为文学语言在整个伊朗地区通行，波斯语诗歌创作也随之自伊朗东部地区向伊朗中西部地区发展。纳赛尔·霍斯鲁（Nāṣir Khusraw，1004—1088）在其《游记》（*Safarnāma*）中记载了一则他与伊朗西部诗人谈论诗歌的经历，也可说明当时波斯文学和波斯语诗歌创作自东向西发展的趋势：[47]

---

44 G. Lazard, “The Rise of the New Persian Language,” in R. N. Frye (ed.), *The Cambridge History of Iran*, vol. 4, *The Period from the Arab Invasion to the Saljuqs*, Cambridge: Cambridge University Press, 1975, p. 602.

45 Lazard, “The Rise of the New Persian Language,” p. 600。李江：《达里波斯语：从口语到文学语言的演变》。在伊斯兰时代初期，随着大军的东进，达里波斯语在河中地区等伊朗东部地区取得支配地位。另据萨法，在伊斯兰时代成为伊朗通用书面语的达里波斯语源自萨珊时期的伊朗人通用口语，亦即其首都方言（lahja-yi pāytakhtī）——在泰西封等麦达因诸城被使用的语言；而该语言又以安息巴列维语为基础，混杂一些伊朗西部方言元素而形成，在安息时代便被用作首都地区的语言，后逐渐作为通用语扩展至整个伊朗地区。所以该通用语实际上最早是由帕提亚人自东向西传播的，在达里波斯语文学肇始于伊朗东部地区之时，对于［当地的］人们来说，它是一种熟悉的语言，并且该语言很快受到呼罗珊、锡斯坦、河中地区诸方言元素的强烈影响。而后，达里波斯语又在阿拉伯语的渗透和影响下，逐渐脱离其原本形式，发展成为一种不同的语言。Ẕabīḥ Allāh Ṣafā, *Tārīkh-i adabiyāt-i Īrān* (《伊朗文学史》), vol. 1, Tehran: Quqnūs, 1989 (SH 1368), pp. 52—53。

46 这一时期呼罗珊地区诗人作品的共同特点是，使用优美流畅的波斯语，叙事简明，用语朴实，描写环境和人物不过于铺排，很少使用科学术语和阿拉伯语词汇；代表诗人有鲁达基（Rūdakī，？—940）、法罗西（Farrukhī Sīstānī，约980—1037/1038）等。菲尔多西的《列王纪》亦为该风格的典范。

47 张鸿年：《波斯文学史》，第115页。

我在大不里士（Tabrīz）见到一位名叫卡特兰（Qaṭrān）的诗人，他作得一手好诗，但波斯语掌握得还不是很好。[48]他来到我跟前，拿着孟吉克（Munjīk Tirmiẕī）[49]和塔吉基的诗集在我面前朗读，就每个难解其意之处向我请教。我给他讲解，他把我说的那些解释书写［记录］下来，并为我朗诵了自己所作的几首诗。[50]

鉴于纳赛尔·霍斯鲁于1045年底自木鹿出发西行，上述事件大约发生在1046年，即11世纪中叶，比《库什王纪》早成书半个世纪。自12世纪后半叶至15世纪末，波斯诗歌文风与此前的呼罗珊风格相比又有显著不同。这种兴起于塞尔柱王朝后期，贯穿蒙古人统治时代，延续至帖木儿王朝（Taymūriyān / Timurid dynasty，1370—1506）时期的波斯诗歌文风被称为伊拉克风格（sabk-i ʿIrāqī）。[51]《库什王纪》作者家乡为伊朗中西部的重镇雷伊，是伊拉克风格兴起的核心地带，也与阿塞拜疆风格（sabk-i Āẕarbāyjānī）的流行区域相近。但一方面《库什王纪》成书于12世纪初，阿塞拜疆风格和伊拉克风格均尚未形成，另一方面该诗作属伊朗民族史诗文体，深受《列王纪》等同类著作的传统影响，其行文仍为典型的呼罗珊风格。

千百年来，《库什王纪》在民间的流传情况难以辨明，目前仅知一

48 当时在伊朗西部，尤其是大不里士地区，大部分居民的母语并非达里波斯语，至少不是呼罗珊方言。而作为伊朗新的书面通用语的达里波斯语正是以呼罗珊方言为基础，所以在塞尔柱王朝早期，伊朗西部的很多文人能用波斯语作诗，但不通晓部分出自呼罗珊方言的波斯语词汇。

49 出生于铁尔梅兹，生活于10世纪下半叶，效力于石汗那（Chaghāniyān）地方宫廷，与下文的塔吉基均为当时著名的伊朗东部地区大诗人。

50 Muḥammad Dabīr-siyāqī (ed.), *Safarnāma-yi Nāṣir Khusraw* (《纳赛尔·霍斯鲁游记》), Tehran: Zavvār, 1984 (SH 1363), p. 9.

51 该风格得名于伊朗的伊拉克地区，即伊朗西部地区，但流行范围不限于此；代表诗人包括萨迪（Saʿdī，1208—1292）、哈菲兹（Ḥāfiẓ，1327—1390）、贾米（Jāmī，1414—1492）等。伊拉克风格以呼罗珊风格为基础，相较之下又有明显变化：使用更多的阿拉伯语词汇，以及科学、宗教、哲学术语；歌颂爱情，表达神秘主义，以及道德说教的抒情诗和叙事诗兴盛；语言由简洁、流畅转变为大量运用修辞手法，辞藻华丽；讽刺内容相较之前的时代也丰富起来；由于伊朗社会长期处于动荡状态，诗歌语言向复杂和含义模糊方向发展。在呼罗珊和伊拉克两大风格盛行期间，还有一种流行于12世纪的过渡风格——阿塞拜疆风格（sabk-i Āẕarbāyjānī），兼具上述两大风格的特点，以哈冈尼（Khāqānī，约1120—1199）和内扎米·甘泽维（Niẓāmī Ganjavī，1141—1209）的诗作为代表。

个抄本存世，直到1998年才由马提尼校勘完毕并付梓。现藏于大英图书馆中的《库什王纪》孤本于伊斯兰教历800年2月（Ṣafar），即1397年，由一个名为穆罕默德·本·赛义德·阿卜杜拉·伽里（Muḥammad ibn Sa'īd ibn 'Abd Allāh al-Qārī）的抄写者完成抄写。1397年的伊朗处于帖木儿王朝统治时期，主要通行波斯语和察合台语，已不是阿拉伯语作为书面语言盛行于伊朗的年代，但抄写者在抄本的最后仍以一段阿拉伯语记下了自己的名字和抄本的抄写日期。[52]《库什王纪》抄本以波斯语纳斯赫（naskh）体[53]工整地抄写，但其中仍有不少明显误抄或文字难以理解之处，甚至还有出韵、出律的现象。该情况似乎在暗示抄写者本人的母语并非波斯语，或至少对波斯语格律诗不甚精通。

2.《库什王纪》的作者

根据现存《库什王纪》抄本和出自同一诗人之手的另一部伊朗民族史诗——《巴赫曼王纪》，以及由佚名作者编纂的《历史与故事辑要》一书提供的信息综合来看，《库什王纪》作者的名字是伊朗尚·本·阿比·黑尔（Īrānshān ibn Abī al-Khayr）。《库什王纪》中有两联诗写道：

以前我曾讲述一个故事，就如全部我所听说的那样，

一个那么色彩缤纷、气味芬芳的故事，巴赫曼[54]为王的一切都在其中。

（第108—109联）[55]

---

52 Matīnī, “Muqaddama,” p. 27.

53 纳斯赫体的笔画清晰，用途类似汉语的“小楷”。

54 Bahman.

55 马提尼校勘出版的《库什王纪》总计有诗联（对句）凡10129，本书以下引征其整联诗句时，笔者自做汉译后在引文后面直接标注联数，皆以该勘本联数编号为准，不再为出版信息和页码单独出注。参见Īrānshān ibn Abī al-Khayr, *Kūshnāma*（《库什王纪》），ed. Jalāl Matīnī, Tehran: 'Ilmī, 1998 (SH 1377)。

《历史与故事辑要》中则有这样的记载:“达拉(Dārā)[56]的时代:在这段日子里,黄金扎尔(Zāl)故去了,除了在那部由Ḥakīm[57] Īrānshān ibn Abī al-Khayr整理成诗的《巴赫曼王纪》中,我没有在[其他]任何一本书中见到提及于此。”[58]夏勒·里乌曾援引儒勒·莫尔于1843年在《亚洲学报》上所发表的文章的提法,把《巴赫曼王纪》的作者记作Ḥakīm Īrānshān B. Abi'l-Khair;在介绍《库什王纪》时他说,其作者与《巴赫曼王纪》的作者是同一个人。[59]1939年,诗王巴哈尔在其校注出版的《历史与故事辑要》一书的注释中讨论了这位诗人的名字。他认为原文中写作Īrānshān的这个词既没有先例也没有词义,倾向于主张诗人名为Īrānshāh。[60]随后的很多年中,人们基本上接受了《巴赫曼王纪》和《库什王纪》的作者名为Īrānshāh。[61]穆因(Muḥammad Muʿīn)在编撰波斯语辞书时,将诗人之名收入Īrānshāh词条。[62]1998年,马提尼在其校注出版的《库什王纪》前言中再次详细讨论了诗人名字的问题,并对巴哈尔倾向于Īrānshāh的原因作了推测。他认为,巴哈尔和儒勒·莫尔都参阅了法国国家图书馆(Bibliothèque nationale de France)藏《历史与故事辑要》的抄本(巴黎本),但儒勒·莫尔看到的是原本,巴哈尔看到的是在伊朗出版的胶片本,胶片本中诗人名字这个词印刷不完整;尽管如此,巴哈尔还是通过与抄本中[有关字母和词汇]的通用书写方式进行比勘,正确地推断出该词是Īrānshān;由于这个词既无先例又无词义,他提出了Īrānshāh的推测。如果巴哈尔看到的也是清楚写作Īrānshān的抄本原件,大概他就会和儒勒·莫尔一样不再有别的疑虑了。[63]随后,马提尼又基于对《历史与故事辑要》多个抄本所

56 历史原型为阿契美尼德王朝末代君主大流士三世(Darius Ⅲ,前336—前330年在位)。

57 ḥakīm词义为“智者、贤哲”,常被加在著名文人学者的名字之前,用作尊称。

58 Bahār (ed.), *Mujmal al-tawārīkh wa-al-qiṣaṣ*, p. 92.

59 Rieu, *Supplement to the Catalogue of the Persian Manuscripts in the British Museum*, p. 136.

60 Bahār (ed.), *Mujmal al-tawārīkh wa-al-qiṣaṣ*, pp. 92—93, note 4。Īrānshāh词义为“伊朗王”。

61 Matīnī, “Muqaddama,” p. 28.

62 *FFM*, vol. 5, p. 211. *LND*, vol. 3, p. 3703.

63 Matīnī, “Muqaddama,” pp. 25—28.

作的综合分析，主张诗人之名还是应作Īrānshān。[64]2005年，欧米德-萨拉尔在《〈库什王纪〉札记》（"Yāddāsht-hā-yi *Kūshnāma*"）一文中也对《库什王纪》作者的名字是Īrānshāh还是Īrānshān这一问题做出辨析，但他提出不同于马提尼的观点。欧米德-萨拉尔认为巴哈尔看到的文本也是清楚的，即他明确看到了Īrānshān的写法。而Īrānshān容易被西方学者认可，这是由他们自己的学术背景决定的；与之相对，伊朗人大都认为这个词太过独特和奇怪，应本着孤证不立的原则对其持怀疑态度。他还认为，对文本模糊不清处的辨识法则——"更难读的拼写可能性更大"（Lectio difficilior）不能适用于所有情况，因而主张不能轻易认定《库什王纪》诗人的名字是Īrānshān。欧米德-萨拉尔随后就《历史与故事辑要》藏于巴黎、都柏林、柏林和海德堡的四个抄本之间关系做出分析，指出支持Īrānshān的巴黎本和都柏林本之间存在关联，只能作为同一证据，而支持Īrānshāh的柏林本和海德堡本可以作为两个证据；另外，从抄本年代上来说，支持Īrānshāh的柏林本也较支持Īrānshān的巴黎本更为古老。最终，他给出Īrānshān不优先于Īrānshāh的结论。[65]综上所述，诗人之名确切为何，至今仍存有争议，本书暂简单处理——按马提尼整理出版的《库什王纪》勘本，记其名为Īrānshān。

关于诗人的宗教信仰，马提尼自《巴赫曼王纪》中有赞颂先知穆罕默德和什叶派第一位伊玛目阿里（ʿAlī ibn Abī Ṭālib）的诗句这一点，推断诗人可能是一位有什叶派倾向的穆斯林。随后他又指出在《库什王纪》中赞颂伊斯兰先知的部分以及其他地方并未出现赞颂阿里的文字，因此并未给出定论。[66]《巴赫曼王纪》的校注者拉希姆·阿菲菲（Raḥīm ʿAfīfī）也据该史诗两个抄本的"前言"部分均出现了尊崇阿里的内容，如"耶兹丹（Yazdān）[67]为清除卡菲勒（kāfirān，穆斯林的敌人）

64 Matīnī, "Muqaddama," pp. 28—30.

65 Maḥmūd Umīd-Sālār, "Yāddāsht-hā-yi *Kūshnāma*" (《〈库什王纪〉札记》), *Farhang-i Īrānzamīn* (《伊朗大地的文化》) 30, (2005 [SH 1384]): 312—336.

66 Matīnī, "Muqaddama," pp. 30—31.

67 本为琐罗亚斯德教神祇统称，波斯语史诗中用以指称真主。下文另有详述。

而赐阿里以双锋剑（ẕū al-faqārī）”，推测诗人非常有可能是什叶派穆斯林。[68]此外，《库什王纪》行文中在介绍向诗人提供该故事文字资料的捐赠者时还有这样的诗句：

在我居住的城中有一位长者，他既有学识又为人文雅。

他还是个年轻人，每个见到他的人都对他呼唤耶兹丹之名。

他身材高挑如翠柏，体格强壮魁梧无比，面色如牛奶和红酒混合在一起。

他出身自先知家族[69]和什叶派五圣[70]，是阿里的子孙[71]，[名叫]布·阿里·穆吉太巴[72]。

他对我说：如果你有意于此，我有一个关于秦王的故事。

任何一个聪慧地读它的人，都会从库什的事情中获益良多。

（第128—133联）

这几联诗句亦可作一旁证。一方面，这位捐赠者主动向诗人提供文字资料，可见二人关系良好；更重要的是，上述诗句中诗人对他非常尊崇，既然诗句中明确提出捐赠者出自什叶派，诗人自己极有可能也是什叶派。

马立克沙一世遇刺身亡后的十几年间，在其子嗣之间爆发了历时多年的夺位战争。其间，穆罕默德一世自其封地——土兰（Tūrān）[73]向伊朗进军。当他进入雷伊（Ray）[74]时，诗人恰好完成《巴赫曼王纪》

68 Raḥīm ʻAfīfī, “Pīshguftār” (《前言》), in Īrānshāh ibn Abī al-Khayr, *Bahmannāma* (《巴赫曼王纪》), ed. Raḥīm ʻAfīfī, Tehran: ʻIlmī va Farhangī, 1991 (SH 1370), p. 13.

69 Āl-i Yāsīn.

70 Āl-iʻAbā’，指穆罕默德、阿里、法蒂玛、哈桑和侯赛因。

71 原文作“banīra”，应是“nabīra”之误。

72 [A]bū ʻAlī Mujtabā. 由此联看，故事捐赠者出自什叶派伊玛目家族，诗人可能也是什叶派。

73 此处的土兰指穆罕默德一世参与夺位战争前领有的高加索地区到甘泽（Ganja）、阿兰（Arrān）、大不里士（Tabrīz）一带，还包括里海沿岸的吉兰（Gīlān）。

74 伊朗古城，曾为呼罗珊通往安纳托利亚要道上的重镇，毁于蒙古人西征，遗址在今伊朗德黑兰南部市区。

的创作，但自己已年迈体衰，遂辗转托人向苏丹献上诗作，[75]时在1100年前后。这说明诗人的家乡就在雷伊，或距其不远。与诗人同时代且父名（Abī al-Khayr）相同的著名伊朗文人学者目前仅知沙赫玛尔丹·本·阿比·黑尔·拉齐（Shahmardān ibn Abī al-Khayr Rāzī），阿菲菲认为诗人与其系兄弟关系，进而可推断诗人也是雷伊人（Rāzī）。关于二人是兄弟关系的论断，除他们的生活时代和父名均相同外，阿菲菲还提出如下几个理由：其一，伊朗尚（或伊朗沙赫）[76]与沙赫玛尔丹两个名字均为出自伊朗传统文化的人名，且相互有关联。其二，沙赫玛尔丹在以阿拉伯语撰写《修辞学》（*al-Badāyi'*）之后，在其另撰关于自然科学、文学、历史学的波斯语百科全书著作《高贵的喜悦之书》（*Nuzhatnāma-yi 'Alā'ī*）[77]的前言中自述，"此番专以波斯语著书，以便令所有人受益"；他的另一部重要著作《星相学家之园》（*Rawżat al-munajjimīn*）也用波斯语写成。伊朗尚则以波斯语著有两部长逾万联的长篇叙事诗，故而二人均有推广达里波斯语的意识，着意用波斯语著书立说。其三，更以天文学家和数学家闻名的沙赫玛尔丹，在《高贵的喜悦之书》中设专章记述古代伊朗故事与传说，伊朗尚的两部史诗也均为讲述古代伊朗故事与传说之作，他们在这一点上也志趣相投。综合这些信息来看，二人当出自同一个书香门第、文化世家。[78]

除了《历史与故事辑要》，以及《库什王纪》和《巴赫曼王纪》两部诗作本身，迄今没有发现其他文献材料中有关于诗人生平的记载。《库什王纪》和《巴赫曼王纪》两部史诗均为内容丰富的长篇大作，有关其作者的资料传世却如此寥寥，不免令人略觉遗憾。

---

75 'Afīfī, "Pīshguftār," p. 14.

76 阿菲菲倾向于将诗人名写作伊朗沙赫（Īrānshāh）。

77 'alā'本义为"崇高、高贵、显赫"，'Alā'ī为其形容词形式。该著作本名《喜悦之书》（*Nuzhatnāma*），因被献给伊朗的什叶派割据政权卡库伊德王朝（Āl-i Kākūya / Kakuyid Emirate, 1008—1141）的埃米尔（地方君主）阿拉·道莱·哈斯巴克·阿布·卡利贾尔·戈尔沙斯帕（'Alā' al-Dawla Khāṣbak Abū Kālījār Garshāsp），其通用名以该埃米尔之徽号'Alā' al-Dawla（意为"国之高贵"）命名，故称*Nuzhatnāma-yi 'Alā'ī*，即"'Alā'的喜悦之书"，意为"高贵的喜悦之书"，又可对音汉译作《阿拉的喜悦之书》。

78 'Afīfī, "Pīshguftār," p. 15.

3.《库什王纪》情节概述

《库什王纪》在开篇部分介绍这部诗歌写作缘起的时候，把诗中故事称为“秦（中国）王的故事”（dāstān az shāh-i Chīn）；在第4802联中又以*Kūshnāma*称呼诗人正在讲述的故事，该词在全诗中也仅出现这一次。[79]在《历史与故事辑要》中，这部诗作被以《象牙库什的故事》（*Dāstān-i Kūsh-i Pīl-dandān*）之名记载。近代以降，一些东方学家和波斯文学的研究者，诸如儒勒·莫尔、夏勒·里乌和萨法等，直接将该诗作称为*Kūshnāma*。

《库什王纪》整部诗作依情节主题可大致分为七个部分，依次是序言、库什[80]与玛努什（Mānūsh）[81]、象牙库什与阿贝廷（Ābtīn）[82]、象牙库什与法里东、象牙库什征讨马格里布、法里东三分世界和象牙库什开疆拓土于西方。

序言（第一部分）有226联诗句（第1—226联）。这部分包含的内容有对至高真主（Bārī-yi ta‘ālā）的感谢、对知识的赞颂、关于赞颂理智、关于生命的无常、对愿真主保佑他的先知的赞美、指出《库什王纪》的吟诵者曾作过《巴赫曼王纪》诗歌、关于吟诵《库什王纪》诗歌的缘起，以及对伊斯兰君王——穆罕默德一世苏丹的赞颂等，符合当时叙事长诗创作的通行格式。

库什与玛努什的故事（第二部分）有692联诗句（第227—918联）。由发生在伊斯兰时期的一位名为库什的伊朗王与叫做玛努什的鲁姆

---

79 Ibn Abī al-Khayr, *Kūshnāma*, p. 405.

80 《库什王纪》中总共出现四个名为Kūsh的人物，分别是传说中的一位伊朗王库什，上古诸王之王佐哈克的兄弟库什，库什之子、佐哈克之侄象牙库什，以及象牙库什之子迦南之子库什。后三人源出一系，同属大食人佐哈克家族，其中的象牙库什是《库什王纪》全书的主角。在“库什与玛努什”故事中出现的伊朗王库什生活于阿努席尔旺的时代之后，又不在萨珊诸王之列，据此推断，应为伊斯兰时代的一位伊朗王，亦属传说中的人物。这位伊朗王库什仅与另外三个库什同名，书中并未提及他与佐哈克家族有亲缘关系。

81 一位传说中的鲁姆王。

82 贾姆希德的曾孙，逃亡在中国的贾姆希德家族的首领。

(Rūm)[83]王之间的故事说起，通过该故事的情节发展，引出上古传说中象牙库什的故事，即这部分是全书主要情节的引子。这种多级叙事手法在波斯语古典叙事长诗中较为常见。

象牙库什与阿贝廷的故事（第三部分）有4 517联诗句（第919—5435联），是全书最重要和最精彩的一部分。这部分故事讲道：上古君王贾姆希德失去至高真神（Yazdān）的眷顾之后，阿拉伯（Tāzī，大食）[84]人首领佐哈克攫取了世界王权，入主伊朗。贾姆希德在被佐哈克擒杀之前，将妻儿和族人送往秦的丛林中躲避，他的妻子是秦王（shāh-i Chīn）玛汉格（Māhang）之女。在玛汉格被归附于佐哈克的印度王（mahrāj）[85]攻杀之后，佐哈克任命其兄弟库什成为新的秦王，继续追杀贾姆希德家族的逃亡者。库什在秦征服了一个名为皮尔古尚（Pīlgūshān）[86]的部落之后，纳该部落的一名美丽女子为妾。该女子为其生下一个长有象牙和象耳的男孩，即诗作主角象牙库什。因孩子相貌极为丑陋，库什将其遗弃在丛林里，旋即为逃亡的贾姆希德家族族长阿贝廷之妻收养。象牙库什长大后，帮助阿贝廷屡次击败库什的军队，直到库什意识到这个丑陋而勇猛的敌人可能是自己的儿子。库什父子相认后，象牙库什倒戈，转而与阿贝廷为敌。阿贝廷只好经由马秦

---

83 Rūm一词在现代波斯语中意为“罗马”。但在波斯语兴起的时代，伊朗的西北方是东罗马，即拜占庭帝国，因而在古典波斯语历史文献和文学作品中，Rūm一词主要指东罗马。另外，更早的亚历山大帝国在伊朗文化中留下深刻的印记，因此中古时期的波斯语Rūm有时也指马其顿亚历山大时期以及之前的希腊。在未提及具体时代背景的情况下，Rūm在波斯语文学作品中一般特指以安纳托利亚高原为主体的小亚细亚地区。本书按原文对音译为“鲁姆”。王治来在《世界境域志》汉译本［转译自米诺尔斯基（V. Minorsky）的英译本］中译为“罗姆国”。参见佚名著，王治来译注：《世界境域志》，上海：上海古籍出版社，2010年，第186页，及注①。韩中义在其译注的斯特兰奇（G. Le Strange）著《大食东部历史地理研究》一书中，将其汉译为“鲁迷”。参见G. 勒·斯特兰奇著，韩中义译注：《大食东部历史地理研究——从阿拉伯帝国兴起到帖木儿朝时期的美索不达米亚、波斯和中亚诸地》，北京：社会科学文献出版社，2018年，第181页。

84 本书中“阿拉伯”与“大食”两个专名完全同义，出现两种表述的原因仅在于所引原文用词不同，注明转写的几处除外。

85 亦作mahrāja或mahārāja。波斯语的该词源自梵语词汇mahārāja，即“大王”之意，是印度地区诸王的称号。宋岘在《道里邦国志》汉译本中将其译作“麦赫拉贾”。伊本·胡尔达兹比赫著，宋岘译注：《道里邦国志》，北京：中华书局，1991年，第17页。

86 意为“象耳者们”。

避往东海一个名叫巴希拉的岛屿，该地在诗中曾被称为“两个马秦之一”。后库什亡故，象牙库什成为秦王，一直与阿贝廷以及巴希拉之王醍醐尔（Ṭīhūr）战斗。某天，阿贝廷梦见贾姆希德令其返回伊朗，他便遵照梦谕行事。不久之后，阿贝廷被佐哈克擒杀于里海南岸的阿莫勒（Āmul）[87]地区。

象牙库什与法里东的故事（第四部分）有1 874联诗句（第5436—7309联）。这部分故事主要情节的发生地点与上一部分基本相同，都在伊朗东方的秦与马秦等地，其主要内容是：阿贝廷与巴希拉公主所生之子——法里东长大成人，他击败佐哈克后夺取世界王位。象牙库什随即在秦与马秦采取守势，同时他也通过在河中地区和莫克兰（Mukrān）等地的巡行征伐不断壮大自己的实力，一直开拓到莫克兰海外的岛屿。法里东数度调兵遣将赴秦征讨象牙库什，均未竟全功。直到他派出麾下最强大的将领——卡兰·卡维（Qāran Kāva），才击败并俘获象牙库什，随后把他同佐哈克一起囚禁在达马万德（Damāvand）[88]雪山。

象牙库什受命于法里东征讨马格里布及其复叛的故事（第五部分）有1 372联诗句（第7310—8681联）。这部分故事中，在象牙库什被囚禁四十年后，法里东启用他去征讨进犯马格里布的布加（Bujja）和努比亚（Nūba / Nūbī）人。象牙库什完成任务后不再服从法里东的命令。

法里东三分世界的故事（第六部分）有867联诗句（第8682—9548联）。法里东在其当政时期三分了世界——他任命长子萨勒姆（Salm）为鲁姆王，亦称为西方之王；令次子图尔（Tūr）为土兰与秦（Tūrān va Chīn）之王，亦称为东方之王；把大地中央之地——伊朗（Īrān）交给了三子伊拉治（Īraj）。由于伊朗王地位最高，图尔和萨勒姆认为父亲分封不公。出于嫉恨，他们合谋害死了伊拉治，并拉拢象牙库什结成同盟对抗法里东。法里东转而培养伊拉治的外孙玛努切赫尔（Manūchihr）。玛努切赫尔长大成人后，击败并杀死萨勒姆和图尔，为伊拉治报了仇，

87 即今伊朗马赞达兰省之阿莫勒，汉语古籍中作阿没、阿昧、阿模里等。

88 《列王纪全集》中汉译作“达玛温德”。

随后他又继承了法里东的王位。象牙库什则逃亡在马格里布到安达鲁斯（Andalus）的世界极西之地。

象牙库什在西方开疆拓土的故事（第七部分）有581联诗句（第9549—10129联）。这部分讲道：逃亡在西方世界之时，象牙库什一路前行并开疆拓土，建立了属于自己的独立王国。同时，他宣称自己为真神（āfarīnanda, Khudāy）并再度推行偶像崇拜。最后，他受到贾姆希德后裔中一位智慧长者的教诲，在自己统治的地区始行善事，然后《库什王纪》在没有提及象牙库什最终结局的情况下就结束了。

4.《库什王纪》的独特价值

《库什王纪》无论从叙事年代脉络的参照系还是从素材来源的角度来说，都毫无争议地从属于伊朗民族史诗这个集合。绝大多数伊朗民族史诗都是传说中上古伊朗君王和著名英雄的传记，主角或属于正统伊朗王族，或是勇士鲁斯塔姆（Rustam）家族的成员，少有例外。然而，贯穿《库什王纪》始终的主角象牙库什却是个与伊朗人为敌的异族人——其父是阿拉伯人，而其母出自中国（秦）的某部落，令这部作品在诸多伊朗民族史诗中显得格外与众不同。

《库什王纪》的主要正面角色是同属贾姆希德后裔的阿贝廷、法里东和玛努切赫尔等人，其主要情节是围绕正统伊朗王族复位为伊朗君王和世界之主这个核心展开的。正如吕浦卡在他主持撰写的《伊朗文学史》（*History of Iranian Literature*）书中所说："在众多的伊朗次生史诗中，《戈尔沙斯帕传》和《库什王纪》具有突出的特点……《库什王纪》的突出特点是：它把正统合法世系继承线的概念而不是把斗争作为形成情节驱动力的基本元素。"[89]有一千五百年的漫长寿命、作为被叙事者目光一直追踪观察的对象和贯穿全书情节发展的第一主角——象牙库什实为一个"大反派"，站在伊朗人的立场上，象牙库什丑恶骇人的形象具有浓重的"邪恶"色调。他暴戾恣睢又强壮善战，属于正统

89 Rypka, *History of Iranian Literature*, p. 164.

王族的贾姆希德数代后裔受其欺凌而东躲西藏，即便法里东再执世界王权，也未能将其彻底降伏。主角是与伊朗族群为敌、暴虐而强大的异族统帅，使得《库什王纪》与其他为伊朗历代先王与传说中诸英雄颂德立传的绝大多数伊朗民族史诗截然不同，这大概也让着重关注伊朗往昔荣耀的伊朗本民族读者对《库什王纪》不甚感兴趣，或可作为对这部史诗长期以来流传不广之问题的一种解释。

《库什王纪》与《列王纪》在叙事年代脉络上一脉相承，这使《列王纪》可以被当作主要参照系来对《库什王纪》展开考察。而《库什王纪》的很多情节未见于《列王纪》等其他伊朗民族史诗，说明这些作品在对传说素材的取舍上具有相互补充的作用，这有助于我们更好地了解以《列王纪》为代表的伊朗民族史诗的整体面貌。同时，《库什王纪》以一位异族首领作为贯穿整部作品并推动故事情节发展的主角，这在众多伊朗民族史诗中是比较少见的。[90]达里波斯语史诗并非原初型史诗，而是经由文人整理与再创作的次生史诗，诗人们进行再创作时，必然会人为地预设不同的作品核心主旨，因此这些伊朗民族史诗在资料的选取和运用上各有侧重。《库什王纪》的价值也恰恰体现在其叙事者的视角异于大多数伊朗民族史诗，诗中首要的被讲述者是曾给伊朗人带来深重苦难的异族英雄。它还一反其他伊朗民族史诗中伊朗人战无不胜的叙事定式，讲述了较多在其他同类作品中较为少见的正统伊朗王族遭遇挫败和饱受欺凌的情节，从而再现了一系列伊朗人噩梦般的集体记忆。这体现出《库什王纪》在对民间传说素材的选取和保存上都有其独到之处，使那些被大多数伊朗史诗整理者们有意无意地忽略的、令伊朗人感到“不愉快”的传说中的一部分，通过这部作品被保存下来，而不致湮没无痕。换言之，《库什王纪》的文献价值首先在于它以独到的叙事视角，保存了部分可能曾被其他文献编纂者“过滤掉”的古代伊朗人的集体记忆，把一些伊朗古代传说以较为“原生态”的面貌呈现在读者面前。

---

90 但并非绝无仅有。《苏珊传》《库克·库赫扎德的故事》《沙伯兰格的故事》等少数其他几部伊朗民族史诗亦如此。

对于中国读者来说,《库什王纪》还有一个不同于任何其他伊朗民族史诗的独特价值。按上文“情节概述”中对这部作品所作主题划分,第三部分“象牙库什与阿贝廷的故事”和第四部分“象牙库什与法里东的故事”的叙事场景主要在秦与马秦和巴希拉等地,这两部分总计有6 391联诗句,大略可以说,这部史诗以约63%的篇幅讲述了发生于古代中国及其周边地域的故事。本书以第五章至第七章就《库什王纪》所载中国相关内容展开多角度探讨。

第二章

《库什王纪》对伊朗民族记忆的重构

——与《列王纪》比较研究

一、《库什王纪》与《列王纪》的关联

1.《列王纪》在伊朗史诗传统和波斯文学史上的地位

《列王纪》是其后伊朗民族史诗创作的标杆与范本，但从搜集古代传说素材和诗人的创造性吟诵这两方面来说，《列王纪》与其他伊朗民族史诗并无本质区别——都是部分取材于散文体文字记录和民间口传故事，由诗人整理并再创作而定型的书面史诗作品。如果把对口传史诗以原始形态作忠实记录作为传统史诗（primary epic）的基本特征，把文人基于预设创作目标、将过去的书面资料和民间口传故事整理加工成诗作为次生史诗（secondary epic）的基本特征，《列王纪》及其他的伊朗民族史诗均属后者范畴。

抛开文体形式，仅就叙事内容而言，包括《列王纪》在内的部分伊朗民族史诗，颇类似于我国的史传文学作品。在中国，先秦史籍大多具有史传文学的性质，兼具历史与文学二重性。《史记》和《汉书》也呈现出显著的文学艺术性，而《后汉书》及以后的中国官修史籍逐渐走上注重史料收集与史实考辨的道路，在一定程度上放弃了文辞优美和叙事情感充沛的文学性。于是史传文学传统在民间得以继续发扬，直至结合正史、野史，乃至民间传说创作而成的演义文学兴盛起来。尽管中国的历史演义与口头传统也有着密切关系——部分历史演义的成书经历了说书和话本两个阶段的演进，但整体而言，伊朗的口头传统更为发达。伊朗民族史诗不仅继承了过往时代的口传故事，又因采用诗歌体而琅琅上口，适于在成书后被继续口头传唱。中国的书面传统则相对

发达，部分历史演义是作者仅凭融合史传与野史的文字记载，再做艺术加工而成的散文体通俗读物。而在伊朗，非制度化的官方组织和文人学者自发的著书立说是史籍文献的主要编纂形式，且文史同源观念和史传文学传统在其书面传统中留有格外深刻的烙印，加之强大的波斯语诗歌文学传统又令“诗记史”的创作在伊朗高度发达，史诗遂在对史事的记录上起到重要作用。19世纪以前，史诗在伊朗一直被归入历史著作之列，学者们借助包括史诗在内的广泛历史文献探寻、勾勒伊朗古代史的轮廓。即便在当下，历史史诗、宗教史诗，乃至民族史诗，仍被视为具有重要史料价值的文献。

《列王纪》堪称伊朗史诗文学传统中，甚至是波斯文学史上最伟大的一部作品，也是受到各国学者高度评价、在世界范围内具有相当影响力的文学巨著。这有多方面的原因，其中又有三点非常重要。

第一，《列王纪》的叙事时间范围覆盖整个前伊斯兰时代的伊朗历史，是一部具有“古代伊朗通史”性质的长篇大作。《列王纪》的内容涵盖人类始祖开创文明并与鬼神相搏的“神话故事”，诸王与勇士开疆拓土、保家卫国的“壮士故事”和“英雄史诗”，以及在很大程度上与“历史事实”(facts)相吻合的“历史故事”。根据梅列金斯基对史诗作的细化分类，这一部作品包含了史诗发展各个阶段的印记。《列王纪》的研究者以类似于梅列金斯基提出的分类法，把《列王纪》的叙事人为划分为三个部分，按叙事时间顺序排列，分别是神话传说、勇士传说和历史传说。[1]《列王纪》的叙事时间跨度使它注定成为一座连接神话时代与历史时代的桥梁，“没有其他的民族拥有一部同样壮丽的史诗，如同《列王纪》那样包含完整的历史传统，自模糊不清的神话时代下迄公元7世纪中叶”，[2]吕浦卡如是说。

第二，菲尔多西进行再创作的过程中，对手中掌握的史籍文献和民间传说做了有明确倾向的选择，最终使《列王纪》成为一曲反映伊朗古代文明荣耀的恢宏赞歌，这在伊朗民族尊严和民族自豪感亟待重塑的

---

1 参见张鸿年：《波斯文学史》，第56、69—70页。

2 Rypka, *History of Iranian Literature*, p. 160.

时代背景下，最大程度地符合伊朗族群的社会需求。正因如此，《列王纪》在伊朗大地上得到广泛传唱，历经千年而不衰。

第三，伊朗在被异族征服之后依然保有自己的语言和族群文化之根，广为伊朗人传唱的《列王纪》功不可没。《列王纪》用达里波斯语整合了阿拉伯征服之前的部分巴列维语史料和大量伊朗民间口头传说，保存了丰富的前伊斯兰时代伊朗文化遗产，在整个伊朗文学史上起到承上启下的作用。由于菲尔多西驾驭语言的才能和出众的作诗天赋，这部长篇史诗格律严整、文辞隽永，具有极高的文学审美价值，也便于说波斯语的人群口口相传。伴随着对《列王纪》的传唱，它所承载的伊朗古代历史脉络、传统文化元素和伊朗民族主义、爱国主义思想在伊斯兰时代的伊朗人群中广泛传播。在叙事内容方面，它被称为波斯语叙事文学的滥觞；在语言文字方面，它促进了达里波斯语作为文学语言的兴起，巩固了其伊斯兰时代伊朗通用语的地位。[3]张鸿年称"《列王纪》是伊朗伊斯兰化前后社会之间的桥梁"，[4]正是因为它对前伊斯兰时代伊朗文化传统在伊斯兰时代伊朗的传承起到关键作用，使伊朗独立的民族特性在其伊斯兰化后仍得以存续。

2.《库什王纪》对《列王纪》的模仿与创新

(1)《库什王纪》对《列王纪》的模仿

《库什王纪》成书比《列王纪》晚了近一个世纪，其行文有模仿《列王纪》的痕迹，马提尼已就此提出多项证据：在《列王纪》和《库什王纪》的序言部分都有"关于赞颂理智"的章节，且都在"对真主的赞颂"之后和"对伊斯兰先知的赞颂"之前，在众多波斯语古典叙事长诗中，只有这两部史诗如此[5]；《列王纪》《法拉玛尔兹传》和《库什王纪》中都收录了巴列维语书籍《智者博佐尔格梅赫尔劝谕书》(*Andarznāma-*

3 参见张鸿年：《波斯文学史》，第64—67页。

4 张鸿年：《列王纪研究》，第66页。

5 Jalāl Matīnī, "Khaẕf-i khirad va dānish" (《理智与知识的略去》), *Īrānshināsī* (《伊朗学》) 30, no. 2 (1996 [SH Tābistān 1375]): 212—215.

yi Buzurgmihr Ḥakīm）的部分内容，这三部诗作问世年代相近，而《列王纪》成书最早，故而后两者很有可能在这部分内容上模仿了前者；[6]《库什王纪》中有少量诗句与《列王纪》中的诗句相似，个别甚至完全相同；《列王纪》和《库什王纪》的故事都经常以德赫甘（dihqān）[7]、见多识广的人（jahāndīda）和说书人（gūyanda）等第三方叙事者的口吻讲述；菲尔多西在《列王纪》中运用了夹叙夹议的叙事手法，受其影响，《库什王纪》的作者也采用了这种叙事方式；《库什王纪》的作者熟练运用了详略得当的叙事手法，即对不重要的事件简略讲述或一笔带过，这也如同菲尔多西在《列王纪》的创作中所做的一样。[8]

然而，《库什王纪》又绝不是简单模仿《列王纪》而成的作品。亨利·梅瑟（Henri Messé）等一些西方伊朗学家把《列王纪》之后的伊朗民族史诗仅仅看作是对《列王纪》的模仿，这种观点无疑抹杀了其他伊朗民族史诗主题的多样性和内涵的多元化。山本久美子就此做出评价："[亨利·梅瑟的]这一观点仅仅是很多学者轻视后来的史诗并认为它们是仅模仿《列王纪》之作的体现，不仅没有充足的事实根据，且有误导性。例如，该观点并未言明这些史诗在哪一方面效仿了《列王纪》。虽然后来的史诗确实采用了与《列王纪》相同的格律（motaqāreb）和叙事诗体或联句体（masnavi or couplets）[9]，但这不能直接证明是诗人之间的模仿。正如艾尔威尔–萨顿（L. P. Elwell-Sutton）所指出，这种诗体不仅用于史诗，也用于那些浪漫[爱情]叙事诗和神秘主义叙事诗，在早期经典时代，格律和主题的相关性并未被严格遵循。除这些表面的观察以外，关于后来的史诗我们所知甚少，所以需要一种全新的眼光，这些后来的史诗必须被重新定义为一种不同的体裁（a

6 参见 Jalāl Matīnī, "Tarjuma-yi manẓūm-i dīgar-ī az *Yādigār-i Buzurgmihr*"（《〈博佐尔格梅赫尔回忆录〉的另一部诗歌体翻译》）, *Īrānnāma*（《伊朗学报》）17, no. 3 (1986 [SH Pāyīz 1365]): 115—142。

7 在伊朗古代社会，德赫甘是土地所有者阶层，一般有条件接受良好的教育，熟悉伊朗文化传统。

8 Matīnī, "Muqaddama," pp. 104—109.

9 术语"叙事诗体"又可对音译作"玛斯纳维体"，亦即"联句体"，是波斯古典格律诗的一种体裁，特点为每联（bayt，对句）的两个诗行（misra' 或 misrā'）互押尾韵，可每联一换韵，适合做篇幅较长的叙事。

different genre)。"[10]

毋庸置疑，对于波斯语史诗和长篇叙事诗来说，《列王纪》都是第一部集大成之作，后来的伊朗民族史诗在诗歌格律等技术性环节上效法《列王纪》;《列王纪》的内容也最为包罗万象，与其他伊朗民族史诗的内容多少有些关联。但从素材的收集和选取，以及诗人的创作意图等方面来说，后来的伊朗民族史诗不仅仅是对《列王纪》的模仿。这些作品往往有一些相对独立的素材来源，由于诗人主观设定的作品主旨因人而异，他们对素材的遴选和组织也常常不同于菲尔多西。《库什王纪》就是一部在形式上对《列王纪》有所模仿，在内容上对《列王纪》更有补充和突破的作品。

(2)《库什王纪》的创新

《库什王纪》对《列王纪》所做的补充和创新是显而易见的。

首先，《库什王纪》具有独特的叙事视角。与《列王纪》为伊朗古代诸王按序逐一立传的叙事视角截然不同，《库什王纪》是一部为异族君王所立的传记。作为一部叙事视角如此独特的作品，《库什王纪》在伊朗古典叙事诗传统中具有开创性。

其次，《库什王纪》呈现出更加开阔的叙事视野。这部作品将伊朗以外的地域作为主要叙事场景，叙事情节亦随之外化、丰富起来。《库什王纪》的叙事者未局限于关注伊朗自身的传统叙事视野，而是把观察的目光投向整个人类文明世界，从而提供了大量伊朗文明以外的信息。

再次，《库什王纪》的叙事者掌握大量独特的故事素材，并以其为基础完成了创作。象牙库什的故事在包括《列王纪》在内的其他伊朗史诗中遍寻无迹，即便在广泛的伊朗古代文献范围内，《库什王纪》也是唯一详细讲述这些故事的著作。《库什王纪》凭借如此独特的叙事，对《列王纪》所载做出重要补充。

最后，在《库什王纪》中虽亦可见到某些《列王纪》讲过的故事，但这些故事的情节在两部史诗中又不尽相同。《库什王纪》的吟诵者收录

---

10 Yamamoto: *The Oral Background of Persian Epics: Storytelling and Poetry*, p. 111.

了一些菲尔多西未能掌握或未曾采纳的其他口头或书面记录的传说，使这些故事在自己的作品中呈现出新的面貌。

有鉴于此，对于希望了解伊朗民族史诗，或想要以伊朗民族史诗为途径观察古代伊朗文明的读者来说，只读一部《列王纪》尚嫌不足。《库什王纪》这部作品的存在，表明古代伊朗人具有宽广的视野，体现出伊朗民族史诗思想的开放性、包容性，以及内容的丰富性。

3.《库什王纪》与《列王纪》的叙事时间和空间关系

《戈尔沙斯帕传》开篇即有这样的诗句：

妙语如珠的菲尔多西凭着《列工纪》，令过去的诗人无人能与他相比。

那书中写了许多勇士的战绩，但对这个故事并未详细提及。

这个故事也如大树的一枝，但如今却枝残叶败未结果实。

我要以我的诗才赋予它光彩，使新枝从树干上生长出来。[11]

如果把*Shāhnāma*（《列王纪》以及多部《王书》）这样的历代君王“合传”当作一棵大树的主干，把《戈尔沙斯帕传》《巴努-古莎斯帕传》《布尔祖传》和《法拉玛尔兹传》等鲁斯塔姆家族诸英雄的传记，以及《古什塔斯帕王纪》和《巴赫曼王纪》等单独的伊朗君王传记都视为大树繁茂的枝叶，这棵大树本身就是伊朗民族史诗的整体集合，那么《库什王纪》便是这棵大树众多枝杈中最为独特的一枝。既然《列王纪》在某种程度上属于史诗性质的前伊斯兰时代的“伊朗通史”，那么《库什王纪》就是未被立传于其中的一位异族帝王的史诗“本纪”。

《列王纪》的叙事“按史诗的故事情节，时间跨度在4600年以

11 ʿAlī ibn Aḥmad Asadī Ṭūsī, *Garshāsbnāma*（《戈尔沙斯帕传》）, ed. Ḥabīb Yaghmāyī and Parvīz Yaghmāyī, Tehran: Dunyā-yi Kitāb, 2010 (SH 1389), p. 44。汉译文引自张鸿年：《波斯文学史》，第87页，文字略有改动。

上”，[12]涵盖前伊斯兰时代伊朗文明史上的四个王朝——传说中的俾什达迪王朝（Pīshdādiyān）和凯扬王朝（Kayāniyān），以及信史时代的安息王朝和萨珊王朝。因《库什王纪》的叙事涉及俾什达迪王朝与凯扬王朝，专此将《列王纪》所载此二王朝完整的君王世系和在位时间列表如下：[13]

表1 《列王纪》载俾什达迪王朝王表

君　王	在位时间
凯尤玛尔斯（Kayūmarṣ）	30年
胡山（Hūshang）	40年
塔赫姆列斯（Ṭahmūriṣ）	30年
贾姆希德（Jamshīd）	700年
佐哈克（Żaḥḥāk）	1000年
法里东（Farīdūn）	500年
玛努切赫尔（Manūchihr）	120年
努扎尔（Nūzār）	7年
扎夫（Zav Ṭahmāsp）	5年
戈尔沙斯帕（Garshāsp）	9年

表2 《列王纪》载凯扬王朝王表

君　王	在位时间
凯哥巴德（Kay Qubād）	100年
凯卡乌斯（Kay Kāvūs）	150年
凯霍斯鲁（Kay Khusraw）[14]	60年

12 张鸿年：《波斯文学史》，第54页。

13 据张鸿年著《列王纪研究》所载《附录一〈列王纪〉中的王朝世系》，张鸿年：《列王纪研究》，第169—170页。

14 凯（Kay）在波斯语中词义为“帝王”，因此凯哥巴德、凯卡乌斯、凯霍斯鲁亦称哥巴德王、卡乌斯王、霍斯鲁王，或仅称其名哥巴德、卡乌斯、霍斯鲁。其中，卡乌斯作Kā-vūs，由两部分构成，第一部分Kā-本就是其称号Kay，但在波斯语中，Kā-vūs被讹作其名（又有缩略形式作Kāvus），前面再加称号Kay，Kay Kāvūs的形式遂约定俗成地流传下来。*LND*, vol. 12, pp. 18120—18121: Kāvus, pp. 18121—18122: Kāvūs。

（续表）

君　王	在 位 时 间
卢赫拉斯帕（Luhrāsp）	120年
古什塔斯帕（Gushtāsp）	120年
巴赫曼（Bahman-i Isfandiyār）	99年
胡马伊（Humāy）	32年
达拉布（Dārāb）	12年
达拉（Dārā-yi Dārāb）	14年
亚历山大（Iskandar）	14年

以《列王纪》呈现出的上述两大王朝世系作为研究《库什王纪》的叙事时间参照系，《库什王纪》讲述了自俾什达迪王朝第四位君主贾姆希德败亡，直至凯扬王朝第二位君主卡乌斯时代（稍及其后）这个时间段内的故事，叙事时间跨度近两千年，核心情节围绕象牙库什的一生展开，时间跨度约一千五百年。两部史诗对贾姆希德、佐哈克、法里东、玛努切赫尔等上古君王之间继承关系的描述完全一致。而占《库什王纪》近半篇幅的"象牙库什与阿贝廷的故事"，是对在《列王纪》中几乎没有描写的贾姆希德后裔逃亡数百年间经历的补充；法里东三分世界，直至玛努切赫尔为伊拉治复仇并登基为王这段故事，在两部史诗中如出一辙，只不过在《库什王纪》中，萨勒姆与图尔的"反叛者阵营"中多了象牙库什作为同盟。甚至可以说，《库什王纪》就是对《列王纪》四千多年叙事时间中近两千年的故事，从不同的观察角度作了再叙事。因此，《库什王纪》在叙事内容上对《列王纪》起到了突出的侧面补充作用。

《列王纪》与《库什王纪》在叙事空间上亦有所不同——后者讲述的故事更多发生在伊朗核心地域之外，甚至在伊朗控制与影响的区域之外。在《库什王纪》的主要情节中，叙事者着力讲述了象牙库什直抵世界东方尽头的征战历程和法里东对他的讨伐，以及象牙库什在世界西方边缘自立为王并开疆拓土的故事。据此，《库什王纪》记述了当时伊朗人对整个世界的了解状况，也更好地展现了在以伊朗为一元文明核心的世界里，中心文明与边缘文明、王化之地与化外之地的关系。于是，读者得以从更广阔的视角来观察古代伊朗人的世界观，并且获得更丰富的关于古代人类文明世界不同族群、不同地域之间的冲突与融合，以及物质和文化交流的信息。

二、贾姆希德与佐哈克两大家族

"在经过后人加工的中国上古神话中，神话的因素与历史的因素以传说的方式奇妙地结合起来了。神话人物主要不是作为人类的异己力量出现，而是人类自身力量的凝聚和升华……因此，中国的上古神话或多或少具有信史化的倾向，许多神话人物一直被看作是真实的历史人物在神话传说中的投影。可见人文色彩和理性精神正是中国上古神话所体现的中国文化特征。"[15]这本是《中国文化概论》一书中对中国上古神话的一段评述，却也同样适用于评论被记录在伊朗民族史诗中的伊朗上古神话。作为伊斯兰时代伊朗人重述历史的产物，《列王纪》与《库什王纪》中有关神话时代的那些故事与《阿维斯塔》文献传统中古朴的伊朗神话有所不同，菲尔多西和伊本·阿比·黑尔等诗人将原初伊朗神话在伊朗民间口头传统中的长期流变，及其对伊斯兰文献传统的部分接受，自觉或不自觉地糅合起来，使得这些源自上古的伊朗神话传说也具有较强的信史化倾向。

根据伊朗古代神话与传说，贾姆希德、佐哈克和法里东是相继统治世界的三位上古君王，他们的统治期分别长达七百年、一千年和五百年。这三个传说中的人物可被视为相继三个时代的族群首领群体在伊朗神话传统中的投影，即贾姆希德代表定居于伊朗地域初期的古印欧人部落众首领，佐哈克代表曾进占伊朗地域相当长时间的闪族统治者们，法里东则代表推翻闪族人统治并将他们逐出伊朗的印欧人血统诸王。

有关贾姆希德、佐哈克和法里东的传说构成了伊朗民族史诗中神

15 张岱年、方克立主编：《中国文化概论》，北京：北京师范大学出版社，2004年，第174页。

话时代故事的主体框架。《库什王纪》的核心情节，是贾姆希德和佐哈克两大王族争夺天下至高王权过程中波澜壮阔的战争；其叙事展开的大背景是出身于伊朗正统王族的法里东，推翻篡夺其先祖贾姆希德王位的大食统治者佐哈克的暴虐统治，重建天下秩序。因此对这两大英雄家族的研究，既是《库什王纪》研究工作中无可回避的内容，也有助于对包括象牙库什的身世以及这一特殊文学形象之成因在内的诸多问题展开探究。本节基于《库什王纪》和《列王纪》对相关英雄人物的记述，结合多种古代文献所载，对两大家族的世系及有关英雄人物的事迹作出梳理。

1. 贾姆希德家族

（1）贾姆希德（Jamshīd，Jam）

a. 早于《列王纪》的文献记载

贾姆希德是伊朗传说中的上古诸王之中最重要的一位，若类比于中国传说中的上古君王，当入三皇五帝之列。萨法通过研究《阿维斯塔》有关文献、巴列维语传说和伊斯兰时代的历史文献，得出这样的结论：贾姆希德如同法里东一样，是传说中伟大的君王和英雄，是伊朗族群最伟大的领袖之一。另外，贾姆希德不仅仅是一位伊朗民族神话英雄，他同时隶属于印度–伊朗人共同体。在该族群分化为印度人和伊朗人两部分之前，贾姆希德之名就在这一人群之中流传了很长一段时间。他是印度–伊朗人群分道扬镳之前、定居在同一片土地之时，历史上曾存在的英雄或君王之一。因此，如果我们想要更好地认识贾姆希德，就应该从印度文献开始研究。[16]

贾姆希德在《阿维斯塔》中被称作伊玛（Yīma），在吠陀文献经典（Vedic scriptures）和梵语文献（Sanskrit Literature）传统中名为阎摩（Yama），又有阎魔罗阇（Yamarāja）[17]等称谓。据萨法综述，在吠陀

16 Ṣafā, *Ḥamāsa-sarāyī dar Īrān*, p. 425.

17 rāja 词义为“王”，故阎魔罗阇（Yamarāja）又有汉译作“夜摩王”。

文献（*Vedas*）中，阎摩与他的妹妹阎蜜[18]（Yamī）是广耀神（Vivasvant）[19]的一对双胞胎子女，他们是世界上最早的男人和女人，人类即由此二人繁衍而来。阎摩是永恒的存在，尽管他不能被算作神，但其地位与诸神等同；他居住于天上的绝对光明之中，赐给人类漫长的生命。在这些文献中，他展示出更多的显赫威严，是一位永恒的英雄，他用死亡把人们引向祖先的居所，实际上死亡就是"阎摩之路"。为了把人们引向死亡，他有两名执行者（两条犬），它们去寻找人们，并引领他们进入死亡的国度。在这个国度中，人们的先祖与阎摩一起愉快而满足地度日。[20]金克木先生就此亦曾有言："阎摩由佛教而从印度传到中国，作为统治地狱的'阎王'（阎摩王，阎罗）。在《梨俱吠陀》中，他是人类的第一个死者，因此是必死的人类的祖先，是死者之王。"[21]

在《阿维斯塔》中，伊玛父亲的名字被记作维万格罕（Vīvanghavant）[22]。伊玛与法里东一样，是伟大的君王和英雄，他的名字在《阿维斯塔》中

18 又有汉译作"阎米"，参见王以欣：《神话与历史：古希腊英雄故事的历史和文化内涵》，北京：商务印书馆，2006年，第93、566页。

19 在印度，广耀神（Vivasvant）是阎摩之父，可见于《梨俱吠陀》（*Ṛgveda*）x.17.1等；在伊朗，广耀神（Vīvaŋᵛhant）是贾姆（Yima）之父，可见于《亚斯纳》（*Yasna*）9.4等。广耀神和阎摩/贾姆的父子关系可追溯到印度–伊朗时期。在吠陀时代的印度，广耀神也是双马童（Aśvins）之父，见《梨俱吠陀》x.17.2。到史诗时代，广耀神与太阳趋同，又与另一则人类起源神话合流，成为摩奴（Manu）之父。"在最古老的印度文献《梨俱吠陀》中……所有人都起源于广耀神之子摩奴，或为原人（Puruṣa）的肢体所造。只有在数百年后的史诗和往世书（Purāṇa-s）中，我们才发现这样的说法：最初的国王由毗湿奴（Viṣṇu）所生，或为多位天神所造。这些文献将王族世系追溯至多位天神，常包括日和月（是为日族和月族），因为摩奴之父广耀当时被认为是日，而其亲属之一（亲家父）是月。" H. Scharfe, "Sacred Kingship, Warlords, and Nobility," in *Ritual, State and History in South India, Essays in Honour of J.C. Heesterman*, ed. A.W. Van den Hoek, et. al., Leiden / New York / Köln: E. J. Brill, 1992, p. 312。

20 Ṣafā, *Ḥamāsa-sarāyī dar Īrān*, pp. 425—426.

21 金克木：《比较文化论集》，北京：三联书店，1984年，第96页。

22 据《阿维斯塔》整理与研究权威专家贾利尔·杜斯特哈赫（Jalīl Dūstkhᵛāh），该专名转写作Vīvang[a]hān，见Jalīl Dūstkhᵛāh (trans. and ed.), *Avistā: Nāma-yi mīnavī-yi āyīn-i Zartusht* (《阿维斯塔——琐罗亚斯德教圣书》), Tehran: Murvārīd, 1976 (MS 2535), p. 114。该专名现按阿维斯塔语标准转写作Vīuuaŋᵛhant（Vīvaŋᵛhant），萨法与杜斯特哈赫的转写均与之略有差异。

被多次提及。在《阿维斯塔》最古老的部分《伽萨》(*Gāṣā[hā]*)[23]中,贾姆希德之名,即伊玛,被提及一次:"有罪的人们中的一个是维万格罕之子伊玛,他第一次教人们食用动物之肉。"[24]关于贾姆希德是人类文明之初的伟大首领,以及在其统治时期人类与万物共享幸福康宁的记载,可见于《亚斯纳》(*Yasnā*)第九章第三节到第五节:

琐罗亚斯德开口言道:呵,胡姆(Hawm)[25]![你]好!最初在尘世用你做成饮料的那人是谁?他得到怎样的幸福和报酬?

纯洁的、祛除死亡的胡姆答道:世上的维万格罕首次用我做成饮料。作为[对其行为的]酬报,我使他得福,生了个男孩,名叫贾姆希德——他拥有[成群的]良畜,成为市民百姓中最显赫的人物。他有太阳一般的明眸。当政时期,他使动物和人类长生不老,使江河奔流不息,草木永不枯槁,使食物丰盛,取之不尽,用之不竭。

在英勇的贾姆(Jam)[26]统治[期间],既没有严寒和酷暑,也没有衰老和死亡,更没有魔鬼制造的忌妒。父亲和子女一样,看上去年龄不过十五。[27]

以及第五篇《亚什特》,即《阿邦·亚什特》(*Ābān Yasht*)的第二十五节至第二十七节:

拥有良畜的贾姆希德在胡卡尔山顶,向[阿娜希塔]奉献百匹马、千头牛和万只羊……

---

23 据杜斯特哈赫,《阿维斯塔》最古老的部分——《伽萨五章》(*Gāṣā*或*Gāhān-i panjgāna*),为琐罗亚斯德(Zartusht)本人所作。Jalīl Dūstkhᵛāh, "Pīshguftār" (《前言》), in Jalīl Dūstkhᵛāh (trans. and ed.), *Avistā: Kuhantarīn surūd-hā va matn-hā-yi Īrānī* (*Avesta: The ancient Iranian hymns & texts*), vol. 1, Tehran: Murvārīd, 1992 (SH 1371), p. 1。

24 Ṣafā, *Ḥamāsa-sarāyī dar Īrān*, p. 427.

25 又有对音汉译作"豪麻""豪摩",琐罗亚斯德教神话中的酒神和圣草之神。

26 即贾姆希德。

27 Jalīl Dūstkhᵛāh (trans. and ed.), *Avistā: Kuhantarīn surūd-hā va matn-hā-yi Īrānī* (*Avesta: The ancient Iranian hymns & texts*), vol. 1, Tehran: Murvārīd, 1992 (SH 1371), pp. 136—137。汉译引自贾利尔·杜斯特哈赫选编:《阿维斯塔——琐罗亚斯德教圣书》,元文琪译,北京:商务印书馆,2010年,第117页。

向她祈祷道：呵，阿雷德维·苏拉·阿娜希塔（Ardvīsūra Anāhītā）[28]！呵，善者！呵，强有力者！请让我如愿以偿——成为世上最伟大的国君，[降服和战胜]一切作恶者、众妖魔、法师和女巫以及专横的卡维和卡拉潘，使众妖魔享受不到财富、幸运、富足、牲畜、欢乐和荣耀。

阿雷德维·苏拉·阿娜希塔对奉献祖尔贡品的祈求者总是有求必应，使他获得成功，[满足了他的心愿。][29]

《亚什特》第九篇[30]的第八节至第十一节[31]、第十五篇[32]的第十五节至第十七节[33]、第十七篇[34]的第二十八节至第三十一节[35]、第十九篇[36]的第三十一节至第三十八节和第四十六节[37]，以及《对先知琐罗亚斯德的赞颂》（*Āfarīn-i Payghambar-i Zartusht*）第三节等篇章中均提到贾姆希德之名。《阿维斯塔》中的《万迪达德》（*Vandīdād*）部分也有较大篇幅的内容与贾姆希德有关。

据《阿维斯塔》所载，贾姆最终的结局是被其兄弟斯皮图尔（Spītūr）锯成两半，[38]而到了伊斯兰时代的穆斯林历史文献和伊朗史诗传统中，将其锯成两段的成了佐哈克。当然，佐哈克的原型阿日达哈克（Azhīdahāka）与斯皮图尔都是恶魔之首阿赫里曼（Ahrīman）[39]麾下的邪

28 江河女神，巴列维语作Ardwīsūr Anāhīd，阿维斯塔语作Arədvī Sūrā Anāhitā，意译为湿润、强有力的、无瑕的，是一个称号，本名已佚。

29 Dūstkh[v]āh (trans. and ed.), *Avistā: Kuhantarīn surūd-hā va matn-hā-yi Īrānī*, vol. 1, p. 302。汉译引自杜斯特哈赫选编：《阿维斯塔——琐罗亚斯德教圣书》，第147—148页。

30 《吉乌什·亚什特》（*Giush Yasht*），又作《德劳阿斯帕·亚什特》（*Draw-aspa Yasht*）。

31 Dūstkh[v]āh (trans. and ed.), *Avistā: Kuhantarīn surūd-hā va matn-hā-yi Īrānī*, vol. 1, pp. 346—347.

32 《拉姆·亚什特》（*Rām Yasht*）。

33 Dūstkh[v]āh (trans. and ed.), *Avistā: Kuhantarīn surūd-hā va matn-hā-yi Īrānī*, vol. 1, p. 450.

34 《阿尔特·亚什特》（*Art Yasht*），又作《阿希·亚什特》（*Ashī Yasht*）。

35 Dūstkh[v]āh (trans. and ed.), *Avistā: Kuhantarīn surūd-hā va matn-hā-yi Īrānī*, vol. 1, pp. 473—474.

36 《扎姆亚德·亚什特》（*Zāmyād Yasht*）。

37 Dūstkh[v]āh (trans. and ed.), *Avistā: Kuhantarīn surūd-hā va matn-hā-yi Īrānī*, vol. 1, pp. 489—493.

38 杜斯特哈赫选编：《阿维斯塔——琐罗亚斯德教圣书》，第308页。

39 按琐罗亚斯德教信仰，阿赫里曼（Ahrīman，在波斯语文献中又作Ahriman、Āhriman、Āharman和Āhirman等）是黑暗与恶的阵营之首领（亦有意译作“恶魔”），与光明与善的阵营之首领——琐罗亚斯德教主神阿胡拉·马兹达（Ahūrā Mazdā）相对。

恶存在，在《阿维斯塔》中，他们被阿赫里曼派遣去与诸善神作战，他们的名字曾被一起提及。[40]

另外，《本达赫什》和《丁卡尔特》等公元9世纪以后的巴列维语琐罗亚斯德教文献也载有贾姆希德事迹。[41]据此类文献，他是胡山（Hūshang）的后人、维万格罕（Vīvangahān）之子、塔赫姆列斯（Ṭahmūriṡ）的兄弟。[42]

阿拉伯历史学家、地理学家马苏第在《黄金草原》一书中写道：“许多人认为是在杰姆西德[43]时代设置了元旦节及其礼仪……杰姆西德在执政600年或700年零6个月之后逝世。他创造了各种艺术，营造了许多建筑，发明了一些新技术，他还希望受到像上帝一样的崇拜。”[44]贾姆希德这些事迹在《列王纪》中被更为详细地讲述。

b.《列王纪》的记载

据《列王纪》，贾姆希德是塔赫姆列斯之子，是大地上的第四位人王。贾姆希德为王期间，首先用五十年时间铸铁、打造兵器军械、制造甲胄战袍；又用五十年时间教人们种麻、制丝、收集兽毛，并用其纺线，再织布制衣。社会分工于此时出现，按照职业的不同，贾姆希德把人们分为四类，形成了四个人群团体，或曰社会阶层，分别是：司职祭神祈祷的卡托兹扬（kātūziyān，又称ātūrpān或āẕarbān[45]），即祭司阶层；司职战斗护卫的尼萨里扬（nīsāriyān，又称ratishtārān或jangjūyān），即武士阶层；司职播种耕作的纳苏迪扬（nasūdiyān，又称pasūdiyān或kishāvarzān），即农夫（地主）阶层；司职设计制造的各行业从业者阿赫努赫西（akhnūkhūshī，又称hūtūkhshī或dastvarzī），即手工匠人阶层。贾

---

40 Dūstkhʷāh (trans. and ed.), *Avistā: Kuhantarīn surūd-hā va matn-hā-yi Īrānī*, vol. 1, p. 493.

41 Farnbagh Dādagī, *Bundahish* (《本达赫什》), ed. and trans. Mihrdād Bahār, Tehran: Tūs, 2016 (SH 1395), pp. 84, 91, 109, 137—139, 149—150, 155, 157, 171. Muḥammad-taqī Rāshid Muḥaṣṣil (ed. and trans.), *Dīnkard Haftum* (《丁卡尔特第七卷》), previously compiled by Āẕar-farnbagh Pisar-i Farukhzād and Āẕar-bād Pisar-i Umīd, Tehran: Pazhūhishgāh-i ʿUlūm-i Insānī va Muṭāliʿāt-i Farhangī, 2010 (SH 1389), pp. 2, 20—22, 25, 32, 59—60, 70.

42 Ṣafā, *Ḥamāsa-sarāyī dar Īrān*, p. 446.

43 即贾姆希德。

44 马苏第：《黄金草原》，耿昇译，北京：人民出版社，2013年，第265—266页。

45 意为“看护圣火的人”。

姆希德为各行各业的人们安排营生、指引他们做适合的事情长达五十年之久。随后，他吩咐为其所役使的魔鬼们（dīv-ān）和泥制坯、建造房屋。他还从矿石中开采各种宝石和金银，制作各种调味料和香料，掌握了治疗疾病的医术，建造船只并发展水运交通。贾姆希德解决了人们生活中的一切问题，这些工作又用了五十年的时间。他成了伟大的王，制造了一张宝座（takht），只要他愿意，魔鬼们就会把他从平地抬到天上。他在法尔瓦尔丁（Farvardīn）月的霍尔莫兹德（Hurmuzd）日坐上了宝座，那天被定为每年的第一天，人们称之为新年元旦（nawrūz）。这样幸福的日子又过了三百年，在他统治的这段时间里，世界上没有任何邪恶，无人死亡，也没有人受到病痛和灾难的折磨，魔鬼们顺从地为王效劳，飞禽在他宝座的对面排成队列，人们恭谨听命。贾姆希德遂骄傲自满起来——他认为自己是世界的造物主。当他说出这样的话时，帝王的灵光（farr-i kayānī）就离他而去，人们在各处纷纷叛乱。终于，一支军队从伊朗去往阿拉伯地区，拥戴佐哈克承袭伊朗王位。佐哈克来到伊朗，他召集了一支由伊朗人（Īrāniyān）和阿拉伯人（Tāziyān）组成的大军，向贾姆希德发动进攻。当贾姆希德见到自己已众叛亲离、穷途末路，便放弃王位逃走了。他东躲西藏地过了一百年，直到有一天在中国（秦）海（daryā-yi Chīn）[46]岸边被佐哈克发现并擒获。贾姆希德的最终结局是被锯成了两段。[47]

c.《库什王纪》及其后的文献记载

《库什王纪》的主体情节是“象牙库什的故事”，据史诗行文，该故事记录于一本古籍里，亚历山大（Iskandar）巡行东方世界之时，通过拜访贾姆希德的最后一个子孙——玛哈纳什（M.hān.sh）而获赠此书。在这次拜访中，亚历山大曾询问玛哈纳什的家世，《库什王纪》中有关贾姆希德的情况遂通过玛哈纳什之口道出。

据《库什王纪》，贾姆希德为王时期，人世没有死亡也没有病痛。

46 也可译作“中国（秦）的大河”。

47 Abū al-Qāsim Firdawsī, *Shāhnāma* (《列王纪》), Moscow Edition, Tehran: Hirmis, 2003 (SH 1382), vol. 1, pp. 19—21。汉译见菲尔多西：《列王纪全集》，张鸿年、宋丕方译，长沙：湖南文艺出版社，2001年，第一册，第40—57页。另参见Ṣafā, *Ḥamāsa-sarāyī dar Īrān*, pp. 424—425。

然而有一天,天命不再垂青于他,并使暴君佐哈克取而代之。于是,世界上鬼蜮横行,世人放弃了对真神的崇信。贾姆希德之妻为秦王玛汉格之女,他们育有二子,分别名为法拉克(Fār.k)和努纳克(Nūn.k)。当伊朗王权落入佐哈克之手,贾姆希德将妻子和两个儿子,以及其他亲眷与族人,连同大量金银财宝,一起送到秦境内的一处丛林中藏匿起来,以使他们免受佐哈克伤害。在与众人分别之前,贾姆希德揭示了一个秘密,即在努纳克的后人中会有一位君王降临世间,替他向佐哈克复仇。由于法拉克的后人注定不会加冕称王,贾姆希德便给了他三本先知留下的智慧之书,引导他走上崇敬真神的修彼世之路,于是在法拉克的后人中,贤哲智者辈出。对于承担着传承皇家血脉之责的努纳克,贾姆希德也给他以劝谕,要他和他的后人在佐哈克为王当政的一千年时间里小心躲藏起来,以待天时。随后贾姆希德率军去同印度王作战,无奈气数已尽,他在这场战争中兵败遭擒,并被解往佐哈克处。贾姆希德先被佐哈克囚禁了五十年,后被其下令锯为两段。[48]

《历史与故事辑要》关于贾姆希德及其世系这样写道:

贾姆希德的名字曾是贾姆(Jam),但由于他散发出来的美德与光明,人们称他为贾姆希德,“希德”(-shīd)意为“光明”,正如太阳(āftāb)被称作“胡尔”(khūr),“胡尔希德”(khūrshīd)意为“光明的太阳”。在《列王纪》中,他被说成是塔赫姆列斯的儿子,然而更正确的说法是他是其兄弟。[他的]家谱世系是清楚的,其子苏尔(S̱ūr)[49],为扎布尔王(Zābul shāh)之女葩丽切赫莱(Parī-chihra)所生;另有二子为马秦王(malik-i Māchīn)玛汉格之女所生,一个名为哈特瓦尔(H.tvāl),另一个叫作胡马云(Humāyūn),阿夫里东(Afrīdūn)[50]的父亲阿贝廷是胡马

48 Ibn Abī al-Khayr, *Kūshnāma*, pp. 187—189.

49 巴哈尔注曰:《戈尔沙斯帕传》中作Tūr。Bahār (ed.), *Mujmal al-tawārīkh wa-al-qiṣaṣ*, p. 25, footnote 1。据《库什王纪》,阿贝廷有一子名作苏瓦尔(Suvār)。S̱ūr亦可读作S̱uvar,音近Suvār,二者或有联系。

50 即法里东。

云之子。根据另外一个传说，这两个儿子的名字分别是法纳克和努纳克……[51]

据现代语言学研究，后缀-shīd是否意为“光明”尚难定论，但九百年前的古人确曾以太阳之名的构词类比贾姆希德之名。而据穆斯陶菲·可疾维尼所著《选史》，贾姆希德名为Jam，shīd是其称号（laqab）。[52]此外，关于贾姆希德另有二子分别名为法纳克（Fān.k）和努纳克（Nūn.k）的信息，《历史与故事辑要》的佚名作者极有可能撷取自《库什王纪》，其间仅有两点微小差异：其一，其中一子之名有Fār.k和Fān.k之别；其二，此二子的外祖父玛汉格，按《库什王纪》为秦王（shāh-i Chīn），在《历史与故事辑要》中作马秦王（malik-i Māchīn）。

关于贾姆希德为王当政的情况，《历史与故事辑要》提供了如下信息：

贾姆希德为王当政的时间长达七百一十六年。在漫长的一生中，他的作为与经历，给世界上带来的习俗，以及创建各种职业等功绩都非常多。但是在当政的最后阶段，他变得忘恩负义，违抗至高无上的真神（Khudāy），当其境遇每况愈下，他有所悔悟，并重新认识了自己。当大食的佐哈克崛起，他逃走了。在十年时间里，他在世界上独自游走，无人识得他。他留在扎布尔斯坦（Zābulistān），直到他与扎布尔王之女的孩子降生。二十年后，当他的秘密将被揭示，他逃进内印度斯坦（Hindūstān-i Andarūnī），并留在那个国度称王一百年，他又有多个孩子降生。在佐哈克的命令下，很多印度王（mahrāj-i Hinduvān）与他作战，最终他被俘虏。人们把他带到佐哈克跟前，用如同锯子一般的鱼骨把他锯成两段，然后焚烧了他。[53]

---

51 Bahār (ed.), *Mujmal al-tawārīkh wa-al-qiṣaṣ*, p. 25.

52 Ḥamd-Allāh Mustawfī Qazvīnī, *Tārīkh-i guzīda* (《选史》), ed. ʿAbd al-Ḥusayn Navāʾī, Tehran: Amīr Kabīr, 2008 (SH 1387), p. 80.

53 Bahār (ed.), *Mujmal al-tawārīkh wa-al-qiṣaṣ*, pp. 39—40.

d.《库什王纪》所载贾姆希德事迹的独特之处

综合各类文献记载，贾姆希德是一位具有神话色彩的上古君王，也是古代伊朗传说中一位极为重要的王。他带领伊朗初民进入文明社会，引导他们定居，并授之以诸多谋生手段，帮助人们显著改善了生存条件。但在一段较长的时间之后，贾姆希德气运终结，人类社会也面临新的问题——残暴的异族君王和魔鬼统治了世界，直到另一位伟大的伊朗圣君法里东临世，才让世界恢复了秩序。

然而，《库什王纪》与《黄金草原》《列王纪》《历史与故事辑要》等其他文献关于贾姆希德信仰问题的记述有所不同。据《库什王纪》，贾姆希德未对真神有任何不敬，并未妄称自己是世界的造物主，直到生命的最后时刻，他始终是一位崇信真神的王；贾姆希德族人也一直崇信真神，并引领他们身边的其他民众赞颂真神、探求知识、避免恶行。《列王纪》等其他文献中关于贾姆希德因妄自尊大而宣称自己具有真神地位的描述，在《库什王纪》中仅通过佐哈克族人之口有所表述。佐哈克的兄弟——秦王库什的首辅（dastūr）[54]贝赫玛尔德（Bihmard）曾对象牙库什说，贾姆希德统治下的人世间在一个漫长时期中没有病痛和死亡；在那之后，贾姆希德犯了错误，他把真神做的事情看作是自己所为；随后，他恶贯满盈的躯体被佐哈克俘获。[55]佐哈克族人也曾称贾姆希德为“本性邪恶者”（bad-gawhar）[56]、“魔鬼面容者”（dīv-chihra）和“其种族和先祖是阿赫里曼”。[57]诸如此类来自敌方的描述自不能当作对贾姆希德的客观评价，在人类敌对族群间相互的指称中，常见类似的带有蔑视意味或妖魔化的称谓，贾姆希德族人同样曾用这些称谓指称佐哈克家族诸首领。

（2）法拉克（Fār.k）与努纳克（Nūn.k）

关于贾姆希德的子嗣，在不同的文献中有多种说法，而《库什王

---

54 dastūr意为“大臣”。在波斯叙事文学作品中，有一位君王对应一位dastūr的传统，即dastūr实为首席大臣，即宰辅，或首相。为更好地区别于伊朗-伊斯兰历史文献中的首席大臣——维齐尔，本书借用我国古代政治传统中的术语“首辅”，充作其汉译。

55 Ibn Abī al-Khayr, *Kūshnāma*, p. 235.

56 或可汉译为蔑称“贱种”“孬种”。

57 Ibn Abī al-Khayr, *Kūshnāma*, pp. 192, 235.

纪》所及重要的两人——法拉克和努纳克，未见载于《列王纪》以及其他大多数古籍。上文已及，《历史与故事辑要》中提及此二人，但法拉克（Fār.k）被记作法纳克（Fān.k）。

据《库什王纪》所载，法拉克从贾姆希德处获得三本由真神的使者（先知）传授、"思想纯洁［虔诚］的王"整理书写、满载学问与箴言的书籍，于是他和他的后人都成了能够"去往真神之处（彼世）"的智者贤哲。

由于努纳克的后人中注定会出现战胜佐哈克的君王，他成了逃亡中的贾姆希德家族的第一代族长，寿命长达六百余年。因其子玛哈鲁（M.hārū）先于他本人辞世，努纳克把家族首领之位直接传给了玛哈鲁之子阿贝廷。

（3）玛哈鲁（M.hārū）

《列王纪》中未见有关此人的记载，《库什王纪》也仅仅非常简略地提及玛哈鲁是努纳克之子、阿贝廷之父，他先于父亲努纳克去世。

（4）阿贝廷（Ābtīn）

此处暂且讨论《列王纪》和《库什王纪》中的阿贝廷，关于阿贝廷在吠陀文献和《阿维斯塔》等古代典籍，以及在巴列维语和其他达里波斯语文献中的记载情况，在下文有关法里东的部分中一并论述。

法里东之父阿贝廷的逃亡经历及其被佐哈克擒拿的情节，在《列王纪》中仅以寥寥数联诗句记载：

法里东的父亲名叫阿贝廷，那阿贝廷算是交上了背运。
他东躲西逃自己也感厌倦，一天突然落入捕狮陷阱失足深陷。
那一伙日日捕人的凶奴，一见正中下怀立即把他捉住。
捉住他上绑如同捆狗一般，推推搡搡拖到佐哈克面前。[58]

此外，在法里东的母亲向孩子讲述家世之时，《列王纪》有一段诗句谈

58 Firdawsī, *Shāhnāma*, Moscow Edition, vol. 1, p. 31。菲尔多西：《列王纪全集》，第一册，第70页。

及阿贝廷的出身和死亡：

> 法兰纳克说：孩子你胸怀大志，我就向你说出你的身世。
> 你可知在伊朗曾有一人，他的名字就叫做阿贝廷。
> 他聪明睿智又是王族之后，从不欺压别人老实忠厚。
> 若是一代一代向上寻根，他还是塔赫姆列斯的后人。
> 他是我的丈夫，你的父亲，与他在一起我才感到一点温存。
> 那些星相术士曾告诉佐哈克，说将来法里东要把他性命结果。
> 于是那鬼迷了心窍的佐哈克，意欲把你消灭在伊朗到处搜索。
> 为逃难我抱着你东藏西躲，什么苦日子没有经历过。
> 可是你父亲那高贵的青年人，在你降生之前因此而丧身。
> 佐哈克的双肩生出两条黑蛇，蛇食人脑伊朗人备受折磨。
> 他们下毒手取出你父亲之脑，为两条蛇烹制一道菜肴。[59]

然而在《库什王纪》中，有将近四千联的诗句（第945—4756联）详细叙述了阿贝廷从出生至死亡的丰富经历，诗人花在这个人物形象上的笔墨仅次于全书的主角象牙库什，他可被视为伊朗诸王中的第一主角。据《库什王纪》记载，阿贝廷是贾姆希德之子努纳克之子玛哈鲁之子，即贾姆希德身后第三代嫡系子孙。他是贾姆希德家族逃亡在东方世界期间的族长，亦被称作伊朗王，是一位仁慈而强大的首领，一生中多次与秦王库什及其子秦与马秦之王象牙库什较量。阿贝廷手中有一本书，名叫《贾姆希德箴言》(*Andarz-i Jamshīd*)，颇类似于某些中国古典小说中的“锦囊妙计”，其持有者在特定的情况下须按照书中指示行事。

阿贝廷继任为伊朗王之初，贾姆希德族人藏身于秦的山地林间。后因难以抵敌库什及其子象牙库什的联手攻击，他以经常往来于秦与马秦的商队为向导，率领族人沿一条隐秘且险峻的山路迁徙到马秦。

---

59 Firdawsī, *Shāhnāma*, Moscow Edition, vol. 1, p. 33。汉译见菲尔多西：《列王纪全集》，第一册，第73—74页。

随后在马秦王贝哈克(B.h.k)[60]的指引和帮助下,阿贝廷又率族人登船渡海,来到位于东洋大海中被贝哈克称为“另一个马秦”的巴希拉岛。在那里,阿贝廷与族人得到巴希拉王醍醐尔强有力的庇护,他还与醍醐尔之女法拉兰格(F.rār.ng)结为夫妻。客居巴希拉期间,阿贝廷趁象牙库什去圣城(Bayt al-Muqaddas)觐见佐哈克的机会,在秦与马秦攻城略地,并在退回巴希拉时带回大量财富。[61]佐哈克为王当政的末期,阿贝廷经数次梦谕的提示和指引,在醍醐尔及其手下经验丰富的老水手的帮助下,率领族人取道海路离开巴希拉,在陆地外围的大海上经年航行,终于返回伊朗。其后,阿贝廷率领族人隐蔽地居住在里海沿岸的阿莫勒地区,等待上天注定的新圣君法里东结束佐哈克的统治,以使正统伊朗王族重新君临天下。另一边,象牙库什向佐哈克禀报了阿贝廷已返回伊朗的消息。有一天,阿贝廷在阿尔胡姆海(daryā-yi Alhum)边[62]遭遇佐哈克的军队,与其二子一同战死,他们的脑子被佐哈克喂了蛇。[63]《库什王纪》中阿贝廷的结局与《列王纪》所载基本一致;不同的是,在《列王纪》中,阿贝廷被佐哈克取脑饲蛇这一事件仅在法里东的母亲向他讲述其身世的过程中用只言片语带出,且未提及阿贝廷的另外二子与其一同战死。

《库什王纪》前半部的情节,主要讲述的就是阿贝廷率领族人流亡在秦、马秦和巴希拉的经历。无论身居何地,无论处境如何,他始终保有高贵优雅的君王气度、慷慨仁慈的领袖品格和勇武睿智的英雄特质,是具有一切美德的正面角色,在与全诗主角象牙库什对抗的过程中形成善恶对照。自贾姆希德败亡到法里东崛起,是正统伊朗王族由衰败至复兴的过程,在该进程中,阿贝廷起到至关重要的作用。一方面,他遵循贾姆希德的教谕,很好地保护了自己的族人;另一方面,他与巴希拉公主结合后诞下法里东,并将其托付给可靠的庇护者和优秀的导师。

---

60 可能读作Bihak。bih词义为“美好”,在波斯语中常用于专名的构词,而该马秦王在诗中常被“俊美的”“仁慈的”等形容词修饰;-ak为波斯语构词常见的指小词尾。

61 Ibn Abī al-Khayr, *Kūshnāma*, pp. 307—321.

62 此处指里海南岸。

63 Ibn Abī al-Khayr, *Kūshnāma*, pp. 401—402.

于是，当佐哈克的时运到头之时，法里东崛起为世界之主就成了水到渠成之事。尤其是阿贝廷为了清除干净世上的邪恶信仰与异族暴政而离开巴希拉，放弃安全的避难所和舒适的生活，同强敌抗争，这表明他对复兴伊朗王族和为世界带来正义有强烈的使命感，重视它们甚于舒适的生活甚至生命。《库什王纪》中出现的其他帝王，比如贾姆希德、法里东、玛努切赫尔以及凯卡乌斯等，都是伊朗传说和伊朗民族史诗传统中著名的君王，他们的事迹在《列王纪》中均被详细描写，然而在《库什王纪》里，阿贝廷的形象较上述诸英雄更加丰满鲜活且光彩照人。

（5）苏瓦尔（Suvār）

据《库什王纪》所载，苏瓦尔为阿贝廷之子。当阿贝廷养子象牙库什投靠生父而与伊朗人为敌时，苏瓦尔试图劝其回心转意，但被象牙库什杀死。佐哈克为王超过九百年的时候，在阿贝廷仍率全族流亡在巴希拉期间，苏瓦尔曾出现在其父亲的梦中。

（6）法里东（Farīdūn）

a. 早于《列王纪》的文献记载

据伊朗古代神话与传说，法里东是继贾姆希德之后又一位举足轻重的上古君王，有关他的记载频见于古代伊朗文献之中。法里东战胜佐哈克为伊朗王族重夺世界王权及其三分世界的故事，更是在伊朗流传最广的古代传说之一。

《阿维斯塔》曾多次提到法里东。《亚斯纳》第九章的第七节和第八节讲到法里东的出身时，提及他战胜妖魔阿日达哈克之事。阿日达哈克即佐哈克的原型之一：

> 纯洁的、祛除死亡的胡姆答道：世上的阿特宾（Ātbīn）[64]第二次用我做成饮料。作为［对其行为的］酬报，我使他得福，生了个男孩，［名叫］法里东——他出身名门贵族。
>
> 正是他［击败和］杀死了三张嘴巴、三个脑袋和六只眼睛的阿日达

64 法里东之父的名字在波斯语文献中有Asfiyān、Ātbīn和Ābtīn等多种记录。元文琪所译《阿维斯塔》转译自波斯语译文，在该波斯语译本中，法里东之父的名字写作Ātbīn，对音汉译为“阿特宾”；《列王纪》和《库什王纪》中作Ābtīn，对音汉译为“阿贝廷”。

哈克——那有上千［种］形体变化、异常强大而虚伪的妖魔，使世界蒙受灾难，是阿赫里曼（Ahrīman）为损害尘世和扼杀真诚而特意制造出来的最凶残狡诈的［恶魔］。[65]

《阿邦·亚什特》的第三十三节到第三十五节描写法里东向神奉献并祈愿时，也提到此事：

出身名门望族的阿特宾之子法里东，在瓦雷纳（Varina）的四方［国土上］，向［阿娜希塔］奉献百匹马、千头牛和万只羊……

向她祈求道：呵，阿雷德维·苏拉·阿娜希塔！呵，善者！呵，强有力者！请让我如愿以偿——战胜三张嘴巴、三个脑袋和六只眼睛的阿日达哈克——那有上千种变化、异常强大而虚伪的妖魔，那使世界遭难的最凶残、狡诈的［妖魔］，是阿赫里曼为损害尘世和破坏真诚世界而制造出来的元凶；并从其魔掌中解救出被霸占的沙赫尔娜兹（Sanghavak）和阿尔娜瓦兹（Arinavak）[66]——她们是操持家务的能手，还擅长生儿育女，繁殖后代。

阿雷德维·苏拉·阿娜希塔对奉献祖尔贡品的祈求者总是有求必应，使他获得成功，［满足了他的心愿。］[67]

第十九篇《亚什特》，即《扎姆亚德·亚什特》的第三十六节和第三十七节讲到法里东获得灵光时，再次提到此事：

灵光第二次化作雄鹰，飞离维万格罕之子贾姆希德。出身阿特宾家族的法里东——他是胜利者群中翘楚（琐罗亚斯德除外），夺得［飞离贾姆希德的］灵光。

---

65 Dūstkhʸāh (trans. and ed.), *Avistā: Kuhantarīn surūd-hā va matn-hā-yi Īrānī*, vol. 1, pp. 137—138。汉译引自杜斯特哈赫选编：《阿维斯塔——琐罗亚斯德教圣书》，第118页。

66 Sanghavak和Arinavak在波斯语中分别作Shahrnāz和Arnavāz，在元文琪译《阿维斯塔》中分别汉译作沙赫尔娜兹和阿尔娜瓦兹，在《列王纪全集》中分别汉译作沙赫尔纳兹和阿尔纳瓦兹。

67 Dūstkhʸāh (trans. and ed.), *Avistā: Kuhantarīn surūd-hā va matn-hā-yi Īrānī*, vol. 1, pp. 303—304。汉译引自杜斯特哈赫选编：《阿维斯塔——琐罗亚斯德教圣书》，第149—150页。

> 法里东击败了三张嘴巴、三个脑袋和六只眼睛的阿日达哈克——有上千［种］形体变化、异常强大的虚伪妖魔；他使世界蒙受灾难，是阿赫里曼为损害尘世和扼杀真诚而特意制造出来的、最为凶残狡诈的［恶魔］。[68]

此外，《亚什特》第十四篇[69]的第三十九节和第四十节，[70]以及第十五篇（《拉姆·亚什特》）的第二十三节至第二十五节[71]等篇章都重复记述了法里东战胜妖魔阿日达哈克的内容。

《阿邦·亚什特》的第六十一节到第六十六节讲述了另外一个与法里东有关的故事。开头是这样的："老练的水手普尔瓦（Pā-ūrva），当被战无不胜的法里东变成黑兀鹫、在空中翱翔时，向阿娜希塔祈祷。"[72]后来，在阿娜希塔的帮助下，普尔瓦安然降落在人地上并返回了家园。这个故事中，法里东被用"战无不胜"来形容，从侧面反映出他在伊朗传说上古诸王中的显赫地位。

吠陀文献中也有关于法里东及其父亲，或曰他们的平行角色之记载，因此法里东与贾姆希德一样，也是在印度–伊朗人共同体时期就已存在的族群首领形象。萨法指出，法里东之名在《阿维斯塔》中被记作Thraetaona，在吠陀文献中作Traitana，在巴列维语文献中作Farītūn，在达里波斯语中演变成了Farīdūn。他父亲的名字在《阿维斯塔》中记作Athwya，在吠陀文献中相对应的是Aptya。吠陀文献记载了Trita Aptya杀死三头六眼的巨蟒的故事，这个故事中的英雄是Aptya家的Trita，Trita通常又读作Traitana，也就是《阿维斯塔》中的Thraetaona和《列王纪》中的法里东。Aptya就是《阿维斯塔》中的Athwya，即巴列维语文献中的Athfiyān和伊斯兰时代［波斯–阿拉伯语］文献中的Asfiyān

68 Dūstkhᵛāh (trans. and ed.), *Avistā: Kuhantarīn surūd-hā va matn-hā-yi Īrānī*, vol. 1, pp. 490—491。汉译引自杜斯特哈赫选编：《阿维斯塔——琐罗亚斯德教圣书》，第305页。

69 《巴赫拉姆·亚什特》（*Bahrām Yasht*）。

70 Dūstkhᵛāh (trans. and ed.), *Avistā: Kuhantarīn surūd-hā va matn-hā-yi Īrānī*, vol. 1, p. 439.

71 Dūstkhᵛāh (trans. and ed.), *Avistā: Kuhantarīn surūd-hā va matn-hā-yi Īrānī*, vol. 1, pp. 451—452.

72 Dūstkhᵛāh (trans. and ed.), *Avistā: Kuhantarīn surūd-hā va matn-hā-yi Īrānī*, vol. 1, p. 308。汉译引自杜斯特哈赫选编：《阿维斯塔——琐罗亚斯德教圣书》，第157页。

和Ābtīn。[73]吠陀文献中的Aptya和《阿维斯塔》中的Athwya在《列王纪》中演变为Ābtīn，而这个名字在《本达赫什》中记作Athpiyān或Athfiyān，是法里东家族的名称，不是其父亲之名。[74]《泰伯里历史》中还有一处支持性证据，即法里东（Afarīdhūn）之前十世的父祖之名都被记作Athfiyān，[75]据此可以推断他出身于Athfiyān家族。[76]但在《列王纪》等伊朗民族史诗，乃至一些以波斯-阿拉伯语写就的穆斯林历史和地理著作中，阿斯菲扬（Aṣfiyān），即阿贝廷（Ābtīn）或阿特宾（Ātbīn）被作为法里东父亲的名字来记载。可以推断，由于古代文献大量亡佚，在伊斯兰时代的伊朗人重述集体文化记忆的过程中，法里东的家族名称被误记作其父之名。

《泰伯里历史》和《黄金草原》等伊斯兰时代初期穆斯林学者用阿拉伯语写成的历史著作里也有很多关于法里东的记载。据《黄金草原》："继佐哈克之后是费里敦（艾费里敦）[77]，他统治了7个气候带[78]，俘虏了比韦拉斯卜[79]并将之捆在德马文德山[80]上……费里敦在位500年，

---

73 Ṣafā, *Ḥamāsa-sarāyī dar Īrān*, p. 465.

74 Ṣafā, *Ḥamāsa-sarāyī dar Īrān*, p. 466。上海社会科学院伊朗学专家吴赟培就此指出：按语言学规则，法里东在阿维斯塔语中作Θraētaona，巴列维语作Frēdōn，对应的吠陀梵语为Traitana；而吠陀梵语中的Trita，对应的阿维斯塔语为Θrita，巴列维语Srīd。Θrita / Trita本意为"第三"，而Θraētaona / Traitana本意为"老三家族的"。其父称在吠陀梵语作Āptya，对应阿维斯塔语Āθβiia，巴列维语Ātbīn和Āswiyān / Āspiyān / Āsbiyān。另外，在古代伊朗文献中，并无法里东或阿贝廷与Θrita / Srīd有亲缘关系的记载。按关于Θrita / Srīd的传说，据说Θrita是萨姆家族的，生子戈尔沙斯帕（*Yasna* 9.10），又说智慧之神最初在伊朗和土兰之间放了一头牛以划分边界，后来凯乌斯王（Kay-Us，波斯语作Kāvūs，又因讹误重复其称号而有Kay-Kāvūs之形式）想入侵土兰，命强壮的Srīd（排行老七）屠牛，事成后Srīd悔恨无已，自求一死（*Wizīdagīhā ī Zādspram* 4.10–26）。

75 Ṭabarī, *The History of al-Ṭabarī (Ta'rīkh al-rusul wa'l-mulūk)*, vol. 2, *Prophets and Patriarchs*, trans. William M. Brinner, ed. Ehsan Yar-Shater, Albany: State University of New York Press, 1987, p. 24.

76 按*IJMES*转写规范，该专名阿拉伯语转写为Athfiyān，此处引其英译本即作此转写；波斯语引文则转写作Aṣfiyān。

77 即法里东。

78 在阿拉伯语地理文献中，al-aqālīm al-sabʿa既表示"七个气候带"之意，也用作"七境域"。此处应译作"七境域"或"七个国度"。下文有关于"七境域"（haft kishvar）与"七个气候带"（haft iqlīm）的辨析。

79 即毕瓦尔阿斯布。

80 即达马万德山。

但也有人认为其执政的期限高于这一数字。他把大地瓜分给了他的3个儿子。"[81]这些对法里东事迹的简述与随后在《列王纪》里详细记述的法里东故事之框架完全一致。

b.《列王纪》的记载

据《列王纪》,法里东是贾姆希德的后人,是阿贝廷和法兰纳克(Farānak)之子。他出生后不久,父亲阿贝廷即被佐哈克擒杀,母亲带着他逃入深山老林,并把他托付给神牛巴尔玛耶(Barmāya)所在丛林的守护者,让法里东吃巴尔玛耶的乳汁长大。三年后,佐哈克得知有关于巴尔玛耶和法里东的消息,法兰纳克赶忙带上法里东再度逃亡,巴尔玛耶则被佐哈克寻获、杀死。当法里东长大成人,他准备为父亲讨还血债,恰逢铁匠卡维(Kāva)揭竿而起率众反抗佐哈克。卡维随后来到法里东身边,尊奉他为王。法里东向佐哈克的驻地发动奔袭,在没有船只的情况下,全军涉水渡过底格里斯河(Dijla),攻占了胡赫特贡格城堡(dizh-i Hūkhtgang)。他解救出贾姆希德的两个妹妹沙赫尔纳兹(Shahrnāz)和阿尔纳瓦兹(Arnavāz),并从她们那里获悉佐哈克去了印度斯坦(Hindustān)。佐哈克得知法里东攻占其老巢的消息后返回胡赫特贡格城堡。法里东用牛头大棒打倒佐哈克,并把他囚禁在达马万德山的山洞中。至此,贾姆希德的后人法里东成为伊朗王和诸王之王。法里东有三个儿子,长子萨勒姆与次子图尔为沙赫尔纳兹所出,三子伊拉治是阿尔纳瓦兹之子。法里东让他们三人分别娶了也门(Yaman)王的三个女儿为妻,随后把世界分为三部分,分别交给三个儿子——西边的鲁姆属于萨勒姆,东边的土兰属于图尔,中央的伊朗之地被交给伊拉治。图尔与萨勒姆不甘心向幼弟称臣,便合谋害死了伊拉治。其后,法里东抚育伊拉治的外孙玛努切赫尔长大,助他为伊拉治报了仇。法里东把王位传给玛努切赫尔之后就去世了。[82]

c.《库什王纪》及其后的文献记载

据《库什王纪》,法里东是贾姆希德的曾孙阿贝廷与巴希拉公主法

---

81 马苏第:《黄金草原》,第266—267页。

82 Firdawsī, *Shāhnāma*, Moscow Edition, vol. 1, pp. 47—81。汉译见菲尔多西:《列王纪全集》,第一册,第69—199页。

拉兰格之子。他降临人世之时“天生异象”，这预示他命中注定会成为非凡之人。两位天性纯良的伊朗乳母哺育了法里东三年时间，然后阿贝廷将他托付给一个名叫塞尔凯特（S.lk.t）[83]的伊朗贵族抚育。塞尔凯特也是贾姆希德后人，在佐哈克占领伊朗之后，他率众躲避在达马万德山中，据城而守，一直未向佐哈克臣服。阿贝廷将法里东托付给他有两点考虑：一来可让孩子在险峻的深山中躲避佐哈克的追踪；二来塞尔凯特的首辅名叫巴尔玛云（Barmāyun）[84]，学识渊博、智计过人，法里东可在塞尔凯特与巴尔玛云处得到良好的教育。法里东年满二十之后，出山兴兵复仇，击败了佐哈克及其族人。后来，醍醐尔之子卡拉姆（Kār.m）即位为巴希拉新君，向已成为诸王之王的法里东通报象牙库什在秦暴虐统治的消息。法里东随即先后派出纳斯图赫·希鲁伊（Nastūh Shīrūy）和哥巴德·卡维（Qubād Kāva）率领大军征讨象牙库什，但都无功而返。于是法里东决定亲征象牙库什，却被他的一众臣属所劝阻。待最强大的伊朗将领卡兰自鲁姆返回之后，法里东遣其率大军再度征讨象牙库什。在这次战争中，象牙库什终于被俘获，并被解送到法里东的王廷。法里东将其囚禁在达马万德山中。四十年后，法里东在与群臣商议后释放了象牙库什，目的是让他去平定由蛮族劫掠所引发的边患。在象牙库什宣誓效忠后，法里东授予他印信，并交给他一支由伊朗人和秦人（Chīniyān）组成的大军。象牙库什平定边境之乱后，很快就不再忠于法里东，于是法里东意欲再度派遣卡兰前去讨伐。然而星相师向其进言，自星相来看，象牙库什还有一百八十年的昌盛气运，讨伐之事只得作罢。在此之后，法里东决定把世界分封给他的三个儿子。马提尼推断说：“在《库什王纪》中没有提及法里东统治的时间有多长，但显然法里东是在他为王当政的第三个百年之末分割了世

---

83 原文中两个短元音不明确。该专名不见于《列王纪》等其他伊朗民族史诗，就其发音拼写而论，或许取自古埃及神话中原型为蝎子的守护女神塞尔凯特（Serket，又作Serqet、Selket、Selqet、Selcis等），因其能疗愈蛇蝎叮咬之毒，被早期法老们视作守护神。故按Silkit对音汉译。

84 按格律推测，原文应作B.rmāy.n，两个短元音不明确。关于为何将其读音推断为Barmāyun，本章下一节讨论“法里东幼年经历有关传说”的部分有详述。

界。”[85]随后，法里东派遣萨勒姆统军取道鲁姆征讨象牙库什。但不久以后，由于伊拉治向萨勒姆和图尔索要贡赋，后两者合谋杀害了他，且与象牙库什结盟，重新瓜分了世界。法里东得知二子与象牙库什沆瀣一气后，招募大军准备征讨，未能成功。他在宫中日夜伤心，直到真神让玛努切赫尔无恙地长大。在萨勒姆与图尔被玛努切赫尔杀死之后，《库什王纪》中就没有了法里东的消息，随后叙事者的目光追随着主角象牙库什来到凯卡乌斯的时代。[86]

据《历史与故事辑要》：

> 阿特菲扬（Atfiyān）[87]之子阿夫里东（Afrīdūn）[88]：在《列王纪》中，阿贝廷（Ābtīn）据说是阿夫里东的父亲，在其他文献中也记作Atfi[y]āl，他的家族世系记载如下：法里东是贾姆希德王之子胡马云（Humāyūn）之子Atfiyāl之子；他的母亲是内马秦（Māchīn-i andarūnī）巴希拉岛（jazīra-yi B.silā）之王醍醐尔（Ṭ.hūr）的女儿F.rīr.[n]k；他有三个儿子，两个大一些的出自贾姆希德的姐妹沙赫尔纳兹——另据某个传说，他们是佐哈克的女儿所生，小儿子由贾姆（Jam）的姐妹阿尔纳瓦兹所生，他们的名字是萨勒姆、图尔和伊拉治，伊朗（ʿAjam）王位世系由伊拉治承袭，突厥人（Turkān）[的王位]被交给了图尔，恺撒们（Qayṣarān）[89][的王位]属于萨勒姆，这些内容在[他们]自己的章节会被讲述清楚。[90]

很明显，《历史与故事辑要》中关于法里东母亲和外祖父的身份，

85 Zahrā Dashtbān, “Barrasī va muʿarrifī-yi barkh-ī az qahramānān-i asāṭīrī-yi manẓūma-yi *Kūshnāma*” (《〈库什王纪〉中部分神话英雄的研究与介绍》), *Muṭāliʿāt-i Īrānī* (《伊朗研究》) 17, no. 1 (2010 [SH Bahār 1389]): 94—95.

86 Ibn Abī al-Khayr, *Kūshnāma*, pp. 370—653.

87 由于该专名由巴列维语形式转写后进入达里波斯语，且波斯语文献在传抄的过程中经常出现错讹，尤其Ba (ب)、Pa (پ)、Ta (ت)、S̱a / Tha (ث) 等几个带不同数量的点之字母常被混淆误抄，因此在波斯语文献中有Asfiyān、Aspiyān、Atfiyān、Atfiyāl、Atqiyā(n) 等多种词形相近的记载。

88 即法里东。

89 指鲁姆人。

90 Bahār (ed.), *Mujmal al-tawārīkh wa-al-qiṣaṣ*, pp. 26—27.

采纳了与《库什王纪》相同的说法。考虑到《库什王纪》成书早于《历史与故事辑要》仅二十年左右，且有关巴希拉岛之王醍醐尔的记载，目前已知仅见于《库什王纪》，《历史与故事辑要》的作者应当是直接参考《库什王纪》写下上述法里东母亲的身世。

对法里东的研究历来为伊朗学学界所重视，有些学者认为传说中的法里东故事可能已经包含一些可考信史中的人物经历。杜列巴（Władysław Dulęba）通过援引伊本·巴里黑（Ibn Balxī）的观点——法里东出自一个富裕的伊朗游牧部落，因此他后来用一柄牛头形状的大棒作为武器——来把法里东与居鲁士大帝（Cyrus the Great，前600—前530年在位）相类比，[91]原因是根据希罗多德（Herodotus，约前484—前425）的记载，居鲁士出生之后被一个牧人收养，并在牧人家里度过了童年时代。[92]把法里东的历史人物原型与阿契美尼德王朝的开创者居鲁士大帝联系起来的观点不仅为部分西方伊朗学学者所认同，也得到部分伊朗学者的支持。居鲁士大帝对伊朗文明走向的重大影响不言而喻，可见法里东在伊朗古代传说中具有举足轻重的地位。

d.《库什王纪》对法里东的描写一如既往

自法里东从前伊斯兰时代的伊朗神话进入伊斯兰时代的历史文献与史诗传统之后，其人物形象就一直保持着相对的稳定性。《库什王纪》呈现的法里东人物形象和主要事迹，与《黄金草原》和《列王纪》等其他文献所载基本没有区别，不同之处仅限于其周边人物。比如，据《库什王纪》，法里东的母亲是巴希拉王醍醐尔之女，这个说法被《历史与故事辑要》的作者采纳；另外，法里东长子与次子的生母在《库什王纪》中被描述为佐哈克家族的女人，这一点同样在《历史与故事辑要》中被提及。

（7）萨勒姆（Salm）、图尔（Tūr）和伊拉治（Īraj）

萨勒姆、图尔和伊拉治是法里东的三个儿子。《库什王纪》所载关于他们的故事，包括法里东三分世界给他们三人，以及由此导致的伊拉

91 Władysław Dulęba, *The Cyrus Legend in the Šāhnāme*, Kraków: The Enigma Press, 1995, pp. 50—51.

92 希罗多德：《历史》，王以铸译，北京：商务印书馆，1997年，第55—59页。

治遇害悲剧，与《列王纪》中的叙事基本一致。《历史与故事辑要》等其他文献中也录有关于这三人的简略信息，各处记载亦无太大差异。

（8）玛努切赫尔（Manūchihr）

据《列王纪》和《库什王纪》，继承法里东王位之人是玛努切赫尔。据《列王纪》，在法里东的安排下，伊拉治之女玛赫阿法利德（Māh-āfarīd）嫁给了法里东兄弟的后人帕山（Pashang），因此玛努切赫尔作为帕山与玛赫阿法利德之子，从父系和母系两方面来说都是贾姆希德的后裔。《库什王纪》中没有详细交代玛努切赫尔的身世，但存有他在法里东的支持下，为了给伊拉治报仇而兴兵杀死萨勒姆和图尔的情节，这与《列王纪》的相关叙事类似。

（9）玛哈纳什（M.hān.sh）

玛哈纳什是法拉克的后人，他并未出现在《列王纪》中。据《库什王纪》所载，玛哈纳什是贾姆希德后嗣中的最后一人。亚历山大在东征路上见到秦王象牙库什的雕像，为探其生平，他在当地人的指引下去拜访智者玛哈纳什。玛哈纳什回答了亚历山大有关自己家世的问题，讲述了贾姆希德族人过往的经历。当亚历山大询问象牙库什的有关情况时，玛哈纳什把记录着“象牙库什的故事”的笔记交给亚历山大，随即离开了人世。《库什王纪》的主体情节随着亚历山大阅读这本笔记而展开。

（10）教化象牙库什弃恶从善的智慧老人

在《库什王纪》的结尾部分，一位未被提及名字的智慧老人为象牙库什做了整形手术，并教导他学习知识、信仰真神、弃恶从善。按照书中描述，可推断出这位智慧老人是出自法拉克系的贾姆希德后裔。

（11）贾姆希德之妻（秦王之女）

《列王纪》并未提及贾姆希德的妻子。据《库什王纪》，由于贾姆希德的妻子是秦王玛汉格之女，他在自己失势之时便把妻子家人送到秦的丛林中躲避，贾姆希德族人在佐哈克统治大地期间逃亡于秦、马秦和巴希拉的经历皆由此而起。因此，贾姆希德的这位妻子虽然没有正面出场，名字也未被记录下来，却是影响全书故事情节走向的关键人物。

（12）法拉兰格（F.rār.ng）

据《列王纪》记载，法里东的母亲名为法兰纳克（Farānak）。而在

《库什王纪》中，法里东为法拉兰格所生。法拉兰格是巴希拉王醍醐尔之女，是阿贝廷率族人在巴希拉避难期间娶的妻子。

（13）沙赫尔纳兹（Shahrnāz）和阿尔纳瓦兹（Arnavāz）

此二女在《库什王纪》中并未出场，但据《列王纪》记载，她们是贾姆希德的妹妹，在贾姆希德败亡后被佐哈克占有；法里东推翻佐哈克的统治之后，她们二人又成了法里东的妻子，并为他生下三个儿子。因此，这对姐妹也是贾姆希德家族的重要人物，于此略加论述。

巴列维语文献中记载了贾姆希德的三个姐妹，名字分别是Yimag、Sanghvak和Arinavak。Yimag对应吠陀文献传统中阎摩的双胞胎妹妹阎蜜，相较于此人，后两者在吠陀文献中较少被提及。《阿维斯塔》中曾数次提到这两个人，但并未显示出她们是贾姆希德的姐妹。《拉姆·亚什特》的第二十四节以及另外几处文字中，Sanghvak和Arinavak被记作佐哈克的两个妻子，而在这些地方却没有出现贾姆希德的名字。显然，有关她们两人与贾姆希德之间亲缘关系的记载是后来才逐渐出现的。[93]此二女在《阿邦·亚什特》的第三十四节中被描述为"操持家务的能手，还擅长生儿育女，繁殖后代"，法里东请求神佑护他自阿日达哈克的魔掌中把她们解救出来。[94]在《列王纪》中，她们的名字分别演变为沙赫尔纳兹（Shahrnāz）和阿尔纳瓦兹（Arnavāz）。

（14）戈尔沙斯帕（Garshāsp）、纳里曼（Narīmān）、萨姆（Sām）、扎尔（Zāl）、鲁斯塔姆（Rustam）

贾姆希德后裔中这一支系的几位英雄在《库什王纪》中都被提及，但除了鲁斯塔姆，其他人并没有具体事迹被讲述。《列王纪》记载了他们之间的世系关系：戈尔沙斯帕是贾姆希德六世孙，他与其子纳里曼都是法里东时代的名将；纳里曼之子萨姆和萨姆之子扎尔都是玛努切赫尔时代的名将；扎尔之子鲁斯塔姆是伊朗史诗传说中最著名的英雄。《库什王纪》故事提及的最后一位伊朗君王是［凯］卡乌斯，鲁斯塔姆在救卡乌斯出难的故事中出场。

---

93 Ṣafā, *Ḥamāsa-sarāyī dar Īrān*, p. 446.

94 Dūstkhᵛāh (trans. and ed.), *Avistā: Kuhantarīn surūd-hā va matn-hā-yi Īrānī*, vol. 1, p. 303。杜斯特哈赫选编：《阿维斯塔——琐罗亚斯德教圣书》，第150页。

表3 《库什王纪》载贾姆希德家族世系

<table>
<tr><td colspan="7">贾姆希德*</td></tr>
<tr><td>法拉克</td><td colspan="5">努纳克</td><td>S̱ūr**</td></tr>
<tr><td></td><td colspan="5">玛哈鲁</td><td>Shīd-asp**</td></tr>
<tr><td></td><td colspan="5">阿贝廷</td><td>Ṭūrak**</td></tr>
<tr><td></td><td>苏瓦尔</td><td colspan="3">法里东*</td><td>另外二子</td><td>Sham**</td></tr>
<tr><td></td><td></td><td>萨勒姆</td><td>图尔</td><td>伊拉治</td><td></td><td>As̱raṭ**</td></tr>
<tr><td></td><td></td><td></td><td></td><td>Māh-āfarīd**</td><td></td><td>戈尔沙斯帕</td></tr>
<tr><td></td><td></td><td></td><td></td><td>玛努切赫尔*</td><td></td><td>纳里曼</td></tr>
<tr><td></td><td></td><td></td><td></td><td>……</td><td></td><td>萨姆</td></tr>
<tr><td></td><td></td><td></td><td></td><td>凯卡乌斯</td><td></td><td>扎尔</td></tr>
<tr><td></td><td></td><td></td><td></td><td></td><td></td><td>鲁斯塔姆</td></tr>
<tr><td>佚名智叟</td><td></td><td></td><td></td><td></td><td></td><td></td></tr>
<tr><td>……</td><td></td><td></td><td></td><td></td><td></td><td></td></tr>
<tr><td>玛哈纳什</td><td></td><td></td><td></td><td></td><td></td><td></td></tr>
</table>

* 贾姆希德、法里东和玛努切赫尔为世界之王，或称诸王之王。
** 仅有转写而无对音汉译者，未出现在《库什王纪》中。

2. 佐哈克家族

(1) 佐哈克(Żaḥḥāk)

a. 早于《列王纪》的文献记载

佐哈克的初始原型亦可溯至《阿维斯塔》，即这部典籍所载“来自巴比伦的三口三首六眼”的妖魔，其名被记载为阿日达哈克(Azhīdahāka)和阿日(Azhī)两种形式。《阿邦·亚什特》的第二十九节到第三十一节讲到他要毁灭世界的邪恶愿望：

三张嘴巴的阿日达哈克在巴比伦[95]的国土上向[阿娜希塔]奉献百

95 原文作Bawrī。元文琪在《阿维斯塔》汉译中径将其译作巴比伦，杜列巴在《〈列王纪〉中的居鲁士传说》(*The Cyrus Legend in the Šāhnāme*)一书中也经常直接将Babylon和Bawri二词等同使用。

匹马、千头牛和万只羊……

向她祈求道：呵，阿雷德维·苏拉·阿娜希塔！呵，善者！呵，强有力者！请让我心想事成——［能］使［地面上］的七个国家一片荒凉，渺无人烟！

阿雷德维·苏拉·阿娜希塔未使他得逞，［令其愿望落空。］[96]

在《阿邦·亚什特》的第三十三节到第三十五节，法里东向神奉献并祈愿时讲到，阿日达哈克是恶魔之首阿赫里曼为破坏世界而创造出来的异常强大又邪恶的妖魔。该段文字可参见上文"贾姆希德家族"小标题项下"法里东"条目中的引文，此不赘述。此外，《吉乌什·亚什特》（又作《德劳阿斯帕·亚什特》）的第十四节[97]、《巴赫拉姆·亚什特》的第四十节[98]、《拉姆·亚什特》的第十九节至第二十一节以及第二十四节[99]、《扎姆亚德·亚什特》的第四十六节至第五十节[100]等章节中，均载有Azhīdahāka或Azhī其名其事。

据亚尔沙特尔为《伊斯兰大百科》撰写的"Zuhāk"词条：Zuhāk的形式是波斯–阿拉伯语（Perso-Arabic）词Ḍaḥḥāk的讹音，而Ḍaḥḥāk是对中古波斯语Dahāk的转写，阿维斯塔语作Azhī-dahāka-，可能指"蛇人"，参照吠陀梵语（Vedic）的azi-，即"蛇"。在《梨俱吠陀》文献传统（Rigvedic traditions）中，azi-（蛇）指阻断通往天堂之水（heavenly waters）通路的诸妖魔。在中古波斯语里，Azhdahāg表恶龙（monstrous dragons）之意，主例即为法里东所擒者。[101]因此，佐哈克在《列王纪》中有"龙/蟒"（azhdahā）、"龙/蟒似的人"（azhdahā-fash）和"肩生龙/蟒者"（azhdahā-dūsh）之称；在《库什王纪》中，他曾被称作"蛇一般的人"（mār-fash）和"蛇身者"（mār-paykar），均呼应此说。萨法也指出，

---

96 Dūstkh^{v}āh (trans. and ed.), *Avistā: Kuhantarīn surūd-hā va matn-hā-yi Īrānī*, vol. 1, p. 303。杜斯特哈赫选编：《阿维斯塔——琐罗亚斯德教圣书》，第148—149页。

97 Dūstkh^{v}āh (trans. and ed.), *Avistā: Kuhantarīn surūd-hā va matn-hā-yi Īrānī*, vol. 1, pp. 347—348.

98 Dūstkh^{v}āh (trans. and ed.), *Avistā: Kuhantarīn surūd-hā va matn-hā-yi Īrānī*, vol. 1, p. 439.

99 Dūstkh^{v}āh (trans. and ed.), *Avistā: Kuhantarīn surūd-hā va matn-hā-yi Īrānī*, vol. 1, pp. 451—452.

100 Dūstkh^{v}āh (trans. and ed.), *Avistā: Kuhantarīn surūd-hā va matn-hā-yi Īrānī*, vol. 1, pp. 492—493.

101 E. Yarshater, "Zuhāk," in *EI2*, vol. 11, p. 554.

佐哈克在《列王纪》中多次被称作azhdahā，可能是Azhīdahāka的缩略;《阿维斯塔》所载该妖魔源自伊朗人对亚述和迦勒底巴比伦等古闪族政权对伊朗残酷、血腥的军事入侵的集体历史记忆，后来在波斯语史诗中演变为双肩生蛇的阿拉伯(Tāzī)暴君形象。[102]

有关佐哈克的记载亦可见于《泰伯里历史》和《黄金草原》等穆斯林历史著作中。《黄金草原》中有这样一段文字："对于佐哈克的出身，众说纷纭，有些人认为他属于波斯种族，其他人则认为他属于阿拉伯种族。这后一种观点由波斯人采纳，他们认为佐哈克是控制了7个气候带[103]的一位巫师，执政1000年，以其暴虐而蹂躏了大地和反叛了上帝。波斯传说中有关于这位国王的长篇详细情节，并且还记载说他被铁链紧紧地捆在拉杰斯和泰伯里斯坦之间的德马文德山上。"[104]这段文字同样指出传世的佐哈克详细事迹主要出自波斯人之口，且在波斯人的传说中，他是一位统治全世界长达千年的异族暴君。

波斯文学传统中有一种流传甚广的说法——佐哈克的巴列维语名作毕瓦尔阿斯布(Bīvar-asp)[105]，但在伊朗人改编自《泰伯里历史》所作波斯语文本《巴尔阿密历史》中，佐哈克与毕瓦尔阿斯布并非同一人。

关于"毕瓦尔阿斯布为王当政"(Pādishāhī-yi Bīvar-asb):

贾姆希德为王当政了七百年，在他的王国之侧，在东方的土地上崛起了一个名叫毕瓦尔阿斯布(Bīvar-asb)之人，他组织了一支大军，来夺取王位。当他到来之时，贾姆希德在泰伯里斯坦(Ṭabaristān)的

102 Ṣafā, *Ḥamāsa-sarāyī dar Īrān*, p. 455。学界关于亚述对埃兰军事入侵的激烈程度已有定论——尤其在亚述巴尼拔(Ashurbanipal，前668—约前627年在位)时代，但迦勒底王国对伊朗地区和埃兰残余势力发动军事打击的文献证据还相对薄弱。在尼布甲尼撒二世(Nebuchadnezzar Ⅱ，前604—前562年在位)时期，"仅有一次向巴比伦尼亚东方边境发动的战役。史料证据非常零散和不完整，却也表明巴比伦王不得不对底格里斯河流域东部地区(east Tigris area)的一位埃兰统治者采取行动。这一时期埃兰确切的政治形势并不很清楚。" Amélie Kuhrt, *The Ancient Near East c.3000—330 BC*, vol. 2, London / New York: Routledge, 1995, p. 592。

103 应为"七个国度"。

104 马苏第:《黄金草原》,第266页。

105 该词最后一个辅音字母在达里波斯语中有多种转写，分别发音为b、p和f。

达马万德（Damāvand）[山中]，他得到消息便逃跑了，躲藏了一年的时间。一年之后，[毕瓦尔阿斯布]得到他的消息，擒获并杀死了他，成为新君。他杀死贾姆希德的方式是将其从头到脚锯成两半。据波斯人（Pārsiyān）说，除本书记载之外，关于贾姆希德逃到扎布尔斯坦（Zāvulistān）说来话长。据说，扎布尔斯坦王的女儿发现了贾姆希德，成为了他的妻子，而其父亲不知情。父亲曾许诺她可以自己择婿。当贾姆希德与这个女孩结合，育有一子，为他取名图尔（Tūr）。贾姆希德再度逃亡至印度，死在那里。其子[图尔]有一子名作希达斯布（Shīd-asb），他有一子名作图拉克（Ṭūrak），他有一子名作沙赫姆（Shahm），他有一子名作阿斯拉特（Asraṭ），他有一子名作戈尔沙斯帕（Garshāsp），他有一子名作纳里曼（Narīmān），他有一子名作萨姆（Sām），[106]他有一子名作达斯坦（Dastān），[107]他有一子名作鲁斯塔姆（Rustam），他有一子名作法拉玛尔兹（Farāmarz）。关于他们的记述、消息和经历非常多，还有很多不同的说法。阿布·姆耶德·巴里黑（Abū al-Muʾayid Balkhī）有所记载（以其《大王书》[*Shāhnāma-yi buzurg*]）。[108]

在《巴尔阿密历史》的这段记述中，仅言毕瓦尔阿斯布崛起于伊朗东方，他终结了贾姆希德的统治；此外便是贾姆希德逃亡在扎布尔斯坦和印度的传说，由此引出他的一支后裔的世系——锡斯坦民间故事中的戈尔沙斯帕-鲁斯塔姆勇士家族。另据《巴尔阿密历史》中“[关于]大食人佐哈克为王当政[的记述]”（[Andar ḥadīs̱-i] Pādishāhī-yi Ẓaḥḥāk-i Tāzī）：

这个佐哈克，人们将其与蟒蛇联系起来，是由于他的两个肩胛上原有两块巨大的长条状赘肉（du pāra gūsht），其末端状如蛇，被罩于外袍

106 巴哈尔注曰：据《阿维斯塔》，萨姆、纳里曼和戈尔沙斯帕均为一个人的名字和绰号。

107 即《列王纪》载绰号为扎尔（Zāl）的萨姆之子、鲁斯塔姆之父的本名。

108 Abū ʿAlī Muḥammad ibn Muḥammad ibn Balʿamī, *Tārīkh-i Balʿamī: Takmila va tarjuma-yi Tārīkh-i Ṭabarī*（《巴尔阿密历史：〈泰伯里历史〉补遗与翻译》）, ed. Muḥammad Taqī Bahār (Malik al-Shuʿarāʾ), Tehran: Kitābfurūshī-yi Zavvār, 1974 (SH 1353), vol. 1, pp. 132—133.

之下，每当袍服被从肩头脱下，他以幻术对人们展示那是两条蟒蛇，以此使人们对他感到害怕。阿拉伯人（ʿArab）称他为佐哈克（Ẓaḥḥāk），而穆护们（Mughān，琐罗亚斯德教祭司之复数形式）说他是毕瓦尔阿斯布（Bīvar-asb）。其中有巨大区别，因为毕瓦尔阿斯布是努哈（Nūḥ）时代的人，而佐哈克是一个暴君，他杀死了世界上所有的王，号召人们做偶像崇拜，并为此事而屠杀民众。在任何一个时代都没有流过那么多的血——这是由他的时代和他带来的鞭笞和绞刑所导致的。他统治了一千年，世上的民众因他而愁苦不堪。之后，至高真神想要褫夺其王权。当他为王当政的时间过去了八百年，其肩头的肉块（gūsht pāra）出现创伤溃疡，他疼痛不安，但无人知晓医治之法。据说某夜他在梦中听到有人对他说："你用人脑来医治这病痛吧！"第二天他敷上了人脑，平静下来，疼痛减轻了。此后他每天杀死两个人，将其脑敷于患处，直到两百年后，全世界所有监狱中的人都被他杀死了。自那以后，人们每天杀死两个［监狱］外面的人，为疗愈他的伤病而取出他们的脑子。佐哈克派人去每个城市，以便每一天在每个街区分配任务，即交出两个人来，他们都这样做了，以至于大地上不复有人存在，整个世界都因他愁苦不堪。[109]

此后《巴尔阿密历史》还有大段关于佐哈克的记述，但都是关于铁匠卡维揭竿而起，以及起义军迎立法里东为新王，最终推翻佐哈克统治的详细叙事。据此可知，巴尔阿密认为毕瓦尔阿斯布和佐哈克并非同一个人，不但为二人分别作传，在关于佐哈克的记述中还专门强调了这一点；而且二人有关事迹各有来龙去脉，互不重复。在《巴尔阿密历史》中，按时间顺序，贾姆希德与法里东当政之间有关于三个人的记述，依次是毕瓦尔阿斯布、努哈和佐哈克。因为努哈是先知，并非君王，所以在贾姆希德和法里东统治期中间，世上仅有毕瓦尔阿斯布和佐哈克二人为王当政。到了《列王纪》中，毕瓦尔阿斯布和佐哈克有关传说已彻底合流，这种说法为其后的其他伊朗民族史诗所遵循，甚至也被《选史》等一些后世历史著作采纳。

---

109 Balʿamī, *Tārīkh-i Balʿamī: Takmila va tarjuma-yi Tārīkh-i Ṭabarī*, pp. 143—144.

b.《列王纪》的记载

与《黄金草原》成书年代相近的《列王纪》所载有关佐哈克的信息要点同《黄金草原》所载内容大同小异，可见伊朗传说中有关佐哈克的部分在公元9—10世纪之前就已定型。

按菲尔多西所述，在贾姆希德的时代，“持矛骑士们的原野”（阿拉伯地区）上有位善良的首领名叫玛尔达斯（Mirdās），他有一个邪恶轻浮又英勇好战的儿子名为佐哈克。佐哈克拥有一万匹马，因此他在巴列维语中被称作毕瓦尔阿斯布，即“一万匹马”的意思。佐哈克被恶魔易卜劣斯（Iblīs）[110]引诱，密谋弑父而登上首领之位。易卜劣斯在佐哈克面前现身为一个俊美青年并成为他的厨师，为了培养他的野性，让他以肉为食。易卜劣斯亲吻了佐哈克的两个肩胛，于是从那里生出两条黑蛇来。随后易卜劣斯又化身为医生，向佐哈克献上杀人取脑以治疗肩上生蛇之症的办法，以此来实现他毁灭人类种族的目的。此时伊朗发生了反对贾姆希德的动乱，人们拥戴佐哈克承袭人世至高王位，贾姆希德只得逃走。一百年后，贾姆希德在中国（秦）海[111]边被佐哈克俘获，并被锯为两半，他的两个妹妹也被佐哈克占有。在佐哈克统治的一千年间，世上全无公理、良俗、善治，只有疯狂的欲望和乱舞之群魔。佐哈克每夜杀死两个人，取人脑喂食其双肩上的蛇。而此时佐哈克的厨师阿尔马耶尔（Armāyīl）和克尔马耶尔（Karmāyīl）是两名正直、善良的年轻人，他们尽自己所能救下了一些人——每天私下放走一人，用另一人之脑混合羊脑给佐哈克的蛇配餐。被放走的人们躲在人迹罕至的高山深谷之中，以放牧为生，库尔德（Kurd）人就是由这些人在深山中繁衍而逐渐形成的族群。当佐哈克的统治期尚余四十年之时，他梦到三个带有帝王灵光之人将他打倒捆缚，解梦者告诉他这预示着法里东将要出世，于是他开始搜寻法里东。随着铁匠卡维起义反对佐哈克，法里东登上了王位，他随后通过战争击败佐哈克，将其捆绑起来，囚禁在达马

110 伊斯兰文献传统中引诱人类堕落、作恶的恶魔之名，其平行角色为《圣经》文献传统中的撒旦（Satan）。

111 或译为“中国（秦）的大河”。

万德山中的一个洞穴里。[112]

c.《库什王纪》及其后的文献记载

据《库什王纪》，佐哈克登上世界至高王位并杀死贾姆希德后，任命自己的兄弟库什成为新的秦王，派遣他搜寻、追杀躲藏在秦的贾姆希德族人。[113]库什死后，其子象牙库什将这一消息禀报给佐哈克。象牙库什出生于其父赴秦之后，佐哈克未曾见过他，便在回信中召见他。象牙库什于是带上丰厚的贡品去圣城朝见佐哈克，并在那里停留了一段时间，二人每日一起打猎取乐。由于食用了过多的猎物之肉，佐哈克两个肩胛的位置长出突起物。《库什王纪》的记述明确把佐哈克双肩上生的病称为蟹症（kharchang），即恶性肿瘤，而没有采纳此前已盛行于伊朗的“佐哈克双肩生蛇”之说法。但值得注意的是，“佐哈克双肩生蛇”传说对后世伊朗人具有先入为主且根深蒂固的影响，以至于马提尼在其校注的《库什王纪》文本中，仍给这段故事冠以“佐哈克的病和他的肩上长出两条蛇”[114]和“印度医生对佐哈克肩上之蛇的治疗”[115]两个小标题。据《库什王纪》所载，正当众人都对佐哈克的病症束手无策时，一个印度人来到王廷，声称自己有解决王之病痛的办法。常驻王廷的医生们担心，一旦印度医生治好佐哈克的病，他们就会被指责为无知、无能之人，于是一起把印度医生赶走。但印度医生最终还是得到了给佐哈克治病的机会，因曾遭王廷医生打耳光之辱，为报复当地人，他决定更改治病的建议。印度医生献上的治疗方案是，每天杀死两个人，取其脑制作药膏，涂抹于患处；同时建议佐哈克勿再多食猎物之肉。[116]其后，佐哈克就如《列王纪》中描述的那样，每日杀死两个人，把他们的脑子用作自己的镇痛药。关于佐哈克何时得此怪病，可据《库什王纪》故事情节推测出大致区间。当佐哈克一千年的统治期尚余八十年的时候，象牙库什赴圣城觐见佐哈克，而佐哈克得病发生在此事之后不久，

112 Firdawsī, *Shāhnāma*, Moscow Edition, vol. 1, pp. 27—45。汉译见菲尔多西：《列王纪全集》，第一册，第48—103页。另参见Ṣafā, *Ḥamāsa-sarāyī dar Īrān*, pp. 451—452。

113 Ibn Abī al-Khayr, *Kūshnāma*, p. 194.

114 Ibn Abī al-Khayr, *Kūshnāma*, p. 302.

115 Ibn Abī al-Khayr, *Kūshnāma*, p. 303.

116 Ibn Abī al-Khayr, *Kūshnāma*, p. 304.

因此,佐哈克在其统治世界九百余年之时受到此病症的困扰。此后,佐哈克杀死已返回伊朗的法里东之父阿贝廷。再过数十年,法里东走出深山,起兵反抗佐哈克,并将其赶下王位。《库什王纪》中没有详细讲述法里东如何推翻佐哈克的统治,只是在他的母亲法拉兰格写给他的外祖父——巴希拉王醍醐尔的一封信中讲到,法里东击败了佐哈克,把他用铁链锁住并监禁起来。[117]《库什王纪》行文中常称佐哈克为"强大的王",也曾提到他的巴列维语名——毕瓦尔阿斯布(Bīvar-asb)[118],即"[拥有]一万匹马[的人]"。[119]

《历史与故事辑要》中也有关于佐哈克的记载,相较于成书年代更早的《泰伯里历史》《黄金草原》《列王纪》等文献,其内容增补了更多流传于伊朗人中间的说法:

佐哈克·毕瓦尔阿斯布:他被人们称作毕瓦尔阿斯布,据说人们在他面前奉上了一万匹备好金银鞍具的大食马,而他的名字本是盖斯·拉胡布(Qays Lahūb),人们也把他称作佐哈克和哈米里(Ḥamīrī)。波斯人称[他]为达赫阿克(Dah-āk),因为他以折磨、吊刑[120]和卑鄙下作的行为给世界带来十大灾难和邪恶的习俗,(达赫[dah]在波斯语中意为数字十)阿克(āk)是邪恶与灾难的意思。后来当其被阿拉伯[语]化,[词义的褒贬色彩]发生了剧变:"佐哈克"的意思是"引人发笑的"。[121]人们也称[他]为阿日达哈克(Azhdahāk),其原因在于[他的]肩胛,说它们是吞食人的巨蟒。《贾里尔历史》(*Tārīkh-i Jarīr*)[122]中说,毕瓦尔阿斯布是一个人,佐哈克是另外一个人,至高真神(Īzad)把

---

117 Ibn Abī al-Khayr, *Kūshnāma*, p. 438.

118 波斯语标准记音应作Bīvar-asp或Bīvar-asb,有时又读作Bayvarāsb。按《库什王纪》及其格律,该专名出现在第4800联时读作Bīvarasb,出现在第8847联时读作Bīvarsb。

119 Ibn Abī al-Khayr, *Kūshnāma*, p. 618.

120 原文为并列结构词组ʿaẕāb va āvīkhtan。ʿaẕāb词义为"折磨";āvīkhtan本意为"悬挂",与ʿaẕāb并置则推测意为"吊刑",即捆绑人体某部位,将人吊起来的一类刑罚,同以绳索套在人的脖颈上将人处死的绞刑有区别。该词组应理解为"暴虐、以酷刑折磨人"之意。

121 佐哈克之名的达里波斯语形式Ẕaḥḥāk(应为Ẕaḥāk)与阿拉伯语固有词ḍaḥḥāk(词义为"引人发笑的")除词形相同外,别无关系,即后者并非前者的阿拉伯语化。

122 即《泰伯里历史》。文献中的泰伯里之名常略作Ibn Jarīr al-Ṭabarī或Jarīr Ṭabarī。

努哈(Nūḥ)[123]派到他的跟前,在大洪水之后佐哈克为王多年。而他的世系是这样的:佐哈克是[阿尔]万德阿斯布([Arv]and-asb)也称阿尔万德阿斯夫(Arvand-asf)之子,他[佐哈克之父]曾是塔赫姆列斯的维齐尔,他虔诚地斋戒并且敬拜真神,他是凯尤玛尔斯(Kayūmars̱)[124]之子玛希(M.shī)之子西亚马克(Siyāmak)之子法尔瓦尔(Farvāl)之子塔支(Tāj)之子萨德萨莱([S]āds.ra)之子拉巴卡万(R.b.kāv.n)之子。[125]塔支是他[佐哈克]的先祖,阿拉伯人是他[塔支]的子孙,他[佐哈克]居住在巴比伦(Bābil)的土地上。他有[两个]女儿,法里东娶了[一个]为妻,另一个来到喀布尔斯坦(Kābulistān)的土地上,鲁斯塔姆的先祖梅赫拉布(Mihrāb)是这个女儿的孩子之一。我没有发现任何地方记载佐哈克的儿子。[126]

《历史与故事辑要》中讲到鲁斯塔姆先祖梅赫拉布是佐哈克之女的子嗣;《列王纪》也讲到梅赫拉布是佐哈克的后人,其女鲁达贝(Rūdāba)嫁给贾姆希德的后裔扎尔,二人婚后育有一子取名为鲁斯塔姆。据此说来,伊朗民族史诗中最伟大的英雄——鲁斯塔姆,是贾姆希德和佐哈克两大家族联姻的结果。

d.《列王纪》与《库什王纪》中佐哈克形象的异同

《列王纪》与《库什王纪》中都有对佐哈克异族统治者的身份、巴列维语名字、残忍嗜杀和暴虐不公的性格、长达一千年的统治期等主要特征的描述,皆符合《泰伯里历史》和《黄金草原》等穆斯林历史文献据古代伊朗传说所作记载。然而与《列王纪》的描述相比,佐哈克的妖魔化特征在《库什王纪》中进一步淡化——佐哈克双肩上的蛇被描述为肿瘤之类的赘肉,也没有提到他与恶魔有任何关联。这也符合史诗发展规律——随时间的推移,原初的神魔角色逐渐演变为人的角色。

---

123 穆斯林著作中的Nūḥ在本书中均译为“努哈”(引用已有汉译书籍的文字除外),即《圣经》文献传统中的“挪亚”,又有汉译作“诺亚”。

124 《列王纪》所载人类始祖。

125 《泰伯里历史》借波斯人(Persians)之口交代了佐哈克两个稍有不同的世系描述。参见Ṭabarī, *The History of al-Ṭabarī (Ta'rīkh al-rusul wa'l-mulūk)*, vol. 2, *Prophets and Patriarchs*, p. 2。

126 Bahār (ed.), *Mujmal al-tawārīkh wa-al-qiṣaṣ*, pp. 25—26.

佐哈克的原型很早就出现在伊朗古代二元对立的宗教思想体系里，在承载初民时代敌我冲突集体记忆的伊朗神话传统中，关于佐哈克的叙事得到保存和发展。在伊朗民族史诗兴盛的时代，佐哈克作为传说中的异族暴君形象已经成型并丰满起来，在伊朗人的集体记忆里根深蒂固，这使得《列王纪》与《库什王纪》所呈现的佐哈克形象轮廓基本相一致。但两部史诗中的佐哈克形象细节特征又有不同。一方面，可以看出《库什王纪》的叙事者为讲述有别于既有故事做出的努力；另一方面，则是因为《库什王纪》突出塑造的敌对异族首领是象牙库什，而不是佐哈克。

（2）象牙库什之父库什（Kūsh）

除佐哈克本人，《库什王纪》所载其他佐哈克家族成员均未出现在《列王纪》中。

据《库什王纪》记载，象牙库什之父库什是佐哈克的兄弟。佐哈克霸占伊朗王位并擒杀贾姆希德之后，获悉贾姆希德族人逃亡在秦。因秦王玛汉格被臣服于佐哈克的印度王杀死于战争中，佐哈克便派遣库什赴秦为王，还交给他一项重要的任务——搜寻贾姆希德族人并斩草除根。[127]库什作秦王期间，征服了一个名为皮尔古尚的部落并娶了一名出自该部落的美丽少女。少女为他生下一子，即象牙库什。由于初生的象牙库什面容丑陋犹如魔鬼，库什遗弃了这个孩子。[128]多年之后，库什与儿子重逢相认，并让象牙库什在自己死后继承秦的王位。[129]

（3）尼瓦斯布（Nīv-asb，或Nīvāsb）

据《库什王纪》记载，尼瓦斯布为秦王库什之子，勇武过人，深得库什喜爱，本应是其王位继承人。但在库什与阿贝廷的战争中，尼瓦斯布为尚处于伊朗人阵营中的象牙库什杀死。[130]

（4）象牙库什（Kūsh-i Pīl-dandān）

库什之子、佐哈克之侄象牙库什是《库什王纪》的主角，有关他的

---

127 Ibn Abī al-Khayr, *Kūshnāma*, pp. 194—196.

128 Ibn Abī al-Khayr, *Kūshnāma*, pp. 202—203.

129 Ibn Abī al-Khayr, *Kūshnāma*, pp. 240—242, 291.

130 Ibn Abī al-Khayr, *Kūshnāma*, pp. 209—214.

详细情况在下一章中专门论述。

（5）象牙库什之子迦南（Kanʿān）

据《库什王纪》，迦南是象牙库什与其首辅努尚（Nūshān）之女内高琳（Nigārīn）之子。他的外貌如同父亲一般丑恶，长着大象般的耳朵和獠牙。迦南目睹了父亲象牙库什对妹妹玛赫切赫尔（Māh-chihr）所做的疯狂之事，他感到悲伤而恐惧，便从秦逃到佐哈克身边。即便在佐哈克的劝说下，迦南也坚决不回到象牙库什身边，于是佐哈克向象牙库什致书说明了这个情况。这样，尽管象牙库什对迦南的叛逃感到愤怒，对他的追究问罪也只好不了了之。[131]法里东击败佐哈克之后，继续追杀佐哈克族人，迦南逃到也门荒原。[132]法里东在征讨秦王象牙库什的战争间歇中，发现迦南在苫国（Shām）[133]聚集了一万大食兵将，遂派遣将领纳斯图赫（Nastūh）率军奔袭，迦南闻讯不战而逃，遁入戈壁。[134]

（6）迦南之子库什

《库什王纪》中仅仅提到迦南有个孩子名字也叫库什，先于奈姆鲁德（Namrūd / Numrūd）出生，[135]但没有更多谈到关于他的细节。

（7）迦南之子奈姆鲁德[136]

《库什王纪》的诗人先讲述了一个广泛流传的关于奈姆鲁德的传说：奈姆鲁德出生于伊朗大军追剿迦南之时，迦南由于在逃亡路上时刻处于恐惧中而抛弃了他。随后奈姆鲁德被山中一个名为纳梅尔（Namir，意为豹子）的强悍盗贼收养，奈姆鲁德之名也是这个盗贼所取。奈姆鲁德长大之后离开了盗贼，来到苫国夺取王位。之后他开始违抗真神，并要到天上去与真神作战。紧接着诗人又以自己的口吻插叙了另外一个不尽相同的传说：孩子被迦南抛弃后，由一头母豹喂养到三岁；一个猎人杀死豹子后继续抚养他，并给他取名为奈姆鲁德；后来奈

131 Ibn Abī al-Khayr, *Kūshnāma*, pp. 405—412.

132 Ibn Abī al-Khayr, *Kūshnāma*, p. 446.

133 Shām，汉语古籍中作苫国，指地中海东岸地区，大致包括今叙利亚、巴勒斯坦等地。

134 Ibn Abī al-Khayr, *Kūshnāma*, pp. 496—497.

135 Ibn Abī al-Khayr, *Kūshnāma*, p. 497.

136 即《圣经》文献传统中的宁录。

姆鲁德成了世界之王，所有的国度都听命于他。奈姆鲁德因此狂妄自大起来，宣称自己是造物主，并欲去往天上同真神争斗。[137]

以“英勇的猎户”“通天高塔巴别塔的建造者”“与真神对抗的世界之王”而著称的奈姆鲁德（宁录）在古闪族传说中实是大名鼎鼎，关于他的记述频见于亚伯拉罕三宗教文献传统。从古至今，众多西方学者和伊斯兰学者以其为对象开展研究，《泰伯里历史》和《黄金草原》等穆斯林历史著作、《伊斯兰大百科》，以及任何一部有关《圣经》的大辞典和百科全书都有对他的详细介绍。在《巴尔阿密历史》中，“[关于]迦南之子奈姆鲁德为王当政”（[Andar ḥadīs̱-i] pādishāhī-yi Namrūd ibn Kanʿān）被置于“[关于]阿斯菲楠之子阿夫里东”（[Andar ḥadīs̱-i] Āfrīdūn ibn As̱fīnān）[138]之后，在前伊斯兰时代世界诸王之列加以专题记载：“努哈（Nūḥ）之子含（Ḥām）之子库什（Kūsh）之子迦南（Kanʿān）之子奈姆鲁德（Namrūd），是偶像崇拜者，是个暴君。他建造了很多偶像神庙（but-khān[a]-hā），令巴比伦地区（iqlīm-i Bābil）的全体居民去做偶像崇拜，所有的偶像都用黄金制作……”[139]至于《库什王纪》，一方面依照古闪族传说讲述了奈姆鲁德的身世；另一方面，又把其他文献所载某些奈姆鲁德的事迹托名象牙库什讲述。本书下一章中另有详述。

表4 《库什王纪》载佐哈克家族世系[140]

<table>
<tr><td>佐哈克</td><td colspan="3">库什</td></tr>
<tr><td></td><td>尼瓦斯布</td><td colspan="2">象牙库什</td></tr>
<tr><td></td><td></td><td colspan="2">迦南</td></tr>
<tr><td></td><td></td><td>库什</td><td>奈姆鲁德</td></tr>
<tr><td>（梅赫拉布）</td><td></td><td></td><td></td></tr>
</table>

137 Ibn Abī al-Khayr, *Kūshnāma*, pp. 497—498.

138 亦即“阿斯菲扬之子法里东”。

139 Balʿamī, *Tārīkh-i Balʿamī: Takmila va tarjuma-yi Tārīkh-i Ṭabarī*, pp. 151—152.

140 表4中的佐哈克拥有“诸王之王”（即世界之主）之称号。

3. 两大家族世系渊源

《历史与故事辑要》转述《贾里尔历史》(*Tārīkh-i Jarīr*,即《泰伯里历史》)的内容说,佐哈克之父曾任塔赫姆列斯的维齐尔,是凯尤玛尔斯的后人;阿拉伯人都是佐哈克的高祖塔支的子孙。[141]即佐哈克是阿拉伯人的先祖之一,而他的祖先世系属古伊朗传说中人类始祖凯尤玛尔斯后裔中的一支。

与之相对,《黄金草原》里列举了关于伊朗人认知的第一位人祖加尤马尔斯[142]之身份的多种说法——多数学者认为他是阿丹(Ādam,即亚当)之子,少数学者把他看作人类之父和所有种族的起源,还有人认为应该将其视作诺亚的四世孙乌迈伊姆。[143]《历史与故事辑要》中则有这样的文字:"在努哈(Nūḥ)之后的历史是那样的,是佐哈克的一千年,而贾姆希德也是闪(Sām)的子孙。"[144]即凯尤玛尔斯和贾姆希德子孙的世系是古闪族传说中人类始祖后裔的分支。

在伊斯兰时代初期,古伊朗和古闪族的文化传统在各个方面有加速合流的客观历史条件。当时一些深受伊朗文化影响的穆斯林学者在编撰统一的伊斯兰世界历史文献时,也表现出整合古伊朗传说与古闪族传说中人类先祖世系的倾向。两种文明交融过程中出现的人类先祖世系合流倾向正应了萨迪(Saʿdī, 1208—1292)著名的诗句:"阿丹子孙皆兄弟,造物之初本一体。"[145]

然而,尽管《列王纪》和《库什王纪》成书晚于《泰伯里历史》和《黄金草原》,两部史诗却均未明确涉及两大家族世系同源说,这是由其伊朗民族史诗的性质所决定的。作为伊朗人用波斯语写作的文学

---

141 Bahār (ed.), *Mujmal al-tawārīkh wa-al-qiṣaṣ*, p. 26.

142 即凯尤玛尔斯(Kayūmar$\underline{s}$ / Gayūmar$\underline{s}$)。

143 马苏第:《黄金草原》,第262页。

144 Bahār (ed.), *Mujmal al-tawārīkh wa-al-qiṣaṣ*, p. 186.

145 Muṣliḥ al-Dīn Saʿdī, *Kulliyāt-i Saʿdī* (《萨迪全集》), ed. Muḥammad ʿAlī Furūghī, Tehran: Hirmis, 2006 (SH 1385), p. 31。汉译见张鸿年:《波斯文学史》,第217页。萨迪:《蔷薇园》,张鸿年译,北京:商务印书馆,2017年,第53页。

作品，《列王纪》和《库什王纪》创作目的一致，即书写伊朗民族文化传统，并不承担构建统一的伊斯兰世界历史的使命。

三、《库什王纪》与《列王纪》承载的大众文化记忆

史诗是连接神话与历史的桥梁，伊朗民族史诗虽然并非诞生于伊朗文字的初创时代，却出现于伊朗文明自琐罗亚斯德教信仰时代向伊斯兰教信仰时代转向的过渡期。阿拉伯征服的过程中，兵连祸结，对伊朗古代文献的保存造成了极大的破坏。其后约两百年间，阿拉伯统治者为了迫使伊朗人皈依伊斯兰教，蓄意禁毁用伊朗原本的民族书面语，即巴列维语，写成的书籍，导致前伊斯兰时代的伊朗古代文献大部分亡佚。因此，在达里波斯语兴起的初期，伊朗社会有重述历史的强烈诉求，众多学者自觉地投身于这项工作中。而这次重写历史的浪潮不可避免地有两大特点：一是要把自神话时代以来的伊朗历史从头写起；二是由于可参考的书面资料相对有限，很多被采纳的“历史记录”仅存于口传文化中，口传文化的不稳定性又导致这部分“史料”的传说化色彩浓重。于是，这一时期兴起的伊朗民族史诗与文字初创时代的史诗一样，也起到连接神话与历史的作用。同时，即便是伊斯兰时代初期成书的历史典籍里面也大多载有大量伊朗古代神话与传说，如成书于10世纪初的首部伊斯兰世界通史——《泰伯里历史》，关于伊朗上古诸王世系的记载与《列王纪》所载的内容非常相近。

正因记载了大量与伊朗古代文化传统有关的内容，《列王纪》被称为古伊朗文明的大百科全书。同为伊朗民族史诗，且成书年代距《列王纪》不远的《库什王纪》也有这样的特点。虽然《库什王纪》的叙事历史时间段仅局限于伊朗传说中的俾什达迪王朝中后期和凯扬王朝前期，但其中也记录有大量有关前伊斯兰时代和伊斯兰时代初期的伊朗文化传统的信息，可大致归为古代传说、民间习俗和宗教信仰几个类别。本节先就前两类内容选取多项有代表性的主题，将《库什王纪》与《列王纪》中有关这些主题的情节相互参照比较并加以探讨。

1. 古代传说

(1) 贾姆希德败亡的传说

贾姆希德是伊朗传说中最重要的上古君王之一,关于他的传说,见载于《泰伯里历史》《黄金草原》《巴尔阿密历史》《历史与故事辑要》《列王纪》《阿布·姆耶德的王书》《戈尔沙斯帕传》《库什王纪》等诸多伊斯兰时代初期的历史著作和伊朗民族史诗中。马提尼在其所撰题为《贾姆希德生命的终结及其家族的经历》("Pāyān-i zandigī-yi Jamshīd va sarguzasht-i khānidānash")的论文中,通过耙梳包括《库什王纪》在内的多部伊朗民族史诗与古典穆斯林历史地理文献中的有关内容,主张多种贾姆希德传说的存在不能归结为伊斯兰时代诗人和作者的创造,而要在前伊斯兰时代探源。这些传说或源于口传故事,或者是基于口传故事写成的书面文字,被文人摘选、采纳、借用和移植。[146]笔者在此基础上,就贾姆希德败亡的传说略作拓展申论。

据《列王纪》所载,贾姆希德帮助初民大幅提高了文明程度,使人类在与自然的对抗中取得阶段性胜利,甚至在三百年的时间里,人间从未有过疾病、痛苦和死亡。于是他骄傲自大起来,认为自己是无所不能的真神。贾姆希德妄言妄行的后果是他失去灵光(farr或farra)——真神的佑护,随后其治下分崩离析,干戈四起。伊朗人迎立阿拉伯人首领佐哈克为王,贾姆希德逃亡百年后被佐哈克擒杀。自此直至法里东诞生这数百年间贾姆希德后裔族人逃亡的经历,在《列王纪》中没有详细记载。而据《库什王纪》,贾姆希德因天命轮转、时运变迁的不可抗力而败亡,并非由于自己犯了骄傲自大的错误才失去灵光,这一点不同于《列王纪》之说。马提尼指出,在大量的文献中,只有《库什王纪》记载贾姆希德自始至终都崇敬真神而无失德;天命使魔鬼大行于世,敬神

---

146 Jalāl Matīnī, "Pāyān-i zandigī-yi Jamshīd va sarguzasht-i khānidānash" (《贾姆希德生命的终结及其家族的经历》), *Yaghmā*, vol. *Yādnāma-yi Yaghmā* (《*Yaghmā*纪念特刊》) (1991 [SH 1370]): 355—364.

之行骤然式微。[147]另外,《库什王纪》以四千多联诗句详述的阿贝廷等贾姆希德后裔族人颠沛流离的经历,是未见于其他文献的内容。

贾姆希德败亡之前的故事反映了文明发轫时期,人类在与自然的对抗中取得一系列的成就,在一段时期内实现生活康宁。如今我们知道,初民抵御自然灾难的能力仍然很差,多个发达的上古文明经历较长时间的繁荣之后,在自然环境变迁之类的天灾面前无力回天,最终走向了消亡。古人则对文明轮回、兴衰更替具有这样的认知:在人的意志之上另有天命,神秘莫测且人力莫能抗。于是,由于人类犯下罪过而招致真神的惩罚,就成了古人对某些早期人类文明遭受灭顶之灾的解释。《列王纪》中的贾姆希德因妄自尊大而遭天谴以致败亡,表明该史诗的部分内容具有书写文明开创传说的性质;而《库什王纪》回避了这样的情节,反映出文明开创传说的印记在这部史诗中已逐渐淡化。

此外,《巴尔阿密历史》《戈尔沙斯帕传》等文献都曾详细讲到,佐哈克在贾姆希德败亡后登上世界的权力顶峰,他号令天下诸国共同追杀贾姆希德;贾姆希德经由伊朗东部逃到印度和中国,终被擒杀。《库什王纪》更是详述了其族人后裔在中国避难的经历。如许文字不免令人想到萨珊王朝于公元636年在卡迪西亚(al-Qādisiyya)会战中惨败,公元637年被阿拉伯人攻陷都城泰西封(Tīsfūn / Ctesiphon),其末代君主伊嗣候[148](Yazdegerd Ⅲ)随即亡命东方,并于公元651年在中亚木鹿

147 Matīnī, “Pāyān-i zandigī-yi Jamshīd va sarguzasht-i khānidānash,” p. 357.

148《旧唐书》作“伊嗣候”(刘昫等:《旧唐书》卷一九八《西戎》,北京:中华书局,1975年,第5312页),《新唐书》作“伊嗣俟”(欧阳修、宋祁:《新唐书》卷二二一下《西域下》,北京:中华书局,1975年,第6258—6259页)。张星烺认为“俟”是“候”的误抄。参见张星烺编注,朱杰勤校订:《中西交通史料汇编》,北京:中华书局,2003年,第二册,第1060页。《太平御览》《册府元龟》《资治通鉴》等史料中作“伊嗣侯”(李昉等:《太平御览》卷七九四《四夷部十五·西戎三》,北京:中华书局,1960年影印本,第3526页;王钦若等:《册府元龟》卷九九五《外臣部·交侵》,北京:中华书局,1960年影印本,第11686页;司马光:《资治通鉴》卷一九九《唐纪十五》,北京:中华书局,1956年,第6285页)。汉译《伊朗通史》中作耶兹苟尔德(奥希梯扬尼:《伊朗通史》,第53—59、64页);《列王纪全集》中作耶兹德卡尔德(菲尔多西:《列王纪全集》,第一册,第578页);汉译《黄金草原》中作叶兹德杰尔德(马苏第:《黄金草原》,第330页)。另有汉译作叶兹底格德(刘明翰主编:《世界通史·中世纪卷》,北京:人民出版社,1997年,第194页;靳文翰、郭圣铭、孙道天主编:《世界历史词典》,上海:上海辞书出版社,1985年,第134页),以及耶斯提泽德(王治来:《中亚通史·古代卷(上)》,乌鲁木齐:新疆人民出版社,2004年,第167页)等。本书中权且统一采用伊嗣候。

城(Merv)遇刺身亡,以及其子卑路斯(Peroz)逃往唐朝这一连串历史事件。贾姆希德的东逃与被杀,及其后代在中国的流亡生涯,很有可能是伊斯兰时代的伊朗人重述历史时,结合发生于并不久远的过往之历史事件进行再创作,并添加到前伊斯兰时代业已存在的贾姆希德有关传说中的情节。自然,这次重述历史必定也囊括了自萨珊王朝灭亡至多部相关波斯语书面作品问世的这数百年里,有关传说在民间口传变异的多种结果。

(2) 佐哈克之病症及其杀人取脑的传说

据《列王纪》载,恶魔化身为厨师给佐哈克烹制各种肉食,佐哈克问其要何奖赏,厨师要求亲吻佐哈克的双肩。被恶魔化身的厨师亲吻之后,佐哈克的双肩上各生出一条蛇来,这两条蛇即使被割去也会立即再次生长出来。多方治疗无效后,恶魔又化身为医生来给佐哈克治病,他的治疗方法是每天杀死两个人,取其脑饲蛇。此事终于激起民怨,导致铁匠卡维揭竿而起,间接成就了日后法里东推翻佐哈克统治的业绩。

按《库什王纪》所载,佐哈克由于食用了过多猎物之肉,双肩上生了蟹症(即毒瘤)。诗中明确说佐哈克双肩上长出来的是突出的赘肉,形状似蛇,却不是蛇。宫中诸御医束手无策,自各地延请巫师也无济于事。这时来了一位印度医生,他对那群御医声称自己能够治疗王的病症,众御医却嫉贤妒能,羞辱、殴打了远来的印度医生。印度医生见到佐哈克后,为了报复当地人而临时改变了治疗方案。他让佐哈克每天杀死两个人并取脑制成药膏敷在患处,此方果然可以缓解疼痛;同时,印度医生也劝佐哈克勿再多吃猎物之肉。此事引起了街头巷尾的流言蜚语,故事在流传的过程中变成这个样子:

> 男男女女这样讲述故事,那不是印度人,而是阿赫里曼。
> 他令王变得血腥嗜杀以获取财物,否则他不会如此勇敢。
> 显然那不是病痛,而是两条毒蛇,给人们带来毁灭死亡。
> (第2909—2911联)

关于佐哈克所得怪病,据成书于10世纪的《巴尔阿密历史》,其双肩上原有两块巨大的长条状赘肉(du pāra gūsht),其状似蛇,他又以幻术使那两块赘肉以两条蟒蛇的形象示人,以此令人们畏惧他;在他为王当政八百年后,其肩头的肉块(gūsht pāra)因创伤溃疡而疼痛,由此引出杀人取脑以治疗此病痛的骇人听闻的传说。[149]穆斯陶菲·可疾维尼的《选史》之记载也与《库什王纪》的说法类似,把佐哈克的病症描述成蟹症(saraṭān,恶性肿瘤);为了镇痛,他杀死了很多人,把他们的脑子取出,因此人们把他称作巨蟒[恶龙](azhdahā)。[150]马提尼指出,佐哈克肩上生蛇的传说出现在伊斯兰教历3世纪(约10世纪)以后的著作中,大多数作者在讲述有关佐哈克的多种传说时,都提到了这种说法。[151]前文曾论及,在较为古老的伊朗文献中,佐哈克的原型形象是三首恶龙;后来在伊斯兰时代伊朗人重述历史时,相关故事逐渐褪却原始神话的魔幻色彩,佐哈克的形象渐次演变为双肩生蛇的人和肩生蛇状赘肉的人。而据马提尼的研究,佐哈克形象关键性的转变发生在10世纪,即《巴尔阿密历史》成书的年代。

《列王纪》成书稍稍晚于《巴尔阿密历史》,其中的佐哈克形象仍有神话色彩残留——他虽已呈现为人的形象,却因恶魔之吻而双肩生蛇。《库什王纪》中,佐哈克的病因与病状的神话色彩已全部消退,取人脑制药这样骇人听闻的事情也不再是出于恶魔的诡计,而是宫中御医理亏在先,导致印度医生的报复所致。《库什王纪》还插叙了人们的议论,说明这个故事在街头巷尾的民间流传过程中又逐渐加入了恶魔与毒蛇的元素,这对我们理解佐哈克传说复杂的演变过程具有重要启示意义。从原始神话到伊斯兰时代文人书面记录,再到故事继续在民间流传并持续演变的过程中,该传说的神话色彩大致经历了逐渐消退,而后再次着色的曲折过程。另外,《列王纪》与《库什王纪》中佐哈克得此怪病的时间也有所不同。据《列王纪》,佐哈克在其入主伊朗之前就

149 Balʿamī, *Tārīkh-i Balʿamī: Takmila va tarjuma-yi Tārīkh-i Ṭabarī*, pp. 143—144.

150 Mustawfī Qazvīnī, *Tārīkh-i guzīda*, p. 82. Dashtbān, “Barrasī va muʿarrifī-yi barkh-ī az qahramānān-i asāṭīrī-yi manẓūma-yi *Kūshnāma*,” pp. 92—93.

151 Jalāl Matīnī, “Ravāyat-hā-yi gūnāgūn darbāra-yi mār-dūshī-yi Żaḥḥāk” (《关于佐哈克肩上之蛇的各种传说》), *Īrānnāma* (《伊朗学报》) 15, no. 1 (1986 [SH Bahār 1365]): 462.

已肩上生蛇；但在《库什王纪》中，佐哈克得病的时间在其对伊朗和世界一千年统治期的最后几十年间。相较于《列王纪》，《库什王纪》有关佐哈克的叙事表现出叙事者相对中立的立场，使得佐哈克没有甫一出场就被贴上醒目的“邪恶标签”。

（3）法里东幼年经历有关传说

马提尼曾把《列王纪》《库什王纪》《戈尔沙斯帕传》等伊朗民族史诗中有关法里东成年之前经历的叙事，与大量穆斯林史地文献中的有关记载做出比对，他发现这些记述相互之间既有相通之处和必然的联系，又因各执一词而大相径庭，因此他指出，这些波斯语和阿拉伯语的史诗作品和历史著作中有关法里东传说的文字记载不仅在细节上有所不同，差异甚至大到这样的程度——读者们不得不接受它们的来源本就不同。[152]《列王纪》和《库什王纪》中关于法里东幼年经历的记述也有不小的差异，且后者对前者所载相关内容有刻意的修正。

首先，关于法里东的降生，《列王纪》的描写相对简练：

顺天承运的法里东已经降生，这世界该又呈现另一番情景。
他像翠柏一样向上成长，他头上闪耀着皇家的灵光。
他继承了贾姆希德的灵光，光明磊落行事如光灿的太阳。
正如雨露滋润世界大地，恰似知识美化人的灵魂。
头上青天日日旋转永不停息，天穹无声无息地给他以助力。[153]

《库什王纪》中则有更为详细的描写，包括对天生异象和阿贝廷占星的记载：

152 Jalāl Matīnī, “Ravāyāt-i mukhtarif darbāra-yi dawrān-i kūdakī va nawjavānī-yi Farīdūn” (《关于法里东童年和少年时期的多个不同传说》), *Īrānnāma* (《伊朗学报》) 13, no. 3 (1985 [SH Pāyīz 1364]): 87.

153 Firdawsī, *Shāhnāma*, Moscow Edition, vol. 1, p. 31。菲尔多西：《列王纪全集》，第一册，第69页。

一个无瑕的孩子自如月的法拉兰格降生，她是一个照亮王冠与王位的月亮。

由于孩子的面容，后宫王帐成了郁金香颜色；因他的灵光，山峰与岩石燃烧闪亮。

他的身高比一岁的孩子还高，脸颊如白雪和白雪上的鲜血。

人们奔到阿贝廷身边报喜，用这喜讯令他精神振奋。

开疆拓土者弃寝食于不顾，他把星盘牵引到太阳处。

就在他听到报喜呼喊声之时，他从星相上看到孩子的出生时辰：

上升星座是狮子宫，太阳无忧无虑、不慌不忙地出现在其中。

土星出现在敌人的家中[154]，法里东的生命和身体则远离土星。

金星来到财富之家[155]，[对他的]伤害和损失已消失干净。

木星出现在希望之家[156]，无敌意也无争执地变得温驯。

他看见火星[157]拔出刀锋，正在撕碎孩子之敌的生命与心灵。

阿贝廷因那些星相而欢喜，诸王中间从未出现过如此之人。

（第4206—4217联）

我国古代文献对开创王朝的帝王之降生经常有诸如红光满室、天降祥瑞之类的记载，目的是要突出“天生圣主”的合法性；类似情况亦可见于蒙古、突厥、印度等其他族群的文献中。同样，《库什王纪》为突出法里东这位世界之主“君权神授”的合法性，也大加渲染。

另外，源自《阿维斯塔》文献传统的法里东之名，历经巴列维语时代和波斯语时代，逐渐演变成伊朗民族史诗中的写法，即Farīdūn。而《库什王纪》的叙事对法里东名字之来历做出了独特的阐释。当阿贝廷在星相中看到法里东的吉祥鸿运后，他凝视着刚出世的孩子：

他看到他的双颊如同闪耀的太阳，在他的脸上看到贾姆希德的灵光。

---

154 按星相学，土星为大灾星（naḥs-i akbar）。

155 金星为小福星（sa‘d-i aṣghar）。此兆预示孩子将是富有之人，他的财富不会遭受损失。

156 木星为大福星（sa‘d-i akbar）。此兆预示木星会如法里东之愿，令其吉祥如意、永葆荣贵。

157 火星为小灾星（naḥs-i aṣghar）。

他笑着说道:"愿这是现今的灵光,愿世界上的愉悦因它而增加。"
他因这个预兆给他取名为法里东,男男女女都因他的容颜而快乐。

(第4224—4226联)

波斯语中,farr意为灵光,īdūn意为现在,"farr-i īdūn"即"现今的灵光",阿贝廷给孩子取名为Farīdūn便是取此含义。

《列王纪》与《库什王纪》记载的法里东传说还有一个值得关注的相异之处,即抚养、培育幼年法里东的角色不同,按前者是神牛巴尔玛耶,按后者是智者巴尔玛云,且神牛巴尔玛耶哺育法里东的说法在《库什王纪》中被称为误传。上文专门讨论法里东这个人物角色时,对这两部史诗中有关其幼年经历的内容已作大体交代——在《列王纪》中,法里东被托付给神牛巴尔玛耶的牧人养育;在《库什王纪》中,他被交给一位名叫塞尔凯特的达马万德山中领主监护。关于塞尔凯特的人物背景,《库什王纪》在阿贝廷向其托付法里东的章节里只是讲到,当佐哈克统治大地七国时,所有人都出于畏惧而听命于佐哈克,仅余塞尔凯特是贾姆希德族人的支持者:

我们看不到无惧的人们,无人不服从佐哈克的命令,
除了塞尔凯特——在那些日子里,他在达马万德山拥有城堡。
贾姆希德族人的支持者只有他,他不把佐哈克当个人物。
[佐哈克]数次向他派去军队,他们仅在法尔生格[158]之外观瞧了城堡的外观。
他[佐哈克]也有两次[亲自]率军去讨伐,也没能奈何他分毫。
他占据一个处所,[高得]太阳和风都无法对它怒目相向。
佐哈克再次让一支军队驻扎在阿莫勒附近,全是英勇善战者,
以使自此之后,任何伊朗人都不得靠近塞尔凯特。

(第4139—4146联)

158 farsang,古代伊朗长度单位,又作"法尔萨赫"(farsakh)。1法尔生格约合6.24千米。

在后文伊朗勇士玛尔丹(Mardān Khūrra)投靠象牙库什的章节中，才提及塞尔凯特也出自贾姆希德家族：

一位著名之人名叫玛尔丹，凭借力量与英勇实现了愿望。

是个出自贾姆希德家族高贵的年轻人，高贵的塞尔凯特是他的叔父。

(第8362—8363联)

塞尔凯特的首辅巴尔玛云是位年迈的智者，他无所不知。在《列王纪》中，幼年法里东得到神牛巴尔玛耶乳汁哺育的恩惠；而在《库什王纪》里，他受益于智者巴尔玛云的学识。巴尔玛耶与巴尔玛云两个名字极为相近，当是同一专名在故事口头流传过程演变出来的不同发音和写法，但两者身份却极为不同，一为神牛，一为智叟。关于这个差异，《库什王纪》的叙事中给出一种解释。按《库什王纪》记载，法里东在四岁时被父亲阿贝廷托付给塞尔凯特，塞尔凯特亲自养育他三年时间。法里东在七岁时由塞尔凯特交给巴尔玛云，其后十几年里，巴尔玛云教导法里东学习知识：

巴尔玛云首先教他读和写，法里东每时每刻都寻求知识。
首辅在山里为他制造了一个宝座，很多有学识的人来到山中。
[那是]一个金饰的珍贵宝座，通体都是巨大的宝石。
崇拜知识的人们去往那宝座，画好苍穹正如其原样。
学者们令其上显现出月亮与太阳，好似从苍天降下[到凡间]。
在它上面展现出每颗星辰的位置，为每一项知识打开一扇门。
吉祥的法里东来到宝座上，刻苦地求索它的知识。
他在那宝座上不停地观察，通晓了太阳和月亮的奥秘。
自火星到木星的运行，他了解到辛劳与决断。
他通过轮转的苍穹研究世界，如同是他自己创造了苍穹。
他那样地寻求知识——在时运中不剩任何事情对他隐藏。

(第4661—4671联)

巴尔玛云用知识培育法里东这件事在其他传说中成了名为巴尔玛耶的牛用乳汁哺育法里东,这是因为:

见过世面的人揭开隐藏的秘密,他说:那宝座和拱亭是个秘密。
关于法里东和那个王座,以及那座山的说法,在人们中间成了秘密。
每个贵人都这样说:他吃了巴尔玛耶牛的乳汁。
如果你想要听大众的说法,就不会听到事情的本来面目。
这乳汁暗喻知识,而那王座(gāh)被人们转述成牛(gāv)。
法里东自那王座获取知识,是巴尔玛云将知识置于其上。
另外任何获得知识的人,都会说他坐上了帝王的王座。
英勇的法里东是那样地有知识,他把民众当作牛群一般。
他凭借知识比众人有更强的能力,以至于他坐在牛和众人身上。
这个英雄传说就是这样,你若凭借知识听取才能领会真意。

(第4673—4682联)

“巴尔玛耶牛”在《库什王纪》中被讲述为“珍贵的天穹王座”,实则二者皆源自伊朗古老的口头和书面传统中的某些元素,而后者又属对包括前者有关记述在内的前代多种素材做集成叙事加工的产物。

据广泛的文献记载,法里东传说原本与牛有不解之缘。马提尼曾整理《泰伯里历史》《黄金草原》《巴尔阿密历史》《古代民族编年史》(*Āthār al-bāqiya ʿan al-qurūn al-khāliya*)[159]《列王纪》《戈尔沙斯帕传》《历史与故事辑要》《泰伯里斯坦史》(*Tārīkh-i Ṭabaristān*)等多部文献中有关法里东的记载,指出牛与法里东的生活及其家族之间有深厚的渊源。据《泰伯里历史》,法里东之前十辈名字中都有Athfiyān的先祖

159 直译为《过去多个世纪的遗迹》。

中，称号中带有“牛”的就有八位[160]——“有很多牛的人”（Burkāw）[161]、“有好牛的人”（Naykkāw）[162]、“有肥壮之牛的人”（Sīrkāw）[163]、“有野驴颜色之牛的人”（Būrkāw）[164]、“有黄色牛的人”（Akhshīn Kāw）[165]、“有黑色牛的人”（Siyāhkāw）[166]、“有白色牛的人”（Asbīdh Kāw）[167]、“有灰色牛的人”（Kabarkāw）[168]。马提尼列举的证据还包括法里东的武器是牛头大棒；[169]法里东以牛为乳母；[170]文献中有法里东骑牛的记载；[171]贾姆希德-法里东家族曾有一头牛，法里东战胜并擒住佐哈克时对他说，要为先祖和那头牛复仇；[172]等等。[173]法里东与神牛的传说实则根源于前伊斯兰时代的伊朗文化遗存，上述《泰伯里历史》所记内容与传世琐罗亚斯德教文献传统所载一致。再据《本达赫什》等巴列维语文献，神牛pūr-gāv抚育的诸子中有法里东和Barmāyūn等，在后来的民间流传过程中，Barmāyūn逐渐被传成神牛之名。按哈立吉-穆特拉格的观点，由于Barmāyūn不适用于《列王纪》的mutaqārib格律，菲尔多西将其改为Barmāya；[174]在《列王纪》的多个版本中，该专名误作Parmāya / Purmāya；Barmāyūn亦见于塔吉基等波斯语诗人的诗作中。[175]教导法里东的智者在《库什王纪》中写作B.rmāy.n，按被误传为神牛之名的

---

160 Ṭabarī, *The History of al-Ṭabarī (Ta'rīkh al-rusul wa'l-mulūk)*, vol. 2, *Prophets and Patriarchs*, pp. 24—25。另，Asfiyān是法里东家族之名，亦即波斯语史诗中法里东之父阿贝廷名字的另一种拼写。参见上一节中对法里东的专题论述及相关注释。

161 英译注：借自波斯语purgāw（pur-gāv）的阿拉伯语词。

162 英译注：波斯语nēkgāw（nīk-gāv）。

163 英译注：波斯语sīrgāw（sīr-gāv），吃饱了的、喂养得好的牛。

164 英译注：波斯语bōrgāw（būr-gāv），红褐色的牛。

165 英译注：词义不明。

166 英译注：波斯语Siyahgāw或Siyāhgaw（siyāh-gāv）。

167 英译注：波斯语Asfīdgāw或Sefīdgāw（sifīd-gāv）。

168 英译注：词义不明。可能是gabz / kabz，意为巨大的身体。

169 伊朗英雄故事中有法里东、玛努切赫尔，以及勇士鲁斯塔姆以牛头大棒为专属武器的细节。

170 《列王纪》即作此记载。

171 从上一段引用《库什王纪》的诗句中也可看出，该史诗作者也知晓有关法里东骑牛的传说。

172 即pūr-gāv，《本达赫什》有载。

173 Matīnī, “Ravāyāt-i mukhtarif darbāra-yi dawrān-i kūdakī va nawjavānī-yi Farīdūn,” pp. 87—132.

174 《列王纪》格律为“短长长短长长短长长短长”，Barmāyūn为“长长长”，Barmāya为“长长短”。

175 *FSNKJ*, pp. 133—134, 200—201.

Barmāyūn在波斯语史诗中的流变，其读音应推断为Barmāyun。[176]

而关于缀满珠宝的天穹王座，在《列王纪》的“霍斯鲁·帕尔维兹为王当政”的章节中，有厘清其来龙去脉的详细记载：法里东废黜佐哈克之后，居住在达马万德山中，名为贾汗·巴尔金（Jahn-i Barzīn）的能工巧匠为他建造了一个镶嵌大量宝石的宝座，后经伊拉治、玛努切赫尔，一直传至凯扬诸王手中。在古什塔斯帕时期，由其首辅贾马斯帕（Jāmāsp）绘刻诸天体于该宝座上，将其“升级”为蕴含无尽奥妙的智慧宝库。此后历代伊朗帝王持续以珠宝为其增添装饰，直至毁于亚历山大东征。阿尔达希尔登基称王后，重新建造了一个宝座，但不及前代之物精美、壮丽。该宝座传至霍斯鲁·帕尔维兹（Khusraw Parvīz）时，祭司寻到贾马斯帕描画天体的图案，霍斯鲁·帕尔维兹召集各国能工巧匠，重建了更为高大的宝座——镶嵌大量金银珠宝，绘有七重天和十二宫的所有恒星与行星，甚至其金丝幕布上也绘有日月星辰、大地七国之图，以及各国勇士、智者和诸王的画像。该宝座因其高大，形同多层拱亭，名作塔格迪斯宝座（takht-i ṭāq-dīs），意为“拱亭般的宝座”。[177]马提尼在探寻《库什王纪》所载缀满宝石的“法里东天穹宝座”在文献中的有关记载时提到，除《列王纪》外，内扎米·甘泽维的长篇叙事诗《霍斯鲁和西琳》（*Khusraw va Shīrīn*）中也述及塔格迪斯宝座。他认为，霍斯鲁·帕尔维兹的塔格迪斯宝座不应被视作传说和想象中的事物，因为11世纪拜占庭历史学家卡卓诺斯（George Kedrenos）笔下也曾记载该宝座：公元624年，霍斯鲁·帕尔维兹在与拜占庭的战争中败逃，希拉克略进入其夏宫——甘贾克宫（Ganzak / Ganjak），见到坐在一个宝座上的帕尔维兹画像。该宝座形似巨大球体，如同天穹一般，其周围饰有日月星辰。[178]

---

176 关于B.rmāy.n的读音应推测为Barmāyun，笔者曾受副教授穆罕默德-阿米尔·贾拉里博士的指点，专此致谢。

177 Ḥakīm Abū al-Qāsim Firdawsī, *Shāhnāma* (《列王纪》), ed. Jules Mohl, Tehran: Intishārāt va Āmūzish-i Inqlāb-i Islāmī, 1990 (SH 1369), pp. 2176—2180。汉译参见菲尔多西：《列王纪全集》，第六册，第455—462页。

178 Jalāl Matīnī, “Dar justijū-yi takht-i Farīdūn” (《寻找法里东的宝座》), *Īrānshināsī* (《伊朗学》) 4, no. 4 (1989 Zimistān [SH 1368]): 747—760.

塔格迪斯宝座(takht-i ṭāq-dīs)[179]因其巨大且通体满饰金银珠宝,可称"珍贵的宝座"(takht-i pur-māya);古代波斯语中,gāh也有"王位、王座"的词义,因而"珍贵的宝座"亦为gāh-i pur-māya。而gāh-i pur-māya与gāv-i Barmāyūn在《列王纪》中为适应格律而发生的变形——gāv-i Barmāya(即"巴尔玛耶牛"),无论从口传读音还是传抄书写上都极为相近。按《库什王纪》提供的解释片断可作反向推测:在法里东故事流传的过程中,gāv-i Barmāya与gāh-i pur-māya发生混淆,说书人或书面文献作者将gāh-i pur-māya与takht-i ṭāq-dīs联系起来,《列王纪》所载以乳汁抚育幼年法里东的"巴尔玛耶牛",在《库什王纪》中便成了以天文知识教导幼年法里东的"珍贵的天穹王座"。

通过比较《列王纪》和《库什王纪》的有关内容,可以清晰看到法里东传说呈现出的不同面貌。《库什王纪》对法里东名字来历的再阐释,凸显了民间传说的变异性,后来的叙事者常据自己的文化背景对既有故事作不同程度的改编或另类解读。神牛巴尔玛耶在《库什王纪》的叙事中演变为智者巴尔玛云,反映出该史诗作者有突出"知识"之重要地位的创作倾向。他在插叙的评论性诗句中着力强调,人有了知识就如同坐上帝王宝座一般,法里东的地位之所以高于大众,也是因为他学识渊博。前伊斯兰时代的伊朗文化传统有重视知识的特点,《库什王纪》的行文对此也有所反映——诗中明确说到,关于法里东是最有知识之人以及知识的重要性这段诗句出自一段需要凭借知识来作出阐释和理解的古伊朗英雄传说。

(4)法里东三分世界的传说

法里东三分世界的传说在《列王纪》中有故事结构完整的详细叙事,由此引发的伊拉治悲剧被研究者称作"《列王纪》四大悲剧"之一。《库什王纪》中有关该传说的记载与《列王纪》内容在框架上基本一致,在细节上略有不同。

首先,《列王纪》中萨勒姆与图尔谋杀伊拉治并反叛法里东的原因是,父亲三分世界时把世界东西方之地分别划归他们二人统治,却将最

179 词义为"拱亭般的宝座"。

为繁华、富庶的大地中央之地——伊朗交给了幼弟伊拉治，[180]即伊拉治与两位兄长的领地有“中原”和“边疆”的高下之别。而《库什王纪》记述了一个导致萨勒姆与图尔叛乱的直接诱因——伊拉治向他们二人索要贡赋。[181]萨勒姆和图尔如果向伊拉治缴纳贡赋，就意味着对伊拉治宗主国君地位的承认，他们就要对伊拉治俯首听命，这无疑是令二人难以容忍的事情。

其次，关于萨勒姆和图尔的母亲，据《列王纪》载，是贾姆希德家族的沙赫尔纳兹，[182]在《库什王纪》中则出自佐哈克家族。[183]至于伊拉治的母亲，据《列王纪》载，是贾姆希德家族的阿尔纳瓦兹，[184]在《库什王纪》中未被明确提及，但可以推测，她极有可能是伊朗人。若如此，萨勒姆和图尔与象牙库什攀亲，联合反叛伊拉治与法里东才更合逻辑。在《列工纪》中，法里东在二分世界之前曾亲自施法，化身巨蟒考验三个儿子，伊拉治的表现最令人满意，他才把地位最高的伊朗王位传给伊拉治。《库什王纪》里并没有这样的情节。那么，如果伊拉治的母亲是伊朗人，而萨勒姆和图尔为佐哈克家族的女人所出，法里东的分封自然就具有合理性，否则很难解释英明睿智的法里东为何会作出这种埋有隐患的分封。另据《库什王纪》，萨勒姆和图尔叛乱之时说服象牙库什成为同盟者，理由就是据母系而论他们是亲戚——象牙库什是二人的舅父，[185]重新瓜分世界的协议也很快就在他们三人之间达成。马提尼说：“很明显，《库什王纪》的故事从情节发展上来看，比《列王纪》的故事显得更加自然，在没有任何铺垫的情况下，萨勒姆与图尔的舅父，佐

---

180 Firdawsī, *Shāhnāma*, Moscow Edition, vol. 1, p. 54。汉译见菲尔多西：《列王纪全集》，第一册，第128—133页。

181 Ibn Abī al-Khayr, *Kūshnāma*, p. 640.

182 Firdawsī, *Shāhnāma*, Moscow Edition, vol. 1, p. 49。汉译见菲尔多西：《列王纪全集》，第一册，第109页。

183 图尔对萨勒姆说：“从母亲这边论，我们是佐哈克族人。” Ibn Abī al-Khayr, *Kūshnāma*, p. 642。

184 Firdawsī, *Shāhnāma*, Moscow Edition, vol. 1, p. 49。汉译见菲尔多西：《列王纪全集》，第一册，第109页。

185 萨勒姆和图尔在给象牙库什的信中说：“从母亲那边来说，你是亲属，还是我们的舅舅。” Ibn Abī al-Khayr, *Kūshnāma*, p. 643。

哈克的子孙，为了帮助他们而突然介入战争。”[186]因此，《库什王纪》中萨勒姆和图尔谋杀伊拉治并与象牙库什结盟反叛法里东的情节，便具有了伊朗王子联合“异族外戚”，挑战伊朗正统王权的意味。

《库什王纪》中法里东三分世界的故事基本遵循了《列王纪》中的主线情节，说明这个故事在当时的伊朗已经较为成熟，且流传的版本相对一致，以至于《列王纪》和《库什王纪》在取材后都未对其作大幅改编。《库什王纪》对这个传说所作创新在于加入象牙库什的“戏份”，以及在去除《列王纪》中含有的超自然力量的情节——法里东施法考验三子而确定王位继承人——之后，依然保持了情节展开的合理性——幼子伊拉治凭母系血统优势得到伊朗王位。

（5）与英雄幼年坎坷经历有关的几个母题

英雄史诗和古代传说中很多英雄都有特殊的出身或坎坷的幼年经历。主人公在幼时遭到遗弃却大难不死而终成王霸之业，在成长道路上与遗弃他的父亲或者其他长辈发生战斗冲突等，都是常见的母题。公元前5世纪，索福克勒斯（Sophocles，前497/496—前406/405）基于俄狄浦斯（Oedipus）的神话故事创作了古希腊命运悲剧《俄狄浦斯王》。忒拜（Thebes）王拉伊俄斯（Laius）把刚出生的儿子俄狄浦斯遗弃于荒山，婴儿被一个牧羊人救下并成为邻国之王的养子，俄狄浦斯长大后，在不知情的情况下杀死了自己的生父拉伊俄斯。这是西方文学史上最著名的悲剧之一。而据与索福克勒斯生活时代相同，且为其密友的希罗多德所撰《历史》载，美地亚（Media）[187]王阿司杜阿该斯（Astyages，前564—前550年在位）[188]自梦中得到启示，其女儿芒达妮（Mandane）的孩子将会占据他的王位，便令自己的亲信哈尔帕哥斯（Harpagus）杀死刚出生的居鲁士；哈尔帕哥斯让一个牧人把孩子遗弃在野兽出没的山中，但牧人听从妻子的主意收养了居鲁士；居鲁士长大后，击败自己的外祖父，夺取了

186 Jalāl Matīnī, “Ravāyat-ī dīgar darbāra-yi Īraj va Tūr va Salm va bakhsh kardan-i jahān” (《关于伊拉治、图尔与萨勒姆以及三分世界的另一个传说》), *Īrānshināsī* (《伊朗学》) 9, no. 1 (1991 [SH Bahār 1370]): 159.

187 即米底王国。

188 汉译又作阿斯提阿格斯。

王位。[189]此为流传甚广的古希腊史家所记含有上述母题的有关波斯人的传说。与这些古希腊文学家和史学家笔下记述相类似，伊朗民族史诗《库什王纪》与《列王纪》中的几位英雄幼年时期也有非比寻常的坎坷经历。

《列王纪》中，佐哈克在法里东出世之前得到梦谕——这个孩子将来会夺取其王位；他便一路追杀，先后杀死了法里东的父亲阿贝廷和为法里东哺乳的神牛巴尔玛耶，但最终还是难逃被法里东击败并囚禁的命运。另据《列王纪》，勇士萨姆之子扎尔出生之时身上长满白色毛发；萨姆担心别人会嘲笑他生了一个"魔鬼之子"(bacha-yi dīv)，就把扎尔遗弃在荒山之中，幸而有山中神鸟(Sīmurgh)[190]把扎尔养育成人；多年之后，萨姆得到梦谕的启示——被他遗弃的孩子尚在人世，遂对自己弃子的行为感到后悔并前去寻子；而后扎尔原谅了父亲并成为父亲得力的助手和家族族长的继承人。[191]还据《列王纪》，鲁斯塔姆与从未谋面的儿子苏赫拉布(Suhrāb)天各一方；多年以后，苏赫拉布统帅土兰大军进攻伊朗，既是受土兰王之命，更是为了寻父，而父子二人终于对阵疆场；但由于种种原因，直到鲁斯塔姆给苏赫拉布以致命一击之时，这对父子才得以相认，这个故事也就此成为《列王纪》乃至伊朗古典文学中最著名的悲剧之一。[192]

在《库什王纪》中，象牙库什甫一出生，其父库什被他魔鬼般的相貌惊呆，因羞于被他人嘲笑，当天夜里就亲手把象牙库什丢弃在野兽出没的丛林里，实欲借野兽之口消灭这个孩子；天命注定象牙库什命不该绝，他被逃亡在这片丛林中的贾姆希德族人族长阿贝廷的妻子抚养长大；阿贝廷与库什发生军事冲突后，库什与象牙库什曾激战一天而未分胜负，随后意识到这个与其势均力敌又面貌恐怖的敌手很可能是自己遗弃的孩子；经说客的确认和说服之后，象牙库什归顺了生身父

---

189 希罗多德：《历史》，第55—59页。

190 《列王纪全集》中亦有对音汉译作"西姆尔格"。

191 Firdawsī, *Shāhnāma*, Moscow Edition, vol. 1, pp. 84—89。汉译见菲尔多西：《列王纪全集》，第一册，第204—217页。

192 Firdawsī, *Shāhnāma*, Moscow Edition, vol. 1, pp. 245—285。汉译见菲尔多西：《列王纪全集》，第一册，第600—733页。

亲。[193]另据《库什王纪》，象牙库什之子迦南聚众于苫国，招来伊朗大军征讨，其一子因得于亡命途中而被遗弃；后孩子被一个名叫纳梅尔的悍匪，一说被一头豹子抚养，取名为奈姆鲁德；奈姆鲁德在苫国夺取王权，并终成世界之王。[194]

上述例证表明，伊朗民族史诗中有些故事与俄狄浦斯传说和居鲁士传说等古希腊人写下的英雄故事有一定相似之处。自这类故事大致可以归纳出三个母题：其一，君王得到某个将出世的孩子会夺取其王位的启示（如梦谕）——居鲁士与法里东的故事都与这个母题有关，拉伊俄斯得到"将被儿子所杀"的神谕也可被归入此列；其二，英雄出生后就遭到遗弃——俄狄浦斯、居鲁士、扎尔、象牙库什、奈姆鲁德均属这类主人公；其三，英雄与父亲在互不相识的情况下发生战斗——拉伊俄斯与俄狄浦斯、鲁斯塔姆与苏赫拉布、库什与象牙库什这几对父子之间上演了这样的情节。以其中某一个母题为动机，能够独立发展成一个故事；多个逻辑上可以关联起来的母题相结合，亦可共同衍生出某个故事。《列王纪》中，萨姆与扎尔之间发生了父亲弃子的故事；鲁斯塔姆与苏赫拉布上演了父子之战的情节。而《库什王纪》中，库什与象牙库什的故事由父亲弃子和父子之战两个母题结合生发而成；迦南与奈姆鲁德故事有父亲弃子的情节。

父子相争是古代社会的重要伦理问题，中国民间传说中亦可见反映该问题的情节，谨此略举二例以辅助对《库什王纪》有关情节的讨论。据《封神演义》，殷纣王曾下令处死其二子殷郊与殷洪；二人先是被神仙搭救，学艺有成后奉师命与父亲作战；最终又都倒向父亲的"逆天命"阵营并遭恶报。这段情节在框架上同库什与象牙库什的故事较为相似。同是在《封神演义》中，李靖夫人怀胎三年六个月产下一个肉球，李靖以之为妖怪举剑便砍，肉球中蹦出神童哪吒；哪吒与父亲先是陷入你死我活的深仇大恨中，后又同归周武王麾下，担起兴周灭商的天降大任。哪吒名字是否来源于《列王纪》中的玛努切赫尔之子努扎

193 Ibn Abī al-Khayr, *Kūshnāma*, pp. 202—242.

194 Ibn Abī al-Khayr, *Kūshnāma*, pp. 496—498.

尔(Nūzār),或波斯语词"新生儿"(nawzād),其故事是否受到苏赫拉布传说的影响,都是中外一些伊朗学学者尚在争论的问题。[195]我们暂且将这些问题搁置不论,仅就哪吒出生异象与父子之战的情节而言,确与伊朗民族史诗中的某些情节略有异曲同工之处。另外,《说岳全传》中陆文龙的故事也与象牙库什的故事有些许类似之处。首先,故事的主人公幼时被敌方收养,长大后英勇无比,并同自己生父敌对于疆场;其次,主人公出身一方经过查证,发现他原是己方后人,遂遣说客策反;再次,说客聪敏多智,巧妙地达成策反目的;最后,因主人公被成功策反,其出身一方终于克敌制胜。

根据泰伯里的记载,奈姆鲁德的占星师告诉他,一个将要出生的孩子会推翻他的王国并摧毁他的偶像。"于是易卜拉欣(Ibrāhīm)成了传说中那些从其出生时刻就遭到暴君迫害的英雄之一,他们注定要应验毁灭暴君的命运,如穆萨(Mūsā)/摩西(Moses)、吉尔伽美什(Gilgamish)、塞弥拉弥斯(Semiramis)、萨尔贡(Sargon)、迦尔纳(《摩诃婆罗多》中的Karṇa)、特拉汗(Trakhan,吉尔吉特[Gilgit]王)、居鲁士、珀耳修斯(Perseus)、忒勒福斯(Telephus)、埃癸斯托斯(Aegisthus)、俄狄浦斯、罗慕路斯与瑞摩斯(Romulus and Remus)、尔撒('Īsā)/耶稣(Jesus)等。"[196]可见类似的故事普遍存在于不同人类族群的古代传说和文学传统中。然而,中国与伊朗之间存在类似传说的现象,往往难以从影响与接受的角度作为文学交流问题进行考察。究其原委,无论在中国还是在伊朗,这些传说和故事大都经历过漫长的口传时期,经年深日久的民间创作、流传和演变以后,才被文人以书面的形式相对固化下来,而今人仅有文字记录作为开展研究的证据,难以判定口传故事出现的确切时间,也无法获得故事流变全过程的信息。中伊双方古时通过丝绸之路有密切的交往,很多物质与文化交流方面的问题为各国学者

---

195 印度学者库亚吉(Jahangir Cooverjee Coyajee)曾提出"《封神演义》与《列王纪》有渊源关系"的观点。在对这两部作品做比较时,他认为鲁斯塔姆与苏赫拉布的故事同李靖与哪吒的故事非常相似,并且重点比较了苏赫拉布和哪吒这两个人物。其观点被部分伊朗学者接受并发展。我国学者张鸿年认为,库亚吉的比较出于主观设想,且大都较为牵强,因没有可靠的论据和材料支持而显得缺乏说服力。参见张鸿年:《列王纪研究》,第150—155页。

196 转引自B. Heller, "Namrūd," in *EI2*, vol. 7, p. 952。

关注并考证清楚，但文学交流问题一般都难以得出确切结论，笔者在此也只好暂时满足于罗列上述现象，以待将来进一步探讨。

2. 传统风习

（1）解梦与占星

在古代人类社会，出于对未知命运的敬畏和由此产生的预先解读的愿望，解梦和占星成了人们占卜吉凶的常用手段，二者区别在于一为被动一为主动。

《列王纪》中有很多关于解梦和占星的记载。有的梦带来凶兆：佐哈克统治后期，他梦到一个头顶灵光的少年手持牛头大棒把他打倒。经人解梦，他预知法里东将要出世并击败他。根据这次梦谕，佐哈克开始疯狂搜捕法里东，先后导致养育过法里东的神牛巴尔玛耶和法里东的父亲阿贝廷被杀。[197]但天命不可违，佐哈克的努力是徒劳的，他的统治还是终结在法里东手上。有的梦传递吉兆：萨姆在抛弃了扎尔多年以后，梦到有人告诉他这个儿子还活着，而且是个有为者。萨姆在祭司们为他解梦之后便出发去寻找扎尔，父子终得团聚。[198]萨珊王朝时期，库思老一世·阿努席尔旺（Khusraw I Anūshīrvān，531—579年在位）[199]的智者首辅布扎尔吉迈赫尔（Būzurjmihr）曾多次为其解梦。年轻时的布扎尔吉初次觐见，便是为给阿努席尔旺解梦而来，[200]这对明君贤臣此后相伴一生，成了流传千古的君臣际遇典范；《列王纪》载二人辞世前的最后一件事，又是智者为君王解梦——伊斯兰先知穆罕默德即将出

197 Firdawsī, *Shāhnāma*, Moscow Edition, vol. 1, pp. 28—32。汉译见菲尔多西：《列王纪全集》，第一册，第62—73页。

198 Firdawsī, *Shāhnāma*, Moscow Edition, vol. 1, pp. 86—89。汉译见菲尔多西：《列王纪全集》，第一册，第209—217页。

199 其名汉译又作科斯洛埃斯（一般出现在转译自西方诸语的汉译著作中）、胡思老、胡斯洛（孙培良：《萨珊朝伊朗》，重庆：西南师范大学出版社，1995年）等。波斯语文献多以阿努席尔旺（Anūshīrvān）作其称谓。另，《隋书》《旧唐书》《新唐书》所载库萨和或为其孙——绰号为“常胜王”的库思老二世·帕尔维兹（Khusrau Ⅱ Parvīz，590—628年在位）。

200 Firdawsī, *Shāhnāma*, Moscow Edition, vol. 2, pp. 1475—1479。菲尔多西：《列王纪全集》，第五册，第405—414页。

世,他会令伊朗的圣火熄灭。[201]其余《列王纪》中梦谕的情节不再一一赘述。

至于占星卜算的情节,在《列王纪》中也多得不胜枚举。如法里东在三分世界之前,让星相家为他的三个儿子占星算命,预先知晓三子伊拉治命中注定有难,但也知这是天意安排而无可奈何;[202]在王妃苏达贝(Sūdāba)陷害王子夏沃什(Siyāvash)的情节中,卡乌斯令占星家观察星相,七天后得出夏沃什清白无罪的结论;[203]等等。

宿命论深植于古代伊朗文化传统中,《列王纪》借助大量解梦和占星的情节做出相关叙事。与《列王纪》的这类情节相似,梦谕和星相在《库什王纪》中也常预先透露出关乎人之时运的上天意志,同样无可更改。

在法里东推翻佐哈克统治并夺取世界王位的故事中,"梦谕—解梦—按谕行事—宿命实现"的程式化过程,在阿贝廷的经历中得到完整的呈现。当佐哈克为王当政九百年时,阿贝廷梦见他那个被象牙库什杀死的儿子苏瓦尔交给他一根干枯的木棒,枯木在其手中变绿,且散发出麝香的芬芳;木棒被他栽种在山上之后,长成一棵参天大树——树根深深扎入大地里,树冠长得比天空还要高,整个世界都被遮蔽在这棵大树之下,都受益于它。阿贝廷的首辅卡姆达德(Kāmdād)为其解梦,说他的孩子将推翻佐哈克的统治,并获得深厚的福缘和壮丽的灵光。[204]数年之后阿贝廷又做了一个梦,这次他梦到贾姆希德的灵魂显现在其枕边,交给他一个卷轴,并吩咐他离开巴希拉返回伊朗。卡姆达德又为阿贝廷解梦,说卷轴象征着君王的诏书,他应该收拾行装去消灭世界上的魔鬼和迷途者。于是阿贝廷在醍醐尔王和一个老水手的帮助下返回伊朗,在北境丛林中隐蔽以待天时。[205]在此期间,阿贝廷做了第三个梦,他看见天空阴沉晦暗,人们悲伤忧愁,所有人都向天空伸出双

201 菲尔多西:《列王纪全集》,第五册,第690—693页。

202 菲尔多西:《列王纪全集》,第一册,第127—128页。

203 Firdawsī, *Shāhnāma*, Moscow Edition, vol. 1, pp. 301—302。汉译见菲尔多西:《列王纪全集》,第二册,第35—38页。

204 Ibn Abī al-Khayr, *Kūshnāma*, pp. 353—355.

205 Ibn Abī al-Khayr, *Kūshnāma*, pp. 355—356.

手祈祷；这时，他看到自己站在高处，世人都把脸朝向他，而太阳照耀着他的脸庞。卡姆达德为他解梦说，人们在等待着他的某个后人登上王位。在阿贝廷做了这个梦之后，法里东降生了。[206]法里东四岁的时候，阿贝廷梦见贾姆希德带着他骑上马并腾空而起。卡姆达德从这个梦中解读出阿贝廷留在尘世的日子已不多，他提醒阿贝廷，应该把法里东送到一个安全之地，以免他受到佐哈克的伤害。[207]于是阿贝廷和卡姆达德选中达马万德山中的地方统治者塞尔凯特，并在考验其智慧与学识之后，将法里东托付给他。[208]法里东长大后，果然击败佐哈克成为世界之主。

马提尼在其发表于1991年的一篇论文中已对出现在《库什王纪》中的四次梦谕和解梦的情节做出专题整理和介绍，并指出这个有趣的文化现象可给读者以重要启发。[209]在此，笔者结合一点亚述学有关研究成果，以阿贝廷经历的首次梦谕-解梦为例，对《库什王纪》保存的古代两河文化印记略加探讨。古印欧人进入伊朗高原以后，其政治、文化中心逐渐西移至古代两河文明地域，在古代伊朗文明的繁荣期——波斯人建立的阿契美尼德王朝和萨珊王朝时期均如此，因而伊朗文化在发展的历程中吸纳了很多原属于更为古老的两河文明乃至埃及文明的文化元素。《库什王纪》的叙事中就此多有体现，如下一章中即将论及的库什之名来自古埃及人对努比亚地区的称呼，佐哈克和象牙库什父子原型为古代两河地区军事首领等。就阿贝廷经历的首次梦谕而言，他梦到自己在山上栽枯木，枯木长成参天大树，预示其子嗣将成为世界之王和贾姆希德家族的复兴。其中荫及世界的大树之意象，明显借用了美索不达米亚文化传统有关生命树（Tree of Life）的两重寓意。在刻绘于阿卡德圆柱印章的图案中，山象征冥府，[210]树象征生命与死亡世

---

206 Ibn Abī al-Khayr, *Kūshnāma*, pp. 368—371.

207 Ibn Abī al-Khayr, *Kūshnāma*, pp. 371—373.

208 Ibn Abī al-Khayr, *Kūshnāma*, pp. 373—397.

209 Jalāl Matīnī, "Khᵛāb-hā-yi Ahūrāyī-yi Ābtīn" (《阿贝廷的神启之梦》), *Īrānshināsī* (《伊朗学》) 10, no. 2 (1991 Tābistān [SH 1370]): 369—387.

210 Pierre Amiet, "Combats mythologiques dans l'art mésopotamien du troisième et du début du second millénaire," *Revue Archéologique* 42, (1953): 129—164.

界的分隔。[211]阿贝廷栽种于山上的枯木长成大树，表现出克服死亡而复生的寓意。在亚述浮雕中，神、王与生命树常见于同一画面，树象征着亚述王维持的神圣世界秩序，还通过反向投射，将王描绘为“完人”（Perfect Man），为亚述王作为帝国绝对统治者的地位提供合法性。[212]《库什王纪》中解梦者言及阿贝廷子嗣将成为世界之王借用的则是这重寓意。

解梦是存在于古代人类群体中的常见行为，该传统甚至延续到现今人们的社会生活中。在《库什王纪》里，梦谕与由灵光得失象征的帝王天命、国运兴衰联系在一起，也决定着重要的事情，这是由于在《库什王纪》的故事中，王族复兴这一重大事件历时太久，身处其过程中的某些关键人物需要来自上天的启示，该启示即通过梦谕实现。《库什王纪》所及数次重要的梦谕情节都发生在阿贝廷身上，因为他需要这些梦的指引来完成家族复兴的最后几个关键步骤。

在《库什王纪》里，察看星相的行为主体包括阿贝廷和法里东等多个关键人物。尽管法里东是拥有灵光的伟大的王，但也不能为所欲为。象牙库什平定布加和努比亚叛乱之后留在西方，不再听命于法里东，法里东欲出兵征讨，但他在星相中观察到象牙库什在未来一百八十年中不可战胜，只得作罢。[213]另外，阿贝廷在向法拉兰格求婚前，[214]以及在法里东出生时，[215]都曾通过星相察看吉凶；当醍醐尔之子卡拉姆得知法里东派来英雄纳斯图赫助其讨伐象牙库什之时，也依据星相选定吉日，以安排率军出行、与其会师。[216]如此事例在《库什王纪》中还有多处，此不赘述。

---

211 Marc Van De Mieroop, “Mountain and Tree as Signs of the Nether World in Akkidian Art,” in Universitaire Stichting Van België (ed.), *Orientalia Lovaniensia Periodica*, Leuven: Departement Oriëntalistiek, 1979, pp. 69—74.

212 Simo Parpola, “The Assyrian Tree of Life: Tracing the Origins of Jewish Monotheism and Greek Philosophy,” *Journal of Near Eastern Studies* 52, no. 3 (1993): 161—208.

213 Ibn Abī al-Khayr, *Kūshnāma*, pp. 608—609.

214 Ibn Abī al-Khayr, *Kūshnāma*, p. 338.

215 Ibn Abī al-Khayr, *Kūshnāma*, pp. 370—371.

216 Ibn Abī al-Khayr, *Kūshnāma*, p. 455.

《库什王纪》中察看星相的行为，大多针对已经预见到即将发生的某事，或有计划要做的某事，在事件发生之前的短时间里做出吉凶预判，与中国古人在重大事件之前的占卜行为——包括夜观天象、求签问卜、查阅皇历等，较为类似。而降示给阿贝廷的四次梦谕，是对早已注定的天命的执行步骤之提示和指引。无论是梦谕还是星相所示，都是长期或短期的天命，具有人力难改和不可违背的神圣性。可以说，在伊朗传统文化中，灵光的得失象征着相对长期的天命所在，决定王朝气运的兴衰；星相所示则通常预示未来一段时间某个重要人物的命运起伏，在《库什王纪》中亦称为"时运"（zamāna或rūzigār）。

（2）马球运动

关于打马球运动的起源，众说纷纭。有一种流传较广的说法是，马球发源于伊朗阿契美尼德王朝初期。成书年代在《列王纪》和《库什王纪》之间的波斯语哲理训世名著《卡布斯教诲录》(*Qābūsnāma*)载有伊朗贵族打马球的故事，以及对马球运动规制的描述。[217]中国东汉时期已有关于马球运动的文字记载，唐代是这项运动极为兴盛的时代，宋、辽、金、元、明等历朝历代也都有时人从事这项运动的文字记录，且马球经常被用作骑兵军事训练的科目。随着明代兵书陆续传入朝鲜，朝鲜王朝组织编制并由其君主钦定了《武艺图谱通志》，用于指导军事训练，其中亦详细载有马球运动（击毬）的各项规制。[218]关于文献和考古文物视野下古代伊朗与中国马球运动的发展状况，已有多位学者做出研究，程彤在其所撰相关论文中就此有非常翔实的整理和讨论。[219]

217 ʿUnṣur al-Maʿālī Kaykāvūs ibn Iskandar, *Qābūsnāma* (《卡布斯教诲录》), ed. Ghulām Ḥusayn Yūsufī, Tehran: ʿIlmī va Farhangī, 1988 (SH 1366), pp. 96—67。汉译见昂苏尔・玛阿里：《卡布斯教诲录》，张晖译，北京：商务印书馆，1990年，第74—75页。

218 Wihyŏn Kim (trans.), *Kukyŏk Muye Tobo T'ongji* (《国译武艺图谱通志》), Seoul: Minjok Munhwasa, 1984, pp. 351—362.

219 详见程彤：《古代伊朗与中国马球运动文献、文物之比较》，《元史及民族与边疆研究集刊》2015年第1期。又以《古代波斯与中国马球运动文献、文物之比较》为题收录于程彤主编：《丝绸之路上的照世杯——"中国与伊朗：丝绸之路上的文化交流"国际研讨会论文集》，上海：中西书局，2016年，第14—30页。

在伊朗民族史诗中，打马球与饮宴、打猎同属贵族娱乐活动，《库什王纪》和《列王纪》各载有一处详细描写打马球的情节。马提尼在《〈库什王纪〉中的马球》一文中对两者之间的异同之处曾作简要比对，于此略加整理，引述如下：两部诗史中打马球的情节有不少相似之处。《列王纪》中打马球双方的首领是伊朗王子夏沃什与土兰王阿夫拉西亚伯（Afrāsiyāb），《库什王纪》中是伊朗王子阿贝廷与巴希拉王醍醐尔。两位伊朗王子当时都在异邦避难——夏沃什为了躲避苏达贝的陷害而来到土兰王阿夫拉西亚伯的宫廷中；阿贝廷为了逃避佐哈克与库什父子的追杀而躲避到巴希拉王醍醐尔处寻求庇护。两位避难中的伊朗王子都娶了庇护者的女儿，她们生下的儿子又都是伊朗传说中的伟大明君——夏沃什娶阿夫拉西亚伯之女法兰吉斯（Farangīs），生下凯霍斯鲁；阿贝廷娶醍醐尔之女法拉兰格，生下法里东。比赛结果都是伊朗王子胜出，他们又都聪明地行事而不令主人难堪。当然，二者也有相异之处。比如《列王纪》中作为主人的阿夫拉西亚伯见到夏沃什闷闷不乐后主动邀请他打马球娱乐，《库什王纪》中主动提出打马球的则是客居巴希拉的阿贝廷；《列王纪》中的马球比赛，每方参赛的选手是八名，而在《库什王纪》中，每方有七名选手。[220]

两部史诗中的打马球情节仅有细节上的微小差异，故事框架大体相同，大约这又是一段《库什王纪》受《列王纪》影响而创作的部分，但这也恰恰说明马球运动在伊朗古代文化遗存中具有非常重要的地位，以至于有多部史诗对打马球的场景与过程做出详细的描绘。此外，这两个故事也暗含马球运动自伊朗向东传入中亚和东亚的意味。萨珊王朝末代王子王孙——卑路斯和泥涅师（师）避居唐长安期间，大概也曾与唐朝王公贵族打马球消遣娱乐，惜乎未见诸史料文献记载。

220 详见 Jalāl Matīnī, "Chūgān dar *Kūshnāma*" (《〈库什王纪〉中的马球》), *Nāma-yi Farhangistān* (《学院学报》) 15, no. 1 (2000 [SH Tābistān 1379]): 190—194。

四、《库什王纪》与《列王纪》传承的琐罗亚斯德教文化[221]

前伊斯兰时代，琐罗亚斯德教盛行于伊朗。公元7世纪中叶，萨珊王朝被阿拉伯征服后，包括琐罗亚斯德教经典在内的前伊斯兰时代伊朗文献的留存遭受严重破坏。当时，一些拒绝皈依伊斯兰教的伊朗祭司和文人继续用巴列维语传抄、著述琐罗亚斯德教文献。同时，如上文所及，在以公元9世纪兴起为伊朗新通用书面语的达里波斯语重述伊朗历史和重构伊朗民族记忆的过程中，伊朗民族史诗著作也起到联结前后伊斯兰时代伊朗思想史的作用，一个重要的表象即为对琐罗亚斯德教文化的记述。本节以《列王纪》与《库什王纪》为主要对象文本，选取二者均有述及的几个不同侧面，在对有关内容相互参照、比对的基础上，就琐罗亚斯德教文化在波斯语史诗中的传承状况及其意义做出探讨。

1. 琐罗亚斯德教专名

(1) 神灵与魔鬼

关于《列王纪》载真神的称谓，张鸿年曾有论述：其开篇“对造物主的颂词”中使用Khudāvand，后文更多使用耶兹丹（Yazdān）——琐罗亚斯德教神祇统称;《古兰经》文献传统的真主称谓安拉（Allāh）在全诗中从未出现。《列王纪》成书时，伊斯兰教传入伊朗已有三百余年，阿拉伯语已成为伊朗的宗教和科学用语，菲尔多西力避使用“安拉”这个明显带有阿拉伯和伊斯兰色彩的专名，当不会是无意而为。[222]

“安拉”一词同样未见于《库什王纪》。该史诗指称真神的词语有Khudāvand和Khudāy等，见用频率最高的也是耶兹丹，此外还出现多个同指至高神但有具体词义的称谓，如造物者（kirdgār）、养育者（parvardgār）、创作者（nigāranda）、创造者（āfarīnanda）、创世者（jahān-

221 可参看拙文《琐罗亚斯德教文化在波斯语史诗中的传承——以〈列王纪〉与〈库什王纪〉为中心》，载《世界宗教文化》2019年第6期，本节内容在前文基础上有补充和修订。

222 张鸿年：《列王纪研究》，第68页。

āfarīn)、世界之主(kayhān khadīv)、主宰者(dāvar)、公正裁决者(dādār)等,皆为纯粹的波斯语词。另有多个源于琐罗亚斯德教文献传统的神圣专名也见于《库什王纪》,包括与耶兹丹同表真神之意的伊扎德(Īzad)[223]、神主阿胡拉·马兹达(Ahūrā Mazdā)在萨珊时期的另一称谓乌尔马兹德(Ūrmazd)、助神奥尔迪贝赫什特(Urdībihisht)和弗拉丁(Fawradīn)[224]、天使索鲁什(Surūsh)[225]、圣火精(Āẕargushasb)等。除上述神魔之名外,琐罗亚斯德教祭司的称谓——穆巴德(mūbad)与穆护(mugh)也常见诸其中。

关于魔鬼的称谓,《库什王纪》在坚守琐罗亚斯德教文化传统上比《列王纪》做得更彻底。《列王纪》多次使用出自《古兰经》文献传统的易卜劣斯(Iblīs)指称恶魔,《库什王纪》则始终使用琐罗亚斯德教文献传统的魔王专名——阿赫里曼(Ahrīman)。泛指魔鬼的迪弗(dīv)在两部史诗中都很多见,亦属琐罗亚斯德教文化遗存。该词与吠陀文献中的提婆与提毗(deva与devī)[226]同源于古印度-伊朗语,但二者所指差异巨大。古印度神话中的提婆与提毗指居于天界的超人生命存在,即天人、神明;而在阿维斯塔语文献(Avestan literature)中,迪弗指超人的邪恶存在,即妖魔鬼怪的统称。《库什王纪》主角象牙库什因面容丑陋、脾性暴躁、力量超凡,又被称作"魔鬼面容者"(dīv-chihra)和"魔鬼之子"(dīv-zād)。

(2)伊朗神话诸王

贾姆希德、佐哈克和法里东相继为王的传说,构成《列王纪》神话时代故事的主体框架;法里东推翻篡夺其先祖贾姆希德王位的异族首领佐哈克的暴虐统治,是《库什王纪》的核心情节之一。上文有关贾姆希德和佐哈克两大家族的章节,对这三位穆斯林所著历史著作和波斯语史诗传统中的上古君王之原型已做梳理——均可溯源至《阿维斯

223 《阿维斯塔》汉译本中转写为Eyzed,译作"埃泽德"。杜斯特哈赫选编:《阿维斯塔——琐罗亚斯德教圣书》,第384页。

224 又作法尔瓦尔丁(Farvardīn)。

225 琐罗亚斯德教遵命天使、朝霞之神,太阳年每月第十七天的守护者,后期琐罗亚斯德教对其尊崇尤甚,有时排名在六大天神之前。参见杜斯特哈赫选编:《阿维斯塔——琐罗亚斯德教圣书》,第385页。据《波斯语汉语大词典》,Surūsh是琐罗亚斯德教的报喜天使。

226 分别为阳性和阴性。

塔》文献传统。波斯语史诗中的其他一些上古君王——如俾什达迪王朝的凯尤玛阿尔斯、胡山、塔赫姆列斯、玛努切赫尔等,以及凯扬王朝前期诸王,也都见载于传世阿维斯塔语和巴列维语琐罗亚斯德教文献。

本章上一节“古代传说”小标题项下,曾言及《库什王纪》就波斯语的法里东名字之来历给出一种独特的解释——阿贝廷在初生的法里东面颊上看到“现今的灵光”(farr-i īdūn),故取其名为Farīdūn。此为伊斯兰时代的伊朗人附会出来的一种说法,却恰恰表明琐罗亚斯德教思想仍深刻地影响着当时的伊朗文化,因为“灵光”之概念亦可追溯到《阿维斯塔》文献传统。

2. 灵光观念的存续

灵光在阿维斯塔语和巴列维语中分别作x^varənah和xwarrah;在波斯语中作farrah或farr,源出米底语和古波斯语的farnah。[227]该词原为光芒、威严和壮观之意,但在《亚什特》各篇中,他象征着神主阿胡拉·马兹达的恩惠和福佑,凌驾于一切被造物之上。[228]灵光概念的出现,可能受到美索不达米亚文明的影响。[229]在亚述极盛时期,王的神圣通过绘刻于浮雕上其头部周围、称作melammu[230]的放射状光线或光晕来表现——根据宗教信仰,象征真神之存在——后来在萨珊王朝时期的伊朗以灵光(farrah或khurah)的形式呈现出来。[231]

---

227 Gherardo Gnoli, “Farr(ah),” in *EIr*, vol. 9, p. 312.

228 元文琪:《二元神论:古波斯宗教神话研究》,北京:中国社会科学出版社,1997年,第242页。

229 梅赫尔达德·巴哈尔(Mihrdād Bahār)持此观点。盖拉多·格诺利(Gherardo Gnoli)则认为,尽管美索不达米亚的神圣光辉观念在光与生命力、光辉与王权之间的关系上与伊朗的观念有很多相通之处(参考苏美尔语me.lám、阿卡德语melammu等术语),但不太确定它是否影响了灵光观念。Gnoli, “Farr(ah),” p. 316。

230 源自苏美尔语me-lám,是一个指发光现象或光芒的术语;阿卡德语借用为melammu,用作神圣存在和王的象征。M. Krebernik, “Melam,” in *Reallexikon der Assyriologie und Vorderasiatischen Archäologie*, Band 8, Hrsg. D. O. Edzard, Berlin: Walter de Gruyter, 1993, S. 35。

231 Mihrdād Bahār, *Pazhūhish-ī dar asāṭīr-i Īrān* (《伊朗神话研究》), ed. Katāyūn Mazdāpūr, Tehran: Āgāh, 1996 (SH 1375), p. 437.

据《扎姆亚德·亚什特》，灵光为神主阿胡拉·马兹达所创造：

我们赞美马兹达创造的凯扬灵光[232]，那非凡的、为人称道的灵光，那圣洁、万能而机敏的灵光，他凌驾于一切造物之上。[233]

世界统治者贾姆希德是最早拥有灵光之人，他拥有灵光时，世间没有死亡与邪恶：

［那灵光］早先属于拥有良畜的贾姆希德。他是［地面上］七个国家的统治者，［制服了］愚顽百姓、妖魔鬼怪、巫师和女妖，以及专横的卡维和卡拉潘部落。

他从众妖魔那里夺得财富、利益、富足、牲畜、欢乐和荣耀。在他统治期间，饮食不见腐败，人畜不见衰老，江河从不干涸，草木从不枯槁。

在他统治期间，既没有酷暑，也没有严寒；既没有死亡，也没有妖魔制造的忌妒。在他撒谎和出言不逊之前，［情况就是如此这般。］[234]

当贾姆希德犯下说谎妄言的罪过，灵光即离他而去，他心中懊悔，对妖魔猖獗一筹莫展，终致销声匿迹。[235]灵光三次离开贾姆希德，依次分别为“领有辽阔原野的、整个大地的统治者、阿胡拉·马兹达创造的最光辉灿烂的天神”梅赫尔（Mihr）[236]，“胜利者群中翘楚、出身阿特

---

232 “凯扬的”（Kayānī）本意为“帝王的、皇家的”。

233 Dūstkhᵛāh (trans. and ed.), *Avistā: Nāma-yi mīnavī-yi āyīn-i Zartusht*, p. 290。汉译见杜斯特哈赫选编：《阿维斯塔——琐罗亚斯德教圣书》，第298页。

234 Dūstkhᵛāh (trans. and ed.), *Avistā: Nāma-yi mīnavī-yi āyīn-i Zartusht*, pp. 294—295。汉译见杜斯特哈赫选编：《阿维斯塔——琐罗亚斯德教圣书》，第304页。

235 Dūstkhᵛāh (trans. and ed.), *Avistā: Nāma-yi mīnavī-yi āyīn-i Zartusht*, p. 295。汉译见杜斯特哈赫选编：《阿维斯塔——琐罗亚斯德教圣书》，第304—305页。

236 琐罗亚斯德教的光明与誓约之神，源自古印度-伊朗语神名——印度神谱中作密多罗（Mitra），《阿维斯塔》中作密特拉（Mithra）。亚历山大东征后，伊朗文化的密特拉崇拜被希腊-罗马文化接受，且与希腊神话的赫利俄斯（Helios）合流，具有了太阳神的神格，并形成一种新的信仰——密特拉教。Mithra在伊斯兰时代的达里波斯语中作Mihr，有“太阳”和“友爱”两个主要词义。

宾家族的”法里东，以及“英勇无畏的、强者中的最强者”伽尔沙斯布(Garshāsb，即戈尔沙斯帕)所得。[237]

为争夺灵光，正邪两大阵营的主神曾分别派出多位强大的天神和恶魔，却势均力敌，均难以得手。[238]后来，灵光跃入法拉赫·卡尔特河(daryā-yi Farākh-kart)，邪恶的突朗人(Tūrānī)阿弗拉西亚布(Afrāsiyāb)[239]也试图夺取灵光，他总共做过三次尝试，均以失败告终，因“[那灵光]属于伊朗部族和纯洁的琐罗亚斯德”。[240]最终，灵光与伊朗的凯扬诸王合为一体——“于是，凯扬王朝诸帝王个个勇武敏捷，无不具有虔诚而高尚的美德，全都是精明强干、无所畏惧的英雄和豪杰。”[241]据此，“凯扬的”(Kayānī)常用作灵光的限定词，构成术语“凯扬灵光”(farr-i Kayānī)，词义为“王者灵光”，成为伊朗正统王权的象征。贾姆希德和法里东等崇信真神的上古诸王都拥有灵光，而邪恶的“他者”如阿日达哈克和阿弗拉西亚布——在波斯语史诗中皆为与伊朗人为敌的异族首领，尽管强大，却无法夺取灵光。因而，古典文献中灵光具有的深层含义是真神赋予“伊朗王”为王的合法性，是君权神授的象征，颇类似中国古代政治文化中的“大命”“天命”。[242]《列王纪》和《库什王纪》都有多处提及灵光。两部史诗关于贾姆希德败亡、佐哈克僭位，以及法里东重夺王权的叙事，也是伊朗正统王族的灵光失而复得的过程。

进入伊斯兰时代后，伊朗长期处于阿拉伯、突厥、蒙古等异族的统

---

237 Dūstkh^{v}āh (trans. and ed.), *Avistā: Nāma-yi mīnavī-yi āyīn-i Zartusht*, pp. 295—296。汉译见杜斯特哈赫选编：《阿维斯塔——琐罗亚斯德教圣书》，第305页。

238 Dūstkh^{v}āh (trans. and ed.), *Avistā: Nāma-yi mīnavī-yi āyīn-i Zartusht*, pp. 298—299。汉译见杜斯特哈赫选编：《阿维斯塔——琐罗亚斯德教圣书》，第308—309页。

239 《列王纪全集》中汉译作土兰人阿夫拉西亚伯。

240 Dūstkh^{v}āh (trans. and ed.), *Avistā: Nāma-yi mīnavī-yi āyīn-i Zartusht*, pp. 301—302。汉译见杜斯特哈赫选编：《阿维斯塔——琐罗亚斯德教圣书》，第311页。

241 Dūstkh^{v}āh (trans. and ed.), *Avistā: Nāma-yi mīnavī-yi āyīn-i Zartusht*, pp. 304—305。汉译见杜斯特哈赫选编：《阿维斯塔——琐罗亚斯德教圣书》，第315页。

242 元文琪：《善恶·祥瑞·神权——波斯古经〈扎姆亚德·亚什特〉剖析》，《外国文学评论》1987年第2期。元文琪：《帝王传奇中的神权观念——巴列维语名作〈阿尔达希尔·帕帕克的业绩〉主题探讨》，《国外文学》1991年第1期。李铁匠：《古代伊朗的王权观念》，《常熟理工学院学报》2006年第5期。李零：《波斯笔记(上)》，北京：生活·读书·新知三联书店，2019年，第267页。

治下，但灵光观念并未失去生命力。一方面，在伊斯兰时代起初的几个世纪里，巴列维语文献被不断译为阿拉伯语文本和波斯语文本；另一方面，萨曼王朝统治者宣称其血统承袭萨珊王朝贵族，着力复兴伊朗古代文化，源出古伊朗文明的灵光观念随之深刻影响了伊斯兰政治思想。同时，灵光不再专属于伊朗血统的王。真神灵光作为古代伊朗政治思想的基础和重要支柱，在伊斯兰时代通过"苏丹为真主之投影"（al-sulṭān ẓill Allāh）的阐释，作为统治的神圣权利（ḥaqq-i ilāhī）被再生产出来。[243]自古伊朗过渡到伊斯兰伊朗的真神灵光，成了民众衡量诸苏丹在大地上统治正当性的一个标准。[244]亚历山大故事广泛见载于穆斯林历史著作。据《泰伯里历史》："有些记录说曾有四位王统治了整个世界，两个不信教者和两个信教者。不信教者是奈姆鲁德（Nimrod）和尼布甲尼撒，信教者是达五德［大卫］之子素莱曼［所罗门］和亚历山大。"[245]在波斯语文献中，亚历山大是拥有灵光的世界之王。据《列王纪》，其父母分别为凯扬王朝君主达拉布与鲁姆王菲利普（Faylaqūs）之女纳希德（Nāhīd），[246]他本人是凯扬王朝第九位君主达拉——历史原型为阿契美尼德王朝大流士三世（Darius Ⅲ）的同父异母弟，可视为凯扬王朝第十位，也是最后一位君主。《库什王纪》则借贾姆希德后人玛哈纳什之口，称亚历山大是"认真神的王"，真神赐给他灵光。[247]伊斯兰时代伊朗的某些突厥统治者也被记述为拥有灵光的君主。在《库什王纪》的开篇序言中，诗人按惯例赞颂其生活时代统治者，多次称塞尔柱

243 Maḥmūd Ṭāvūsī, "Farra-yi Izadī va bāz-tawlīd-i ān dar andīsha-yi siyāsī-yi Īrān-i pas az Islām"（《真神灵光及其在伊斯兰时代伊朗政治思想中的再生产》）, *Muṭāli'āt-i Īrānī*（《伊朗研究》）5, no. 1 (2004 [SH Bahār 1383]): 61.

244 Ẓikr Allāh Muḥammadī and Muḥammad Bīṭarafān, "Intiqāl va taḥavvul-i andīsha-yi siyāsī-yi farra-yi Izadī az Īrān-i bāstān bi Īrān-i Islāmī"（《真神灵光政治思想从古伊朗向伊斯兰伊朗的过渡与演变》）, *Sukhan-i tārīkh*（《历史的话语》）16, no. 1 (2012 [SH 1391]): 30.

245 Ṭabarī, *The History of al-Ṭabarī (Ta'rīkh al-rusul wa'l-mulūk)*, vol. 2, *Prophets and Patriarchs*, p. 109.

246 Firdawsī, *Shāhnāma*, Moscow Edition, vol. 1, pp. 1080—1084。汉译参见菲尔多西：《列王纪全集》，第四册，第292—299页。

247 Ibn Abī al-Khayr, *Kūshnāma*, p. 183.

王朝苏丹穆罕默德一世拥有灵光。[248]当然，在伊朗民族史诗的叙事中，王的合法性还取决于各级叙事者的主观立场。据《库什王纪》，伊朗人眼中的异族暴君佐哈克曾被其兄弟秦王库什称作拥有真神灵光之人：

拥有伊扎德之灵光的佐哈克，以穆巴德那样的见解和学识，
他也不知道用什么办法，来对付醍醐尔族人的高山。

（第2465—2466联）

总结来说，伊朗民族史诗中王者为王的合法性取决于其宗教信仰的正当性，即灵光归于“崇信真神的王”。相应地，对这一观点的背离，等同于拒绝宗教信仰，[249]这在前伊斯兰时代和伊斯兰时代的伊朗都是不可接受的。

3. 琐罗亚斯德教劝谕书的译存

（1）《博佐尔格梅赫尔劝谕书》在波斯语史诗中的译存

在伊斯兰时代的前几个世纪里，琐罗亚斯德教祭司继续用巴列维语著书；达里波斯语成为伊朗通用文学语言后，一些巴列维语文献又被译为波斯语文本。在那个时代，很多有学识的伊朗文人兼通巴列维语和波斯语，这一历史现象甚至反映在《库什王纪》的叙事中——在库什遣人去敌营策反其亲生儿子象牙库什的情节中，因其子在阿贝廷所率伊朗人中间长大，他对说客人选的要求便是：

他要掌握波斯语和巴列维语，不能有暴躁的头脑和坏脾气。

（第1478联）

“劝谕书”（andarznāma）是一类记载琐罗亚斯德教思想和道德规

---

248 Ibn Abī al-Khayr, *Kūshnāma*, pp. 152—157.

249 Muḥammadī and Bīṭarafān, “Intiqāl va taḥavvul-i andīsha-yi siyāsī-yi farra-yi Izadī az Īrān-i bāstān bi Īrān-i Islāmī,” p. 30.

范的文献，相较于经典《阿维斯塔》和经注《赞德》，在民间流传更广。《智者博佐尔格梅赫尔劝谕书》(*Andarznāma-yi Buzurgmihr Ḥakīm*)是重要的一部，由博佐尔格梅赫尔(Wuzurgmihr)[250]奉萨珊君主库思老一世之命所作。[251]因菲尔多西等诗人兼通巴列维语，该劝谕书部分内容被译存在《列王纪》《库什王纪》等波斯语史诗中。马提尼曾就此撰文，[252]又在《库什王纪》校注本的注释中做如下归纳：

《博佐尔格梅赫尔劝谕书》的巴列维语文本有264段(band)。开头的4段包括博佐尔格梅赫尔写的自我介绍，同时还有几项概述内容也被提及。剩下的260段中，菲尔多西把其中的123段在《列王纪》中以"布扎尔吉迈赫尔对阿努席尔旺的忠告"为题写成178联诗句。在《库什王纪》中，前述巴列维语文本中的100段在"卡姆达德(Kāmdād)对

---

250 著者巴列维语名曾转写为Vazorgmithra、Vazôrgmitrô、Vazorgmeher等，后标准化转写作Wuzurgmihr；波斯语文献中亦有Buzurgmihr、Buzurjmihr 和Būzurjmihr等不同写法，菲尔多西《列王纪》各版本中多作Būzurjmihr，《列王纪全集》中对音汉译为布扎尔吉迈赫尔。20世纪中叶以来，此人名在该文献波斯语译本中均作Buzurgmihr，马提尼校注《库什王纪》时也采纳该写法，本节据此将其对音译作博佐尔格梅赫尔，称该文献为《博佐尔格梅赫尔劝谕书》。

251 又名《博佐尔格梅赫尔回忆录》(*Ayādgār ī Wuzurgmihr*)。S. Shaked, "Ayādgār ī Wuzurgmihr," in *EIr*, vol. 3, pp.127—129。该文献有多个抄本传世。19世纪下半叶到20世纪上半叶，印度孟买的帕西人学者整理出版多个录有巴列维语原文、拉丁字母转写、英语和古吉拉特语译文，以及注释的版本，包括收录于P. D. B. Sanjana (ed.), *Ganjeshayagan, Andarze Atrepat Maraspandan, Madigane Chatrang, and Andarze Khusroe Kavatan*, Bombay: Duftur Ashkara Press, 1885的*Ganjeshâyigân*，即《博佐尔格梅赫尔劝谕书》；收录于J. D. M. Jamasp-Asana (ed.), *Pahlavi Texts*, vol. 1, Bombay: Fort Printing Press, 1897 的Jamaspji Dastur Minochehrji Jamasp-Asana校勘本，其后学者多据此版本做翻译与研究；收录于J. C. Tarapore, *Pahlavi Andarz-Nāmak* (《巴列维语劝谕书》), Bombay: The Trustees of the Parsee Punchayet Funds and Properties, 1933 的*Aîyayâdgâr î Vazôrgmitrô*等。20世纪中叶以后伊朗学者出版波斯语全译本有Māhiyār Navābī (trans.), "Yādigār-i Buzurgmihr" (《博佐尔格梅赫尔回忆录》), *Zabān va adab-i Fārsī: Nashriyya-yi Dānishkada-yi Adabiyāt va ʿUlūm-i Insānī-yi Dānishgāh-i Tabrīz* (《波斯语言文学：大不里士大学文学与人文学院学报》) 51, no. 2 (1959 [SH Pāyīz 1338]): 302—333；Farhād Ābādānī (trans.), *Andarznāma-yi Buzurgmihr Ḥakīm* (《智者博佐尔格梅赫尔劝谕书》), Esfahan: Dānishgāh-i Iṣfahān, 1971 (SH 1350)；以及Saʿīd ʿUriyān翻译、转写并附原文的 "Yādigār-i Buzurgmihr"，收录于Saʿīd ʿUriyān (trans.), *Mutūn-i Pahlavī* (《巴列维语文献》), compiled by J. D. M. Jāmāsp-Āsānā, Tehran: Kitābkhāna-yi Millī-yi Jumhūrī-yi Islāmī-yi Īrān, 1992 (SH 1371)等。

252 Matīnī, "Tarjuma-yi manẓūm-i dīgar-ī az *Yādigār-i Buzurgmihr*, pp. 115—142.

塞尔凯特(Silkit)的测验”和“卡姆达德向巴尔玛云(Barmāyun)询问知识以及他的答复”两个标题下呈现为103联诗句。[253]

(2)三善思想与善恶二元论

多部成书年代相近的伊朗民族史诗都载有《博佐尔格梅赫尔劝谕书》部分内容的译文,说明该文献于11世纪前后在伊朗流传甚广,同时也表明多位史诗作者在对待前伊斯兰时代伊朗文化遗存的问题上有相近的价值取向。三善原则,即胡马特(善思)、胡赫特(善言)和胡瓦尔什特(善行)的统称,是琐罗亚斯德教的道德规范;[254]善恶二元论是该宗教的基本神学理论。[255]这些琐罗亚斯德教核心教义都借助这部劝谕书的部分译存进入波斯语史诗文献传统。且看《库什王纪》中的诗句:

他说:如果你倾听我就对你说,关于宝贵的巴列维语话语。
我们认为好的是善思、善言与善行,坏的是恶思、恶言与恶行。
这三样和与其相反的三样东西,好的和坏的也都源自它们。
对他说道:这些东西我一无所知,它们中的每一个分别是什么?
他说:你的心灵若懂得巴列维语,就会从这故事中获得真理。
我用波斯语来给你正确地讲解,我首先来说关于善思的话语。
(第4484—4489联)

琐罗亚斯德教的三善道德准则与善恶二元论在此都被展现出来。原文中三善与三恶六个词都是用波斯语字母转写的巴列维语词,分别作hūmt、āhūkht、hūr、dushat、dushūkh和dushūr。[256]作者更借卡姆达德与巴

253 Ibn Abī al-Khayr, *Kūshnāma*, p. 379.

254 任继愈主编:《宗教大辞典》,上海:上海辞书出版社,1998年,第657页。

255 任继愈主编:《宗教大辞典》,第678页。

256 据*Ayādgār ī Wuzurgmihr*巴列维语文本,此六词应转写作hūmat、hūxt、hūvaršt、dūšmat、dūšhūxt和dūšhuvaršt。Ibn Abī al-Khayr, *Kūshnāma*, pp. 386—387, footnote 3。按麦肯锡(D. N. MacKenzie)《简明巴列维语词典》,应作humat、hūxt、huwaršt、dušmat / dušhumat、dušhūxt、dušxwaršt。*CPD*, pp. 29, 44—45。《库什王纪》中的转写与之稍有差异,既是转录、传抄讹误之故,也有受史诗格律限制的原因。

尔玛云的对话，指出琐罗亚斯德教的三善是宝贵的思想财富，并暗示其诗句具有用波斯语阐释和传播巴列维语文献所载内容的作用。

三善在《列王纪》中也屡被提及，以“布扎尔吉迈赫尔对阿努席尔旺的忠告”里的诗句为例：

世上只有两件事可以永存，此外再无别的可传给后人。
一个是明言，一个是善行，只要天地不老就与天地共存。[257]

至于善思，含义为崇信至高神，力戒狂妄、渎神、邪念，该理念在诗中更是随处可见。张鸿年甚至在《列王纪研究》一书中以四章的篇幅专门探讨《列王纪》所体现的三善思想。[258]

《博佐尔格梅赫尔劝谕书》还介绍了对人危害巨大的十个魔鬼（十恶）及其克制者，也体现出向善的道德准则与善恶二元论。多部波斯语史诗均载有这些内容，但在不同文献——如《列王纪》和《库什王纪》中，十恶及其克制者之名略有差异。[259]为行文简洁，此不逐一列举原文，代之以马提尼的简要总结：

《博佐尔格梅赫尔劝谕书》第三十段讲到十个魔鬼或多鲁格(durūgh)[260]：贪婪(āz)、贫穷(niyāz)、愤怒(khashm)、嫉妒(rashk)、耻辱(nang)、仇恨(kīn)、幻梦(būshasp, būshāsp, khᵛāb)、名声(varan, shuhrat)、无信仰的谎言(durūgh-i bīdīnī)和背后非议(dushyādī, ghaybat)。菲尔多西的《列王纪》提到前六个魔鬼之名，《库什王纪》则载有前七个魔鬼之名。[261]

成书于1160年前后的《法拉玛尔兹传》也提及十个魔鬼之名，其中八

257 Firdawsī, *Shāhnāma*, Moscow Edition, vol. 2, p. 1528。汉译见菲尔多西：《列王纪全集》，第一册，第524页。

258 张鸿年：《列王纪研究》，第64—110页。

259 Ibn Abī al-Khayr, *Kūshnāma*, pp. 380—384. Firdawsī, *Shāhnāma*, Moscow Edition, vol. 2, pp. 1529—1530.

260 又意为“谎言”。

261 Ibn Abī al-Khayr, *Kūshnāma*, pp. 379—380.

个与前述巴列维语劝谕书所载一致，另外两个——谎言（durūgh）和专横（khᵛīshkāmī）未见于其他文献。[262]

关于如何克制十个魔鬼，《库什王纪》在卡姆达德与塞尔凯特的问答中有这样的诗句：

他说：真神给予人们什么东西，以其令这些魔鬼远离？
他这样答道：是七样东西，你不会再找到第八样。
你要知道理智、本性、希望与技艺，另外还有信仰与满足，
再有信仰虔诚的博学者的见解，它能以心灵预见各种事情。
当这七样东西出现在心中，诸魔鬼会羞愧地自人体退去。

（第4379—4383联）

而据《列王纪》载阿努席尔旺与布扎尔吉迈赫尔的问答：

创世之主把什么给了奴仆，使恶魔难以作乱，难逞其伎？
智者回答：理智能制止恶行，与恶魔较量，理智能占上风。
理智之甲能抵御恶魔之剑，理智给心灵输入缕缕光线。
……
理智而且具有另一重品格，一旦有了它人就不怕妖魔。[263]

相较而言，《库什王纪》罗列出“七善”，而《列王纪》则专注于强调理智。其实，两部史诗都把理智誉为地位最高的良好品性。据《列王纪》：

凯斯拉[264]打断他的话说：且慢！请问什么路引导王为善？

---

262 Akbar Naḥvī, “Dah dīv az Fārsī-yi Miyāna tā manẓūma-yi *Farāmarznāma*” (《从中古波斯语到〈法拉玛尔兹传〉诗作的十个魔鬼》), *Shiʿr-pazhūhī* (《诗歌研究》) 10, no. 4 (2011 [SH Zimistān 1390]): 182–183.

263 Firdawsī, *Shāhnāma*, Moscow Edition, vol. 2, pp. 1529—1530。汉译见菲尔多西：《列王纪全集》，第一册，第527—528页。

264 Kisrā，即波斯语词Khusraw的阿拉伯语化词，本为阿努席尔旺的尊号，后也被用作萨珊王朝其他帝王的尊号。

智者答道：当然是理智之路，理智超越知识，这肯定无误。

有理智是一个人最大的优点，理智助智者体面地度过风险。[265]

据《库什王纪》：

名字吉祥的首辅对他说道：这些美德中最有远见的是哪一个？

他说：理智比所有美德更有远见，理智如放牧者，各种美德如畜群。

（第4414—4415联）

可见，理智是神赐给人用以对抗十恶的诸善之首。接下来，我们就来进一步探究琐罗亚斯德教崇尚理智的传统在波斯语史诗文献传统中的反映。

4. 对理智的赞颂

理智（khirad / ʿaql）地位的不同是琐罗亚斯德教与伊斯兰教的相异处之一。公元9世纪中叶到11世纪中叶，相较于强调类比推理重要性的哈乃斐、马利克等伊斯兰教法学派，主张坚持《古兰经》和圣训字面意思的罕百里派得势，成为保守的正统派。[266]而在伊朗，琐罗亚斯德教崇尚理智的传统却保持了长久的生命力，甚至影响到始于萨法维时代（Ṣafaviyān / Safavid dynasty，1501—1736）的艾赫巴里（akhbārī）与乌苏里（uṣūlī）两教法学派之争——主张创制（ijtihād），基于四大教法理论原则（uṣūl）[267]推导出教法意见的乌苏里学派最终胜出。[268]按琐罗亚斯

265 Firdawsī, *Shāhnāma*, Moscow Edition, vol. 2, p. 1530。汉译见菲尔多西：《列王纪全集》，第一册，第529页。

266 金宜久：《伊斯兰教史》，北京：中国社会科学出版社，1990年，第156—158、169—170页。

267 即《古兰经》、圣训（Ḥadīth或sunna）、公议（ijmāʿ）、理智（什叶派称ʿaql，逊尼派称qiyās，意为类比）。

268 S. H. Nasr, "Spiritual Movements, Philosophy and Theology in the Safavid Period," in *The Cambridge History of Iran*, vol. 6, *The Timurid and Safavid Periods*, eds. Peter Jackson and Laurence Lockhart, Cambridge: Cambridge University Press, 1986, p. 687.

德教文化传统，理智源自宗教信仰，且是其工具。[269]张鸿年认为，《列王纪》坚持民族文化传统的一个明显表现就是歌颂和赞扬知识与理智，强调掌握知识和崇尚理智是实践三善的条件。[270]

《列王纪》和《库什王纪》均刻意突出理智的崇高地位。波斯语叙事长诗大多有“赞颂真主”“赞美伊斯兰先知”“诗歌创作缘起”和“赞颂被赞颂者（诗作献上的对象，一般为当世统治者）”等几部分组成的开篇序言，仅《玛斯纳维》（*Maṣnavī-yi Maʿnavī*）[271]和《琐罗亚斯德传》（*Zartushtnāma*）[272]等少数几部例外。但序言中有专节赞颂理智的波斯语叙事诗却不多，目前仅知《列王纪》、《巴赫曼王纪》[273]、《库什王纪》、《胡马伊王纪》（*Humāynāma*）[274]和《琐罗亚斯德传》。[275]其中，“对理智的赞颂”位于“赞颂真主”之后，且在“赞美伊斯兰先知”之前的，仅有《列王纪》与《库什王纪》。马提尼认为，上述五部波斯语叙事诗有专门赞颂理智与知识的章节，以及更多同类诗作的序言或正文中出现关乎理智与知识的文字，乃是源自前伊斯兰时代的伊朗文化传统。除《琐罗亚斯德传》以外的其余四部长诗的作者都是穆斯林，诗中出现此类内容大概出于诗人的个人观点或信仰。[276]他还主张，这五部作品中成书最早的《列王纪》即载有《博佐尔格梅赫尔劝谕书》的内容，因此它与前伊斯兰时代有关理智的文献有直接关系；其余几部诗作赞颂理智与知识，更可能是出于对《列王纪》的模仿。[277]《列王纪》译存《博佐尔格梅赫尔劝谕书》的内容记作阿努席尔旺与其首辅布扎尔吉迈赫尔，即博佐尔格梅赫尔的对话，据此可认为菲尔多西直接继承了前伊斯兰时代文献中有关

269 Tīmūr Qādirī, “Akhlāq-i Īrānī bi ravāyat-i mutūn-i Pahlavī” (《巴列维语文献所述伊朗人的道德》), *Muṭāliʿāt-i Īrānī* 3, no. 1 (2003 [SH Bahār 1382]): 129.

270 张鸿年：《列王纪研究》，第70—71页。

271 特指莫拉维（Mawlavī）于13世纪所作六卷苏菲神秘主义叙事诗。

272 作于13世纪。

273 指《库什王纪》作者于1100年前后完成的伊朗民族史诗《巴赫曼王纪》，而非属历史史诗类别的一部同名著作。

274 作于12或13世纪。

275 Matīnī, “Khaẕf-i khirad va dānish,” pp. 212—215.

276 Matīnī, “Khaẕf-i khirad va dānish,” p. 217.

277 Matīnī, “Khaẕf-i khirad va dānish,” p. 221.

理智的思想，但《库什王纪》等后来的民族史诗即便对其有文本形式上的模仿，也不妨碍它们对伊朗崇尚理智与知识传统的传承。这些史诗对巴列维语文献的译存具有互补性，诗人重述的内容不尽相同。仍以《库什王纪》为例，其行文屡次强调理智的重要作用，其他琐罗亚斯德教元素也大量见于全篇，这些普遍存在的现象不宜简单归结为"文本间的文学模仿"，而是出于伊朗民族史诗的创作者集体对琐罗亚斯德教崇尚理智的文化普遍有高度的认同感。

10世纪前半叶，伊斯兰哲学中兴起狂热主义。由于理智思辨易引发对伊斯兰主流思想体系的质疑，狂热流派主张各门科学之中只需神学和医学，穆斯林无需麻烦的理智指引。这种狂热思想盛行的历史语境，致使后来多数波斯语诗人不再赞颂理智。甚至可以认为，随着萨曼王朝在10世纪末的崩溃，理性主义的时代就在伊朗结束了。[278]菲尔多西在《列王纪》中已发出悲叹：

> 谁配赞扬理智谁能赞扬心灵，如若我来赞颂可有谁来倾听？
> 智者贤人啊，无人倾听徒劳无益，最好还是描述如何创造天地。[279]

而漫溢对理智之颂扬的《库什王纪》成书于12世纪初的塞尔柱时期，其本身就是在"众人皆醉"的社会环境中，对伊朗崇尚理智的文化传统保持清醒的坚守。

在《列王纪》中，通过承认善恶持续的斗争，以及强调宗教信仰与理智都是人类应履行的义务，崇尚理智与笃信宗教的主张得到调和与统一。[280]在伊朗文化中，人的慎行与明智应一直与笃信宗教和理性相伴，二者缺一不可，伊朗人的民族性就寄托在这两个基础之上。[281]《库

278 Matīnī, "Khaẕf-i khirad va dānish," pp. 221—222.

279 Firdawsī, *Shāhnāma*, Moscow Edition, vol. 1, p. 2。汉译见菲尔多西：《列王纪全集》，第一册，第3页。

280 Ashraf Khusravī and Sayyid Kāẓim Mūsavī, "Khirad-varzī va dīn-dārī: Asās-i huviyyat-i Īrānī dar *Shāhnāma*" (《崇尚理智与笃信宗教：〈列王纪〉中伊朗民族性的根基》), *Kāvishnāma: Zabān va adabiyāt-i Fārsī* (《探索学报：波斯语言文学》) 16, no. 1 (2008 [SH Bahār va Tābistān 1387]): 124.

281 Khusravī and Mūsavī, "Khirad-varzī va dīn-dārī: Asās-i huviyyat-i Īrānī dar *Shāhnāma*," p. 124.

什王纪》等其他一些伊朗民族史诗与《列王纪》秉承同样的理念，共同促成伊朗民族性在伊斯兰时代的重塑。

5. 结语

曾长期兴盛于伊朗的琐罗亚斯德教，以其因果论及末日审判、救世主、二元论等观念对基督教、摩尼教、伊斯兰教等世界性宗教均具深远影响。阿拉伯征服以后，伊朗人渐次皈依伊斯兰教，但在相当长的历史时期里，以琐罗亚斯德教思想为核心的伊朗文化传统与伊斯兰教文化传统在伊朗碰撞并融合，伊朗人凭深厚的琐罗亚斯德教文化底蕴，对伊斯兰教文化起到显著塑造作用。因琐罗亚斯德教文化在繁荣于伊朗伊斯兰化时代的波斯语史诗中得到广泛传承，这类著作的创作与流传对该历史进程的影响不容忽视。张鸿年评价说，“整部《列王纪》就是伊朗传统民族精神的颂歌，史诗从头到尾都充满了琐罗亚斯德教思想”。[282]更有伊朗学者指出，“在《列王纪》中，诸如语言、历史、宗教信仰等多种元素与神话联结起来，该组合是如此有效，以至于直到今日，《列王纪》一直作为伊朗民族性的坚实支柱之一存留下来”。[283]本节则具体从琐罗亚斯德教专名、灵光观念、三善思想与善恶二元论、理智地位等几个方面做出探讨，阐明《库什王纪》等其他一些波斯语史诗中的琐罗亚斯德教色彩同样浓厚，与《列王纪》一样起到传承古代伊朗思想传统于伊斯兰时代的作用。

五、《库什王纪》的文献价值

本章前面几节把《库什王纪》和《列王纪》的叙事时空、主要人物形象以及史诗承载的伊朗传统文化元素等细节内容做了比较，得出的

---

282 张鸿年：《列王纪研究》，第71页。

283 Murtażā Manshādī, “Payvand-i usṭūra va siyāsat dar *Shāhnāma*: Talāsh barāy bāz-tawlīd-i huviyyat-i millī-yi Īrāniyān” (《神话与政治在〈列王纪〉中的联结：伊朗人民族性再生产的努力》), *Mutāliʿāt-i millī* (《民族研究》) 41, no. 1 (2010 [SH Bahār 1389]): 55.

结论是二者均属伊斯兰时代的伊朗人重述历史的产物，是文学对民族记忆的某种重构，都起到连结伊斯兰前后伊朗文化传统的重要作用；本节则着重对二者整体上的异同做出归纳。

1.《库什王纪》与《列王纪》的共通文化价值

伊朗的伊斯兰时代初期到达里波斯语作为文学语言兴起的起初二三百年间，对于伊朗文化发展进程来说是一个关键的时代。在这个时代，以古老的琐罗亚斯德教思想为特色的伊朗文化传统与新兴的伊斯兰教思想为代表的闪族文化传统在伊朗大地上碰撞、交融。伊朗人逐渐接受了伊斯兰信仰，同时伊斯兰教也被打上了深刻的伊朗文化烙印。伊朗民族史诗正是繁荣于这个时代，《库什王纪》也问世于此时。以前伊斯兰时代伊朗自有的巴列维语文献和民间口传故事为主体，以伊斯兰时代伴随着伊斯兰教的传播而大量涌入伊朗的闪族文字记录与口头传说为补充，伊朗民族史诗在伊朗文学发展史，乃至伊朗文明的整体进程中，起到关键的承上启下作用。随着巴列维语逐渐失去大众通用语的地位，包括《列王纪》和《库什王纪》在内的伊朗民族史诗为波斯语古典文学传统保留了前伊斯兰时代的伊朗文化记忆，也提供了古代伊朗文化与伊斯兰文化在波斯语文学传统中相结合的范例。而在伊朗民族史诗这个集合的内部，相较起源于锡斯坦地区的传说，即以鲁斯塔姆家族诸英雄为主要讲述对象的那些作品，《列王纪》和《库什王纪》等以伊朗上古君王为主要叙事对象的几部著作无疑更广泛地记录了整个古代伊朗范畴内的集体记忆，从而对传承伊朗民族文化传统更具重大和深远的意义。仅就《列王纪》和《库什王纪》而言，二者在多个方面具有共通文化价值。

（1）对伊朗口头文学传统的继承

按照学界现有观点，伊朗民族史诗都有继承伊朗口传故事文化传统的特点。格雷戈里·纳吉（Gregory Nagy）在为奥尔伽·默克·戴维森（Olga M. Davidson）所著《波斯语〈诸王之书〉中的诗人与英雄》（*Poet and Hero in the Persian Book of Kings*）一书所撰前言中说：“对于我们如何能够把一种经典文学形式(a classical literary form)解释为一种更早的口头传统(an earlier oral tradition)的书面延续这个问题,《列王纪》这部中古时期的波斯语史诗做出了重要的回答……戴维森的著作紧扣《列王纪》的自我反身性(self-reflexiveness),将其与伊朗吟唱文化的历史和史前史联系起来,说明在这种文化中,一本书不会与口头传统完全不相容。更重要的是,这部史诗的观念本身也成了口头传统的一个驱动性象征。"[284]菲尔多西创作《列王纪》采用的资料主要包括成书于萨珊王朝晚期的巴列维语文献《帝王纪》(*Khudāy-nāmag*)、成书于萨曼王朝时期的散文体曼苏尔《王书》(*Shāhnāma-yi Manṣūr*),以及其他一些流传在民间的传说故事。曼苏尔《王书》本就是阿布·曼苏尔·迈玛利(Abū Manṣūr al-Maʿmarī)奉萨曼王朝呼罗珊总督阿布·曼苏尔·本·阿卜杜列扎格(Abū Manṣūr Muḥammad ibn ʿAbd al-Razzāq)之命,从锡斯坦和呼罗珊等地召集多位熟悉古代典籍和民间传说之人来口述,同时命人记录整理成书的。这本书中包含大量《帝王纪》的内容,而《帝王纪》本身也载有大量历代流传的神话、历史传说和英雄故事。[285]因此,《列王纪》采纳了非常广泛的口传故事作为其创作素材。

《列王纪》之外的其他伊朗民族史诗在材料选取上经常与《列王纪》形成互补的关系,它们往往讲述一些未见于《列王纪》的故事,但作品的立意主旨大多仍是对伊朗英雄业绩的颂扬。比如《库克·库赫扎德的故事》,讲述了鲁斯塔姆与多年盘踞在扎布尔(Zābul)[286]附近高山中的一位强大英雄作战并最终战胜他的故事。[287]按照萨法的观点,当伊朗民族史诗创作兴起之时,在锡斯坦和呼罗珊地区流传着一些关于鲁斯塔姆的长短不一的故事。这些故事在当时既处于口口相传的状态,又被记录在一些文人笔记里。菲尔多西创作《列王纪》时,从中选取了一些有助于他编纂古伊朗历史的材料,把它们作为对曼苏尔《王

284 Gregory Nagy, "Foreword," in Olga M. Davidson, *Poet and Hero in the Persian Book of Kings*, Ithaca / London: Cornell University Press, 1994, p. ix.

285 张鸿年:《列王纪研究》,第36—40页。

286 又作Zāvul,地处锡斯坦的一处城镇,鲁斯塔姆家族的故乡。

287 参见Sayyid Muḥammad Dabīr Siyāqī (ed.), *Dāstān-i Kuk-i Kūhzād* (《库克·库赫扎德的故事》), Tehran: Muʾassasa-yi Chāp va Intishārāt-i Dānishgāh-i Tihrān, 2003 (SH 1382)。

书》内容的补充。其后，另有几位诗人把这些与鲁斯塔姆相关的传说吟诵成诗，并相继编纂在一起，就形成了《库克·库赫扎德的故事》这部史诗。[288]

再以《戈尔沙斯帕传》为例，“在琐罗亚斯德教经书《阿维斯塔》中就有关于戈尔沙斯帕故事的记载。在阿布·姆耶德的散文体《王书》以及《锡斯坦史》中也记述了戈尔沙斯帕故事。据说，阿萨迪的叙事诗中的故事与姆耶德《王书》中的相关故事略同。因此有人认为阿萨迪的叙事诗情节就是取自这本《王书》，只不过把散文改写成诗歌罢了”。[289]因阿布·姆耶德的《王书》是一部参考了大量流传在伊朗民间的口头传说而写成的书面作品，阿萨迪的《戈尔沙斯帕传》自然也是受到伊朗口头文学传统深刻影响的一部史诗，其内容同样以讲述伊朗英雄的传奇旅程和征战功业为主。在这部史诗里，贾姆希德六世孙戈尔沙斯帕四处征伐且从无败绩，诗人阿萨迪甚至认为他塑造的这一形象比《列王纪》中的第一英雄鲁斯塔姆还要完美。[290]

显然，《库什王纪》也有基于民间传说吟诵成诗这样的特点。这部史诗一开始就写道：

他对我说：如果你有意于此，我有一个关于秦王的故事。
任何一个聪慧的人读它，都会从库什的事情中获益良多。
我看了这本有益的传记书籍，从头至尾全是知识、见解和劝谕。
它是一个春天，但因降雨而烦忧；它是一个美人，然而遭到欺凌。
我希望从世界的造物主那里，得到比这更多的一段时间在尘世，
让我从知识中带来这益处——把整部传记书籍写成自己的诗联。
我要把它装点得如同一个春天的花园，我要拭去它铜锈般的颜色。
（第132—138联）

288 Ṣafā, *Ḥamāsa-sarāyī dar Īrān*, pp. 318—322.

289 张鸿年：《波斯文学史》，第88页。

290 据《阿维斯塔》文献传统，戈尔沙斯帕是人世间最强的英雄——他不知疲倦，从不休息，百战不殆，是“强者中的最强者”。而《列王纪》吸纳了大量锡斯坦地方民间传说，戈尔沙斯帕的后嗣子孙鲁斯塔姆在其中成了伊朗英雄的代表人物。

即诗人家乡城中一位智者教导诗人知悉了“秦（中国）王的故事”，并把这些故事的散文体文本提供给他，诗人据此进行了诗歌创作。诗人在此指出这些故事不是自己的创造，他的主要工作是把一部文人笔记吟诵成诗歌，对其作出文学审美意义上的修饰。而这部文人笔记又源于口传故事，在诗作本身的文字中可以找到支持性证据。诗中多次有“说书人”（gūyanda）和“讲古人”（gūyanda-yi bāstān）[291]等称谓出现，起到串联故事情节的作用。例如讲到大食部族的起源和佐哈克的名字时，诗中这样写道：

我在书中讲述和提及的，大食族的佐哈克就是如此信仰行事。

如果你还要问［这个］大食人的名字，他总是被称为盖斯·拉赫布伯。[292]

他的另一个波斯-巴列维语之名是毕瓦尔阿斯布[293]，倘若你想知道。

其兄弟的名字被叫作哈弗兰[294]，我从说书人那里如此记得。

（第4798—4801联）

明确表示诗人把从说书人处听到的内容写入作品里。在两段故事之间的过渡处则有这样的文字：

现在我们讲了关于阿贝廷，又说了关于库什和法里东。

当我再请说书人接着讲，他给我讲述了这个古老的故事。

（第5565—5566联）

此外，书中还多次以叙事者的身份，而不是书中角色的口吻，以“我听说”来引起下文，比如：

291　gūyanda-yi bāstān亦可解为“古时的说书人”。

292　Qays Lahbūb.

293　Bīvar-asb.

294　Ḥ.frān.

那些曾在拉浑山[295]上的人们，尽管我要说有很多，其实他们人数更多。

我听说他们有五万人，在那个时代崇信耶兹丹的人们。

（第671—672联）

又：

见多识广的人说道，正如我听说的那样，当佐哈克擢拔了库什，

把他从西方[296]派往秦，把东方[297]的土地整个都交给他。

（第930—931联）

又：

我听说佐哈克吃了那么多，以至于他的两个肩头开始疼痛。

（第2870联）

又：

我听说那个家族有一万八千名，男男女女并非战士之人，

被法里东抓住并杀死，为祖先们的仇恨报以巨大的伤害。

（第5643—5644联）

不再逐一列举。这些例证都表明《库什王纪》中有很多内容取材于说书人讲述的口传故事以及诗人听到的其他民间传说，即这部史诗的素材来源和获取方式与绝大多数伊朗民族史诗类似，尽管其内容相对独特——以面相凶恶、勇武善战的异族首领为主角的《库什王纪》保存并详述了伊朗人被“邪恶”的异族欺凌压迫，以及伊朗正统王族曾被入侵

295 kūh-i Rāhūn，即人祖阿丹降临于其上的沙浪迪布山（kūh-i Sarandīb）。

296 bākhtar.

297 khāvar.

之敌击败和追杀的记忆。

上述多种例证还反映出，有时伊朗文人会先把口传故事记录为散文体书面作品，再由诗人在其基础上进行史诗创作；有时诗人也会直接将其听说的口传故事吟诵成诗句，使之成为史诗作品中的一部分。总之，伊朗大量口传故事素材是伊朗民族史诗创作共有的肥沃土壤，这在《库什王纪》等不同作品具体情节的关联中也可见一斑。《库什王纪》的后半部分不止一次提到，在法里东时代，伊朗人与进攻马格里布的布加和努比亚人作战，该情节与马斯乌迪的《王书》有共通之处。《库什王纪》以大量笔墨讲述了贾姆希德的后裔族人在秦与马秦以及巴希拉的流亡生涯，而《列王纪》中相应有关于贾姆希德的妻儿后嗣逃亡于印度和中国的叙事，阿萨迪·图西在《戈尔沙斯帕传》中也提到贾姆希德带领残存族人逃亡于印度和中国的情节。综合上述多种证据可做结论，《库什王纪》与《列王纪》等伊朗民族史诗在素材资料的收集和整理上有相当大的交集，有得益于伊朗口传故事文化传统的共性。

（2）堪为伊朗伊斯兰前后文化之间的桥梁

《列王纪》作为鸿篇巨制的波斯语书面载体，使前伊斯兰时代伊朗人集体记忆——包括大量古代伊朗文明特有的神话、传说、历史故事、宗教传统和风俗习惯等内容，得以记录和保存。菲尔多西以隽永的言辞表述，辅以诗歌格律和韵律使之琅琅上口，令该史诗及其所载内容在伊斯兰时代的伊朗大地上广为流传，对伊朗文化传统在民间的延续起到存亡续绝的作用。而无论是对伊朗传说中上古君王承继关系的记载还是在相关传说的故事框架上，无论是关于灵光与天命的情节还是对解梦与占星的描写，无论是对巴列维语文献的选译还是对马球比赛的记述，《库什王纪》与《列王纪》都有明显的共通之处，虽然各自表述的细节有所差异，但二者均致力于传承伊朗古代文化传统。还有很多其他源自伊朗古代文化传统的内容见诸这两部史诗，比如大地七国观念、世界三分的传说，以及从中央到边缘的古代世界差序政治格局等等，本书后面的章节中另有讨论。至此，我们已经意识到，《库什王纪》同《列王纪》一样，对保存前伊斯兰时代的伊朗人集体记忆起到重要作用，对于传承古代伊朗文化，帮助伊斯兰时代的伊朗保有其独立的民族特性具有重大价值。

另一方面，如同琐罗亚斯德教思想和伊斯兰教思想共存于《列王纪》中，我们同样可以看到《库什王纪》在记录和保存信息的基础上，对伊斯兰前后伊朗社会思想做出调和性阐释。从这个角度来说，该史诗也很好地扮演了伊斯兰前后伊朗文化之间的桥梁角色。以巴希拉人的先祖证道、皈依真神之情节为例，可以考察《库什王纪》对伊斯兰前后的伊朗主流宗教思想所作解释与统和。

据《库什王纪》，巴希拉文明开创之初，该族群的诸先祖都自称为创造者（āfarīnanda）。巴希拉[298]建造了城市，但在自己新生的孩子夭折之后，巴希拉陷入痛苦的思索。他看到世上有的人出生不久便亡故，有的人壮年早逝，还有的人到了晚年要承受年老力衰带来的种种病痛。他意识到，倘若自己是创造者，应能够按照自己的心愿创造后人，即令子孙后代健康、聪慧，拥有美好的生活。显然他做不到这些。巴希拉于是领悟，自己并不是子孙后代的创造者；造物主是唯一的，包括天地在内的万事万物都是他的创造物，除了他以外没有别的创造者。[299]巴希拉在悟道之时说：

显然人类就是他创造的，他创造了光明的大地与天空。

（第3531联）

前伊斯兰时代的伊朗盛行琐罗亚斯德教，其主神阿胡拉·马兹达是全知的神，但非全能。阿胡拉·马兹达是善恶二元论中代表光明的善神，他创造了包括人类始祖在内的一切善的存在物，而代表黑暗的恶神阿赫里曼给人类带来疾病与死亡，阿胡拉·马兹达要通过长期的斗争才能战胜阿赫里曼。在悟道之前，巴希拉认为大地与天空等光明存在是神创造的，而本族群的存在与繁衍是他本人的创造之功。悟道之后，他认识到一切事物的创造者都是唯一的真神，除他以外没有其他任何存

298 据《库什王纪》，巴希拉既是地名又是人名，作为人名时用作巴希拉之地居民的先祖之名。

299 Ibn Abī al-Khayr, *Kūshnāma*, pp. 335—337.

在能够主宰万事万物。巴希拉的悟道过程表现为不完善的一神宗教向完善的一神宗教过渡的缩影，映射出伊斯兰化时期伊朗社会的宗教思想发展历程。巴希拉的上述心路历程颇类似于佛陀之悟道，《库什王纪》中这段情节的形成是否受到佛陀悟道传说的影响，是个值得继续思考的问题。

（3）突出颂扬伊朗集体荣誉

根据故事主角身份的区别，伊朗民族史诗可分为两类：第一类是传说中的上古伊朗君王传记，情节框架建立于萨珊时期的巴列维语史料和琐罗亚斯德教文献记载的基础上，具有“伊朗民族史”特征，如马斯乌迪《王书》《古什塔斯帕王纪》《列王纪》《巴赫曼王纪》《卢赫拉斯帕王纪》《贾姆希德的故事》等；第二类以起源于锡斯坦地区的民间传说为主要内容，即有关戈尔沙斯帕–鲁斯塔姆家族的英雄故事，表现出“地方家族史”特征，如《戈尔沙斯帕传》《布尔祖传》《法拉玛尔兹传》《巴努–古莎斯帕传》《阿扎尔巴尔兹因传》《库克·库赫扎德的故事》《沙伯兰格的故事》《贾汉吉尔传》《沙赫里亚尔传》《萨姆传》等。《库什王纪》是与伊朗人敌对的异族君王传记，但其所载实际都是发生在第一主角象牙库什及其伯父佐哈克，与贾姆希德、阿贝廷、法里东、玛努切赫尔、凯卡乌斯等伊朗君王之间的故事，故而可被归入第一类。《比让传》和《苏珊传》的主角分别是伊朗和土兰的其他将领，然而在这两部史诗的情节中，最为突出的英雄形象分别是鲁斯塔姆和法拉玛尔兹，因此它们可被归入第二类。这两类史诗之间虽非泾渭分明，但可大致作出这样的划分。

与鲁斯塔姆家族英雄故事相比，《列王纪》和《库什王纪》等第一类史诗更适合用以从整体上把握古代伊朗人的集体记忆。梅列金斯基明确把记载鲁斯塔姆家族诸勇士事迹的作品称作“民间故事式壮士史诗”，[300]而且他认为“英雄史诗”与“壮士史诗”有高下之别：“壮士故事与英雄史诗相比较，其场面就不够恢宏，其集体主义的情愫就不够丰沛。壮士故事的主人公同恶魔奋战，克服千难万险娶到远方的新娘，或

300 梅列金斯基：《英雄史诗的起源》，第394页。

者报了杀父之仇，但他们都是为了个人，而不是为了公众。”[301]以《戈尔沙斯帕传》为例，这部作品的确没有自始至终地颂扬伊朗集体荣誉，其主人公戈尔沙斯帕尽管在征战中从未遭遇挫败，但作为一个地方望族的首领，他先后听命于大食人的君主佐哈克和伊朗帝王法里东，而不加辨别与选择。《列王纪》则不同。一方面，它是伊朗民族史诗中的集大成者，集创世史诗、英雄史诗与壮士故事乃至历史史诗等多维度内容于一体，在促成古代伊朗人的文化认同上无疑起到巨大作用；另一方面，鲁斯塔姆故事被部分吸收进《列王纪》之后，为服务于凝聚伊朗族群意志的创作倾向，勇士鲁斯塔姆的英勇壮举常被菲尔多西赋予抵抗外族入侵或拯救伊朗君王和民众的目的，即鲁斯塔姆的功业是为伊朗集体利益而不是为其个人利益所建。

《库什王纪》也有别于《戈尔沙斯帕传》，它属于经典英雄史诗。这部史诗的意义尤其体现在，它为认同伊朗文化的人群树立了一个对立面，伊朗诸王和英雄的高贵品质，在他们与暴虐而强大的异族首领艰苦抗争的过程中得以彰显，从而令伊朗集体荣誉得到颂扬。即通过认识他者实现对自我的辨识，进而强化了具有相同文化背景的伊朗人群的文化心理认同。

2.《库什王纪》相对客观中立的视角

《列王记》与《库什王纪》共有的一些重要情节在各自的叙事中表现出不同程度的差异性。例如贾姆希德晚年是否背离了崇信真神的道路，抚育幼年法里东的重要角色是神牛巴尔玛耶还是智者巴尔玛云，佐哈克肩上生的是蛇还是肿瘤赘肉，萨勒姆与图尔的母亲是伊朗人还是阿拉伯人等等。彼得·伯克(Peter Burke)认为，民间记忆的“神话加工”过程是一种再记忆，这种“再记忆”的过程受到回忆往昔事件时形势变化的影响，即多年里不同个人对同一事件的回忆会发生变化。[302]

301 梅列金斯基：《英雄史诗的起源》，第381页。

302 彼得·伯克：《历史学与社会理论》，姚朋、周玉鹏、胡秋红、吴修申译，上海：上海人民出版社，2010年，第123页。

这一观点可作为对上述相异处成因的解释。同时，二者从整体上来说也有一项值得注意的差异，即相较于《列王纪》,《库什王纪》提供了一个更加客观中立的叙事视角。

毫无疑问，菲尔多西的创作具有强烈的重现伊朗文明辉煌、重塑伊朗人的民族尊严与凝聚力的主观倾向。从后来的历史发展实际情况，包括《列王纪》对伊朗民族语言与文化走向的影响，以及后世伊朗人对《列王纪》的高度评价等方面来看，菲尔多西的确达成了预设目标，他的文学创作对伊斯兰时期伊朗人的族群认同建构以及近现代伊朗民族国家的形成都产生了重大影响。当代学者穆斯塔法·瓦齐里（Mostafa Vaziri）在反思伊朗民族身份的构建时甚至对当代人做出提醒：“菲尔多西使用 ʻAjam、Parsi、Iran 和 Fars 等与琐罗亚斯德教材料及其所处时代当时史诗风格有关的一些术语，应按其原本［词义］所指（originally intended）去理解，而没有必要根据已被扭曲的现代民族主义观念去解读。”[303]然而菲尔多西创作《列王纪》的本意，很明显是要利用古伊朗诸王朝（尤其是历史上的阿契美尼德王朝和萨珊王朝）曾长时期统辖一片广大地域上的多元族群这项历史文化遗产，把当时族群构成复杂，却有一定共同文化基础的伊朗地域居民，重塑成一个区别于阿拉伯征服者的文化共同体。曾有托名菲尔多西的诗句豪言：“三十年我日夜辛劳不倦，用波斯语复活了伊朗。”[304]后世学界虽已考辨清楚这联诗句并非出自菲尔多西本人，但仍赞同以其评价菲尔多西。故而在《列王纪》中，伊朗人与异族、善与恶的二元对立显得异常突出。《库什王纪》中却并非如此。

首先，贾姆希德并无失德，却失去真神眷顾、丢掉王位，在某种程度上表现出《库什王纪》在描述人类文明发展历程方面的客观性。历史上一些区域性文明的衰落，在很多情况下，治理者的失德并不是最主要或唯一的因素，自然环境的变迁，常在人类各族群政权的兴衰中起到不可忽视的作用。如中国古代多个强盛王朝的崩溃，其后期弊政固然难

---

303 Vaziri, *Iran as Imagined Nation: The Construction of National Identity*, p. 216.

304 张鸿年：《列王纪研究》，第180页。

辞其咎，但制度性的人祸绝非全部的原因，自然灾害频发往往是动摇政权根基的重要因素。汉匈战争期间，汉王朝取得的一些重大胜利，多是趁匈奴人栖息地遭受严冬暴雪的侵袭，人口和牲畜数量大幅下降之类的时机所取得。由于生产力的相对不发达和治理制度的不完善，越是在人类文明的早期，自然条件就越能深刻地影响各古文明的命运。因此《库什王纪》对贾姆希德无失德而失天下，仅给出天命注定这一个解释，反倒给了读者以多元化的猜想和解读的空间——其统治地域或许遭受了重大自然灾害。对上古人类文明与政权的兴衰变迁作如此解释，虽然缺乏戏剧性，却更贴近真实。

再谈佐哈克。在《列王纪》中，佐哈克是受魔鬼引诱弑父篡位的大逆不道之人，但他随后占领伊朗，成为全世界的“诸王之王”。后来佐哈克被魔鬼亲吻而双肩生蛇，每天要杀死两个人取脑饲蛇，罪恶滔天，终致人心尽失，被法里东赶下王位。《库什王纪》的叙事中并未提及他如何成为部族首领一事；在他生病的情节中，既没有双肩生蛇的怪异邪恶特征，也没有魔鬼出场，连取人脑治病都仅是出于印度医生对当地人的报复。《库什王纪》中两大家族相互之间常以“贱种”/“坏蛋”（bad-gawhar）、“心怀叵测者”（bad-andīsh）、“心怀恶意者”（bad-sigāl，bad-kh^{v}āh等）来指称对方，这在古时的双方敌对中是常见现象；而诗人的叙事则基本不带明显的偏袒，行文中称呼佐哈克也多用王、诸王之王、世界之王、世界之主等尊号。

在《列王纪》中，喀布尔地方领主梅赫拉布是佐哈克隔了多代的后人，是玛努切赫尔为王时期，诸侯萨姆领地范围内的更次一级诸侯。萨姆之子扎尔同梅赫拉布之女鲁达贝的婚姻冒了天下之大不韪，因为这是水火不容的贾姆希德和佐哈克两大家族之间的联姻。而在《库什王纪》中，连法里东都娶了佐哈克家族女子，以至于象牙库什成了法里东二子——萨勒姆和图尔的舅父；法里东还曾任用象牙库什为军队统帅，把伊朗和秦的勇士交给他去帝国西部平叛；象牙库什反叛后曾受挫于努比亚人，却又向伊朗王廷求助，尽管他使用的手段是利诱卡乌斯发兵。这些事例表明，伊朗人与象牙库什代表的异族人之间，在《库什王纪》中并不存在绝对对立关系，在某些情况下，他们处于合作甚至融合状态。再以作为异邦的秦与马秦（中国）为例，在《列王纪》中，多数情况下是伊朗敌国；而在《库什王纪》中，除大食人库什作秦王、象牙库什作秦与马秦之王的时段以外，这个伊朗东方的国度一直展现为友邦的形象。最重要的例子还是伊朗人最主要的敌方统帅——象牙库什，据《库什王纪》，其残暴由天性鲁莽且无知所致，在被智者以学问教化后，尚能弃恶从善。这些情节一方面说明，《库什王纪》中的自我与他者、善与恶的二元对立，不似在《列王纪》中表现得那样决绝；另一方面，从人类文明发展历程的大趋势来看，不同族群和异质文化之间的冲突也必然与融合伴生，《库什王纪》对这一客观规律表现出更加从容的接受与认同。

在伊朗文化自琐罗亚斯德教时代向伊斯兰教时代过渡的时期，已经统一在伊斯兰旗帜下的阿拉伯人为了实现文化相对弱势族群对其他族群的半自愿同化，刻意淡化人类各族群间除宗教信仰以外其他属性的区分。穆斯林大军在对外扩张的过程中主张，凡是信奉伊斯兰教和使用阿拉伯语的人就都是穆斯林，人人平等，近似于用宗教（伊斯兰教）和语言（《古兰经》的语言）来标示一个新的“民族”属性。阿拉伯帝国的伍麦叶、阿拔斯王朝时期，穆斯林群体即如同一个“大民族”。伊朗萨曼王朝取得相对独立的政治地位后，通过大力扶植波斯语文学创作和复兴古代伊朗文化，已做出把伊朗人群体从穆斯林群体中区分出来的努力。菲尔多西创作《列王纪》，通过强化伊朗人的语言、文化、地域、血缘等其他属性，起到协助重塑多维的“伊朗”概念的作用。《库什王纪》创作于塞尔柱王朝时期，此时阿拉伯帝国对塞尔柱王朝治下伊朗大地的宗主权已彻底名存实亡，同时塞尔柱王朝在语言和文化上又表现为高度波斯化。自萨曼王朝到塞尔柱王朝这一时期，即《列王纪》创作开始到《库什王纪》创作完成的一百多年间，波斯语作为新的伊朗通用语，完成了自东伊朗地区向西伊朗地区普及的进程，伊朗也已基本实现文化双核化（伊朗-伊斯兰），在社会思想上经过整合与重塑的伊朗人群体，逐渐成了并包带有琐罗亚斯德教传统残留的伊朗文化和外来的伊斯兰文化两者的承载体。因此，伊本·阿比·黑尔或许没有菲尔多西那样强烈的再造伊朗文化的使命感。也正因如此，尽管《库什王纪》是补白《列王纪》重构伊朗民族记忆之作，但前者的叙事相较于后者更具客观性和中立立场。

3.《库什王纪》补白《列王纪》重塑伊朗民族性

1999年，《库什王纪》勘本出版后不久，伊朗学者伽赫拉曼·苏莱曼尼（Qahramān Sulaymānī）即为其撰写书评，对这部新出版的伊朗民族史诗做了推介。苏莱曼尼指出，一个民族的思想变革史并非天命注定那么简单，需要对其全部书写和非书写作品都进行研究和评价才能真正了解。而史诗尤为重要，因为它讲述了无书写时代的人类生活，神话连接历史，所有文明民族的历史皆由神话开始。伊朗文化中神话丰富，启示众多。但菲尔多西的《列王纪》影响深广，致使其他文本不受关注，而其他史诗恰恰具有将伊朗思想史链条补充完整的重大作用，后世研究者即便只能破解其中少许信息也是巨大的成功。[305]笔者在从事本研究的过程中读到这些观点，深以为然。据本章的论述，《库什王纪》对《列王纪》的补白主要表现在如下几个方面。首先，《库什王纪》对《列王纪》所及外来统治者家族世系有所补充；其次，《库什王纪》采纳某些未见诸《列王纪》文字的民间传说，就上古伊朗与异族诸王的故事做出补充叙事；再次，《库什王纪》遵循了《列王纪》中已讲述的某些传说之故事框架，且同样用到解梦、占星、马球等传统风习元素，起到在伊朗史诗的受众群体中加深此类文化传统印象和提高其接受度的作用；最后，在传承巴列维语的琐罗亚斯德教文献传统方面，二者译存的内容具有明显的互补性。据此，《库什王纪》通过补白《列王纪》的叙事，与其他伊朗史诗一道流传于波斯语口头和书面传统中，共同参与在于伊斯兰时代维护伊朗独有的文化特征和重塑伊朗民族性的历史进程中，起到助力伊朗—伊斯兰双核文化在伊斯兰时代的伊朗族群中形成的作用。

---

305 Qahramān Sulaymānī, "Ḥamāsa-yi *Kūshnāma*" (《史诗〈库什王纪〉》), *Kitāb-i māh-i adabiyāt va falsafa* (《文学与哲学月刊》) 19, no. 2 (1999 [SH Urdībihisht 1378]): 30—31.

第三章

象牙库什

——具有多重原型的异族首领形象

通观《库什王纪》所载其主角象牙库什的名号、人格特点、外貌特征，以及他在漫长一生中的丰富征战经历，不难发现这个强大的异族首领形象具有多重原型，可能糅合了伊朗人对其周边多个异族统治者的集体记忆。本章集中阐明《库什王纪》的主角——象牙库什的生平与家世，并分析其复杂身份的来源与整体人物形象的形成过程。

一、文献所载象牙库什

1.《库什王纪》所载象牙库什

马提尼在其1987年发表的《"库什" 还是 "古什"？》("'Kūsh' yā 'Gūsh'?")一文中，就识读抄本中的象牙库什之名展开讨论。中古时期达里波斯语文献抄本中，Kāf和Gāf两个字母通常不加区别地写作Kāf的形式[1]，这给《库什王纪》的校勘工作带来一个巨大的问题，即全书主角的名字到底是Kūsh还是Gūsh。在查阅了多部波斯语古代文献和近现代欧洲学者的研究性著作，并同哈立吉-穆特拉格等当代专家请教、商讨之后，马提尼得出结论，Kūsh是自古以来长久存在的写法;《库什王纪》里Kūsh及其子孙的世系与《泰伯里历史》等历史文献记载的古闪族人传说中的Kūsh世系大体相符。然而，《库什王纪》第995联中出现了象牙库什养母对他的两种称呼——Kūsh与Pīl-dandān。当时其养母尚不知晓他的真实身份，按照其父之名称他为Kūsh是说不通的，

1 Kāf为"竖弯钩"上加"一撇"，Gāf为"竖弯钩"上加"两撇"。

因而有可能是依据他的外貌特征，将其称为“[象]耳朵（gūsh）和象牙（pīl-dandān）”，那么他的名字就应该是Gūsh。因此，马提尼对这个问题仍存有一丝疑虑。但在出版的校注本中，他取了Kūsh的写法。[2]

据《库什王纪》载，象牙库什刚一出生，其父库什被其极为丑恶的面容震惊，一怒之下杀死孩子的母亲并把孩子遗弃在丛林中。象牙库什恰巧被逃亡在秦的贾姆希德族人首领阿贝廷发现，阿贝廷也惊骇于这个孩子极为丑恶的面容，称其为魔鬼之子，并试图杀死他。然而奇怪的事情发生了，这个孩子“狗不咬、狮不吃、火不烧”，一如某些人类文明建国神话中，始祖帝王命系于天的情形。阿贝廷的妻子视此为造物主的意愿，说服阿贝廷让她收养了象牙库什。[3]

象牙库什长大以后对学习知识毫无兴趣，却长得身强体壮，酷爱舞弓弄箭，在阿贝廷的军队中没有敌手。在阿贝廷与秦王库什之间爆发正面军事冲突的初期，由于象牙库什的武勇，阿贝廷所率伊朗人一方占据上风。在一次战斗中，象牙库什杀死库什的另外一个儿子，即他自己的亲兄弟——尼瓦斯布（Nīvasb），招致库什亲率大军前来复仇。当秦的军队再次被象牙库什吓得落荒而逃之时，库什与象牙库什这对父子之间发生了面对面的对决，结果未分胜负。当晚，秦王库什由敌手特征显著的容貌骤然想到，象牙库什很有可能就是被他遗弃的孩子。当库什与其首辅贝赫玛尔德说起此事，后者请命前去策反象牙库什。象牙库什终被能言善辩的贝赫玛尔德说服，但他担心亲生父亲库什会因他杀死了尼瓦斯布而降罪于他。贝赫玛尔德出主意，让他杀死一个贾姆希德族人以取信于父亲，象牙库什便带着阿贝廷之子苏瓦尔的头颅投靠了库什。[4]

其后，象牙库什转而与阿贝廷率领的伊朗人为敌，双方之间爆发了多次战斗。阿贝廷经由马秦之地避往巴希拉岛之后，象牙库什挥军进攻，但未能攻克巴希拉。此时，其父库什去世的消息传来，象牙库什

---

2 Jalāl Matīnī, "'Kūsh' yā 'Gūsh'?"（《"库什"还是"古什"？》）, *Īrānnāma*（《伊朗学报》）21, no. 3 (1987 [SH Pāyīz 1366]): 1—14.

3 Ibn Abī al-Khayr, *Kūshnāma*, pp. 202—204.

4 Ibn Abī al-Khayr, *Kūshnāma*, pp. 206—236.

遂返回秦继承王位。世界之主佐哈克随即正式册封象牙库什为东方(khāvar)之王,并给他帐下派去五十万大军。秦的民众因不堪忍受象牙库什的暴虐统治而向佐哈克申诉,佐哈克却欣赏象牙库什的作为并赞扬了他。作为报复,象牙库什杀死了所有的告状者。[5]

象牙库什娶了他的首辅努尚(Nūshān)之女内高琳(Nigārīn)为妻,与她育有一子。这个名叫迦南(Kanʿān)的孩子面貌丑恶如同其父,长有大象一般的耳朵和獠牙。根据《库什王纪》的记载,他是那声称自己是造物主的暴君奈姆鲁德之父。象牙库什与内高琳还育有一女,如同其母一般美貌,象牙库什给她取名为阿努辛(Anūshīn)。内高琳死后,象牙库什对她思念成狂,于是爱上了容貌与她酷似的女儿,并改称女儿为玛赫切赫尔,即"月亮面容"之意。玛赫切赫尔未顺从于父亲,遭其迫害致死。象牙库什悲悔不已,便按照玛赫切赫尔的容貌造了一尊雕像,并下令让秦的贵族们都按照自己心爱之人的容貌塑造偶像,偶像崇拜随即在秦盛行起来。[6]

此后,象牙库什用计——对巴希拉王醍醐尔诈称修好而暗施偷袭,终于攻入巴希拉岛内陆,醍醐尔治下除了三座坚城以外的领地全部沦陷。恰在此时,法里东战胜佐哈克的消息传来,象牙库什连夜退兵遁走。法里东先后派遣纳斯图赫和哥巴德(Qubād)率领大军两度赴秦讨伐象牙库什,均未告成功。象牙库什趁机在河中地区巩固自己的势力,他又征服了莫克兰,还占领了一个富饶的岛屿,在该地建造了一座名为贵霜(Kūshān)[7]的大城。象牙库什在这座城中竖立起自己巨大的雕像,宣称自己是造物主,让人们对其雕像顶礼膜拜。在五十名来自秦的智者赴伊朗向法里东申诉象牙库什的暴虐之后,法里东再次兴兵征讨,这次统兵的是其麾下最强大的将领卡兰·卡维。象牙库什被卡兰击败并擒拿,法里东下令把他如佐哈克一般囚禁在达马万德山中。[8]

---

5 Ibn Abī al-Khayr, *Kūshnāma*, pp. 255—403.

6 Ibn Abī al-Khayr, *Kūshnāma*, pp. 409—411.

7 意为"从属于库什的人们[之地]",与历史上的贵霜帝国(Kushan Empire, 30—375)在波斯语中为同一个词。因《库什王纪》中出现该情节很可能与伊朗人对贵霜帝国的集体记忆有关,故而本书中该地对音汉译直接采用"贵霜"。

8 Ibn Abī al-Khayr, *Kūshnāma*, pp. 412—533.

四十年后，法里东苦恼于布加和努比亚人犯边，在同群臣商议之后，他释放了象牙库什，并命他统兵去讨伐作乱者。象牙库什凭借出众的战争谋略击退了侵扰帝国边境的敌人。但象牙库什对法里东的效忠十分短暂，他在平定布加和努比亚之乱以后，自行占据马格里布的土地，不再服从法里东的命令。同时，他在马格里布又强迫每家每户都要供奉他的雕像。法里东本想派遣卡兰领兵讨伐象牙库什，但他从星相中察看到，天命会佑护象牙库什在未来的一百八十年中不可战胜，于是作罢。[9]

一百八十年的时间过去了，法里东将世界分封给自己的三个儿子，这是伊朗古代传说中最重要的事件之一。图尔和萨勒姆不满幼弟继承伊朗王位并向他们收取贡赋，便合谋害死了伊拉治，之后与象牙库什建立同盟关系以共同对抗法里东，并在他们三人之间重新瓜分了世界。因此在玛努切赫尔为伊拉治复仇的时候，他征讨的对象也包括象牙库什。象牙库什被玛努切赫尔击败后逃回马格里布地区。卡兰再度统兵讨伐，无功而返。[10]

象牙库什留在西方之地，势力不断发展壮大。在此期间，他再一次爱上自己的一个女儿，与其在秦称王之时恋上女儿的过程非常相似——由于女儿不顺从而将其杀死，旋即后悔。这一次，他令治下所有人都按照其女儿的模样塑造偶像，于是西方与安达鲁斯地区的人们也走上了偶像崇拜的道路。在长达数百年的时间里，象牙库什征服了西方大地——从埃及到塔立格山（kūh-i Ṭāriq）[11]都在他的控制之下，努比亚和布加的蛮族也不敢接近他统治的地域。然而多年以后，蛮族突然攻击了马格里布并击败象牙库什。象牙库什逃到伊朗王廷，欲借助卡乌斯王的力量赶走侵占马格里布的努比亚人。他诱骗卡乌斯说，努比亚地区是一片遍地是黄金和宝石的肥沃富饶之地。卡乌斯由于象牙库什的怂恿和自身的贪婪，率领伊朗大军取道埃及向努比亚和马赞达

---

9 Ibn Abī al-Khayr, *Kūshnāma*, pp. 534—609.

10 Ibn Abī al-Khayr, *Kūshnāma*, pp. 609—654.

11 即直布罗陀。直布罗陀音译自Gibraltar，此地名源自阿拉伯语jabal Ṭāriq，词义为塔立格之山，塔立格（Ṭāriq）是率领穆斯林军队征服伊比利亚半岛时首次登陆于直布罗陀的柏柏尔将军之名。jabal Ṭāriq的波斯语形式即kūh-i Ṭāriq。该术语又有阿拉伯语讹误形式jabal al-Ṭāriq，词义为“敲门者之山”。

兰[12](Māzandarān，为布加之地)前进，结果陷入困境。后来鲁斯塔姆杀死白魔(Dīv-i Sipīd)等多个著名魔鬼，拯救了卡乌斯和伊朗军队。[13]鲁斯塔姆降服马赞达兰妖魔并拯救卡乌斯王的传说在《列王纪》中亦有详述。

象牙库什在马赞达兰获得大量珍宝和金银，恢复了以往的强大力量。他看到自己可随心所欲而无往不利，便又自大起来，再次宣称自己是造物主。直到有一天，他在打猎时追赶一头浑身色彩斑斓、状如大野驴的野兽，孤身一人在丛林中迷失了道路。四十天后，他来到一座宫殿，在那里，一位出自贾姆希德家族的智慧老者教导他认识到自己并非造物主，而是真神的一介奴仆。老人给他做了“整形手术”——切掉巨耳、锉去獠牙，使他得到常人的面容。象牙库什在老人身边生活了十年，学习读书写字，以及医术、星相学和魔法符咒等学问。最重要的是，老人令他走上了崇敬真神的道路，让他学到种种美德。在老人的指引下，象牙库什回到自己统治的国度，但此后他的统治不复以往之暴虐。象牙库什仿佛变成另外一个人——一方面，他引导民众都成为崇敬真神之人；另一方面，他全力消除治下各地的灾祸疾苦。《库什王纪》的最后没有记载象牙库什的生命是如何终结的，只是评价了他从此彻底弃恶从善，成为造福一方生民的统治者。[14]

2. 伊朗其他古代文献中的象牙库什

目前已知最早详细记载象牙库什事迹的文献是《库什王纪》。成书于其后约二十年的《历史与故事辑要》录有相对较多关于象牙库什的信息，这些信息很有可能直接来自《库什王纪》。穆斯陶菲·可疾维尼的《选史》也略及有关象牙库什的信息：

12《列王纪全集》中汉译作“马赞得朗”。

13 Ibn Abī al-Khayr, *Kūshnāma*, pp. 654—661.

14 Ibn Abī al-Khayr, *Kūshnāma*, pp. 662—686.

在他［法里东］的时代，佐哈克的侄子象牙库什占据了柏柏尔人[15]的地区，并对真神身份（khudāyī）[16]提出主张。法里东派遣纳里曼之子萨姆去讨伐他，在他们之间爆发了多次大战，萨姆取得胜利，库什归顺了。迦南之子奈姆鲁德是库什的后嗣。[17]

此外，15世纪伊朗历史学家米尔汗德（Mīr-khᵛānd，即Muḥammad ibn Khᵛāndshāh ibn Maḥmūd，约1433—1498）所著《诸先知、君王和哈里发传记之纯净花园》（*Rawżat al-ṣafā᾽ fī sīrat al-anbiyā᾽ wa-al-mulūk wa-al-khulafā᾽*，简称《纯净花园》[*Rawżat al-ṣafā᾽*]），以及米尔汗德的外孙汗达米尔（Ghiyās al-Dīn Muḥammad Khᵛāndamīr，1475—1534/1537）所著《传记之友》（*Ḥabīb al-sīyar*），通过参考《历史与故事辑要》的文字而提到象牙库什之名。[18]

象牙库什在《库什王纪》里常被称作“象牙”（pīl-dandān），该称呼在《列王纪》《法拉玛尔兹传》《巴赫曼王纪》等几部伊朗民族史诗中都曾被提及。[19]在《列王纪》所载凯霍斯鲁时代“中国可汗的故事”中，关于中国可汗[20]（khāqān-i Chīn）派勇士胡曼（Hūmān）[21]出战鲁斯塔姆的情节有这样的诗句：

胡曼对他说道：“我不是铁砧，在战斗中我不是象牙。”[22]

---

15 该词在波斯语中指非洲北部的部族群，也有“蛮夷、野蛮人”的意思。

16 也是“主人和统治者的身份”之意。

17 Mustawfī Qazvīnī, *Tārīkh-i guzīda*, p. 84。杜列巴曾在《〈列王纪〉中的居鲁士传说》书中给出这段文字的波斯语原文和英语译文，但英译略有讹误。Dulęba, *The Cyrus Legend in the Šāhnāme*, p. 54。此据《选史》之波斯语原文汉译。

18 Mīr Muḥammad ibn Sayyid Burhān al-Dīn Khᵛāvandshāh al-shahīr bi Mīr-Khᵛānd, *Tārīkh Rawżat al-Ṣafā᾽*（《纯净花园历史》）, vol. 1, Tehran: Markazī va Khayyām va Pīrūz, 1960 (SH 1338), pp. 538—539. Matīnī, “Muqaddama,” p. 38.

19 Matīnī, “Muqaddama,” pp. 39—40.

20 在汉译波斯文学作品中，khāqān又有对音汉译作“哈冈”。

21 《列王纪》中皮兰·维塞（Pīrān Vīsa）的兄弟、土兰的勇士、阿夫拉西亚伯军队的将领之一，在战斗中被伊朗将军比让杀死。

22 Firdawsī, *Shāhnāma*, Moscow Edition, vol. 1, p. 546.

胡曼对可汗说这句话的意思是，他没有强大到能与鲁斯塔姆匹敌的地步。“象牙”在此处可能是指巨兽坚实致密的攻击性武器——大象的獠牙，也可能是伊朗古代传说中某位广为人知的勇士之绰号。在与《库什王纪》出自同一位诗人的《巴赫曼王纪》里，“象牙”之名的指向更为明确。巴赫曼在鲁斯塔姆棺床的一块板上看到写给他的一段话，这段话在讲述鲁斯塔姆的征战业绩时提到：

> 正是那脾性颠倒无常的象牙，在战场上那好战的王，
> 当他斗志旺盛地来与我作战之时，面容俊美的王[23]啊，在战场上
> 我挥动战斗之剑向他砍去，把世界自他的欺凌中拯救出来。
> 你称他作库什王，身披钢甲的边疆战士的首领。[24]

这些诗句表明，“象牙”是名叫库什、英勇善战的边远地区统治者。直到《库什王纪》问世，为我们重新认识和更准确把握其他伊朗史诗中含义模糊的“象牙”这个词，提供了新的参考资料。

《列王纪》中出现了“象牙”一词，但无法确认其所指是否为《库什王纪》的主角象牙库什，而且在《列王纪》神话传说部分的叙事中完全没有提及象牙库什其人其事。在贾姆希德和佐哈克两大王族斗争的传说中加入且详述象牙库什的故事，是《库什王纪》在《列王纪》之基础上所作的独特延伸。

3. 象牙库什的妖魔化特征

（1）象牙库什的主要特征

由于象牙库什是一部长达万联的伊朗民族史诗的主角，《库什王纪》对该角色做出了全方位、多角度的描绘，使其人物特征呈现出丰富的层次。

---

23 指巴赫曼。

24 Īrānshāh ibn Abī al-Khayr, *Bahmannāma*（《巴赫曼王纪》）, ed. Raḥīm ʿAfīfī, Tehran: ʿIlmī va Farhangī, 1991 (SH 1370), pp. 433—434.

a. 外貌特征的妖魔化

《库什王纪》中最令人印象深刻的一点是象牙库什的外貌特征——魔鬼般丑恶。在他刚出生之时，诗中就交代了他异乎常人的面容：

他有两颗野猪的獠牙和两个大象的耳朵，还有红色的头颅和头发，以及靛蓝般的双眼。

他的两个肩胛中间有个黑色印记，那黑色如同恶贯满盈之人的身躯。

（第969—970联）

某次作战后，对他有这样的描述出自与其敌对者之口：

有人对讲话者这样答道：那暴躁的魔鬼，显然他自大象夺取双耳，
又宽又长地伸展在脸上，骆驼给了他双唇，野猪给了他牙齿，
前面的两颗牙齿如同象牙，双颊漆黑，双眼如同靛蓝。

（第1233—1235联）

象牙库什魔鬼般的外貌常使他在战斗中大占便宜，因为敌方士兵见到他就不禁士气低落、胆怯欲逃。

归纳起来，象牙库什有大象一般的獠牙和巨耳、火红的头发和胡子、漆黑的双颊以及靛蓝的眼睛。大象这种巨兽是古伊朗人曾役使的最为强大的战争工具之一，把大象般的獠牙和巨耳用作可怕的异族首领形象特征当不难理解。在人类很多族群的文化中，红色既象征着火焰的暴烈，又含有流血的意味。欧洲历史上有神圣罗马帝国皇帝腓特烈一世（Friedrich I，1122—1190）被称作“红胡子”（Barbarossa），中国古典文学中也有诸如“赤发鬼”之类的人物形象。象牙库什的毛发呈火红色是对其狂暴、血腥的性格特点的恰当暗示。在古代伊朗光明与黑暗二元对立的思想体系中，黑色无疑是邪恶阵营的象征色，且通常含有死亡的寓意。因此，象牙库什的脸颊呈黑色是其邪恶天性的写照，且

与伊朗人最为推崇的月亮面容（māh-chihra）、白银身躯（sīmīn-bar，比喻肤色白皙）恰好形成极度鲜明的对比。至于靛蓝色眼睛，在伊朗人看来也属于外族他者的怪异相貌特征。

b. 人格特征的妖魔化

象牙库什勇猛好斗。他自幼不读诗书，唯身强体壮，好习弓马，十五岁之时在阿贝廷军中已无敌手。他生性勇猛，在战场上不避矢石，无惧强敌，且一生征战鲜有败绩。他是一位天生属于战场的勇士。当他在战斗中蛮干起来，常常处于失去理智的癫狂状态，《库什王纪》的叙事者经常用"发情的大象"（pīl-i mast）来形容处于这种状态下的象牙库什。他好勇斗狠的性格也体现在战略层面。当阿贝廷逃亡到巴希拉岛，由于该海岛有高山环抱，通往内陆的隘口十分险峻，一夫当关，万夫莫开，秦王库什定下长期围困策略，以迫使巴希拉王因岛上物资匮乏而屈服，主动献出阿贝廷等贾姆希德族人，象牙库什请命领兵去封锁陆海要道。[25]在与巴希拉军事对峙期间，象牙库什被阿贝廷的书信激怒，一意孤行渡海出击，结果不逞而退。[26]

象牙库什狡诈善战。他熟练地掌握侦查、奔袭、阵战突击、闭关守城、挖掘壕沟陷阱等各种攻防战术，以及佯动、诈降、设伏乃至适时撤退逃跑等战争谋略，为了在战斗中获得胜利不择手段。他在漫长的一生中经历了数不清的战斗，仅有两次受到重挫，一次在与法里东麾下第一名将卡兰的对决中，另一次是遭到人多势众的努比亚人突袭。

象牙库什专横暴虐。作为一个出身于佐哈克家族且自身强大无比的英雄，象牙库什长期在伊朗周边地域称王。无论他作秦王、秦与马秦之王、东方之王还是西方之王之时，其治下的臣民都饱受压迫、欺凌。象牙库什肆无忌惮地自民众手中夺走任何他想要的东西，从金帛财物到子女人口；他还数次在自己统治的地域推行偶像崇拜，强令民众改变崇敬真神的信仰。象牙库什作秦王期间，秦地居民实在无法忍受其暴虐，有一些人去往世界之主的王廷向佐哈克申诉，象牙库什获悉之

25 Ibn Abī al-Khayr, *Kūshnāma*, pp. 281—282.

26 Ibn Abī al-Khayr, *Kūshnāma*, pp. 283—289.

后，杀死了所有告状之人。自此以后，秦人敢怒而不敢言。待到法里东取代佐哈克成为诸王之王，秦的一众智者赶赴伊朗，请求世界之王把他们从象牙库什的欺凌和压迫中解救出来。自此二事例中，可见象牙库什作为一名地方统治者的专横、暴虐。

象牙库什贪杯好色。在没有征战的日子里，他常在酒色中度日，且好酒无度、好色无厌。象牙库什的脾性反复颠倒、喜怒无常，在酗酒的状态下表现得尤为突出，甚至不止一次上演过杀死妻妾、逼死女儿的惨剧，以至于其子迦南出于对他的恐惧而远走避祸。象牙库什的好色程度也到了极致——从身边的亲生女儿到远在异国他乡的美女，只要他的心中腾起欲望，便要强求。

象牙库什无知自大。他自幼便不通文墨，不是读书明理之人，在常年征战中将粗鲁武夫的特征表现得淋漓尽致。当象牙库什的无知自大达到顶点之时，他更认为自己是无所不能的真神。然而，在整部史诗的最后，象牙库什在一位出身于贾姆希德家族的智慧老人的教导下学习知识，并由此弃恶从善。

作为一个与伊朗人为敌的异族首领，《库什王纪》对象牙库什形象的塑造无疑是非常成功的，甚至《列王纪》中的著名同类角色——大食人首领佐哈克、土兰王阿夫拉西亚伯等，都不及象牙库什形象复杂、丰满。

（2）象牙库什妖魔化形象的成因

如叶舒宪所指出，由于党同伐异的天性，人类种族之间自发地产生彼此敌视和歧视的态度，于是，丑化、兽化和妖魔化异族之人的现象自古以来屡见不鲜。[27]当有强大敌手曾给本族群造成重大灾难而本族群又无力抵抗之时，集体创伤记忆便可能产生，在代代相传的过程中，强大、残暴的压迫者往往以妖魔化甚至超自然的面貌呈现出来。由于《库什王纪》没有回避伊朗族群相对屈辱和痛苦的记忆，它更客观地反映了上古伊朗人与其周边族群的关系。象牙库什魔鬼般的容貌、暴躁

---

27 参见叶舒宪:《文学与人类学: 知识全球化时代的文学研究》,北京: 社会科学文献出版社, 2003年,第6页及注释③。

的脾性以及强大的战斗力，当属异族英雄人物或军事统帅在伊朗传说中被妖魔化的结果。据史诗情节，象牙库什恐怖骇人的相貌在战场上经常收到震慑敌军的奇效，在冷兵器时代不失为一种天生优势。军事史上，某些古代将领在与敌军作战时，曾通过“自我妖魔化”——带上狰狞的面具临阵对敌，来起到打击敌人士气的作用。可见，无论是在故事中妖魔化强大而残暴的敌人，还是在实战中自我丑化以震慑敌军，都基于趋利避害的人性。

《库什王纪》格外凸显了象牙库什妖魔化的外貌，佐哈克尽管也出现在这部史诗的叙事中，但其形象略有所趋于“正常化”。《阿维斯塔》中佐哈克的原型是三头三口六眼[28]的蛇身巨妖；《列王纪》将佐哈克塑造为双肩生蛇的暴君；按《库什王纪》的叙事，他是双肩生出赘肉的人。佐哈克占领伊朗并继续向东追杀贾姆希德及其族人的史诗情节，可能是对某些次闪族人占领伊朗大部，双方的军事斗争已延伸到伊朗东部的历史事件之反映。该传说或由新亚述帝国侵入埃兰的历史记忆肇始，在糅合了阿拉伯大军灭萨珊帝国的历史记忆之后进一步演进。到了《库什王纪》里，两大王族冲突的主战场已向东推进至中国——秦与两个马秦（其一为巴希拉），亦即伊朗东方世界的集合。在贾姆希德和佐哈克两大家族围绕世界王权的斗争中，佐哈克是《列王纪》中的反派主角，因此他的形象被强烈妖魔化；而在《库什王纪》中，佐哈克退居“配角”的地位，被强烈丑化和妖魔化的是象牙库什——作为佐哈克族人中的“后起之秀”，他是一位长期与伊朗人为敌的强大异族军事统帅。象牙库什是驱动《库什王纪》整部史诗情节发展的主角，因而其丑恶的外貌在行文中被屡屡提及，诗人以此在读者脑海中不断强化这一妖魔化形象。其中最重要的原因，还是可自《库什王纪》传承的伊朗传统文化中找寻——如伊朗学者扎赫拉·达什特班（Zahrā Dashtbān）指出，《库什王纪》的部分内容，如同在《列王纪》中表现出来的，植根于诗人的一种信仰，即伊朗神话和原生宗教思想中的“二元

28 一说“三头三口千眼”。E. Yarshater, “Zuhāk,” in *EI2*, vol. 11, p. 554。

观念”——善恶对立—二者长期斗争—善终胜恶。[29]《库什王纪》中的伊朗诸王无疑是善的象征，而他们的对立面象牙库什，是恶的象征，其形象被强烈妖魔化遂成顺理成章之事。

（3）象牙库什妖魔化形象暗示的伊朗与古代印度和中国的文化交流

从象牙库什的妖魔化形象还可隐约看出伊朗与其周边诸文明，尤其是古代印度和中国在文化传统上的交流互动，于此略加探讨。

中国人想必对象牙库什“赤发碧眼、青面獠牙”的形象不会感到陌生。以“四大古典名著”为例，《西游记》常以“赤发碧眼、蓝靛脸”这样的套语来描绘妖怪；《三国演义》描写孙权非同常人的相貌是“紫髯碧眼”；《水浒传》中的刘唐因外貌特征而得绰号“赤发鬼”。成语“青面獠牙”更是频繁出现在神魔小说《封神演义》中，也见于大量其他古典文学作品中，此类文学形象概可溯源至佛教造像文化中的鬼怪恶相和金刚怒相。古时，伊朗、印度和中国三大文明之间的物质与文化交流密切，在佛教入华的过程中，古代伊朗语族人——包括粟特人、于阗人、安息人等曾为中介，使源出古代伊朗以及周边其他文明的某些文化元素也渗透进传入中原的佛教，印度文化和佛教文化也堪为联系象牙库什的妖魔化形象与中国古典文学中类似形象的纽带。关于这一点，佐哈克三头六眼的原型形象呼应哪吒、殷郊等人三头六臂的形象亦可为旁证。中国古典文学中三头六臂的人物形象一般认为受到起源于古印度的佛教文化影响，因而三头六眼的佐哈克原型和中国神魔小说中的三头六臂形象之间的相似性，也可被视作伊朗与中国文化现象之间在印度文化的沟通下呈现出来的某种关联。

按《库什王纪》的叙事，库什家族有男性面貌丑恶而女性端庄美貌的特点，与佛经所云“阿修罗男，身形丑恶，阿修罗女，端正美貌”颇为类似。象牙库什的母亲非常美貌，他的相貌却极为丑恶，形成鲜明对比；象牙库什与努尚之女内高琳所生之子迦南与他一样面貌丑恶，也

29 Dashtbān, “Barrasī va muʿarrifī-yi barkh-ī az qahramānān-i asāṭīrī-yi manẓūma-yi *Kūshnāma*,” p. 101.

长着大象一般的耳朵和獠牙，但迦南同父同母的妹妹玛赫切赫尔却如其母亲一般美貌。此外，象牙库什在史诗中并非自始至终都贴着邪恶的标签，他也曾归顺正道造福于民，一生可谓亦正亦邪。在一千五百年的漫长生命中，他还多次妄称自己为真神。如此种种，亦与阿修罗非神、非鬼、非人的特性有些相似。象牙库什的典型性格特征——暴躁好斗且骄傲自大，也颇类似阿修罗的性格特征。据此推断，如同贾姆希德、阿贝廷、法里东等伊朗史诗中的英雄，象牙库什这一人物形象可能也含有继承自古印度-伊朗人共同体时期的文化因子。梵语阿修罗一词作Asura，源于古老的印度-伊朗共同语，在伊朗语中对应琐罗亚斯德教神主之名阿胡拉（Ahurā）。在印度神话体系中，阿修罗意为“非天”，与“天人”（提婆/提毗）相对；在伊朗神话体系中则恰好相反，阿胡拉为善神，迪弗（dīv）为魔鬼。象牙库什在史诗中有“地狱的魔鬼”（dīv-i dūzakh）、“魔鬼之子”、“魔鬼面容者”之称，倘言其对阿修罗形象及相关印度文化元素有所借鉴，也不失为一种假说。

最后，按印度神话，象头神（Ganesha）[30]幼时与父亲湿婆在不知彼此身份的情况下发生打斗，湿婆砍掉了儿子的头颅，后又代之以大象的头颅令其复生。而据《库什王纪》，象牙库什长着大象般的双耳和獠牙，也曾与自己的生父战斗。仅凭头部外貌相似和父子之战这两点，恐难以判定象牙库什故事与象头神传说是否有联系，但二者头部外貌具有很直观的相似性，无法完全排除象牙库什形象的形成受到象头神形象影响的可能性。

二、象牙库什的历史原型

1. 文献中的库什家族谱系

据《库什王纪》，象牙库什是库什之子，他有子名迦南，迦南有子名奈姆鲁德，这一世系片断与古代闪族传说中的人类祖先与先知世系的

30 有多种对音汉译作伽内什、犍尼萨、格涅沙等。

一支相吻合,即库什父子之名源自努哈之子含(Ḥām)的长子,汉译《圣经》中作古实。据《安克圣经大辞典》(*The Anchor Bible Dictionary*):

古实(Cush,希伯来语:Kūsh)是含的儿子,是西巴(Seba)、哈腓拉(Havilah)、撒弗他(Sabtah)、拉玛(Raamah)、撒弗提迦(Sabteca)和宁录(Nimrod)的父亲(《创世纪》10:6—8)。这个古实是由其而得名的古实人(Cushites)的祖先;鉴于他与宁录的关系,显然他也是一个美索不达米亚族群的祖先。因此,除了埃塞俄比亚[31]的古实人以外,古实还被视为统治巴比伦直到前12世纪的加喜特人(Kassites,希腊语:Cossean)的祖先,或者曾在前18世纪征服巴比伦的卡什(Kash)[32]的祖先。[33]

在《伊斯兰大百科》Kūsh词条下,编撰者首先综述《圣经》所及世系——库什是含的长子,是麦西(Miṣrāyim)、弗(Pūṭ / Fūṭ)和迦南(K^{e}na'ān / Kan'ān)的兄长,是西巴(S^{e}bā')、哈腓拉(Ḥ^{a}wīlāh)、撒弗他(Sabtā')、拉玛(Ra'māh)和撒弗提迦(Sabt^{e}ka')的父亲,是拉玛之子示巴(Sh^{e}bā')和底但(D^{e}dān)的祖父;而后指出,库什绝大多数后裔的名字都与红海沿岸地区相关联,他们所处地域看起来与阿拉比亚(Arabia)[34]和红海有关,但库什同时又被记作奈姆鲁德的父亲,而奈姆鲁德是与美索不达米亚联系在一起的。[35]

---

31 古代的埃塞俄比亚有别于今天的埃塞俄比亚共和国,古实人(今称库希特人)的疆域大致主要在今苏丹境内,另有古称为努比亚。古实/库什本为古埃及人对努比亚的称谓,下文另有详述。

32 早期加喜特王卡什提里亚什一世(Kashtiliashu I)。

33 Siegfried S. Johnson, "Cush," in David Noel Freedman (ed.), *The Anchor Bible Dictionary,* New York: Doubleday, 1992, vol. 1, p. 1219。据新近研究,加喜特(Kassite)之名源自阿卡德语kaššû,该术语不应与源自古埃及语kꜣš,见于"阿玛尔那书信"(Amarna Letters)等亚述文献中的努比亚之名Kaši/a——具体形式有地名Ka-si/ši、Ka-a-ša、Ku(-u)-si/ši,以及族群名Ku-sa-a(-a)等——相混淆。即古实/库什与加喜特这两个专名之间并无词源上的联系。Nathanael Shelley, "*Kaššû*. Cultural Labels and Identity in Ancient Mesopotamia," in Alexa Bartelmus and Katja Sternitzke (eds.), *Karduniaš. Babylonia Under the Kassites*, Boston / Berlin: Walter de Gruyter Inc., 2017, pp. 196—208。

34 罗马帝国行省名,也泛指以阿拉伯半岛为中心的"阿拉伯地区"。

35 D. Cohen, "Kūsh," in *EI2*, vol. 5, p. 521。在这段文字中,除Kūsh译为"库什"而不是"古实",Nimrod译为"奈姆鲁德"而非"宁录"之外,其余人名均按汉译《圣经》。

中古时期的穆斯林学者在编撰人类文明起源历史之时，大多基本接受古闪族传说中的人类先知和诸王世系，但往往又做出略有差异的记述。《泰伯里历史》所载库什，是努哈之子含之子迦南之子。[36]《黄金草原》的记载有两条脉络——关于“黑人起源”的章节中，库什被记作迦南之子，努比亚人、布杰人[37]都是其后裔；[38]在讲到库什的儿子奈姆鲁德时代巴贝尔地带大塔（巴别塔）的倒塌时，又把库什记作诺亚之子闪之子。[39]

而据《巴尔阿密历史》“[关于]阿斯菲楠之子阿夫里东”小标题项下：

> 法里东死后，其二子图志（Tūj）与萨勒姆认为分封不公，遂毁弃与父亲的定约，他们出于对伊拉治的嫉恨，向其发起战争。二人合力杀死伊拉治后，中分了世界。但他们的统治很不稳固，到处都有人崛起称王，他们手中仅剩下巴比伦地区，并就此死去。王权也离他们的子嗣而去，落入一位名为库什（Kūsh）的王的手中，他是努哈之子含之子，整个伊朗地区都落入其手中。他统治了四十年，崇拜偶像，且是个不公正者和暴君。嗣后，其子迦南（Kanʿān）占据王位，他也崇拜偶像。而据另外一些人说，当两位兄长杀死伊拉治之时，法里东还活着，他祈求道：“主啊，请不要赐我以死亡，以便让我看到自伊拉治的子嗣中有人为他复仇……”[40]

此后的文字便是关于法里东让伊拉治之女与自己的另一子结合，终有一男孩（玛努切赫尔）出于他们的隔代后人之中的叙事。巴尔阿密在这部分文字的最后说道，此事之后，贾里尔（泰伯里）在有关玛努切赫

36 Ṭabarī, *The History of al-Ṭabarī (Ta'rīkh al-rusul wa'l-mulūk)*, vol. 2, *Prophets and Patriarchs*, p. 105.

37 另有汉译作“布加人”和“布贾人”。

38 马苏第：《黄金草原》，第436页。

39 马苏第：《黄金草原》，第581页。

40 Balʿamī, *Tārīkh-i Balʿamī: Takmila va tarjuma-yi Tārīkh-i Ṭabarī*, pp. 149—150。汉译较原文略有节略。

尔的记述中讲述这个男孩［之事］。[41]《巴尔阿密历史》旋即进入下一个小标题——“［关于］迦南之子奈姆鲁德为王当政”：“努哈之子含之子库什之子迦南之子奈姆鲁德，是偶像崇拜者，是个暴君……”[42]据此，《库什王纪》中关于库什称王和象牙库什介入萨勒姆与图尔叛乱的叙事，也是对伊朗–伊斯兰文献传统的某种继承。而这一叙事素材，或曰“创作动机”，恰是被菲尔多西有意无意忽略掉的，伊本·阿比·黑尔就其展开而作的详尽叙事，最终成了《库什王纪》主要情节的一部分。

《历史与故事辑要》有多处提及有关库什父子称王的信息以及他们的世系。在“伊朗诸王”（pādishāhān-i ʿAjam）章节的“毕瓦尔阿斯布·佐哈克（Bīvar-asb Ẓaḥḥāk）为王一千年”小标题项下：

［佐哈克］派遣自己的兄弟——库什去往东方的疆土（ḥudūd-i mashriq）追踪贾姆希德的子孙们。[43]

“阿夫里东（Afrīdūn）为王五百年”小标题项下：

法里东派遣卡兰·卡维去往秦，以擒拿象牙库什……后来，法里东释放了象牙库什，令其作西［和］南方的王，一段时间之后，他抗命叛乱……[44]

“对每位王当政期间的诸先知、穆巴德、将领、名人的简要记述”小标题项下：

在佐哈克的时代：……诸名人有戈尔沙斯帕，他是贾姆希德的子孙，是世界上的英雄；以及其［佐哈克］侄子，库什之子象牙库什，他属

41 Balʿamī, *Tārīkh-i Balʿamī: Takmila va tarjuma-yi Tārīkh-i Ṭabarī*, p. 150.

42 Balʿamī, *Tārīkh-i Balʿamī: Takmila va tarjuma-yi Tārīkh-i Ṭabarī*, p. 151.

43 Bahār (ed.), *Mujmal al-tawārīkh wa-al-qiṣaṣ*, p. 40.

44 Bahār (ed.), *Mujmal al-tawārīkh wa-al-qiṣaṣ*, pp. 41—42.

魔鬼和巫师之列……[45]

此外,《历史与故事辑要》在“关于诸先知的生平和简要信息”章节中的“先知努哈”(Nūḥ al-nabī)与“先知易卜拉欣”(Ibrāhīm al-nabī)两个小标题项下,也都提及库什与象牙库什——讲到库什称王于法里东与玛努切赫尔之间,象牙库什曾叛乱并在马格里布建立统治,且有对其世系的记述——库什为努哈之子含(Ḥām)的诸子之一,奈姆鲁德是库什之子迦南之子。[46]《历史与故事辑要》基于包括多部伊朗民族史诗在内的繁杂的伊朗古代文献内容编纂成书,因“象牙库什的故事”鲜见于其他伊朗-伊斯兰文献,《历史与故事辑要》中上述关于库什与象牙库什的记载大概皆引述自《库什王纪》。

伊朗学者扎赫拉·达什特班也曾对述及库什的部分文献记载做过清理,她提到,除《圣经》《黄金草原》《泰伯里历史》外,库什之名也见载于其他一些伊斯兰时代的历史文献中。伊本·伊伯里(Ibn al-ʿIbrī, 即 Bar Hebraeus, 1226—1286)在《列国简史》(*Tārīkh mukhtaṣar al-duwal*)中以“侵略者、有罪者库什”之名将其记载,说他欺压以色列人八年的时间,奈姆鲁德是他的儿子;伊本·艾西尔(Ibn al-Athīr, 1160—1233)的《历史大全》(*al-Kāmil fī al-tārīkh*)也有关于库什的文字记录。[47]

显然,《库什王纪》中的库什之名源自古闪族传说中努哈后裔的名字,从《圣经》文献传统到穆斯林所著历史著作,再到伊朗民族史诗《库什王纪》,库什的世系略有差异,择其要比对如下:

《圣经·旧约·创世纪》: 挪亚—含—古实(迦南为其兄弟)—宁录;

《泰伯里历史》: 努哈—含—迦南—库什—奈姆鲁德(宁录)[48];

---

45 Bahār (ed.), *Mujmal al-tawārīkh wa-al-qiṣaṣ*, p. 89.

46 Bahār (ed.), *Mujmal al-tawārīkh wa-al-qiṣaṣ*, pp. 187—189.

47 Dashtbān, “Barrasī va muʿarrifī-yi barkh-ī az qahramānān-i asāṭīrī-yi manẓūma-yi *Kūshnāma*,” p. 100.

48 Namrūd. 在 Ṭabarī, *The History of al-Ṭabarī (Ta'rīkh al-rusul wa'l-mulūk)*, vol. 2, *Prophets and Patriarchs* 中,英译径作 Nimrod(宁录)。

《黄金草原》第3章与第33章：诺亚—含—迦南—库什；

《黄金草原》第47章：诺亚—闪—库什—奈姆鲁德；

《巴尔阿密历史》：努哈—含—库什—迦南—奈姆鲁德；

《库什王纪》：库什—象牙库什—迦南—奈姆鲁德（奈姆鲁德有兄长亦名为库什）；

《历史与故事辑要》：努哈—含—库什—迦南—奈姆鲁德（库什为佐哈克的兄弟，象牙库什为库什之子、佐哈克之侄；含与佐哈克，以及象牙库什与迦南的关系不明确）。

即《库什王纪》所述“库什—迦南—奈姆鲁德”的代际排序与《巴尔阿密历史》所载一致。这两部波斯语著作分别成书于10世纪和12世纪初，略晚于成书于公元9世纪的阿拉伯语穆斯林历史著作《泰伯里历史》和《黄金草原》，其中关于库什世系的描述，应在前人记述的基础上又做了加工。因《巴尔阿密历史》成书早于《库什王纪》一百多年，且二者同属伊朗的达里波斯语文献传统，若说前者影响了后者，也是顺理成章的推论。值得注意的是，尽管《巴尔阿密历史》是基于《泰伯里历史》的编译和改写之作，在上述数人世系的记述上，却没有完全遵循原著。《历史与故事辑要》则综合了《巴尔阿密历史》和《库什王纪》所载，一方面接受了“努哈—含—库什—迦南—奈姆鲁德”的世系，另一方面也采纳了《库什王纪》的说法——库什之子象牙库什是佐哈克的侄子。这导致该文献中的记述略显含混，但也表明其作者有继续统合伊斯兰文献传统与伊朗文献传统的意图。

2. 佐哈克与象牙库什的历史原型——多重异族首领身份的集成

在《库什王纪》中，库什与象牙库什作为佐哈克族人出场，因此追溯象牙库什的历史原型需与追溯佐哈克的历史原型同时进行。

（1）佐哈克历史原型

关于《阿维斯塔》所载阿日达哈克如何演变为《列王纪》叙事中的佐哈克，以及佐哈克这一伊朗史诗文献传统中的暴君形象形成的历史记忆根源，萨法曾有详细论述，本书对其稍作归纳整理并引述于此：从琐罗亚斯德教经典中可以得到这样的信息，佐哈克的名字在《阿维斯塔》中是阿日达哈克，这个名字在巴列维语文献中也有记载。该词由阿日（azhī）和达哈克（dahāk）两部分组成，在阿维斯塔语中，阿日是蛇的意思，达哈克指恶魔的创造物。正如我们所见到的，阿日达哈克在所有对其记载中都展现出恶魔一般的邪恶而危险的形象，他有三张嘴、三个头颅和六只眼睛，被称作灾难、混乱、动荡和堕落的根源。从与佐哈克有关的故事和他双肩生蛇的传说中可以很清楚地看到，在后来的故事中他“三口三头六眼”的问题如何得以解决，并令其被描述为人的形象。因为他的肩上生长出两条蛇，他与这两条蛇就共有“三口三头六眼”了。这一传说中的人物，有可能源自《阿维斯塔》和一些伊朗民族非常古老的传说中记述的很多血腥的、灾难性的事件。他最初被描述为蛇形的、非常危险的恶魔创造物，并得到阿日达哈克之名；在后来的传说中，他的形象由于这个名字而逐渐演变为双肩生蛇的邪恶之人。《列王纪》中，佐哈克数次被称作“恶蟒”（azhdahā），该称谓可能是阿日达哈克（Azhīdahāka）的缩略形式，也是伊朗古人对这位世界破坏者与毁灭者之印象的一种最好表现形式。[49]结合佐哈克传说与象牙库什传说，萨法又有进一步推论：阿日达哈克在伊朗西部的巴比伦（Bawrī）地区是一位强大而有威望的王，曾经自亚述（Āshūr）或迦勒底（Kalda）向伊朗发动攻击。正如我们所知，伊朗在米底（Māda）和阿契美尼德（Hakhāmanishī）政权兴起以前，曾数度遭受迦勒底人（Kaldānī）和亚述人（Āshūrī）血腥残酷的军事入侵，被血腥残酷入侵的记忆存留在伊朗人的脑海中，于是出现了诸如佐哈克的故事和象牙库什的故事等一系列传说。在迦勒底和亚述已被伊朗人逐渐淡忘的岁月里，人们把佐哈克与阿拉伯部族关联在一起，当然，阿拉伯人与亚述人和迦勒底人都起源自闪族部落。在《阿维斯塔》中，佐哈克占领并统治伊朗的时代在贾姆希德之后和法里东之前，这一点在后来的传说中都被遵循。[50]

关于佐哈克形象的起源，西方学者也做过深入研究。杜列巴曾

49 Ṣafā, *Ḥamāsa-sarāyī dar Īrān*, p. 455.

50 Ṣafā, *Ḥamāsa-sarāyī dar Īrān*, pp. 456—457.

通过综合总结詹姆斯·达美施泰特(James Darmesteter)、爱德华·威廉·维斯特(Edward William West)、恩斯特·赫茨菲尔德(Ernst Herzfeld)、奥尔姆斯蒂德(A. T. Olmstead)以及亨利·威廉·弗雷德里克·萨格斯(Henry William Frederick Saggs)等多位东方学家的观点，把佐哈克同被居鲁士大帝击败的新巴比伦王国(Neo-Babylonian Empire，前626—前539)末代王那波尼德(Nabunaid，亦作Nabonidus，前556—前539年在位)进行类比。杜列巴说："在达美施泰特看来，篡位者阿日被认定为迦勒底人，伊朗的宿敌。而巴比伦之名[51]反映出一个[关于]以往亚述人的压迫之模糊历史图景——[亚述人的压迫]后来被推翻并被遗忘，以及对非伊朗人的迦勒底人一种强烈民族性憎恶的表达。"[52]关于佐哈克弑父夺位的传说，杜列巴认为《列王纪》中的佐哈克之父玛尔达斯明显让人联想到巴比伦的主神马尔都克(Marduk)；而马尔都克之子，波尔西帕(Borsippa)的守护神纳布(Nabu)，据萨格斯，在巴比伦人的文明最终受到来自波斯、希腊和巴勒斯坦的新观念的压力之时，几乎取代了马尔都克。[53]奥尔姆斯蒂德主张，巴比伦的末代王那波尼德在位时，他疏远了马尔都克的祭司们，因为他当时崇拜的是月神辛(Sin)，此事导致了他的骤然失败。[54]最终，杜列巴没有明确做出结论，但他一直在暗示，佐哈克弑父夺位的史诗情节，与纳布几乎取代马尔都克，以及那波尼德在其前任君主拉巴施马尔杜克(Labashi-Marduk，前556年在位)于政变中被杀之后继任为王等历史事件有联系。他还指出，《丁卡尔特》中记载"佐哈克在巴比伦(Bāpel)利用妖术引诱人类走上偶像崇拜之路，这种现象的增加导致世界的崩坏"，而在萨格斯整理的巴比伦文书片断中，记载了那波尼德与之相类似的种种恶行。[55]这个类比也暗指佐哈克的历史人物原型很可能是那波尼德。此外，杜列巴还提到一个有趣的线索，即佐哈克双肩生蛇的形象可能与

51　据《阿维斯塔》文献传统，阿日达哈克出身于巴比伦。

52　Dulęba, *The Cyrus Legend in the Šāhnāme*, p. 41.

53　Dulęba, *The Cyrus Legend in the Šāhnāme*, pp. 45—46.

54　转引自Dulęba, *The Cyrus Legend in the Šāhnāme*, p. 46。

55　Dulęba, *The Cyrus Legend in the Šāhnāme*, pp. 48—49.

汉谟拉比石柱柱头浮雕中的太阳神沙玛什(Shamash)有关。[56]在汉谟拉比法典石柱上部的浮雕中,坐着的沙玛什正在向汉谟拉比授予象征最高统治权和司法裁判权的符号,[57]沙玛什左右肩上各有三条弯曲物,可以解释为太阳神的光芒,但确实很像蛇的样子(如图1)。

图1 汉谟拉比法典石柱上部沙玛什形象[58]

萨法和多位西方学者均将佐哈克的原型溯源至美索不达米亚地区的古闪族统治者,当属合理推断。而在古印欧人建立的米底王国和阿契美尼德帝国崛起之前,古闪族对伊朗地区的多次军事入侵中,就深入伊朗境内程度和对伊朗当地政权造成打击的严重程度而言,无过于新亚述帝国最后一位雄才大略的君主亚述巴尼拔(Aššurbānapli / Ashurbanipal,前668—约前627年在位)对埃兰王国发动的旷日持久的军事进攻。亚述与埃兰之间原本长期处于时战时和的状态,武功鼎盛的新亚述帝国多次征伐扎格罗斯山脉西麓的埃兰传统领地,数度攻入并劫掠埃兰都城苏萨(Susa)等重要城市,而历代埃兰王屡次在兵败后弃城躲入山中,待亚述大军撤走,总能恢复埃兰的统治。但大约在公元

56 Dulęba, *The Cyrus Legend in the Šāhnāme*, p. 46.

57 该符号现被识别作丈量之用的绳子和棍棒,其象征意义被解读为规则与秩序。参见Gebhard J. Selz, "Power, economy and social organization in Babylonia," in Gwendolyn Leick (ed.), *The Babylonian World*, New York: Routledge, 2007, pp. 276—287。

58 笔者于2013年7月摄于巴黎卢浮宫。

前653—前639年间，亚述巴尼拔连续数次对埃兰用兵，全面出击，攻陷埃兰全境，将苏萨城掳掠一空并彻底摧毁，几乎导致埃兰这一千年古国彻底灭亡。[59]亚述巴尼拔留下的王铭也表明，其在位中后期的几次大规模征伐对埃兰造成的破坏是毁灭性的：

在一个月零二十五天的行军（距离）中，我摧毁了埃兰诸省，我在那些地方撒上了盐和sihlu（某种多刺的植物）。埃兰诸王的女儿们、姐妹们，以及他们家族中的老老少少，那些我所征服的诸城市的地方官吏们，那里所有弓箭手、战车兵的将领和士兵，民众——无论男女老幼、地位高低，马、驴、骡、牛、羊——数量巨大胜过蝗群，我全都掳至亚述。苏萨、马达克图（Madaktu）、哈尔特马什（Haltemash）以及他们的其他诸城的灰烬尘土，我都收集在一起并带到亚述。在一个月的时间内，我摧毁了埃兰直至其最远边界。我令人语声、牛和羊的蹄声、喜庆的欢呼声，自其土地上销声匿迹。我让野驴、羚羊，以及原野上的各种野兽，卧在那些地方如在家园一般。[60]

埃兰是伊朗高原上最早兴起的原生文明，地处伊朗高原西南部扎格罗斯山脉西麓和胡泽斯坦平原，毗邻美索不达米亚。新埃兰时期（Neo-Elamite period，约前1100—前540），埃兰王国长期与两河流域的新亚述帝国及其后的新巴比伦帝国有合纵连横、战和不定的纠葛，多数情况下，后两者对埃兰具有相对的军事优势。新亚述帝国中后期，巴比伦尼亚（Babylonia）在亚述王治下，直至阿萨尔哈东（Esarhaddon，前680—前669）决定将亚述王之位传给亚述巴尼拔，同时指定其另一子

59 I. M. Diakonoff, "Elam," in Gershevitch (ed.), *The Cambridge History of Iran*, vol. 2, pp. 22—23. A. K. Grayson, "Assyria 668–635 B.C.: The reign of Ashurbanipal," in John Boardman et al (ed.), *The Cambridge Ancient History*, vol. 3, part 2, *The Assyrian and Babylonian Empires and other States of the Near East, from the Eighth to the Sixth Centuries B.C.*, Cambridge: Cambridge University Press, 1991, pp. 153—154。王兴运：《古代伊朗文明探源》，北京：商务印书馆，2008年，第154页。

60 Daniel David Luckenbill, *Ancient Records of Assyria and Babylonia*, vol. 2, Chicago: The University of Chicago Press, 1927, pp. 310—311.

沙玛什–舒姆–乌金(Shamash-shuma-ukin)作巴比伦王;亚述巴尼拔继位时,在阿萨尔哈东的母亲纳吉娅(Naqia)的安排下,得到其所有兄弟的宣誓效忠。但十余年后,沙玛什–舒姆–乌金不再听命于亚述巴尼拔,亚述巴尼拔视此为背叛,遂兴兵讨伐。而在沙玛什–舒姆–乌金组织的反亚述同盟中,埃兰是一支重要力量,是巴比伦人的外援。[61]"亚述巴尼拔平定沙玛什–舒姆–乌金叛乱之后,不计得失地对埃兰穷追猛打,属带有情绪的泄恨,并非理智决策。因为此前埃兰遭遇灾荒时,亚述巴尼拔通过输送大批粮食帮助过埃兰人,而沙玛什–舒姆–乌金叛乱时,埃兰人却帮助叛乱者,在亚述巴尼拔看来不啻恩将仇报。亚述巴尼拔通过战争摧垮埃兰的统治力量,极大地消耗了亚述国力,实属得不偿失之举,还间接导致已进入伊朗高原西部的古伊朗人——米底人和波斯人政权崛起。"[62]亚述人扫荡埃兰的军事行动发生之时,属后来者的古伊朗人诸部落尚处于埃兰治下,随着埃兰政权的崩溃,米底人和波斯人相继成为伊朗的主宰,而埃兰遭受古闪族残酷入侵的历史记忆,也由波斯人等伊朗族群继承下来,通过《阿维斯塔》文献传统和巴列维语文献传统,经历不断的流传和变异,最终进入达里波斯语时代的伊朗民族史诗传统中,呈现为有关佐哈克和象牙库什的传说。

到了伊斯兰时代,对于当时的伊朗人来说,上古历史的轮廓已然模糊不清,很多文献对上古历史的重述掺杂了大量中古时期的信息。佐哈克的原型本是《阿维斯塔》所载起自巴比伦地区的暴君,即美索不达米亚地区古闪族定居文明的首领,然而到了《泰伯里历史》《黄金草原》《列王纪》等伊斯兰时代文献中,佐哈克被描述为游牧的阿拉伯人首领。据杜列巴援引达美施泰特的说法:"在《阿维斯塔》的权威版本定形之时,迦勒底地区已经被一些阿拉伯部落占据,它已经是某种'阿拉伯的伊拉克'(Irāq Arabī),对于《阿维斯塔》的书写者来说,巴比伦(Babylon,即Bawrī)是阿日达哈克的居住地,而阿日达哈克代表着阿拉

---

61 A. K. Grayson, "Assyria: Sennacherib and Esarhaddon (704–669 B.C.)" and "Assyria 668—635 B.C.: The reign of Ashurbanipal," in John Boardman et al (ed.), *The Cambridge Ancient History*, vol. 3, part 2, pp. 140, 147—154.

62 此观点为北京大学亚述学学者陈飞提供,谨此致谢。

伯族群。”[63]维斯特也据《丁卡尔特》等巴列维语文献主张，“阿日达哈克是在贾姆希德（Yim）年老之时征服了他的阿拉伯篡位者或篡权王朝”。[64]而据《库什王纪》提供的关于贾姆希德族人逃亡于秦和两个马秦——古代中国或东亚地区的详尽叙事来看，大量细节中可见阿拉伯大军倾覆萨珊王朝并继续东进至唐王朝边疆之史事的投影。因此，佐哈克形象在伊朗人集体记忆中由古闪族军事统帅演变为阿拉伯人首领，以及《库什王纪》补充库什父子追剿贾姆希德族人直至世界东方尽头的有关传说，均与兴起于阿拉伯地区的穆斯林大军在公元7世纪覆灭萨珊王朝并横扫伊朗地区不无关系，即波斯语伊朗民族史诗中的佐哈克具有多重原型，至少是阿契美尼德王朝兴起前的亚述侵埃兰与阿拉伯军事征服萨珊波斯这两段相隔千年的伊朗人历史记忆的结合。

（2）象牙库什更为复杂的历史原型

戈比诺认为，象牙库什的形象大概来源于伊朗西部地区——比如米底王朝的统治者；或者说象牙库什和他的故事融合了米底和亚述帝国多个统治者形象以及他们的故事。[65]萨法对戈比诺的猜想有所修正：“我并不反对戈比诺的猜测，然而把一个闪族故事中的人物比照为一个雅利安人种的米底人，这使我无法赞同这位学者的观点。”[66]他主张：

象牙库什和其他一些与佐哈克家族相关联的人们，所有邪恶（Ahrīmanī）者以及被算作伊朗敌人的人们，都是阿拉伯人（Tāzī）、迦勒底人（Kaldānī）、亚述人（Āshūrī）这些曾入侵伊朗的闪米特人（Sāmī）的范例。象牙库什的故事，以及他在南方与西方的统治、向东方土地的进军、同贾姆希德和法里东家族的敌对、被卡维之子卡兰（Qāran）击败、被投入法里东的监狱，是对一个似乎曾深入到伊朗高原内部地区很大一部分，并征服了伊朗人各部族的闪米特人——入侵伊朗的英雄的多

63 Dulęba, *The Cyrus Legend in the Šāhnāme*, p. 41.

64 转引自 Dulęba, *The Cyrus Legend in the Šāhnāme*, p. 42。

65 Ṣafā, *Ḥamāsa-sarāyī dar Īrān*, p. 298.

66 Ṣafā, *Ḥamāsa-sarāyī dar Īrān*, p. 299.

重印象集合。基于该想象，关于伊朗人对闪族诸王的起义、推翻他们在伊朗的统治，以及击败他们的记忆也增多了。渐渐地，如同其他的历史观念，说书人和故事创作者们的传说和故事也采纳了这些观念周边的衍生品，并将其如同其他伊朗史诗故事一样，以新的面貌呈现出来，甚至赋予其民族[史诗]的性质。[67]

《库什王纪》中的库什家族世系与古闪族传说中含的子孙世系大体相符，说明其叙事糅合了古闪族传说和古伊朗传说。与之类似的叙事并不少见，除波斯语史诗外，亦见于多部穆斯林所著史地著作中。在《泰伯里历史》中，闪族历代先知与诸王的事迹同伊朗传说中的贾姆希德、佐哈克与法里东等上古诸王事迹被放在一起叙述并作为古代的历史加以记录。《黄金草原》把从加尤马尔斯以降，直到萨珊王朝的伊朗诸王世系并列于闪族先知与诸王世系记载下来，《列王纪》所述贾姆希德、佐哈克、法里东、玛努切赫尔、巴赫曼、凯霍斯鲁和凯卡乌斯等伊朗传说中的上古诸王事迹，多数也见载于《黄金草原》，两部著作记述同一事件的内容概略大同，亦有小异。如据《黄金草原》，贝赫曼[68]对锡斯坦之主鲁斯泰姆[69]发动战争并杀死了他；[70]而据《列王纪》，鲁斯塔姆在巴赫曼兴兵讨伐锡斯坦之前已经去世，死于巴赫曼之手的是其子法拉玛尔兹。[71]相较于上述两部著作，比鲁尼著《古代民族编年史》(*The Chronology of Ancient Nations*)[72]中的记录显示出一种综合观察的精确性和客观性。这部著作整理并收录了亚述、巴比伦、迦勒底、埃及、马其顿、罗马、基督教世界、君士坦丁堡(拜占庭)等诸多古老文明的世系年

---

67 Ṣafā, *Ḥamāsa-sarāyī dar Īrān*, pp. 298—299.

68 即巴赫曼。

69 即鲁斯塔姆。

70 马苏第:《黄金草原》,第272页。

71 在《库什王纪》诗人所作另一部长逾万联的史诗《巴赫曼王纪》中，关于此事有更为详细的叙事。

72 该书阿拉伯语名为*Kitāb al-āthār al-bāqiya ʿan al-qurūn al-khāliya*，字面直译为《过去多个世纪的遗迹》。此处参考的是其英译本：Albīrūnī, *The Chronology of Ancient Nations*, trans. and ed. C. Edward Sachau, London: W. H. Allen & Co., 1879; Frankfurt am Main: Institute of the History of Arabic-Islamic Science at the Johann Wolfgang Goethe University, 1998 (rep.)。

表，同时也详细地列出多个版本的伊朗俾什达迪（Pīshdādī）、阿什康尼（Ashkānī，安息）和萨珊诸王朝的世系年表。然而，更多的穆斯林史地文献在叙事风格上还是更近于《泰伯里历史》与《黄金草原》。

在诸族群间冲突与融合频仍的西亚与北非地区，犹太人、阿拉伯人和伊朗人在中古时期都曾持续重述历史，各族群于其中互有交集的一些重大历史事件也被不断书写下来。在《圣经·旧约》中就已有关于伊朗人与闪族人打交道的记录。例如居鲁士大帝攻灭新巴比伦，释放被囚禁在那里数十年的犹太人，并将他们送回耶路撒冷重建圣殿；大流士一世（Darius I，前522—前486年在位）当政的第六年第二圣殿[73]终于建成等。一些早期穆斯林所著历史著作中的记录也夹杂着伊朗传说与之相呼应，比如据《黄金草原》载："有人说释放巴比伦之囚的居鲁士是巴赫曼为王期间的伊拉克地方统治者。"[74]在当时，古代埃及文献和美索不达米亚的楔形文字文献尚未被释读，人们对上古历史的认识本就模糊不清，在重述历史的过程中，各文本间又不断相互借鉴，甚至采纳口头传统的内容而持续生发，古闪族传说和古伊朗传说合流的产物就层出不穷了。由于新波斯语的兴起在阿拉伯语作为通用书面语流行于伊朗地域近两个世纪之后，伊朗人在伊斯兰时代通过波斯语史诗和历史著作重述历史的过程也相对较晚出现，遂做出更加明显的统合伊斯兰与伊朗口头与书面传统的努力。伊朗人编纂的《巴尔阿密历史》《历史与故事辑要》《选史》等，均表现出统合伊斯兰史料和伊朗口头与书面传统的显著特征。《库什王纪》提供的丰富信息，表明它也是这个过程中的产物，而且在象牙库什这一史诗角色身上，集成了多重的异族首领身份。

a. 以奈姆鲁德为代表的美索不达米亚古闪族诸王

《泰伯里历史》中关于库什没有太多文字记载，但关于奈姆鲁德有较为详细的记录。在"努哈之子含之子迦南之子库什之子奈姆鲁德"[75]的章节中，关于奈姆鲁德主张自己是真主：

73　以被新巴比伦王国尼布甲尼撒二世摧毁的圣殿为第一圣殿。

74　马苏第：《黄金草原》，第273页。

75　此处的世系关系与《圣经·旧约》和《库什王纪》所载都略有差异。

关于我就他的愚昧以及真主对他的惩罚所说过的内容，据al-Ḥasan b. Yaḥyā-ʿAbd al-Razzāq-Maʿmar-Zayd b. Aslam所说：大地上的第一个暴君是奈姆鲁德。人们曾经向他寻求食物供应。当人们来到他跟前他会问他们："谁是你们的主人？"他们要说："你。"当易卜拉欣来到他跟前，他问他："谁是你的主人？"易卜拉欣答道："我的主人是那给予生命和导致死亡的他。"奈姆鲁德告诉他："我给予生命并导致死亡。"易卜拉欣说："真主让太阳从东方升起，那[你]让它从西方升起吧。""那个不信道的人，就哑口无言了。"[76]于是，他没有给食物就把易卜拉欣打发走了。[77]

《库什王纪》中，象牙库什曾多次宣称自己是造物主。以他统治秦的时期为例，他曾问人们"我是谁"，回答"你是王（shāh）"的人都被他杀死了，最终所有人都被迫称他为"主"（Khudāy，即真神、真主）。[78]该事件类似于奈姆鲁德同世人的问答。易卜拉欣与奈姆鲁德的问答还会让人想到《库什王纪》临近终篇的章节中智慧老者与象牙库什关于谁是真神的辩论。[79]不同之处在于，象牙库什在智慧老者的指引下走上了弃恶从善、崇信真神的正途。尽管《泰伯里历史》等文献中关于奈姆鲁德的记录与《库什王纪》中象牙库什主张真神身份的故事细节略有不同，但这些文本间的相互关联和映射毕竟为揭示库什与奈姆鲁德有关传说的影响—接受关系提供了参考，况且《泰伯里历史》所载奈姆鲁德与《库什王纪》中象牙库什的很多作为与经历确实非常相似。据此足以确认，伊斯兰时代历史文献记录中的奈姆鲁德传说是构成"象牙库什的故事"这一伊朗民族史诗某些情节的素材来源之一。

伊斯兰时代用阿拉伯语著书立说的穆斯林学者有不少是伊朗人，泰伯里也是其中一员。他出生在里海南岸、厄尔布尔士（Alburz）山麓的

---

76 这句话在《泰伯里历史》英译本中原带引号，因其出自《古兰经》(2: 258)，此句译文引自马坚译：《古兰经》，北京：中国社会科学出版社，2003年，第30页。

77 Ṭabarī, *The History of al-Ṭabarī (Ta'rīkh al-rusul wa'l-mulūk)*, vol. 2, *Prophets and Patriarchs*, p. 106.

78 Ibn Abī al-Khayr, *Kūshnāma*, pp. 507—508.

79 辩论过程较长，参见Ibn Abī al-Khayr, *Kūshnāma*, pp. 664—668。

泰伯里斯坦首府阿莫勒，通晓波斯语和阿拉伯语，精通伊斯兰教各教派学说，谙熟犹太教、基督教和琐罗亚斯德教经典教义，了解古代东方各国的历史与文化，对包括佐哈克传说在内的伊朗古代文献传统也非常熟悉。《泰伯里历史》中有专章详述“毕瓦尔阿斯布（Bīwarasb），即佐哈克（al-Azdahāq）的记录”，言及阿拉伯人称其为al-Ḍaḥḥāk，[80]并在“努哈及其后裔”的章节中，把努哈之子含之子库什之子迦南之子奈姆鲁德的统治与佐哈克的统治相类比。[81]上述努哈到奈姆鲁德的世系关系也近于《圣经·旧约》所载——挪亚之子含有四子，包括古实与迦南，宁录是古实之子。《泰伯里历史》就奈姆鲁德与佐哈克的关系做出详细分析：

有些人说迦南之子库什之子奈姆鲁德，曾是整个大地——东方与西方——的王。那些熟悉历代先王传记和过往的记录的学者们反对这个说法。这是因为他们接受这样的事实（fact）：易卜拉欣生于安达尔玛斯布（Andarmāsb）之子佐哈克（我们在前面已经给出了一些关于他的记录）的时代，而在那个时代，佐哈克是整个大地的王。还有一些记录说，曾有四位王统治了整个世界，分别是两个不信教者和两个信教者。不信教者是奈姆鲁德和尼布甲尼撒，信教者是达五德[82]之子素莱曼[83]和左勒盖尔奈英[84]，所以一些持有“在易卜拉欣的时代，佐哈克是大地——东方与西方——的统治者”这样观点的编年史记录者认为，奈姆鲁德与佐哈克是同一个人。精研有关先祖的记述以及古代人类问题的学者们又有不同意见，因为他们认为，奈姆鲁德是纳巴泰人（Nabatean），而佐哈克出自波斯人（of Persian origin）是众所周知的事实。另外，又有些谙熟前代记述和古代民族的学者已提出，佐哈克（al-Ḍaḥḥāk）委派了奈姆鲁德去统治萨瓦德（Sawād）[85]及其周边地区，令其

80 Ṭabarī, *The History of al-Ṭabarī (Ta'rīkh al-rusul wa'l-mulūk)*, vol. 2, *Prophets and Patriarchs*, p. 1.

81 Ṭabarī, *The History of al-Ṭabarī (Ta'rīkh al-rusul wa'l-mulūk)*, vol. 2, *Prophets and Patriarchs*, p. 16.

82 阿拉伯语原文作Dāwūd，英译作David，即大卫。

83 阿拉伯语原文作Sulaymān，英译作Solomon，即所罗门。

84 阿拉伯语原文作Dhū al-Qarnayn，英译作Alexander，即亚历山大。

85 古代伊朗人称之为伊拉克（巴列维语：Ērag；波斯语：ʿIrāq），参见H. H. Schaeder, "Sawād," in *EI2*, vol. 9, p. 87，以及*LND*, vol. 9, p. 13818。

及其子嗣成为那里的统治者。佐哈克巡行了很多国度，但是他和他祖父母的家乡是达马万德(Danbawand)和泰伯里斯坦(Ṭabaristān)的山脉。就是法里东(Afarīdhūn)用箭射他的地方——当法里东击败他并用铁[链]束缚住他的时候。[86]

泰伯里还认为，任何一个对已知人类历史和古代诸王有研究的人都不会主张纳巴泰人曾自主统治过一小块土地，更不用说作为全世界的王。研究经典文献的学者们和在以往历代记述方面的饱学之士主张：奈姆鲁德代表佐哈克・毕瓦尔阿斯布(al-Azdahāq Bīwarasb)对巴比伦地区的统治持续了四百年；在他死后，权力被他的一个子嗣继承，此人名叫Nabaṭ b. Qaʿūd；之后的巴比伦地区历代统治者依次是Dāwaṣ b. Nabaṭ、Bālish b. Dāwaṣ和Nimrod b. Bālish(巴里什之子奈姆鲁德)。随后法里东推翻佐哈克而成为最高统治者，他杀死了巴里什之子奈姆鲁德并驱逐了纳巴泰人。[87]

整理上面这样的大段文字是为了说明，虽然笔者主张，穆斯林所著历史著作中记录的“奈姆鲁德传说”是《库什王纪》里“象牙库什的故事”之素材来源，但二者间存在着复杂的联系与区别。那个宣称自己是真神的暴君奈姆鲁德的事迹在《库什王纪》中被描述为象牙库什的作为；而《库什王纪》中法里东击败佐哈克并驱逐象牙库什的情节可能要对应《泰伯里历史》中有关“另外一个奈姆鲁德”的记录。另外，上面这段文字同样表明笔者在本研究中反复强调的观点——中古时期犹太人、阿拉伯人和伊朗人的传说之间发生了深刻的相互影响与融合，呈现于古典穆斯林史地著作和伊朗民族史诗文献传统中。泰伯里，这位伊朗裔穆斯林学者，通过以阿拉伯语撰写一部“古代世界通史”，也做出糅合古代伊朗与闪族的口头和书面传统的实践。在《泰伯里历史》中，佐哈克与库什之子奈姆鲁德，法里东与巴里什之子奈姆鲁德已

86 Ṭabarī, *The History of al-Ṭabarī (Ta'rīkh al-rusul wa'l-mulūk)*, vol. 2, *Prophets and Patriarchs*, pp. 109—110.

87 Ṭabarī, *The History of al-Ṭabarī (Ta'rīkh al-rusul wa'l-mulūk)*, vol. 2, *Prophets and Patriarchs*, pp. 110—111.

经被关联起来。如《伊斯兰大百科》的Namrūd词条下所说：

奈姆鲁德传说借鉴了多方资料。泰伯里提到奈姆鲁德曾被认定为波斯[语文献/传说中]的佐哈克，但他否认了这个观点。《圣经》《哈加达》(*Haggada*)[88]和波斯语史诗被进一步发展了，奇迹增加了，一个早期历史被虚构出来，奈姆鲁德制造了一个俄狄浦斯(Oedipus)，在《安塔拉传奇》(*Sīrat ʻAntar*)[89]中他成了一个传奇故事中的英雄。随后，穆斯林的奈姆鲁德传说得以进入关于亚伯拉罕(Abraham)[90]的晚期犹太人传说……《哈加达》与穆斯林传说的相互影响无可争议。[91]

据载有相对较多象牙库什信息的波斯语文献《历史与故事辑要》，在其"关于诸先知的生平和简要信息"章节中，"先知努哈"(Nūḥ al-nabī)小标题项下有以下文字：

我在《贾里尔历史》之外读到，努哈的寿命为一千四百五十年……努哈之后的历史是佐哈克的一千年，贾姆希德也是闪(Sām)的后嗣，佐哈克之后是阿夫里东。然后据说王权离他们而去，为迦南之父库什所得，他是努哈之子含(Ḥām)的诸子之一。在他之后是迦南之子奈姆鲁德，直到玛努切赫尔崛起，[奈姆鲁德]得以在马格里布(Maghrib)、苫国(Shām)和那片疆域如此[称王]，这与象牙库什在马格里布的统治与反叛是相符的。在此期间的伊朗(Īran)土地上，在一段不长的时间内据说没有伊朗人(ʻAjam)的君王，至高的真主(Allāh)最知道事实。[92]

---

88 即*haggadah*，亦转写作*aggadah*，希伯来语词义为"讲述、传说"，作为文献术语，指拉比犹太教文献(rabbinic tradition)中，犹太教法相关内容集合(*halakhah*)之外的，作讲道阐释之用的传说、民间故事、轶闻、格言等内容的集合。

89 以前伊斯兰时代阿拉伯英雄和悬诗诗人安塔拉(ʻAntara ibn Shaddād al-ʻAbsī，以ʻAntar而著称，525—608)为主角的长篇诗体传奇故事。全本汉译可参见艾绥迈伊：《安塔拉传奇》，李唯中译，长沙：湖南文艺出版社，2009年。

90 即伊斯兰文献传统中的易卜拉欣(Ibrāhīm)，在Ṭabarī, *The History of al-Ṭabarī (Ta'rīkh al-rusul wa'l-mulūk)*, vol. 2, *Prophets and Patriarchs*中英译为Abraham。

91 B. Heller, "Namrūd," in *EI2*, vol. 7, p. 953.

92 Bahār (ed.), *Mujmal al-tawārīkh wa-al-qiṣaṣ*, pp. 186—187.

在这段文字中,《历史与故事辑要》的作者把《库什王纪》里记载的象牙库什事迹及其家世有关情况与早期穆斯林所著历史著作中记载的闪族上古史结合在一起,使其成为混合了历史与传说的伊朗人集体记忆的一部分。在上述记载中,称王的库什甚至被与贾姆希德、佐哈克和法里东这些传说中的世界之主相提并论。而关于奈姆鲁德在苫国与马格里布称王,《历史与故事辑要》的作者将此事与象牙库什反叛法里东,在马格里布建立自己的独立王国相类比。尽管他没有提及象牙库什事迹的出处,仍可推断此为《库什王纪》所载,他应该参阅过这部史诗,也可算作最早的《库什王纪》研究者了。下面一段文字同样出自《历史与故事辑要》,在其“先知易卜拉欣”(Ibrāhīm al-nabī)小标题项下:

> 库什之子迦南之子奈姆鲁德,与易卜拉欣之父出自巴比伦(Bābil)之地。关于奈姆鲁德[93]的世系有很多种传说,然而上述这种才是更正确的,并且与那些我们曾在书中提到的“关于象牙库什的消息”相符。在偶像崇拜的诸暴君中,从未有任何人在崇拜偶像上比奈姆鲁德更残暴、更坚决……[94]

这说明,一方面,《库什王纪》被《历史与故事辑要》的作者当作其收录某些内容的信息来源;另一方面,此处对奈姆鲁德的评价又完全适用于《库什王纪》中的象牙库什。作为一方君主,象牙库什的统治暴虐而残酷,并且多次在其占领的不同地区专横地推行偶像崇拜。

b. 库希特人(Cushites)[95]——库什王国诸王

关于库什父子的原型,倘若抛开“佐哈克族人”的史诗设定,首先需要考虑其库希特人(Cushites)的身份,因该专名本就意为“库什的子孙”。

---

93 巴哈尔校注本原文作赛莫德人(Samūd)。笔者与伊朗学者穆罕默德–阿米尔·贾拉里讨论后,一致认为应是Namrūd之讹误,因文献中未见奈姆鲁德传说与赛莫德人有关联,且按上下文的语义逻辑,该词也应是Namrūd。

94 Bahār (ed.), *Mujmal al-tawārīkh wa-al-qiṣaṣ*, p. 189.

95 又作Kushites,即库什的后代,库什人。

据《库什王纪》，象牙库什一度统治马格里布地区，在此期间曾与布加和努比亚的蛮族作战，而努比亚地区在古埃及人的称呼中便作库什。根据古闪族文献传统，含之子Kūsh是库希特人的先祖。“在整个［《圣经》］文本中，Kūsh作为一个族群术语（ethnic term），一般情况下既不指向阿拉比亚也不指向美索不达米亚，而是指定居在与埃及西南边境相邻的地区——埃及人称作K'sh（巴比伦语：kūshu、亚述语：kūsu、古波斯语：kūsha）——的人群。”[96]现代考古研究表明，古埃及中王国时期初期就出现了用库什之名指称努比亚的文字记录，有关双方敌对冲突的记录也屡见于古埃及文献。在第十八王朝法老图特摩斯一世（Thutmose I，前1504—前1492年在位）至图特摩斯三世（Thutmose Ⅲ，前1479—前1425年在位）时期，古埃及征服了定都于凯尔迈（Kerma）的库什王国——凯尔迈阶段的库什文明。[97]当然，术语凯尔迈（Kerma）和库什（Kush）极难相互区分和割裂开来，尽管后来的库什王国不一定是凯尔迈文化真正的直系后裔，但在新王国入侵并殖民库什地区的数个世纪（前1567—前1090）之后，似乎凯尔迈对努比亚国家形成（Nubian state formation）的冲动由库什得以重生。即埃及人在该地区的存在是通过武力维持的，而即使经过无休止的征服运动，独特的库希特身份认同仍持续存在。[98]公元前11世纪以后，库什再次自埃及独立出来，并逐渐统一为定都于纳帕塔（Napata）的库什王国（Kingdom

---

96 D. Cohen, “Kū<u>sh</u>,” in *EI2*, vol. 5, p. 521.

97 “图特摩斯一世对努比亚的战役几乎敲响了库什［王国］及其位于凯尔迈之都城的真正丧钟”。Betsy M. Bryan, “The 18th Dynasty before the Amarna Period (c.1550–1352 BC),” in *The Oxford History of Ancient Egypt*, edited by Ian Shaw, Oxford: Oxford University Press, 2002, p. 223. “在那时［第十八王朝早期］，埃及正与南方可怕的库什王国相搏，该王国最终亡于图特摩斯三世治下。” Manfred Bietak, “Egypt and the Aegean: Cultural Convergence in a Thutmoside Palace at Avaris,” in Catharine H. Roehrig et al. (ed.), *Hatshepsut: From Queen to Pharaoh*, New York: The Metropolitan Museum of Art; New Haven / London: Yale University Press, 2005, p. 75. 另参见Donald B. Redford, *From Slave to Pharaoh: The Black Experience of Ancient Egypt*, Baltimore / London: The Johns Hopkins University Press, 2004, pp. 36—37; W. Vivian Davies, “Egypt and Nubia: Conflict with the Kingdom of Kush,” in Roehrig (ed.), *Hatshepsut: From Queen to Pharaoh*, pp. 51—52。

98 Richard A. Lobban, *Historical dictionary of ancient and medieval Nubia*, Lanham / Maryland / Oxford: The Scarecrow Press, Inc., 2003, pp. 235—236.

of Kush)。公元前8世纪中叶，库希特人(Kushites)入主埃及建立第二十五王朝(前747—前664)，直至由于亚述人(Assyrians)的入侵而退出埃及。[99]这个库希特人的埃及王朝统一领有上下埃及和库什的疆域。[100]

就古代文明中的库什王国和库希特人问题，现代亚述学研究与以上埃及学研究成果可以互证。据《亚述学与近东考古学大辞典》(*Reallexikon der Assyriologie und Vorderasiatischen Archäologie*)中的“库什，库希特”(Kuš, Kuschiten)词条，其为位于努比亚的国家，自古埃及的辛努塞尔特一世(Sesostris I, 即Senusret I, 前1971—前1926年在位)时期始为人知；在美索不达米亚地区的楔形文字文献中，其名首次出现于公元前14世纪的“阿马尔那书信”(Amarma-Korrespondenz)中；[101]公元前8—前7世纪，新亚述帝国与库希特人建立的埃及第二十五王朝持续发生军事冲突，其名又多次出现在亚述铭文中；此后也偶见于伊朗波斯波利斯附近被称为纳克歇鲁斯塔姆(Naqš-i Rustam)的阿契美尼德王朝帝陵中的大流士大帝(Darius d. Gr., 即大流士一世)铭文中。[102]

公元前6世纪初，库什王国都城南迁至麦罗埃(Meroë)。阿契美尼德王朝时期波斯人在埃及建立第二十七王朝和第三十一王朝而领有埃及之地，埃及在当时实为波斯帝国之西南边疆行省，其南方邻国就是麦罗埃阶段的库什王国。冈比西斯(Kambūjiya / Cambyses II, 前530—前522年在位)征服埃及后，曾计划征服麦罗埃王国(the kingdom of Meroë)，以消除库希特人的威胁(Cushite threat)，使帝国疆界至少稳固在第一瀑布(First Cataract)。尽管未竟全功，他还是在埃及与努比亚边

---

99 John Taylor, “The Third Intermediate Period (1069—664 BC),” in Shaw (ed.), *The Oxford History of Ancient Egypt*, pp. 352—354.

100 Lobban, *Historical dictionary of ancient and medieval Nubia*, p. 237.

101 William L. Moran (ed. and trans.), *The Amarna Letters*, Baltimore / London: The Johns Hopkins University Press, 1992, p. 212.

102 W. Röllig, “Kuš, Kuschiten,” in *Reallexikon der Assyriologie und Vorderasiatischen Archäologie*, Band 6, Hrsg. Dietz Otto Edzard, Berlin / New York: Walter de Gruyter, 1980—1983, S. 374.

境——紧邻第一瀑布的尼罗河上的象岛(Elephantine)[103]建立了要塞兵营。[104]关于阿契美尼德王朝的疆界南抵库什王国,在该王朝的铭文中也有记述。据编号为Darius Persepolis H的大流士一世金牒和银牒:

> 大流士,伟大之王,众王之王,万方之王,叙司塔司配斯之子,阿契美尼德族人。大流士王说:"我所统治的这个王国——从越过索格狄亚那的斯基泰人[之地]直到库什/埃塞俄比亚(Kušā / Ethiopia),从印度直到萨狄斯(Sardis),是最伟大的神阿胡拉马兹达赐予我的,愿阿胡拉马兹达保佑我和我的家族。"[105]

上面这段文字汉译自《阿契美尼德诸王古波斯语铭文》(*The Inscriptions in Old Persian of the Achaemenian Emperors*)一书中的英译。该书同时提供了古波斯语楔形文字原文、拉丁字母转写(transliteration)和英译。帝国的西南疆界在英译中作Ethiopia,而在转写中作Kušā;另据附录提供的词汇表:"Kušā = Ethiopia,波斯帝国的行省之一";[106]《剑桥伊朗史》中作"Kush (the Aethiopians)";[107]李铁匠编译的《古代伊朗史料选辑》中,据英译而汉译作"埃塞俄比亚";[108]在阿甫基耶夫著《古代东方史》的王以铸汉译中作"库什(即埃提奥庇亚)"。[109]此外,波斯波利斯的阿帕达纳宫展示万邦来朝场景的浮雕中也有库希特人的身影:"……当前通常认为埃塞俄比亚人就是Kush……埃塞俄比亚人

103 有趣的是象岛名称之来历,一说由于该岛形似象牙,另一说因该地尼罗河两岸多有大象。此二说与象牙库什之名是否有关联恐难考证,姑记于此,以备一说。

104 Pierre Briant, *From Cyrus to Alexander: A History of the Persian Empire*, trans. Peter T. Daniels, Winona Lake: Eisenbrauns. 2002, pp. 54—55.

105 该铭文以三语——古波斯语(Old Persian)、埃兰语(Elamite)和巴比伦语(Babylonian,实为一种新阿卡德语)——写成,刻在盛于一个石匣内的金板和银板上,该石匣出土于波斯波利斯的阿帕达纳宫(Apadana,即大流士大帝的谒见厅)的地基中。Sharp (ed.), *The Inscriptions in Old Persian of the Achaemenian Emperors*, p. 76。

106 Sharp (ed.), *The Inscriptions in Old Persian of the Achaemenian Emperors*, p. 148.

107 Cook, "The Rise of the Achaemenids and Establishment of Their Empire," p. 254.

108 李铁匠选译:《古代伊朗史料选辑》,北京:商务印书馆,1992年,第50页。

109 阿甫基耶夫:《古代东方史》,王以铸译,上海:上海书店出版社,2007年,第491页。

(Aethiopians)每两年一次带来贡礼,包括男童、黄金、乌木、象牙,以及浮雕中展示的一只类似于长颈鹿的动物。”[110]

在《库什王纪》中则出现了有趣的一幕,出生于秦的库什之子——象牙库什在征战世界的过程中,曾作为法里东的将领抵抗努比亚人,即库希特人的进攻,并最终借助伊朗英雄鲁斯塔姆的力量彻底战胜了努比亚与布加(马赞达兰)诸魔鬼,从而确立自己在包括库希特人之地在内的整个大马格里布地区的绝对统治权。不妨以此推测,《库什王纪》中有关法里东统治下的世界存在努比亚和布加之边患的情节,可能既是阿契美尼德王朝时期库什王国与埃及的边境冲突这一伊朗人集体记忆片段在民族史诗中的投射,又包含渗透进伊朗文化传统中的古埃及人和后来的多个闪族人族群与库什文明在北非激烈冲突的部分历史记忆。

笔者在2015年完成的博士学位论文中述及象牙库什的故事与《圣经》和伊斯兰文献传统中的古实/库什,以及与古代库希特人和库什王国之间的可能联系;伊朗学者巴希里(ʿAlī Asghar Bashīrī)于2020年初发表题为《诗作〈库什王纪〉与公元前一千纪非洲的库什诸王的联系》(“Irtibāṭ-i manẓūma-yi *Kūshnāma* bā pādishāhān-i Kūsh dar hizāra-yi qabl az Mīlād dar Āfrīqā”)的论文也做出这样的推测。巴希里同样提及多方面的论据,而其中最重要的一点是他提出,库什是库什人(Kūshiyān,即库希特人)政权的名号及其诸王的称号,并据此推测,《库什王纪》中关于象牙库什在努比亚地区称王等情节与库什王国有关,那么可进一步将这部史诗视作为数不多反映库什王国情况的波斯语文献之一。该文也论及,史诗载有多位英雄名作库什——佐哈克兄弟库什、库什之子象牙库什、象牙库什之子迦南之子库什,可视作历代库什王的投影;象牙库什一千五百年的寿命表明库什人的政权延续了多个世纪。[111]笔

---

110 Cook, “The Rise of the Achaemenids and Establishment of Their Empire,” p. 263。巧合的是,“象牙”与“库什”在此又相遇了。

111 ʿAlī Asghar Bashīrī, “Irtibāṭ-i manẓūma-yi *Kūshnāma* bā pādishāhān-i Kūsh dar hizāra-yi qabl az Mīlād dar Āfrīqā” (《诗作〈库什王纪〉与公元前一千纪非洲的库什诸王的联系》), *Āyina-yi mīrāṣ* (《遗产宝鉴》) 65, no. 2 (2020 [SH Pāyīz va Zimistān 1398]): 181—202.

者深以为然。

综上，古闪族文献传统中的库什原是古埃及人对努比亚的称呼，后世所见关于库什王国和库希特人的信息大多来自古埃及人的记述，因而《库什王纪》的主角之名又可以看作埃及文化因子在伊朗民族史诗中的反映。

c. 贵霜帝国诸王

《圣经》文献传统中的Kushan / Cushan或Kushite / Cushite指从属于库什的人群，延及其所在地域。波斯语中的Kūshān亦如此，且既被用以指称库什人之王或王后，又是贵霜帝国（Kushan Empire，30—375/425）的称谓。在波斯语文献传统中，有多地以Kūshān为名，分布于从北非、美索不达米亚到中亚的各个地区。马提尼曾作推测，象牙库什的原型或许是贵霜诸王之一，即在《库什王纪》中，某个贵霜王以专横、血腥的统治者形象出现，并托名为双肩生蛇的阿拉伯暴君佐哈克的侄子。[112]

贵霜帝国由塞种人或月氏人建立于中亚地区。在其极盛的迦腻色迦（Kanishka I）统治时代（约2世纪上半叶），势力进一步向印度扩张，达至恒河流域，形成一个纵贯中亚和南亚的庞大帝国，其领土范围包括锡尔河与阿姆河直到波罗奈以西的北印度大半部地区。[113]该帝国曾与安息王朝发生战争，后又对萨珊王朝构成威胁，直到沙普尔一世时期才被消除。同时，在迦腻色迦等贵霜君主的大力支持下，大乘佛教得以发展和传播，以佛像刻画为代表的犍陀罗造像艺术兴盛于该王朝。[114]

据《库什王纪》，象牙库什作秦王期间开疆拓土至莫克兰地区，建贵霜（Kūshān）城，并大力推行偶像崇拜：

他树立起一块大理石，在它顶上放置自己的雕像。
他的手掌相互摊开，在其上书写下全部情况：

---

112 Jalāl Matīnī, “Barkh-ī az nayrang-hā-yi kārzār dar *Kūshnāma*” (《〈库什王纪〉中的一些战斗计谋》), *Īrānshināsī* (《伊朗学》), no. 3 (1999 Pāyīz [SH 1378]): 653.

113 崔连仲主编：《世界通史·古代卷》，北京：人民出版社，1997年，第425—426页。

114 张广达：《贵霜》，《文书、典籍与西域史地》，桂林：广西师范大学出版社，2008年，第42页。

这是英勇的库什之面容,他在战斗时如同烈火,
他是用狼牙棒夺取诸王王冠之人,他是强大而显赫的东方开拓者。
他在那里写下自己做过之事:那座他自己建造的城市,
当他完成建造时,他把三万男男女女,农民、商人和工匠,
从[整个]国度带来并安置在城中,给他们分发各种财物。
他把食物、牛、驴和羊,赐予商人和种田的人们。
人们给那座城取名为贵霜,为有雄心壮志的库什所建。
秦人称呼它为F.rv.na[115],对这个堆满货物与辎重的城市。
年初的时候他吩咐人们如同畜群,全都来到那如同大象之人[116]跟前,
在他的雕像前顶礼膜拜,让人们对他的王冠礼拜赞颂。

(第6656—6667联)

这些史诗情节与现代历史与考古研究勾勒出的贵霜帝国轮廓颇为相通。贵霜帝国全盛时期控疆自河中地区直至滨海的莫克兰地区;其君主多崇信佛教,建造了壮丽威严的寺庙和佛塔;佛教造像发达,甚至东西方多种其他宗教的神像也见于贵霜钱币。[117]因此,把象牙库什与贵霜帝国君王联系起来的说法并非毫无缘由。或可谨慎推测,古代伊朗人对贵霜帝国统治者的片断集体记忆投射在《库什王纪》中,使象牙库什吞灭莫克兰王国、在海中岛屿(或两条河流之间的土地)上兴建贵霜城,以及在该地推行偶像崇拜等史诗情节得以生成。

d. 中国军事统帅

在《库什王纪》中,象牙库什最重要的身份之一是秦王。据该史诗的叙事,象牙库什治下秦的范围非常广大,涵盖西北中国、中亚地区、吐蕃(Tabbat)和莫克兰等地。这片地域在古代历史上一向是多个人类族群与文明的冲突与融合之地,古代伊朗人也深深介入其中。《库什王纪》所载伊朗人在这个方向上的异族敌手并不是秦的"原住民"——

115 F.rv.na. 贵霜控疆曾含费尔干纳(Farghāna)谷地,笔者推测此专名可能是Farghāna,在史诗口口相传和传抄的过程中渐讹误为F.rv.na。此问题还有待后续研究,聊记于此,以备一说。

116 指象牙库什。

117 崔连仲主编:《世界通史·古代卷》,第426—428页。

如玛汉格、贝哈克等秦与马秦之王，而是占领秦与马秦的库什父子，这也是《库什王纪》与《列王纪》等其他伊朗民族史诗和叙事诗的不同之处。于是，伊朗人对一些东方的敌对异族统帅的集体记忆也被集成到象牙库什这个角色身上。关于古代中国在《库什王纪》中的投影，作为本研究的重点，置于后面几章分主题详论。

e. 象牙库什集成多重异族首领原型的机制

象牙库什的初始原型，就其在史诗中与佐哈克的紧密亲缘关系而论，如萨法主张，当来源于伊朗人对古闪族入侵者的记忆。但若以今天的视角重新审视这一形象，其来源的多重性就凸显出来。

如上文所及，“象牙库什的故事”在流传演变的过程中，融合了某些伊斯兰时代最初数百年间逐渐为伊朗文化所吸收的外来传说，甚至外族文化传统，尤其是古闪族文献传统中关于含之后裔的传说。据《泰伯里历史》：“含的其他后裔去往并定居在东方和西方的沿海地带，以及努比亚、阿比西尼亚（Abyssinia）和费赞（Fezzan）[118]。据说麦西（Mizrayim，含的次子，库什［古实］的兄弟）是科普特人和柏柏尔人的始祖；弗（Put，含的三子，库什［古实］的兄弟）去了信德和印度之地并定居在那里，当地的居民据说是他的后裔。”[119]《伊斯兰大百科》的推测略有区别：“Miṣrāyim是埃及，Pūṭ无疑是利比亚，Kanʿān就是巴勒斯坦和腓尼基的迦南之地。”[120]即弗的后裔定居地有北非利比亚和印度次大陆两说。综合起来看，含的后裔主要定居地可大致定位在两片地域——非洲东北部和印度西北部的临海地区，既是前伊斯兰时代伊朗文化大陆的东南和西南部边疆地带，也是新兴的阿拉伯–伊斯兰文化区域的东西部边疆地带。此外，《黄金草原》也提到有两处“黑人地区”，一处在北非，另一处在印度。可见关于人类分化为不同族群后散布于世界各地的情况，在年代相近的穆斯林著作中有相互呼应的说法。而据《库什王纪》，佐哈克被法里东击败之后，象牙库什在伊朗和秦的中

---

118 历史上的一个北非地区，位于今利比亚西南部。

119 Ṭabarī, *The History of al-Ṭabarī (Ta'rīkh al-rusul wa'l-mulūk)*, vol. 2, *Prophets and Patriarchs*, p. 16.

120 D. Cohen, “Kū<u>sh</u>,” in *EI2*, vol. 5, p. 521.

间地带征伐拓殖的过程中吞灭莫克兰，将该地封给自己的首辅努尚，同时在莫克兰附近建造贵霜城并推行偶像崇拜；后来象牙库什在西方反叛法里东之时，首先占据埃及和努比亚之地。象牙库什在伊朗东西方开疆拓土的异族之地恰好遵循了上述古代文献记载的含之后裔在世界各地分散定居的状况，而象牙库什在征服这些地区之后，都作为不听命于诸王之王的边疆统治者与伊朗发生军事冲突。通过这样的情节安排，《库什王纪》得以把本来互不相关的伊朗人与其东方和西方异族相冲突的集体记忆片断投射到象牙库什这位史诗英雄的身上，加以讲述和演绎。

上文对佐哈克在伊朗书面传统中的记载已有溯源，从《阿维斯塔》中“巴比伦大地上的阿日达哈克”到《列王纪》中的“大食人（阿拉伯人）首领佐哈克”，该形象的原型一般被伊朗学者归结为亚述人、迦勒底巴比伦人等古代闪族的王。至于具有“佐哈克侄子”身份的象牙库什，从中古时期穆斯林历史文献记载来看，库什之名属于含的后裔。除了在多次声称自己是造物主的情节上反映出奈姆鲁德传说的影响之外，象牙库什在世界西方独立统治地域建喷泉和高塔等事迹，也会让人联想到美索不达米亚的空中花园和宁录建巴别塔的传说。[121]含的子孙奈姆鲁德即便在古闪族民间传说和文献传统中也是上古暴君的代表，因此《库什王纪》中的象牙库什首先被赋予了浓重的闪族首领色彩。从其成书时代伊朗人的视角出发，象牙库什是出自伊朗东西两边含之后裔定居地区的异族军事首领形象的集合体，即其主要原型可归结为古代闪族传说中属于含之后裔的异族首领。近现代以来，随着古埃及文字和古两河楔形文字的成功释读，古代库希特人和库什王国的轮廓浮出历史水面，古闪族传说中有关库什的叙事就有了实证；再结合伊朗史诗传统提供的有关努比亚人的集体记忆，我们便得以解析出象牙库什的另一重原型——库希特人首领，亦即库什王国诸王。

---

121 Stephanie Dalley, “Nineveh, Babylon and the Hanging Gardens: Cuneiform and Classical Sources Reconciled,” *Iraq*, vol. 56 (1994): 45—58.

象牙库什征战的足迹遍及伊朗东西方的古代已知世界，史诗通过讲述这位异族英雄的故事，把伊朗人在不同时代与周边多个异族邻邦冲突的集体记忆片段集成在一起。在其身上，又可依稀辨识出贵霜帝国诸王和古代中国军事统帅的投影。就此看来，《库什王纪》故事的形成，应不是由某个文人通过摘录些史料片断一蹴而就。从书面文献的成文顺序来看，《泰伯里历史》《黄金草原》《巴尔阿密历史》等历史著作中对库什到奈姆鲁德之世系的记载及其同伊朗的佐哈克传说结合而成的一些记录成文在前，《库什王纪》中“象牙库什的故事”成文在后，双方之间显示出一定的继承性和变异性。

受限于时代语境，无论是西方的“历史之父”希罗多德，还是“伊斯兰历史学的奠基者”泰伯里，其著作都不可避免地含有大量经“集体叙事加工”的史料。泰伯里精研《古兰经》和圣训，《泰伯里经注》（*Tafsīr al-Ṭabarī*）[122]被公认为伊斯兰经注学的典范，而其成书也得益于汇集大量阿拉伯语文献资料以及犹太教传说等。他在编撰《泰伯里历史》时，做出辨别史料真伪，加以筛选和提炼的努力，以圣训学传述系统考证法力图还原历史原貌，在当时已属创举。但前代史料本就基于不断转述、摘录和传抄而成，且古时学者多无明确区分文学叙事和史料编纂的意识，因而即便如《泰伯里历史》和《黄金草原》之类的经典穆斯林历史地理著作，也是通过选取大量书面记录和口头传述编撰而成，其成书本身就具有集体性和口传性。《巴尔阿密历史》堪称达里波斯语历史著作中最早的集大成者，为巴尔阿密奉萨曼王朝君主之命编译，堪称官修史籍，但编译者又在《泰伯里历史》提供材料的基础上进行了灵活的选编，并且补充了大量伊朗传说，故其成书的集体性和口传性特征更加强烈。继承伊朗古代口头与书面传统而兴起的伊朗民族史诗，如《列王纪》《库什王纪》等，长时间在文史分流前的中古时期历史学家选取史料的视野中，《历史与故事辑要》《选史》《纯净花园》等波斯语史籍的编撰均大量采纳其中的记述。而集体性、口头性、传承性和变异性现被视作民间文学的四大特征，我们遂可在讨论中借助一点民间文

---

122 全名为*Jāmiʿ al-bayān fī tafsīr al-Qurʾān*，可译为《〈古兰经〉注解总汇》。

学理论。民间文学四大特征中，“集体性与口头性这两个特征，对民间文学创作与流传起着主导的支配作用。变异性与传承性这两个特征，也都是从集体性、口头性作用于民间文学创作和流传过程中显示出来的。”[123]从“佐哈克与奈姆鲁德传说”到“象牙库什的故事”显示出的传承性与变异性，可以逆推出这样的结论：在《库什王纪》这部史诗成书之前，其中的某些情节属于集体创作和口头流传的民间文学范畴。民间文学变异性的外在原因在于其流传的环境不同。[124]“象牙库什的故事”流传在伊朗，在其流传的过程中发生了把多位异族首领的事迹汇集到一名主角身上的变异，其原因可能是故事的多位讲述者或记录者，不愿也难以持续精细辨别和记忆多名异族首领的事迹。于是，曾与伊朗人发生过冲突的多名异族首领的事迹被汇集到一个角色身上，象牙库什代表了多个具有类似特点的人物。

综上所述，把一些含有民间传说内容的史料记载作为旁证，可以得出这样的结论：《库什王纪》的故事整合了伊朗人与其定居区域周边异族发生多次军事冲突的集体记忆。为了故事流传方便，诸多敌人首领在“象牙库什的故事”中被凝练为一个代表性角色——象牙库什。一如英国著名史学家彼得·伯克所说：“在民间记忆中，有时会把一些英雄事迹混在一起。这种加工近似于弗洛伊德在分析梦境时候所说的‘浓缩’。”[125]

3. 箭垛式的人物与伊朗民族身份建构

在与神话传说有密切关系的史诗文学传统中，类似象牙库什汇集多位传说人物事迹于一身的角色并不少见。“古代的英雄崇拜其实是先民们对自身力量的崇拜，因为神话传说中的英雄都是箭垛式的人物，是先民们对自身集体力量的艺术加工。”[126]“箭垛式的人物”作为一个

---

123 钟敬文主编：《民间文学概论》，第二版，北京：高等教育出版社，2010年，第34页。

124 钟敬文主编：《民间文学概论》，第二版，第28页。

125 伯克：《历史学与社会理论》，第123页。

126 张岱年、方克立主编：《中国文化概论》，第174页。

民间文学研究的术语最早由胡适提出:"这种有福的人物,我曾替他们取个名字,叫做'箭垛式的人物';就同小说上说的诸葛亮借箭时用的草人一样,本来只是一扎干草,身上刺猬也似的插着许多箭,不但不伤皮肉,反可以立大功,得大名。"[127]他以包公为例作了进一步解释:"古来有许多精巧的折狱故事,或载在史书,或流传民间,一般人不知道他们的来历,这些故事遂容易堆在一两个人的身上。在这些侦探式的清官之中,民间的传说不知道怎样选出了宋朝的包拯来做一个箭垛,把许多折狱的奇案都射在他身上。包龙图遂成了中国的歇洛克·福尔摩斯[128]了。"[129]象牙库什不仅身具多重异族首领身份特征,是伊朗周边多个地区的多元人类族群与伊朗之间战争的主角,把众多"一般人不知道他们的来历"的民间传说总揽于一身,成就了"秦王的故事",甚至还成了"法里东二分世界"和"凯卡乌斯征马赞达兰"这些在伊朗民间文学传统中业已存在,在菲尔多西的《列王纪》中早已定型的故事中的重要角色,他这个箭垛作得可谓彻底。

"神话人物的主要活动场所是人间,他们的主要事迹是除害安民、发明创造,实即人类早期生产活动的艺术夸张。"[130]中国自古相传,订历法、种五谷、制衣冠、造舟车、建宫室、制音律、创医学都是黄帝及其身边人所为。黄帝同在他之前的筑室定居的有巢氏、钻木取火的燧人氏、教人稼穑的神农氏,及与其同时代的养蚕缫丝的嫘祖、造字的仓颉等人相比,是最为典型的一个"箭垛式"中国上古传说人物,被看作各种生产技术和文化知识的发明者。在伊朗古代神话与传说中,有一些人物与其类似。据《列王纪》载,凯尤玛尔斯筑宫殿、用兽皮制衣、驯养畜禽,胡山冶铁、治水、开渠灌溉、击石取火、役使牲畜耕种,塔赫姆列斯纺毛制衣、降伏群魔并令他们教人使用多种文字,贾姆希德打造兵器甲胄、教人种麻制丝并织布制衣、按社会分工把民众划分为四个社会群体、令

127 胡适:《〈三侠五义〉序》,季羡林主编:《胡适全集·第3卷》,合肥:安徽教育出版社,2003年,第472页。

128 原文作"歇洛克、福尔摩斯"。

129 胡适:《〈三侠五义〉序》,季羡林主编:《胡适全集·第3卷》,第472页。

130 张岱年、方克立主编:《中国文化概论》,第174页。

魔鬼和泥制坯以建造浴室和宫殿、开采宝石金银、制作调味香料、揭示医道以治疗疾病、建造舟船以发展水运……这四位最早的人王，也都是“除害安民、发明创造”的箭垛式的人物。而象牙库什这个“箭垛”与他们又有不同。象牙库什在伊朗周边各个国度不断开疆拓土，以秦王、秦与马秦之王、东方之王、马格里布之王、安达鲁斯之王、西方之王等多种身份不断与伊朗人敌对作战，还数度推行偶像崇拜，是一个集成众多恶行的箭垛。但他在受到贾姆希德家族智慧老人的教导而皈依真神之后，立即弃恶从善，帮助西方边远国度的居民驱除食人蚂蚁，为无水的乡村解决水源问题，后期事迹又成了“除害安民、发明创造”之类的善行。

《列王纪》通过塑造贾姆希德等“箭垛式”伊朗上古君王，使他们成为古代各种生产技术及文化知识的发明者，起到建构伊朗民族身份认同的作用。《库什王纪》则反其道行之，通过塑造象牙库什这个总揽多重异族首领身份于一身的“箭垛式”形象，以具象化他者来辨识自我；而其最终归化于伊朗文化的情节设置，也同样起到帮助构建伊朗民族身份认同的作用。《泰伯里历史》《黄金草原》《巴尔阿密历史》等史籍都呈现出闪族祖先与伊朗祖先合流同源的叙事倾向，说明在伊朗民族史诗创作繁荣的前夕，伊朗本土的祖先和历史认同已被外来观念严重侵蚀；而《列王纪》与《库什王纪》两部伊朗民族史诗分别从正反两方面展开叙事，都维护了伊朗祖先、历史和文化认同的独立性。

4. 象牙库什的生活年代

在本章的最后，我们不妨就象牙库什的生活年代做一点“故事性”的推论。

《库什王纪》的故事由亚历山大在东征路上见到象牙库什的雕像并追根溯源而展开，雕像手臂上刻着的文字写道：

> 我在世界上驻留了一千五百年，所有的君王在我的刀下都软弱卑微。
>
> （第586联）

直陈象牙库什的寿命是1 500年。另据《库什王纪》,因贾姆希德有言,他的后人中会出现一位君王向佐哈克复仇,所以佐哈克在杀死贾姆希德之后派他的兄弟库什向东方追杀贾姆希德后裔族人。600年后,贾姆希德之子努纳克在去世之际把族长之位传给阿贝廷。阿贝廷继任为族长之后,库什征服了皮尔古尚部落,其后不久,象牙库什出世。又300年,库什与阿贝廷两军相遇。因佐哈克统治期共一千年,所以阿贝廷与库什父子的战争、阿贝廷去巴希拉避难并娶法拉兰格生法里东、阿贝廷率族人返回伊朗及其被杀,都发生在佐哈克统治期的最后一百年里,而象牙库什出生于佐哈克到法里东政权更替之前的三百余年。

接下来,我们需要将伊朗上古君王与古闪族诸先知的生活年代关联起来。据多部波斯-阿拉伯语的穆斯林历史著作和《列王纪》等伊朗史诗,法里东在位500年,玛努切赫尔在位120年;易卜拉欣生活于奈姆鲁德时代,或佐哈克时代的后期。而据《库什王纪》,"持蛇的先知"(payghambar-i mār-kish,即穆萨)[131]生活于玛努切赫尔当政时期,距"真主之友"(khalīl [Allāh],即易卜拉欣)的生活年代436年。[132]因易卜拉欣与穆萨均享寿一百余年,可推断易卜拉欣生活于佐哈克当政晚期到法里东当政之初,穆萨生活于法里东当政末期到玛努切赫尔时代。这说明《库什王纪》的作者谙熟并接受穆斯林述史传统,该史诗有关内容与穆斯林历史著作和《列王纪》等前代文献提供的上古先知与诸王世系年表形成互证。

在此,我们还需引入一个关键的推论初始条件,即穆萨生活的历史年代。西方和穆斯林学界主流观点主张把摩西(Moses)生活年代定位于埃及法老拉美西斯二世(Ramesses Ⅱ,前1279—前1213年在位)时期,或略早的公元前14世纪。设这一观点为推论象牙库什生活年代的参照条件,可得以下结果:

推论一:按《圣经》文献传统,摩西的寿命为120年,在80岁时率

---

131 按该联诗句的韵脚规则可知,此处"先知"的限定词应是mār-kish(持蛇者),而不是波斯语常见词汇mār-kush(杀蛇者)。按《圣经》文献传统,摩西奉上帝之命造铜蛇,把它举在手杖上,以拯救那些被蛇咬的人,因此他也被称为mār-kish(持蛇者)。

132 Ibn Abī al-Khayr, *Kūshnāma*, p. 572.

众出埃及，他的出世应大约在公元前14世纪中叶；据《库什王纪》，这是玛努切赫尔当政的时代；

推论二：法里东加冕为王在推论一之前约600年，即约在公元前19世纪中叶；

推论三：佐哈克取代贾姆希德承袭世界王位在推论二之前1 000年，当在约公元前29世纪；

推论四：阿贝廷接掌贾姆希德家族族长之位和象牙库什出生，都在推论三之后600年，即约在公元前23世纪；

推论五：象牙库什去世在推论四之后1 500年，即在公元前8世纪。

另按《列王纪》给定的伊朗上古君王在位时间[133]推算，亚历山大称世界之王的年代在公元前6世纪，此为推论六。当然现在我们知道他是生活在公元前4世纪的古人。按推论五和推论六，象牙库什去世于亚历山大东征之前两到四个世纪，按伊朗史诗传统，即在卢赫拉斯帕时代或古什塔斯帕时代。那么，象牙库什经历凯卡乌斯时代甚至凯霍斯鲁时代都是没有问题的，《库什王纪》的情节在时间逻辑上可自圆其说。

以上是按《列王纪》和《库什王纪》给出的时间信息大致推导出来的结果，下面再结合穆斯林历史著作和现代研究成果略加验证。《泰伯里历史》记载奈姆鲁德对巴比伦的统治在佐哈克时代。另据《圣经》，宁录以"英勇的猎户"著名。按《列王纪》和《库什王纪》，佐哈克酷爱狩猎和食用猎物的肉，以至于他由此罹患严重的疾病。因此，如上文所及，闪族传说中的暴君奈姆鲁德与伊朗人传说中的佐哈克互有投影关系。又据《泰伯里历史》，易卜拉欣是奈姆鲁德同时代的人，他生活在穆萨之前600年左右。而《库什王纪》言及自易卜拉欣辞世到穆萨出世有436年，考虑到传说中的二人寿命皆为一百多年，这两种说法亦非无法调和。如此大略推算，易卜拉欣约生活在公元前19—前18世

---

133 法里东500年，玛努切赫尔120年，努扎尔7年，扎夫5年，戈尔沙斯帕9年；凯哥巴德100年，凯卡乌斯150年，霍斯鲁60年，卢赫拉斯帕120年，古什塔斯帕120年，巴赫曼99年，胡马伊32年，达拉布12年，达拉14年，亚历山大14年。以上总计1362年。此据《附录一〈列王纪〉中的王朝世系》，载于张鸿年：《列王纪研究》，第169—170页。

纪，即佐哈克当政时代末期，基本符合上文的推论二和推论三——佐哈克统治世界在公元前29—前19世纪。长期以来，西方学者一直试图寻找《圣经》中宁录的历史人物原型并有多种推论，比如传说中的乌鲁克（Uruk）城邦王朝建立者恩美尔卡（Enmerkar，生活在前2700年前后）说，阿卡德帝国（约前2334—前2154）创建者萨尔贡大帝（Sargon the Great，前2334—前2279）及其孙纳拉姆辛（Naram-Sin，前2254—前2218）结合说等。据西方学者对苏美尔王表的研究，恩美尔卡大约在公元前27—前26世纪在位，而萨尔贡和纳拉姆辛的时代在公元前24—前23世纪，皆处于伊朗传说中的佐哈克统治期内。

另外，若将象牙库什的故事作为库什王国诸王在波斯语史诗中的集体投影来看待，象牙库什1 500年的寿命与库什王国存国的时间——自公元前11世纪彻底自埃及独立出来起立国，至公元350年亡国，也相当巧合一致。

当然，笔者已声明，本节的推论内容属"故事性"的茶余饭后之说，并不严谨，放在本研究中，聊作一个以轻松为主题的调剂片段。而重要的是，《库什王纪》集成了伊朗神话和民间传说中多位伊朗上古君王当政时期的故事，包括贾姆希德的失败、阿贝廷的逃亡、佐哈克统治的终结、法里东三分世界、玛努切赫尔的复仇、凯卡乌斯与马赞达兰白魔的战争等，把相当长时间里的若干名异族首领之事迹集中在一位主角身上，讲述成"象牙库什的故事"，造成象牙库什有1 500年的漫长寿命；反言之，象牙库什这位传说中的异族英雄具有这样长的寿命——跨越从俾什达迪王朝到凯扬王朝的漫长神话时代，为通过讲述他的经历把多个传说中的上古事件集成在一起提供了可能性。

第 四 章

《库什王纪》对古代世界人文地理的呈现

一、伊朗古代神话中的世界人文地理和伊朗人的世界观

《库什王纪》的一大特点是记录有非常丰富和相对准确的古代世界地理信息，在其一万多联诗句中，明确载有百余个有据可考的地名，遍布于由亚欧大陆和北非地区构成的当时已知世界。《库什王纪》成书前的数百年里，阿拉伯帝国对外扩张和突厥语族群西迁相继发生，这两个重大历史事件在相当长的时间里持续横扫伊朗文化大陆，也给伊朗人带来大量有关世界地理状况的信息，部分信息随即反映在某些伊朗民族史诗的叙事中。在《库什王纪》中，象牙库什的足迹遍及古代世界各地，这部史诗还重点讲述了象牙库什在伊朗地域以外的"边远地区"的经历，这就为读者提供了一个机会——基于该史诗的内容探讨伊朗古代传说中世界各地的地理信息，进而考察古代伊朗人的世界观。

为了说清楚《库什王纪》中的古代世界全貌以及其中涉及的大量地理信息，首先需了解当时伊朗人认知的古代世界大致轮廓，正如今天若要讨论大量的各国地名并确定其大致方位，应有一张世界地图作为参考。在菲尔多西的《列王纪》和内扎米的《七美图》(*Haft Paykar*)[1]等多部伊朗史诗和长篇叙事诗中，都出现了"七国"(haft kishvar)[2]的提法，指代世界上全部的人居地域，伊朗地区位于大地中央，某些强大的伊朗王是"诸王之王"，有时亦称"七国之王"。这种核心内容为"适合

1 又称《巴赫拉姆王纪》(*Bahrāmnāma*)，主人公为萨珊王朝巴赫拉姆五世。

2 汉语词汇"国"在不同语境下有不同的内涵与外延，且kishvar本意为"地区、国度"，故而在本书中，讨论史诗等文学作品中的haft kishvar时，按约定俗成汉译，称之为"七国"，但在探讨穆斯林史地文献中的伊朗传统地理观念时，将其汉译作"七境域"。

人居住的全世界，由以伊朗为中心的七个区域构成”的传统伊朗地理观念，在本书中称作“大地七境域说”。《库什王纪》也多次提及七国，其叙事中的地理信息同以大地七境域说为基础发展起来的中古时期穆斯林舆地学的内容有紧密联系。本章的讨论将基于对《库什王纪》里的众多古代地名及其地理方位做梳理而展开，便要从持续影响古代伊朗人对人类活动地域分区的大地七境域说讲起。

1. 大地七境域说

大地七境域说发端于伊朗最古老的文献传统，可追溯至其创世神话中。关于七境域的记载最早见于《阿维斯塔》，延续其文献传统的《赞德》《本达赫什》等巴列维语典籍也都载有这一说法。元文琪在探讨琐罗亚斯德教的神秘数字“七”时讲到，创世神话中提到霍尔莫兹德[3]在创造尘世之后又创造出七层天；《阿维斯塔》最古老的部分——《伽萨》除了歌颂以霍尔莫兹德为神主的“七位一体”神之外，还提到世界上有七个国家。[4]在描述大地七国的名称与位置关系之后他说：“光明与誓约之神梅赫尔在上述七个国家的上空巡行，显示出作为世界统治者的威风……这里的神秘数‘七’，在字面意义之外，显然还喻指‘无限大’和循环的周期，因而成为具有宇宙时空意蕴的圣数。”[5]其论述也佐证了七境域之含义是全世界所有国度的观点。

大地七境域说是上古伊朗人对世界认知状况的一种体现，最初的七境域范围可能主要包括伊朗高原以及阿姆河流域等地。精研伊朗神话的权威专家梅赫尔达德·巴哈尔（Mihrdād Bahār）在其《伊朗神话研究》（*Pazhūhish-ī dar asāṭīr-i Īrān*）一书中，就《阿维斯塔》《本达赫什》《巴列维语传说》（*Ravāyat-i Pahlavī*）等古代文献所载有关大地七境域说的内容做出归纳：

---

3 阿胡拉·马兹达的另一称谓（波斯语发音：Ahūramazdā / Ahūramazd > Ūrmazd > Hurmazd / Hūrmazd > Hurmuz）。

4 元文琪：《二元神论：古波斯宗教神话研究》，第138—140页。

5 元文琪：《二元神论：古波斯宗教神话研究》，第139页。

第七个千年开始之时，在阿赫里曼对大地和天空的袭击之后，一个名叫蒂什塔尔（Tīshtar）的神，用云之杯从最初被创造的原水中盛了水，他给天空带来了水之风，并降雨在大地上。随着这场大雨，大地变得湿润并松散成七块。每一块被称为一个国度（iqlīm），在巴列维语中叫作区域（kishvar）。面积相当于其他六块总和的一块在中央，其他六块位于它的周围。自然，这些变化都发生在适合［生物］生存的大地的上半球[6]。

中央的那块是Khūnīras，在波斯语中还有Khunīras和Khunīra的写法。在东方的那个区域是Arza，西方的是Sava。位于南方的两块是Firadadafsh和Vīdadafsh，位于北方的两块被称为Vurūjarishn和Vurūbarishn。[7]

伊朗人最初的大地七境域观念，可用图示的方法展示如下：

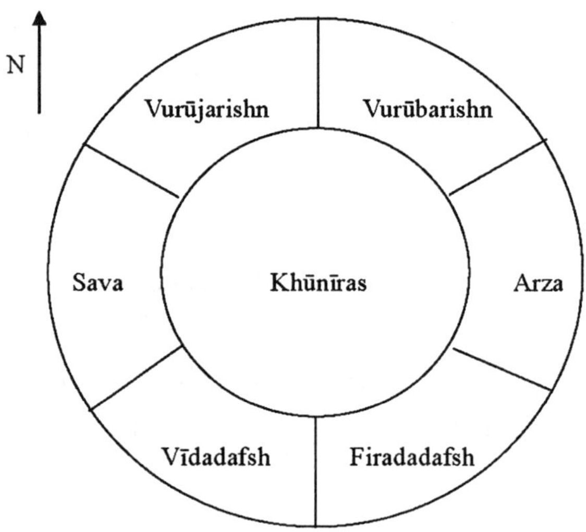

图2　前伊斯兰时代伊朗文献载大地七境域

6　伊朗古代神话认为大地的下半球浸在水中。

7　Bahār, *Pazhūhish-ī dar asāṭīr-i Īrān*, p. 142.

在波斯语史诗迅速兴盛起来的伊斯兰时代早期，伊朗人把对世界地理状况的实际认知与传统的“大地七境域说”结合起来。比鲁尼在《占星学入门解答》一书中写道：“波斯人把世界各国（mamlakat-hā）分为七个区域（kishvar）。”并以图示做具体说明：

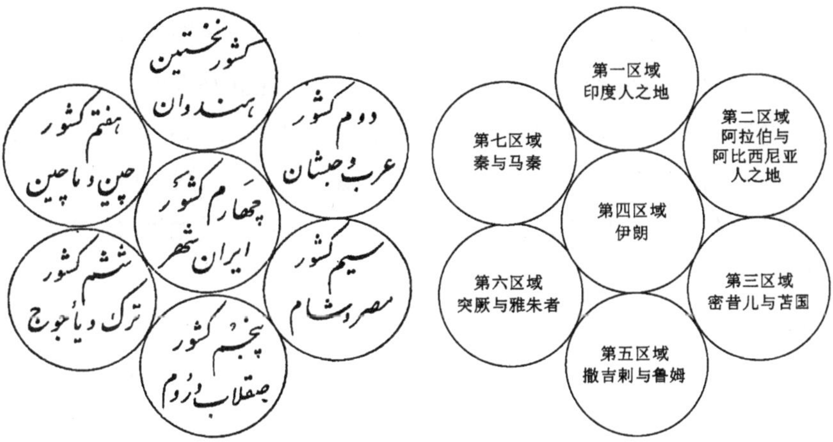

图3 伊斯兰时代波斯-阿拉伯语文献载大地七境域（原图及汉译）

即中央区域是伊朗（Īrānshahr），围绕在其周围的六个区域，按顺时针顺序排布分别是印度人之地（Hinduvān）、阿拉伯与阿比西尼亚人之地（‘Arab va Ḥabashān）、密昔儿与苫国（Miṣr va Shām，即埃及与叙利亚）、撒吉剌与鲁姆（Ṣiqlāb va Rūm）、突厥与雅朱者（Turk va Yaʾjūj）、秦与马秦（Chīn va Māchīn）。[8]

在《库什王纪》的叙事中，有“诸王之王”徽号的帝王，如佐哈克和法里东，有时也被称作大地上七个国度之主，取的就是伊朗古代文

8 Abū Rayḥān Bīrūnī Kh^{v}ārazmī, *Al-Tafhīm li-ʾavāʾil ṣināʿat al-tanjīm*（《占星学入门解答》）, ed. Jalāldīn Humāʾī, Tehran: Nashr-i Humā, 1988 (SH 1367), p. 196。比鲁尼用波斯语和阿拉伯语两种文字撰写了这部书，在阿拉伯语文本中七境域的内容无异，但名称稍有不同，相对应分别是：伊朗（Īrānshahr）、印度（al-Hind）、阿拉伯（al-‘Arab）、苫国（al-Shām）、鲁姆与撒吉剌，（al-Rūm wa-al-Ṣaqāliba）、可萨与突厥（al-Khazar wa-al-Turk）、秦与吐蕃（al-Ṣīn wa-al-Tubbat）。Abū'l-Rayḥān Muḥammad b. Aḥmad al-Bīrūnī, *The Book of Instruction in the Elements of the Art of Astrology*, trans. R. Ramsay Wright, London: Luzac & Co., 1934, p. 142 (also see p. 240 in the Arabic manuscript)。

化传统中“七境域”的含义，即以“大地七国”指代全世界。该史诗中所涉中国、印度、埃及、撒吉剌等国度与伊朗之间的位置关系，也与比鲁尼就伊朗人以“旧瓶装新酒”在伊斯兰时代划分世界为七境域所作描述相一致。不仅比鲁尼，其他一些生活时代稍早于《库什王纪》成书年代的古典穆斯林地理学学者，同样深受大地七境域说这一伊朗传统地理观念的影响。生活于公元9世纪，同属古典穆斯林地理学伊拉克派的“代表人物伊本·胡尔达兹比赫、雅古比和马斯欧迪的著作有两大特点，这使他们有别于本派其他地理学家的撰著：第一，他们的叙述遵循伊朗人的‘地区’（kishwar）体系；第二，他们以伊拉克与伊朗诸郡相提并论，但以伊拉克为阿拉伯世界中心来开始区域地理学描述”。[9]这三人的著作正是研究《库什王纪》所提供地理信息的重要参考资料，他们著作中的“两大特点”实为相辅相成。萨珊王朝的政治中心泰西封，阿拉伯人称之为麦达因（al-Madā'īn，意为“城市群”），坐落于伊拉克地区的底格里斯河畔。《道里邦国志》的“各地诸王的称号”小标题项下写道：“伊拉克王的通行称号是库思老，也就是沙罕沙赫（Shāhanshāh）”。[10]此处的“伊拉克王”指定都于伊拉克地区的萨珊王朝历代君主，库思老是萨珊诸王称号khusraw，shāhanshāh即波斯语的“诸王之王”。美索不达米亚与伊朗高原一直是萨珊王朝疆域的核心部分，因此在萨珊王朝时期伊朗人所持传统地理观念里，世界中心区域是包括伊拉克在内的伊朗。到了阿拔斯王朝（Abbasid dynasty，750—1258）时期，因该王朝本为借助呼罗珊地区伊朗人起义的力量而建立，相较于前朝任用更多的伊朗裔官员，国家治理体系也在更大程度上受伊朗文化的影响，且该王朝定都于巴格达——萨珊王朝政治中心故地一带，即在伊拉克地区，故而公元9—10世纪的穆斯林地理学家们有充分的理由遵循伊朗人的“七境域”体系，并以伊拉克为中心来做区域地理学描述。

9　张广达：《前言》，伊本·胡尔达兹比赫著，宋岘译注：《道里邦国志》，第8页。

10　伊本·胡尔达兹比赫著，宋岘译注：《道里邦国志》，第17页。

2. "七境域"与"七个气候带"辨析

谈到地理上的"七境域"概念，需将其与"七个气候带"的概念区分清楚。古希腊学者亚里士多德根据太阳光直射角度不同，用南北极圈和南北回归线把地球划分为五个气候带。经阿拉伯百年翻译运动，穆斯林学者广泛吸纳古希腊文化知识，随之在五气候带理论的基础上发展出一种更复杂的划分法，即把人类居住的世界——主要是穆斯林涉足或有所了解的范围，即涵盖中古时期欧亚大陆和北非地区的北半球人类文明区域，划分为七个与赤道平行的条状地带，亦即七个气候带。这一理论对穆斯林舆地学和地理制图有深刻的影响，比鲁尼在《占星学入门解答》书中，就七个气候带划分法的基本原则有详细说明：以夏季最长白昼时长为标准，相邻两个气候带的中线白昼时长相差半小时。因赤道上白昼时长永远是12小时，以此为基准设其北方第一气候带中线的夏季最长白昼时长为13小时，往下依次是第二气候带13小时30分、第三气候带14小时、第四气候带14小时30分、第五气候带15小时、第六气候带15小时30分和第七气候带16小时。各气候带对应的纬度界限分别是北纬（因当时"人类文明世界"基本处于北半球）12°39′至20°27′（第一气候带）、20°27′至27°28′（第二气候带）、27°28′至33°37′（第三气候带）、33°37′至38°54′（第四气候带）、38°54′至43°23′（第五气候带）、43°23′至47°11′（第六气候带）、47°11′至50°25′（第七气候带）。[11]

穆斯林地理著作描述各国度的位置和有关情况时，有的以大地七境域说为世界分区基础，有的以七个气候带说为基本坐标系。"七境域"的"境域"一词在达里波斯语里中作kishvar，源自巴列维语，意为"区域、国度"，在阿拉伯语中常被对译为iqlīm，复数形式为aqālīm。以

11 Al-Bīrūnī, *The Book of Instruction in the Elements of the Art of Astrology*, p. 138 (also see p. 236 in the Arabic manuscript).

《七地区或诸气候带之面貌》为例，在这部书的多个抄本上，多位先前研究者和不同抄本的收藏机构的记录中，其书名被记作多种不同形式，其中又以*Haft kishvar*和*Ṣuvar al-aqālīm*居多，故而苏托德为其校勘出版的波斯语勘本定名为*Haft kishvar yā Ṣuvar al-aqālīm*。[12]但这里的haft kishvar和al-aqālīm均是"七个气候地区"之意，因为书中对世界做分区的原则就是七个气候带说，我们在翻译其书名时便要注意莫与七境域混淆。穆斯林历史地理著作为西方学者较早着手整理和研究，多有西方诸语译本。据拉姆齐·赖特（Robert Ramsay Wright）英译的《占星学入门解答》，书中讲解"七境域说"时，kishvarāt（kishvar的复数）译作regions，讲解"七个气候带"时，iqlīm和aqālīm分别译为climate和climates，都是准确的翻译。然而在阿拉伯语古典穆斯林历史地理著作中，iqlīm / aqālīm有时也被用在"七境域"的语境下，即al-aqālīm al-sabʿa既表"七个气候带"之意，也被用以指称"七境域"，需根据上下文辨析其具体所指。某些西方学者在翻译时，有将"境域、国度"误解为"气候带"的情况。汉译《黄金草原》转译自其法语译本，也出现此类误译现象。下面便以此为例，对两种地理分区传统再做辨析。

《黄金草原》汉译本关于"7个气候带"这样写道："第1气候带：巴比伦国，包括呼罗珊、法尔斯、苏西亚纳（阿瓦士）、摩苏尔和麦地亚（吉巴勒）在内……第2气候带：信德、印度和黑人地区……第3气候带：麦加、麦地那、也门、塔伊夫、赫贾兹及其中间地区……第4气候带：埃及、易弗里基叶、柏柏里亚、西班牙和包括这些边界地区在内的省份……第5气候带：叙利亚、罗马地区、美索不达米亚（杰齐赖）……第6气候带：突厥人、可萨人、德莱姆族和斯拉夫族人居住地区……第7气候带：德浦勒地区和中国。"[13]关于佐哈克有这样的记载："……佐哈克是控制了7个气候带的一位巫师。"[14]关于法里东也提到："继佐哈克

---

12 Manūchihr Sutūda, "Muqaddama"（《导言》）, in Manūchihr Sutūda (ed.), *Haft kishvar yā Ṣuvar al-aqālīm*, Tehran: Bunyād-i Farhang-i Īrān, 1974 (SH 1353), pp. 11—12.

13 马苏第：《黄金草原》，第104页。

14 马苏第：《黄金草原》，第266页。

之后是费里敦（艾费里敦），他统治了7个气候带……。”[15] 上述文字中的“7个气候带”均应是“七境域”。

首先，据《黄金草原》第三章对创世的描述。在上帝创造了天之后，“他又使一片液体干涸使之变成了唯一的一块陆地，后来又分成了7个地”。[16]很明显，这里的“7个地”是七块地域的意思，正是承袭了伊朗神话中“一块大陆分成七个区域”的说法。

接下来我们逐个分析上述《黄金草原》有关“7个气候带”的描述，以大致确定它们的地理位置。“第1气候带”中列出的各地区显然是古代伊朗传统领地。“第2气候带”中的“黑人地区”需稍作梳理。当时的穆斯林认为含的子孙是黑人的祖先，上文已论及含之子弗的后裔定居地有北非和印度次大陆两说，因此《黄金草原》中“印度、信德和黑人之地”被置于同一片区域是没有问题的，此处的黑人指的应是印度次大陆上印欧人到来之前的原住民——达罗毗荼人。“第3气候带”无疑就是阿拉伯地区。“第4气候带”中的“易弗里基叶”是当时穆斯林对北非一个地区的称呼。“第5气候带”诸地位于地中海东岸和北岸，在伊朗的西方和西北方。“第6气候带”所及各族群，主要是伊朗北方的草原地带居民，大多活动于伊朗北方和东北方。“第7气候带”中的“德浦勒”是信德地区古港口，大约在今天巴基斯坦信德省卡拉奇附近。德浦勒与中国都在伊朗的东方，且分别是伍麦叶王朝（Umayyad Caliphate, 661—750）扩张到极致之时，其东征的两员大将穆罕默德·本·卡西木（Muḥammad ibn al-Qāsim al-Thaqafī, 695—715）与屈底波·本·穆斯林（Qutayba ibn Muslim，又称古太白，669—715/716）两路大军的兵锋所向。[17]在中古时代的地理书籍和地图中，将这两个著名的地名同归入伊朗东方的一个大片分区并无太大问题。综上，《黄金草原》中“7个气候带”的分布，不符合穆斯林舆地学中七个气候带的纬度排列——“第2气候带”“第3气候带”和“第4气候带”分别包括印度地区、阿拉伯地区和埃及与

15 马苏第：《黄金草原》，第266页。

16 马苏第：《黄金草原》，第28页。

17 西提：《阿拉伯通史》，马坚译，北京：商务印书馆，1995年，第241—244页。

北非地区，无论如何也不会比"第1气候带"中的伊朗诸地纬度更高。更重要的是，以"第1气候带"的伊朗传统领地为中心基准，从"第2气候带"到"第7气候带"，无论在地名描述上，还是在顺序上，都与图3中"伊朗"周围从"印度人之地"开始，沿顺时针方向排列到"秦与马秦"为止的六块区域一一对应。因此，《黄金草原》在论及人类生息地域之间的地理位置关系时所采用的平面地图参照系，是伊朗人的传统地理观念大地七境域说，而不是穆斯林舆地学中的七个气候带说。[18]

若将七个气候带作为全世界地理分区参照系来描述世界各地，情况便大不相同。《七地区或诸气候带之面貌》一书按七个气候带从南向北的顺序分区，逐一自东向西记述了世界各地大量城镇和地域的状况。据这些信息归纳总结，可得出如下结论：印度诸地跨第一至第四

18 在出版于1861年的《黄金草原》阿语勘本并法语对译本（全九册）的第一册中，al-aqālīm al-sab'a译作des sept climats，[al-]iqlīm译作climat，惜乎无辨析注解。Maçoudi, *Les Prairies D'or*, vol. 1, ed. and trans. C. Barbier de Meynard and Pavet de Courteille, Paris: Imprimerie Impériale, 1861, pp. 181—182。在较新的阿拉伯语勘本，如2005年于黎巴嫩出版的Kamāl Ḥasan Mar'ī校勘本（全四册）中，"七地区"和"地区"分别作al-aqālīm al-sab'a与[al-]iqlīm，亦未做辨析。Abī al-Ḥasan 'Alī ibn al-Ḥusayn ibn 'Alī al-Mas'ūdī, *Murūj al-dhahab wa-ma'ādin al-jawhar* (《黄金草原与珠玑宝藏》), vol. 1, ed. Kamāl Ḥasan Mar'ī, Beirut / Sidon: al-Maktaba al-'Aṣriyya, 2005 (AH 1425), pp. 69—70。在1965年（SH 1344）版，2003/2004年（SH 1382）第7次印刷的波斯语通行译本中，al-aqālīm al-sab'a译作aqālīm-i haftgāna，[al-]iqlīm径作iqlīm，亦无辨析说明。'Alī ibn al-Ḥusayn Mas'ūdī, *Murūj al-ẓahab* (《黄金草原》), vol. 1, trans. Abū al-Qāsim Pāyanda, Tehran: 'Ilmī va Farhangī, 2003 (SH 1382), p. 84。实则早在1841年出版的英译本第一册中，英译者Aloys Sprenger已注意到此问题。尽管Sprenger将al-aqālīm al-sab'a译作The Seven Climates，将iqlīm译作climate，他还是以近两页篇幅对The Seven Climates做出注释，说明其既不是如普林尼讲到的希腊人之发明，也不是像本书作者（马苏第）以及他之后的所有人所相信的那样——原本基于参照北纬度数对太阳高度指示仪（gnomon）的观测结果而建立的概念。此处的The Seven Climates与诸地域的纬度无关，而与波斯人星相崇拜传统——大地的每个部分都对应于七大行星（日月金木水火土）中的一个而神圣化——有关，climate（iqlīm）即《赞德阿维斯塔》(*Zendavesta*，阿维斯塔经注）中的keshvar。他还在随后为每个具体区域所作注释中提及古代伊朗大地分区传统的有关内容：第一区域诸地构成伊朗，或波斯人的神圣之地，在《赞德》文献中称为Khounnerets；第四区域（埃及）在《赞德》文献中称为Arzé，并援引《本达赫什》(*Boun-Dehesch*）做进一步注解。Aloys Sprenger (trans.), *El-Mas'ūdī's Historical Encyclopaedia, entitled "Meadows of Gold and Mines of Gems,"* vol. 1, London: The Oriental Translation Fund of Great Britain and Ireland, 1841, pp. 197—200。Sprenger使用的Khounnerets和Arzé等术语可参见本书图2及与其相关的文字。

气候带，秦与马秦和乞台地区跨第一至第四气候带，阿拉伯与阿比西尼亚跨第一至第三气候带，密昔儿与苫国均在第三气候带，鲁姆跨第四至第六气候带，马朱者与雅朱者（Maʾjūj va Yaʾjūj）之地以及突厥斯坦跨第四到第七气候带，世界中央即伊朗诸地主要分布于第二至第四气候带。[19]

对于本章讨论的《库什王纪》中的古代世界来说，因其中地理观念出自大地七境域说，适合采用的参照系是比鲁尼总结的伊朗传统地理观念大地七境域说在伊斯兰时代的表述（如图3）。而被本书用作参考资料的多数穆斯林史地著作，如早于比鲁尼时代的《黄金草原》《道里邦国志》《世界境域志》等文献，对古代世界的描述也均以伊朗大地七境域说为基本方位框架。

3. "东方"与"西方"辨析

在《库什王纪》中，从未出现阿拉伯语源的sharq与gharb，以及mashriq与maghrib这两对词汇表述"东方"和"西方"，而仅用khāvar和bākhtar这两个古老的波斯语词。现代波斯语中，khāvar和bākhtar这两个词作方位指向时，分别指东方和西方，但它们在古老的达里波斯语中词义指向比较复杂。

根据较为古老的《布尔汗词典》(*Burhān-i Qāṭiʿ*，编纂于伊斯兰教历1062年，约1651/1652年)：khāvar既意为指东方（mashriq）的bākhtar，也意为西方（maghrib）。穆因作注释说：khāvar是巴列维语词khūrbarān或khūrvarān的残留，意为西方，东方被人们称为khūrāsān。另有一说，khāvar（maghrib）由khāvarān/khāvar-ān（maghrib）而来。而在穆因为khāvarān所作注解中，称其源自巴列维语xvarvarān。[20]khurāsān意为东方（mashriq），与西方（maghrib）相对，也是一个著名地区之名。因该地区位于法尔斯和伊拉克的东

19 Manūchihr Sutūda (ed.), *Haft kishvar yā Ṣuvar al-aqālīm* (《七地区或诸气候带之面貌》), Tehran: Bunyād-i Farhang-i Īrān, 1974 (SH 1353), pp. 24—121.

20 *BQ*, vol. 2, p. 710.

方，人们便以此名称呼它。穆因注解：在巴列维语中作xvarāsān（mashriq，东方）。[21] 在巴列维语中，xwar为太阳，[22]xwarāsān为日出、东方；[23]xwarwarān同xwarōfrān，为日落、西方。[24]因此，据《布尔汗词典》和穆因从khāvar / khāvarān和khurāsān的词源入手所作注解，两者词义分别为西方和东方，是合理的解释。然而波斯语文献中又有其他解释，反映出伊斯兰时代初期这些方位词在波斯语中出现词义变化并在一定程度上导致误解和混淆。据《德胡达大辞典》（*Loghatnāme: Encyclopedic Dictionary*）"呼罗珊"（Khurāsān）词条，Khurāsān在古老的波斯语中是khāvar之地（khāvar-zamīn）的意思；这个名词在中古时代的初期被用来指称卢特盐漠（kavīr-i Lūt）以东直到印度群山（kūh-hā-yi Hind）的全部伊斯兰领地，因此它包括东方地区北部的全部河外地（Māvarā' al-Nahr），南部的锡斯坦和戈赫斯坦（Quhistān）[25]除外。[26]至此可略作小结，khāvar的词义本指西方，但在伊斯兰时代初期的伊朗，khāvar之地与呼罗珊发生混淆，其词义遂逐渐转作东方。这导致在达里波斯语兴起的初期与其西渐的时代，khāvar既指东方又指西方的混乱词义，在鲁达基（Rūdakī，约858—940）、菲尔多西、哈冈尼（Khāqānī，约1120—1199）等早期波斯语诗人的作品中，都可见到对其两个词义的运用。伴随着达里波斯语不断发展成熟和规范化，khāvar在现实应用当中逐渐失去原本的词义"西方"，仅保留后来的常用词义"东方"。《库什王纪》中的khāvar多指东方。

据《德胡达大辞典》援引沙法格（Rizāzāda Shafaq）编纂《列王纪词典》（*Farhang-i Shāhnāma*）和普尔·达五德（Pūr Dāvūd）注释《小阿维斯塔》（*Khurda Avistā*），apākhtara或abākhzar词义本为"更在那边"，在《阿维斯塔》中指北方，在波斯语中作bākhtar。普尔·达五德注曰：在

---

21 *BQ*, vol. 2, p. 723.

22 即波斯语中的khvar，又读作khur，同hūr。*LND*, vol. 7, p. 10066。

23 *CPD*, p. 95.

24 *CPD*, p. 96.

25 kuhistān的阿拉伯语化，kūhistān的缩略，词义为山区。

26 *LND*, vol. 7, p. 9634.

琐罗亚斯德教信仰中，该词指称魔王阿赫里曼与诸魔鬼的坟墓以及地狱所在地，因此人们认为北方是灾祸与厄运之地。[27]即这个词最初并不确指任何方位，需有参照才具实际方位意义；后受琐罗亚斯德教文化影响，指北方。在达里波斯语作为文学语言兴起的初期，bākhtar仍有北方之意。据《锡斯坦史》(*Tārīkh-i Sīstān*)载巴格达迪(Abū al-Faraj Baghdādī)[28]的说法，学者们基于太阳在尼姆鲁兹(nīmrūz)的升落——一日之始太阳升起处为东方(mashriq)，一日之末太阳落下处为西方(maghrib)，把世界分为四个部分：Khurāsān、Īran (Khāvarān)、Nīmrūz和Bākhtar，人们称北境为Bākhtar，称南境为Nīmrūz，中间地区分为两部分，东境称作Khurāsān，西境为Īrānshahr。[29]后被用作锡斯坦地名的nīmrūz原本词义为"日中"，指称南方之地，bākhtar与之相对，指北方。随达里波斯语文学传统的不断演进，bākhtar渐与khāvar相对，指西方。但因khāvar在古代波斯语文献中有时指东方，有时指西方，bākhtar也既指东方又指西方，有时还指北方。此外，Bākhtar作为专有名词在波斯语中还指称一处具体地域，即巴克特里亚(Bactria)，古时曾称作吐火罗斯坦(Tukhāristān / Tocharistan)，后称巴尔赫(Balkh)，以今阿富汗北部为中心。伊朗的安息王朝前期与巴克特里亚王国并立之时，后者疆域大致位于前者的东偏北方。而《库什王纪》中的bākhtar基本用以指称西方。

《库什王纪》成书的年代是波斯语西渐过程基本结束之时，但作为新的伊朗通用语，波斯语中指称东方和西方的用词尚未完全固定。大体来说，这部史诗中的khāvar和bākhtar在大部分情况下如今天的波斯语一样分别指东方和西方，但也非决然如此。在《库什王纪》中，土兰(河中地区)和秦等地，都曾与khāvar并称；库什

---

27 *LND*, vol. 3, p. 3927。在早期波斯语中还有apākhtar或āpā的写法。

28 据巴哈尔注释，其全名为Abū al-Faraj Qudāma ibn Jaʿfar al-Kātib al-Baghdādī，有著作名为*Kitāb al-kharāj wa-ṣanʿa al-kitāba*，其第十一章被附于伊本·胡尔达兹比赫的*Kitāb al-masālik wa-al-mamālik*后面，于1889年在荷兰莱顿一并出版，该部分著作在宋岘译注《道里邦国志》中被称作"古达玛的《税册》"。

29 Muḥammad Taqī Bahār (ed.), *Tārīkh-i Sīstān* (《锡斯坦史》), Tehran: Muʿīn, 2002 (SH 1381), pp. 23—24. *LND*, vol. 3, p. 3927.

与图尔都曾称khāvar之王；醍醐尔之子卡拉姆被法里东封为马秦与khāvar之王。以上情况下，khāvar指东方。而在图尔被称为突厥和秦之王的时候，萨勒姆被称为鲁姆与khāvar之王，这里的khāvar又指西方。即《库什王纪》中的khāvar也时指东方、时指西方，但整体而言指东方的情况占大多数。bākhtar的情况相对更加明确一些，除有一处佐哈克自圣城去往bākhtar，难以判断他去的到底是西方之地还是巴克特里亚这个国度，其余诸处的bākhtar都与鲁姆、安达鲁斯，或布加和努比亚等具体地名一同出现，可以判定其所指皆为西方。khāvarān则需略做讨论。当其表方位时，意为“东方（mashriq），同khāvar，也指西方（maghrib）”。此外，khāvarān在波斯语中也被用作地理专名。据《布尔汗词典》，Khāvarān是位于呼罗珊的一个地区之名；[30]《德胡达大辞典》更精确地指出，哈瓦兰（Khāvarān）又作哈八兰（Khābarān），即位于呼罗珊北境的一座古城——阿比瓦尔德（Abīvard）的另外一个名字。[31]而在《库什王纪》中，khāvarān的出现都伴随着鲁姆、撒吉剌等具体地名，即指西方。

二、《库什王纪》中的古代世界

见载于《库什王纪》的古代世界地名为数众多，因多见诸穆斯林地理文献，前贤考注已极详赡，本书倘更逐一详考，既超出本研究之预设目标，亦非笔者能力所及，恐成蛇足。故而本节内容主要是在大地七境域说的框架内，对出现在《库什王纪》中的大量地名做分区归类，呈现史诗所载伊朗和东西方世界的大图景，以之作为考察古代伊朗人集体记忆中的世界人文地理及其世界观的一个视角。对大多数见于该史诗的地理专名，本节仅作简略注释，意在说明其有据可考，而非神话传说

---

30 *BQ*, vol. 2, p. 710.

31 *LND*, vol. 6, p. 9472。斯特兰奇亦称，阿必洼儿（Abīvard）城所在的地区称作哈八兰（Khābarān）或哈瓦兰（Khāvarān）地区。G. 勒·斯特兰奇著，韩中义译注：《大食东部历史地理研究》，第564页。

中或纯文学虚构出来的虚幻之地；少数须深入追究的地名，在本书相关论述部分再加详考。

1.《库什王纪》中的伊朗

据《库什王纪》，象牙库什征战世界的历程以他被法里东擒拿并囚禁在达马万德山的四十年为界，可以分作在东方和在西方的两段。当然，史诗中东方和西方的划分，以把伊朗放在方位参照系的中央为前提。如上一节中的图3所示，第四区域伊朗之地（Īrānshahr）位于世界中央，其范围大致以伊朗高原为中心，包括西起美索不达米亚、东至阿姆河流域的广大地域。

《库什王纪》行文多用Īrān来称呼伊朗，个别情况下也用到Īranzamīn，与萨珊王朝统治者以伊朗沙赫尔称呼自己治下的广大地域一样，该词的外延也等同于伊朗文化大陆。另外，胡尼拉（Khunīra，又作Khūnīras或Khvanīras）[32]这个古老的地区名称在《库什王纪》中也曾数度出现，并伴有说明：

伊朗大地的名字原来不是伊朗，有信仰的人称它为胡尼拉。
在分封的时候当伊拉治得到伊朗，法里东给它取名为伊朗。
（第8371—8372联）

诗中提及多个位于伊朗地区的地理名词和城镇名称，主要有达马万德山（kūh-i Damāvand）[33]、同指一地的布扬（Būyān）和

---

32 按Khvanīras之拼写，该专名另有汉译作“赫瓦尼拉斯”。参见元文琪：《二元神论：古波斯宗教神话研究》，第138页；魏庆征编：《古代伊朗神话》，太原：北岳文艺出版社、山西人民出版社，1999年，第146页。

33 法里东囚禁佐哈克和象牙库什的雪山。今伊朗最高峰为厄尔布尔士山脉的达马万德峰。

达姆甘(Dāmghān)[34]、阿莫勒(Āmul)[35]、呼罗珊(Khurāsān)[36]、巴克特里亚(Bākhtar)[37]、喀布尔(Kābul)[38]、扎布尔(Zābul / Zāvul)[39]、尼姆鲁兹(Nīmrūz)[40]、巴比伦(Bābil)[41]、杰齐拉

---

34 据《库什王纪》,布扬是法里东囚禁佐哈克之山的名字,即达马万德山;古时为塔赫姆列斯囚禁魔鬼之地,其弟贾姆希德于此筑高耸城堡,凯卡乌斯时代毁于阿夫拉西亚伯之手。另外,诗中提到布扬就是穆护们(Mughān,琐罗亚斯德教祭司们)对达姆甘地区的称呼,可为佐证。达姆甘城位于今厄尔布尔士山,即古称达马万德山的山麓,故而布扬,亦即达马万德山,与达姆甘在诗中指称一地。

35 据《库什王纪》并《列王纪》,该地在佐哈克统治时期曾是阿贝廷藏身之地,法里东登基后即为其王廷所在,位于古时泰伯里斯坦,今伊朗里海沿岸地区。在《道里邦国志》中,都玛温德(Dumāwānd,即达马万德)、泰伯里斯坦、阿穆勒(Āmul,即阿莫勒)等地被与亚美尼亚、阿塞拜疆并置,归入"占[阿拔斯]帝国四分之一的北方疆土"——"杰尔毕"(Jarbiyyu)地区。伊本·胡尔达兹比赫著,宋岘译注:《道里邦国志》,第126页。王治来在自米诺尔斯基英译《世界境域志》转做汉译时,按《元史》记其名为"阿模里"。参见宋濂等:《元史》卷六十三《西北地附录》,北京:中华书局,1976年,第1573页。佚名著,王治来译注:《世界境域志》,第146页。柯劭忞撰《新元史》卷五一《西北地附录》增补:"阿模里。《大典图》直里海正南,为马三德兰部之会城。"屠寄撰《蒙兀儿史记》卷一六〇《地理志》又增补:"阿模里。城名。直里海之南,本唐陀拔斯单国地。今波斯祃拶答而部会城也。"上海古籍出版社、上海书店编:《元史二种》,上海:上海古籍出版社、上海书店,1989年,第1册,第265页;第2册,第1092页。马三德兰和祃拶答而均指里海南岸的Māzandarān(亦称Māzandar)地区,即伊朗古称泰伯里斯坦,中国古称陀拔思单之地。阿莫勒即位于该地区的古城,今伊朗马赞达兰省仍有阿莫勒市。

36 伊朗东北部古地名,范围大致包括今伊朗以呼罗珊(又译霍拉桑)为全名一部分的三个省份,以及与其毗邻的今属土库曼斯坦、阿富汗和乌兹别克斯坦的部分中亚地区。在《库什王纪》载萨勒姆、图尔与象牙库什联合反叛法里东的情节中,该地名被多次提及。

37 佐哈克与象牙库什曾自圣城去往该地并作短暂停留,或指希腊化的巴克特里亚王国故地,也可能概指西方之地或北方之地。

38 即今阿富汗首都及其周边地区。在波斯语史诗中,该地以出产优质短剑而著名。据《库什王纪》,在秦王玛汉格与麦赫拉贾的战争中,佐哈克急调喀布尔与扎布尔的军队增援麦赫拉贾,导致玛汉格战败,秦地落入大食人之手。

39 锡斯坦地区城镇名。在《列王纪》中,该地是鲁斯塔姆家族的领地。该专名若以Zāvulistān或Zāvulistān的形式出现,在波斯语文献中所指较为复杂,有时指与锡斯坦相邻的一个地区,有时包含锡斯坦,有时又与锡斯坦、尼姆鲁兹(Nīmrūz)同指一地。

40 在《库什王纪》中,该地是向阿贝廷提供有关塞尔凯特消息的年轻人之来处,勇士戈尔沙斯帕的驻军之处,数次被与印度和信德相提并论。在古代波斯语文献中,尼姆鲁兹指南方之地,作为专名使用时,大体指锡斯坦地区或该地区的一城镇。

41 伊斯兰时代伊拉克学派的古典地理学著作大多按照萨珊王朝的地理学传统,将伊拉克(美索不达米亚)和伊朗高原作为大地中央国度,故此将地处两河流域下游的巴比伦列于伊朗沙赫尔范围内。

(Jazīra)[42]、摩苏尔(Mawṣil)[43]、库法(Kūfa)[44]、伽斯塔纳特(Qasṭanāt)[45]、阿塞拜疆(Āẕarābādigān)[46]、费拉什(Fīrash)[47]、阿尔赞(Arzān)[48]、马法尔金(Māfārqīn)[49]、朱迭(Jūdī)[50]、吉兰海(daryā-yi Gīlān)[51]、阿尔胡姆海

42 jazīra词义是被水围绕的陆地,岛屿、半岛、两条河流之间地域皆为jazīra,杰齐拉是其对音。《世界境域志》所载杰齐拉为底格里斯河与幼发拉底河所围绕,因地处两河之间而得名。不过后来杰齐拉地区范围也包括底格里斯河东岸大片地区。Manūchihr Sutūda (ed.), *Ḥudūd al-ʿālam: Min al-mashriq ilā al-maghrib* (《世界境域志》), Tehran: Kitābkhāna-yi Ṭahūrī, 1983 (SH 1362), p. 155。佚名著,王治来译注:《世界境域志》,第156页。

43 在《库什王纪》中,该地是象牙库什从阿莫勒出征西方时首先途经之地,即伊拉克杰齐拉(Jazīra)地区之摩苏尔。Sutūda (ed.), *Ḥudūd al-ʿālam: Min al-mashriq ilā al-maghrib*, p. 155。佚名著,王治来译注:《世界境域志》,第156页。

44 位于伊拉克地区的古城,在阿拉伯帝国时期为重要的政治和文化中心。

45 幼发拉底河畔城市,目前仅见于《库什王纪》引言部分所载伊斯塔里纳斯(Isṭalīnās)的故事中。

46 原意为"火焰兴旺之地",在《库什王纪》中又作Āẕarābāygān(第9421联)。据《库什王纪》的诗句:"另外是阿塞拜疆——不管怎样,聪明人和糊涂人都把它算作伊朗[之地]。"(第8689联)

47 此为玛努切赫尔平定萨勒姆、图尔和象牙库什叛乱的过程中,卡兰攻克的一个要塞,方位不详。诗中言及卡兰攻克费拉什之前,法里东遣其去往阿塞拜疆,以此推测,该要塞可能位于阿塞拜疆。

48 据伊本·巴里黑(Ibn Balkhī)著《法尔斯志》(*Fārsnāma*,成书于1104—1117年间),Arzān是法尔斯地区的一片平原之名,位于J.rjīzkān与卡泽伦(Kāzirūn)之间。G. Le Strange and R. A. Nicholson (eds.), *The Fārsnāma of Ibnu'l-Balkhī*, London: Messrs Luzac & Co., 1921, p. 163。*LND*, vol. 2, p. 1823。应即设拉子附近的Arzan / Arzhan平原。而Arzan既为上述法尔斯地名,又为亚美尼亚一城名,即Arzan al-Rūm之略称。*LND*, vol. 2, p. 1827。Arzan al-Rūm又有另一异体Arzirūm,为土耳其东部城市名。*FFM*, vol. 5, p. 120。据《库什王纪》,在象牙库什致安达鲁斯王的书信里,阿尔赞被与土兰并置于一处。考虑到古时Arzan al-Rūm地区大约在土耳其东南部到亚美尼亚一带,该阿尔赞可能指Arzan al-Rūm。但无论此Arzān到底指法尔斯的Arzan / Arzhan,还是Arzan al-Rūm,在史诗中七境域的语境下,都可将其归入伊朗之地。

49 古城名,又称Miyāfārqīn,即今天土耳其迪亚巴克尔省锡尔万。

50 位于马法尔金附近的一座山,努哈方舟最后停泊之处。汉译名按马坚译《古兰经·胡德》(11:44)。马坚译:《古兰经》,第165页。

51 即里海。吉兰地区位于伊朗西北部,里海东南岸。韩中义据《新唐书·地理志》汉译作"歧兰",见G. 勒·斯特兰奇著,韩中义译注:《大食东部历史地理研究》,第253页。中华书局标点本《新唐书》中作"岐兰",见欧阳修、宋祁:《新唐书》卷四三下《地理志七下》,第1154页。

(daryā-yi Alhum)[52]、波斯海(daryā-yi Pārs)[53]等,多为真实世界的古地名。

2.《库什王纪》中的东方世界

按图3,东方世界指第一区域——印度人之地、第六区域——突厥与雅朱者之地和第七区域——秦与马秦。东方世界是《库什王纪》前半部叙事的主要地理场景,有关地理信息可从如下几段情节中提取:亚历山大东征至印度和秦;贾姆希德败亡过程中与印度王交战;自象牙库什出生于秦,至他在与贾姆希德族人和巴希拉人的长期军事对抗中成为秦与马秦之王;象牙库什巡行河中地区,攻灭莫克兰,建贵霜城,其势力在东方达到顶点,称东方之王;法里东讨伐象牙库什,后者从秦、马秦、莫克兰和吐蕃征召大军抵抗,最终不敌而遭擒。根据见于以上情节中的地理信息,可以按照图3的分区对《库什王纪》中的东方世界做出整体描绘。东方世界包含多个国度或相对独立的地区,这些国度和地区内部又有一定数量的城镇等更小的地理单元。以下从我们最关心的中国地区,即秦与马秦开始逐一整理。

(1)秦与马秦(Chīn va Māchīn,第七区域):包括伊朗以东直至东洋大海的广大区域。

a. 秦(Chīn):在《库什王纪》中,秦是一片广阔地域,分布着众多的城市和民居繁华之地。具体讲到位于秦的城镇和地区包括胡

---

52 马提尼注曰:*Ḥudūd al-ʿālam: Min al-mashriq ilā al-maghrib*提到在低廉(Daylamān)地区有座小城名叫Alhum;在*Aḥsan al-taqāsīm*[10世纪阿拉伯地理学家Shams al-Dīn Abū ʿAbd Allāh Muḥammad ibn Aḥmad ibn Abī Bakr al-Muqaddasī所著*Aḥsan al-taqāsīm fī maʿrifat al-aqālīm*(《关于各地区知识的最佳分类》)]的波斯语译文及其脚注中,出现ʿayn Alhum和chishma-yi Alhum(p. 519/2);在*Tuḥfa al-gharāʾib*(《异宝志》,11—12世纪伊朗数学家和天文学家Abū Jaʿfar Muḥammad ibn Ayyūb Ḥāsib-i Ṭabarī所作)中,记有ʿayn Alhum(p. 140)。Ibn Abī al-Khayr, *Kūshnāma*, pp. 401—402。Sutūda (ed.), *Ḥudūd al-ʿālam: Min al-mashriq ilā al-maghrib*, p. 146。佚名著,王治来译注:《世界境域志》,第146页。据此,阿尔胡姆海应指里海的一部分,即靠近低廉地区海滨之城阿尔胡姆的区域。另,本节以下注释中多有引述马提尼为《库什王纪》校勘本所作注释,提及多部伊斯兰史地著作以为参考,为行文简洁,一般此类情况下,笔者不再为马提尼注释中每一处文献引述单独出注;同时,为避免读者将其引述文献与汉译本相混淆,马提尼注释所及原文著作名称仅作转写而不作汉译。

53 应指今波斯湾,或及阿拉伯海。

姆丹(Khumdān)[54]、吐蕃(Tabbat)[55]、法尔喀尔(Farkhār)[56]、龟兹/库车(Kujā)[57]、坎大哈(Qandahār)[58]、古尔(Ghūr)[59]、伽斯林(Qaṣrīn)[60]、易弗里基叶(Ifrīqīya)[61]、皮尔古尚(Pīlgūshān)[62]、阿儿浑(Arghūn)[63]、塔尔阿纳(Tar'ana)[64]等,多为有据可查的古地名,个别或为文学虚构。

b. 马秦(Māchīn):据《库什王纪》,为逃避库什父子的追杀,贾姆希德族人经一条险峻山路,自秦隐秘地前往马秦。马秦濒临东海,与巴希拉岛隔海相望。下一章就此地理专名有集中讨论。

c. 巴希拉(B.sīlā):该地名的这种拼写形式目前仅见于《库什王纪》和《世界志》[65],在收录有部分《库什王纪》内容的《历史与故事辑

---

54 《库什王纪》中秦的都城。下文另有展开讨论。

55 该读音在波斯语中较常用。*FFM*, vol. 5, p. 378。该地名还有Tibbit、Tubbat、Tubbit等多种读音。*LND*, vol. 4, p. 6352。据《库什王纪》格律,b亦应有叠音。

56 王治来将该专名汉译为法尔喀尔。参见佚名著,王治来译注:《世界境域志》,第67页。亦可据波斯语-汉语对音规则,将其译作法尔哈尔。下文就其具体所指另有讨论。

57 另见下文展开讨论。

58 著名古城,建城史可追溯至公元前4世纪亚历山大东征。今仍为阿富汗重镇。

59 至今仍为阿富汗的一个族群与省份名称,其地位于赫拉特以东,坎大哈以北。历史上的古尔王朝(Ghūriyān / Ghurid dynasty,约879—1215)鼎盛时期曾领有伊朗东部、印度北部和中亚大部分地区。

60 阿贝廷在秦攻取并掠走秦王象牙库什大量财宝的两座城之一。暂无可考,或为虚构之地。

61 阿贝廷在秦攻取并掠走秦王象牙库什大量财宝的两座城之一。此地名拼写与北非的易弗里基叶完全相同,在《库什王纪》中出现在中国地区,可能是诗人杜撰之故。

62 部落名称,意为"象耳者们",象牙库什的母亲出自该部落,当为虚构。

63 贾姆希德族人避居长达数百年的丛林。下文就其具体所指有展开讨论。

64 《库什王纪》所载一处丛林之名,暂无可考。

65 扎赫拉·达什特班在《〈库什王纪〉中部分神话英雄的研究与介绍》一文的注释中说:在阿布·菲达(Abū al-Fidā')的《地理志》(*Taqvīm al-Buldān*)中,提到一个位于中国以东的岛屿名叫jazīra-yi B.sīlā;在《道里邦国志》中,Shilā或B.sīlā被用以指朝鲜的土地;马提尼认为《库什王纪》中的第二马秦(jazīra-yi B.sīlā)是日本列岛之一的名称。参见Dashtbān, "Barrasī va mu'arrifī-yi barkh-ī az qahramānān-i asāṭīrī-yi manẓūma-yi *Kūshnāma*," p. 101。达什特班关于《库什王纪》中jazīra-yi B.sīlā指日本列岛之一的说法引述自马提尼所撰《法里东与光辉的太阳之国土》("Farīdūn va sarzamīn-i āftāb-i tābān")文中的观点。朝鲜古代地名新罗在《道里邦国志》中写作Shilā,达什特班可能认为该词也可读作B.sīlā。至于阿布·菲达《地理志》所载,在法国学者雷诺德(M. Reinaud)和德·斯兰(De Slane)据巴黎和莱顿抄本校勘的阿拉伯语原文中出现带定冠词的al-Sīlī(阿拉伯语亦读作al-Sīlā)和不带定冠词的Sīlā两种写法,参见M. Reinaud and De Slane (eds.), *Géographie D'Aboulféda: Texte Arabe*, Paris: M. Le Garde Des Sezux, 1840, pp. 366—367。该地名在裕尔所撰《东域纪程录丛——古代中国闻见录》(转下页)

要》中写作B.s.lā。关于该专名在穆斯林史地文献中的类似拼写形式，以及该地的历史原型，下一章有专题论述。按《库什王纪》，巴希拉是贾姆希德族人最终的避难地，其地在马秦以东，是一巨大海岛。这个国度有众多繁华的城市，但诗中提到名称的只有首府巴希拉城以及盖尔（Gayr）和乌尔（Ūr）[66]。

d. 基马克（Kīmāk）[67]：按《库什王纪》，象牙库什发现马秦王贝哈克暗通贾姆希德族人后，兴兵讨伐，贝哈克逃到基马克的一座城市，败亡于此。史诗行文提及此地距吐蕃不远。

e. 巴达赫尚（Balkhash）[68]：Balkhash是Badakhsh的阿拉伯语化或另一种读音；Badakhsh是Badakhshān的简写；Balkhash又通Balakhshān，而Balakhshān为Badakhshān的另一种发音。[69]故而Balkhash即巴达赫尚（Badakhshān）。据《库什王纪》，该地以出产红宝石著称，这与其他穆斯林史地文献所载相符。[70]

（接上页）汉译本附录中的《阿布·菲达〈地理志〉摘录》中作"新罗（Sīlā）"。见裕尔：《东域纪程录丛——古代中国闻见录》，考迪埃修订，张绪山译，北京：中华书局，2008年，第223页。在费琅辑注的《阿拉伯波斯突厥人东方文献辑注》汉译本载《阿布·菲达〈地理书〉》节译中作"新罗岛"，并有注释："Sīlā。原文中写道，'人们也称新罗（又作Silā）为高丽'。"见费琅辑注：《阿拉伯波斯突厥人东方文献辑注》，耿昇、穆根来译，北京：中华书局，1989年，第444页。以上诸处皆未见同B.sīlā之转写。

66 象牙库什用计赚开关隘而攻入巴希拉内陆，最终巴希拉诸城中仅余这三座拥有强大武装力量的坚城没有陷落。除首府巴希拉城外，盖尔和乌尔之名暂无可考，或为文学虚构。

67 据《世界境域志》，基马克东临黠戛斯（Kharkhīz）。Sutūda (ed.), *Ḥudūd al-ʿālam: Min al-mashriq ilā al-maghrib*, p. 85。王治来在译注中将其归入西北突厥诸部。佚名著，王治来译注：《世界境域志》，第82页。《黄金草原》有关中国的章节讲到居住于乌浒水另一边的呼罗珊到中国之间的突厥人诸部时，也提到基马克之名。马苏第：《黄金草原》，第159页。历史上的基马克汗国存国约在公元8—11世纪。

68 今阿富汗有巴达赫尚省。本书取巴达赫尚作其汉译名。《明史》记该地作八答黑商。张廷玉等：《明史》卷三三二《西域四》，北京：中华书局，1974年，第8597、8610、8612—8614页。在《世界境域志》中，该地被归入"关于呼罗珊诸边境地区"的章节。Sutūda (ed.), *Ḥudūd al-ʿālam: Min al-mashriq ilā al-maghrib*, p. 105。汉译见佚名著，王治来译注：《世界境域志》，第104页。

69 *LND*, vol. 3, pp. 4442—4443. *LND*, vol. 4, p. 4954.

70 关于巴达赫尚出产宝石的详尽文献梳理，可参见王一丹：《巴达赫尚的红宝石》，荣新江、朱玉麒主编：《丝绸之路新探索：考古、文献与学术史》，南京：凤凰出版社，2019年，第143—157页。

f. 葛逻禄(Khallukh)[71]：据《库什王纪》，该地区为秦王象牙库什提供俊男美女为仆婢，类似记述也见于其他伊朗叙事文学作品中。

g. 塔塔尔(Tatār，鞑靼)[72]：据《库什王纪》，巴希拉新王卡拉姆登基后向法里东贡献的礼物包括“一百名秦和塔塔尔的美女”，暗示塔塔尔距离秦和巴希拉都不太远。

《库什王纪》行文并未明言巴达赫尚、葛逻禄、塔塔尔属秦与马秦的一部分，但巴达赫尚和葛逻禄为秦王提供仆婢和宝石，塔塔尔为巴希拉王提供婢女。史诗中的秦与巴希拉，在佐哈克与法里东为王时期先后处于东方世界二级朝贡中心的地位，上述三地可视为其藩属。又因巴希拉在诗中有“另一个马秦”之称，故而此据《库什王纪》叙事，将这三地列于秦与马秦的范围内，而没有置于突厥之地项下。下文就此有展开论述。

h. 另一个花园般的海岛[73]：《库什王纪》述及两个“花园般的海岛”，一个指巴希拉，另一个还有七个月的海程，大约在更遥远的东洋大海中。

(2) 印度人[之地](Hinduvān，第一区域)：与伊朗的东南疆界接壤。

a. 印度(Hind)：在《库什王纪》中又作Hindūstān，其王称麦赫拉贾(mahrāj)。见于这个国度的地名有沙浪迪布(Sarandīb)[74]、拉浑山(kūh-i

---

71 《德胡达大辞典》据*Nāẓim al-Aṭibbā'*称其为乞台的一座大城，盛产麝香和美女。*LND*, vol. 7, p. 9912。《黄金草原》在与中国有关章节中提到葛逻禄人是英勇的游牧民。《世界境域志》把它作为一个拥有多座城镇的地区来记录。Sutūda (ed.), *Ḥudūd al-ʿālam: Min al-mashriq ilā al-maghrib*, pp. 81—83。王治来将其章节汉译为“关于葛逻禄国及其城镇”。佚名著，王治来译注：《世界境域志》，第76—78页。

72 该专名在波斯语中还有Tātār和Tatar的拼写形式。

73 推测其原型或为日本列岛，或为虚构。

74 《世界境域志》中将其归入中国地区，记其位于中国南部海岸，在印度与中国之边境。Sutūda (ed.), *Ḥudūd al-ʿālam: Min al-mashriq ilā al-maghrib*, p. 63。汉译者王治来注曰：即锡兰(今斯里兰卡)。佚名著，王治来译注：《世界境域志》，第54页。《道里邦国志》记其名作塞兰迪布，记载该地为一座岛屿，岛上有山，人祖阿丹曾降临于此山之上。汉译者宋岘为这座山作注：即锡兰山，今名为“皮杜鲁塔拉加拉”山。伊本·胡尔达兹比赫著，宋岘译注：《道里邦国志》，第67页。

Rāhūn)[75]等。

b. 信德(Sind):据《库什王纪》,图尔与萨勒姆杀害伊拉治以后,致函象牙库什谋求联盟,并承诺重新三分世界。在这次划分中,萨勒姆的领地包括伊朗、秦、印度、尼姆鲁兹和信德。

c. 莫克兰(Mukrān):伊朗与印度之间的滨海地区。在《库什王纪》中,该地原本便属象牙库什之藩属,但后来他还是杀其王而直接占其地。法里东自伊朗派遣大军赴秦讨伐象牙库什之时,象牙库什在秦、马秦、莫克兰与吐蕃各地征发兵勇,聚众抵抗。

d. 贵霜(Kūshān):莫克兰附近有一岛屿,象牙库什占领该地之后筑城于其上,以自己的名字将新建之城命名为Kūshān,他还在城中竖立起自己巨大的雕像令民众礼拜。在中古时期的波斯语中,daryā既表"大河"又表"大海"之意——至今阿富汗的波斯语中仍将河流称为daryā,而且在当时的阿拉伯语和波斯语中,岛屿、半岛、两条河流之间的陆地都被称为jazīra——伊拉克的杰齐拉(Jazīra)地区便因处于两条河流之间而得名,故而不能因《库什王纪》中的Kūshān地处"海中岛屿"(jazīra dar daryā),就完全排除它与历史上的贵霜帝国有关联的可能性。

(3) 突厥与雅朱者[之地](Turk va Yaʾjūj,第六区域),与伊朗的东北方疆界接壤。

a. 雅朱者[之地](Yaʾjūj)[76]:阿贝廷取道北方海路自巴希拉返回伊朗时,途经该地区的边缘。《库什王纪》中有一联诗句描述了它的广大,且与上古伊朗神话对大地七境域面积的描述有所不同:

大地上七个国度中最大的国度,造物主把它给了这些生物。

(第4074联)

b. 突厥(Turk):《库什王纪》关于突厥之地和突厥人未作细节描

75 《库什王纪》所载人祖阿丹降世之处,邻近沙浪迪布城。

76 《古兰经》(21:96)所载野蛮人族群,与马朱者并称——Yaʾjūj wa-Maʾjūj,《旧约》中的平行角色称作歌革和玛各(Gog and Magog)。

述，但突厥作为地理专名多次出现在诗中，且常与秦或土兰并置，是一个广阔的国度或地区。

c. 河中地区（Māvarā' al-Nahr）/土兰（Tūrān）：阿拉伯语māwarā' al-nahr本义为"河外地"，即向东北方过了阿姆河的地域，西方诸语称之为Transoxiana亦为此意。而在古时，阿姆河长期是伊朗之地（Īrānzamīn）[77]与土兰之地（Tūrānzamīn）[78]的界河，故而在波斯语文献中，河外地和土兰有时指同一片地域。因该地区的民居之地多集中在阿姆河与锡尔河之间，在汉语文献中被约定俗成地称为河中地区，为本书采用。据《穆因大词典》（*Farhang-i Fārsī-yi Mu'īn*）对Tūrān的释义：图尔（Tūr）的领地，是位于阿姆河（Āmū daryā [Jayḥūn]）的另一边，即河外地（Māvarā' al-Nahr）的一片地域，该地与花剌子模（Khᵛārazm）相接，从东方延伸至咸海（daryācha-yi Āral）。[79]在《库什王纪》中，河中地区和土兰这两个地名均多次出现，其所指地域范围基本一致，故而于此将二者归为一个地区。诗中言及位于该地区的地理名词和城镇名称包括阿姆河（Jayḥūn）[80]、塔拉兹（Ṭarāz，怛逻斯）[81]、贝坎德（Baykand）[82]、布哈拉

---

77 指定居印欧人的领地。

78 主要指游牧印欧人之地。

79 *FFM*, vol. 5, p. 399.

80 Jayḥūn是阿姆河的阿拉伯语名，宋岘在《道里邦国志》汉译本中对音译为"杰义哄"。据《库什王纪》，法里东三分世界时，阿姆河即为伊朗与其东［北］方的秦与突厥人之地的界河。

81 唐代称为怛逻斯，在今哈萨克斯坦。

82 据《库什王纪》，此地是图尔驻军的土兰城市。《德胡达大辞典》据《布哈拉史》（*Tārīkh-i Bukhārā*）、《地理词典》（*Mu'jam al-buldān*）、《心之喜悦》《世界境域志》《历史与故事辑要》等文献所载释义：一座城市之名，根据古老的传说，由贾姆希德建造，据说在很多年里是土兰王阿夫拉西亚伯的都城，以甘格堡（Gang-dizh）著称。该城距布哈拉五法尔萨赫，正处于法尔巴尔（Farbar）附近通往阿姆河的一条道路上，现今仍存。*LND*, vol. 4, p. 5253。在伊斯兰时代，其地位已不及布哈拉，据说去巴格达的贝坎德人若被问及来自何处，他们会答道来自布哈拉，而不是贝坎德。但贝坎德仍很繁华，有超过一千处客栈，因为布哈拉地区每一处村镇的人都在贝坎德建一座客栈，以备行商、避难时自用方便。Abū Bakr Muḥammad ibn Ja'far al-Nashakhī, *Tārīkh-i Bukhārā*（《布哈拉史》）, trans. Abū Naṣr Aḥmad ibn Muḥammad ibn Naṣr al-Qubāvī, condensed by Muḥammad ibn Zufar ibn 'Umar, ed. Mudarris Rażavī, Tehran: Kitāb-furūshī-yi Sanā'ī, 1972 (SH 1351), pp. 21—22。在《大食东部历史地理研究》中，该城名汉译作拜坎；Farbar转写为Firabr，译作费拉卜儿。G. 勒・斯特兰奇著，韩中义译注：《大食东部历史地理研究》，第663页。

(Bukhārā)[83]等。

3.《库什王纪》中的西方世界

《库什王纪》后半部的情节以西方世界诸地为主要地理场景。按图3,西方世界包括第二区域——阿拉伯与阿比西尼亚、第三区域——埃及与苫国和第五区域——撒吉剌与鲁姆。

为了应对布加和努比亚人对帝国西方边境的袭扰,法里东起用象牙库什率军前去征讨。象牙库什为了让马格里布的难民回到自己的家园,以武力征服安达鲁斯,随后占领塔立格山。他在塔立格山的七座山峰中最险峻的一座——库兰甘(Kulangān)山上修筑了几座城池作为根据地。后为抵御蛮族进攻,他又在马格里布的阿特拉布卢斯(Aṭrābulus)筑坚城、广积粮,蛮族之乱遂平。此后,象牙库什不再听命于法里东,在西方土地肆意妄为——以索取美女为由向其他国度大动干戈,陆续攻占其他一些城镇以拓展自己的势力,甚至占领埃及和鲁姆各半的疆土。

法里东三分世界后,命萨勒姆赴鲁姆就任,同时令他与卡兰合力讨伐象牙库什。象牙库什败走马格里布和塔立格山,卡兰进占安达鲁斯。萨勒姆率鲁姆军队围困库什所在的库兰甘山长达八年,直至伊拉治遇害。多年后,玛努切赫尔攻杀萨勒姆和图尔,击败象牙库什,迫使其退回哈瓦兰(Khāvarān,于此为西方诸地统称)。新任鲁姆之王卡兰追击未果,象牙库什遂在西方广大地域上自行其是。

努比亚人再次强大起来以后,突袭了马格里布,象牙库什不敌,求助于伊朗王廷。他诱惑卡乌斯王出兵远征,借势返回安达鲁斯。又多年后,象牙库什在一次狩猎中迷路,遇到贾姆希德后人中的一位智慧老人。在这位智叟的帮助下,象牙库什得以洗心革面,而后重返自己的领地,成了引导民众崇信真神的正义之王。在帮助贾巴尔格(Jābalq)王

83 即汉语史料所载昭武九姓中的安国,后曾作为萨曼王朝都城,与撒马尔罕同为河中地区最重要的古城。

除害之后，象牙库什回到科尔多瓦（Qurṭuba），《库什王纪》的故事也告一段落。

根据《库什王纪》在上述情节中提供的信息，按照图3的分区可以对《库什王纪》中的西方世界作出整体描绘。

（1）阿拉伯与阿比西尼亚（ʿArab va Ḥabashistān，第二区域）：包括伊朗西南方的阿拉伯地区直至红海周边，以及非洲东北部部分地区。该区域并非象牙库什征战的主要地域，因而《库什王纪》关于该地状况着墨不多。

a. 大食（Tāzī，阿拉伯）：该国度在《库什王纪》中是伊朗的重要邻邦之一，佐哈克-象牙库什家族就出自大食。《库什王纪》提及位于这一区域的地名有也门（Yaman）[84]、亚丁（ʿAdan）[85]、哈德拉毛（Ḥażramawt）[86]等。

b. 哈巴什（Ḥabash，阿比西尼亚）：据《库什王纪》，象牙库什在该地发现多处金矿，其地理位置临近埃及与红海。诗中提及位于该地区的城镇名有艾扎布（ʿAyẕāb）[87]。

（2）埃及与苫国（Miṣr va Shām，第三区域）：包括从伊朗西方的地中海东岸地区到埃及的地域。据《库什王纪》所载，象牙库什自埃及向

---

84 词义为“右边、右手边”，古时曾为独立王国，是阿拉伯地区的一片繁华、富饶之地，在《地理词典》《世界境域志》等地理文献和伊朗史诗《列王纪》中均有述及。

85 今也门有港口城市亚丁，位于阿拉伯半岛西南端，扼守红海通向印度洋的门户。在《地理词典》《世界境域志》《法尔斯志》等文献中都有述及。按《世界境域志》，亚丁是大海边上的一个城镇，出产许多珍珠，与阿比西尼亚境域相邻。Sutūda (ed.), *Ḥudūd al-ʿālam: Min al-mashriq ilā al-maghrib*, p. 168。佚名著，王治来译注：《世界境域志》，第167页。

86 古时哈德拉毛王国位于今也门南部、东南部，以及阿曼苏丹国部分地区，是乳香的主要产地。今也门有哈德拉毛省。在《库什王纪》中，迦南自苫国逃至此处。王治来在《世界境域志》中将其汉译为“哈达拉毛”，称其为一个繁荣兴旺的省。Sutūda (ed.), *Ḥudūd al-ʿālam: Min al-mashriq ilā al-maghrib*, p. 168。佚名著，王治来译注：《世界境域志》，第167页。

87 据《地理词典》和《纳赛尔·霍斯鲁游记》，其为位于红海（daryā-yi Qulzum）边的城镇名。*LND*, vol. 11, p. 16472。而据《省道志》，该地距红海不远，位于尼罗河（daryā-yi Nīl）岸边。在阿斯旺（Usvān）和艾扎布之间有著名的金矿，该金矿应属埃及，而人们传言其属布加。该矿床延伸至艾扎布，据说艾扎布又不属布加之地，而是阿比西尼亚的城镇。Iṣṭakhrī, *Mamālik va masālik*, ed. Īraj Afshār, 1994, pp. 35, 65。据《库什王纪》，“他［象牙库什］获取两个出众的矿床，贵重的黄金如石头般向他涌来。一个矿床在苏旺城那边，要在砂砾之地走两个星期，它延伸到艾扎布和阿比西尼亚的疆界，纯净的宝石如太阳般闪光”（第8161—8163联），与《省道志》所载相符。

马格里布开疆拓土直至世界西方尽头，并渡海征服塔立格山（直布罗陀）和安达鲁斯。本节将马格里布归入本区域，安达鲁斯归入撒吉剌与鲁姆（第五区域）。

a. 苫国（Shām / Shāmāt，叙利亚）：《库什王纪》提及位于该国度的城市有圣城（Bayt al-Muqaddas）[88]和塔尔图斯（Ṭarṭūs）[89]。

b. 埃及（Miṣr，我国古称密昔儿）：出现在《库什王纪》中位于埃及的城市包括布西尔（Būṣīr）[90]、福斯塔特（Fusṭāṭ）[91]、苏旺（Sūvān，又称Usvān）[92]、拉卡（Raqqa）[93]、里弗（Rīf）[94]、古尔白义特（Qurbayṭ）[95]、古尔祖

---

88 阿拉伯语词，此为意译。在波斯语文献中，该专名即耶路撒冷之称谓；在《库什王纪》中，该城是佐哈克统治世界时期的都城。

89 即腓尼基古城Antaradus，地中海东岸古港口，在《地理词典》和《世界境域志》中多记作Anṭaraṭūs。Yāqūt ibn ʿAbd Allāh Ḥamawī Baghdādī, *Muʿjam al-buldān*（《地理词典》），trans. ʿAlīnaqī Munzavī, Tehran: Sāzmān-i Mīrāṡ-i Farhangī, 2001, vol. 1, p. 344。Sutūda (ed.), *Ḥudūd al-ʿālam: Min al-mashriq ilā al-maghrib*, p. 171。今为叙利亚港口城市塔尔图斯。

90 尼罗河东岸城市布西尔，埃及古都。Sutūda (ed.), *Ḥudūd al-ʿālam: Min al-mashriq ilā al-maghrib*, pp. 176—177。佚名著，王治来译注：《世界境域志》，第178页。Ibn Khordādhbeh, *Kitāb al-Masālik wa'l-Mamālik*（《道里邦国志》），ed. M. J. De Goeje, Lugduni Batavorum: E. J. Brill, 1889, p. 81。宋岘汉译作"布绥尔"。伊本·胡尔达兹比赫著，宋岘译注：《道里邦国志》，第86页。

91 埃及古都福斯塔特，该城在布西尔之后成为埃及都城。Sutūda (ed.), *Ḥudūd al-ʿālam: Min al-mashriq ilā al-maghrib*, p. 175。佚名著，王治来译注：《世界境域志》，第177页。Ibn Khordādhbeh, *Kitāb al-Masālik wa'l-Mamālik*, pp. 79—84。宋岘汉译作"富斯塔特"。伊本·胡尔达兹比赫著，宋岘译注：《道里邦国志》，第85—88页。

92 即阿斯旺，位于埃及与努比亚交界处的城市。Sutūda (ed.), *Ḥudūd al-ʿālam: Min al-mashriq ilā al-maghrib*, p. 177。佚名著，王治来译注：《世界境域志》，第179页。

93 raqqa词义为河岸边的城镇，伊拉克杰齐拉地区幼发拉底河岸和埃及尼罗河西岸都有以Raqqa为名的城镇。*LND*, vol. 8, p. 12202。*FFM*, vol. 5, p. 602。Sutūda (ed.), *Ḥudūd al-ʿālam: Min al-mashriq ilā al-maghrib*, p. 156。在《库什王纪》中，该地名在象牙库什、凯卡乌斯与马赞达兰诸魔鬼战斗的情节中被两次提及，应为埃及地名。

94 rīf词义为肥沃富饶、草木茂盛、适于农耕之地。《省道志》多处提及专名里弗（Rīf），且将其归入埃及之地：自阿斯旺（Usvān）到亚历山大里亚（Iskandariya）全都是肥沃富饶、受益于那条河流的里弗诸城。自福斯塔特（Fusṭāṭ）至尼罗河岸之地称作萨义德（Ṣaʿīd），[河流]下游方向之地称作里弗。Iṣṭakhrī, *Mamālik va masālik*, ed. Īraj Afshār, 1994, pp. 60, 62。作为地理专名，Rīf又指摩洛哥北部的地中海沿岸地带。*FFM*, vol. 5, p. 638。但据《库什王纪》，此为卡乌斯征努比亚时所到之地，在两山之间的河岸边，其地应位于埃及。

95 在《库什王纪》中，其为象牙库什建造之城。马提尼注曰：抄本中这个词有残缺，可能是*Masālik va mamālik-i Ibn Khurdādbih*中记载的埃及城市Qurbayṭ。Ibn Khordādhbeh, *Kitāb al-Masālik wa'l-Mamālik*, p. 82。伊本·胡尔达兹比赫著，宋岘译注：《道里邦国志》，第87页。

姆海(daryā-yi Qulzum)[96]等。

c. 努比亚(Nūba / Nūbī)[97]:《库什王纪》所载一国度,其地与布加的居民都是黑人,多次进犯法里东统治的世界。在象牙库什与努比亚人作战的情节中,出现指称临近埃及一处山区的地名——哈贾特(Ḥājāt)[98]。

d. 布加(Bujja)[99]:与努比亚相邻的黑人所居之地。据《库什王纪》载,布加还有个名字,即马赞达兰(Māzandarān)。与《列王纪》中的描述一样,这个马赞达兰并不是历史上的泰伯里斯坦——今伊朗北部厄尔布尔士山北麓到里海南岸一带的马赞达兰省,而是地处北非的一个国度:

> 任何人知道的布加土地,见多识广的人把它称作马赞达兰。
> 当你想要了解黑人们战斗的全部,我以一个名字给你引路。
> 你去向马斯乌迪查询这个故事,他为这些话语承受了艰辛。
> 以那几部业绩书保存的消息,他讲述了伊朗诸王的事迹。
>
> (第7333—7336联)

马提尼于此注曰:《库什王纪》中的马赞达兰是位于非洲埃及南边的一片地域。在本书中,卡乌斯为征服马赞达兰而挥军前往该地,却在那里被俘。其时,鲁斯塔姆为拯救他和伊朗人而勇闯七关(载于菲尔多西的《列王纪》中)。该马赞达兰位于非洲埃及南边,见《库什王纪》第9578—9674联。[100]诗中提及位于该地区的城镇名有图瓦(Tuvva /

---

96 红海古称。

97 有关该国度情况的记述可参见Sutūda (ed.), *Ḥudūd al-ʿālam: Min al-mashriq ilā al-maghrib*, p. 198。佚名著,王治来译注:《世界境域志》,第208页。

98 暂无可考。

99 有关该国度情况的记述可参见Sutūda (ed.), *Ḥudūd al-ʿālam: Min al-mashriq ilā al-maghrib*, p. 197。佚名著,王治来译注:《世界境域志》,第207页。

100 马提尼另撰有论文,对《库什王纪》中有关马赞达兰诸魔鬼的故事与《列王纪》中的类似故事加以比较。Jalāl Matīnī, "Ravāyat-ī dīgar az dīvān-i Māzandarān" (《关于马赞达兰诸魔鬼的另一个传说》), *Īrānnāma* (《伊朗学报》) 9, no. 3 (1984 [SH Pāyīz 1363]): 118—134。关于伊朗史诗所载马赞达兰的地理位置,马提尼通过查阅大量工具书和文献,在另一篇论文中梳理出马赞达兰这一地理专名在伊朗使用的历史及其不同指向,并给出结论:凯卡乌斯(转下页)

Ṭuvva)[101]。

e. 马格里布(Maghrib):在《库什王纪》中,波斯语词bākhtar指西方,阿拉伯语词maghrib主要用作地理专名马格里布。在穆斯林史地著作中,马格里布一般指埃及以西的整个北非地区。有关该地的记载亦见诸我国古代史料。《杜环经行记》称其为摩邻国,"其人黑,其俗犷",[102]亦与《库什王纪》所载类似;该地在《新唐书・拂菻传》中记作磨邻。本节把埃及、布加和努比亚以外的北非地域全部归入马格里布地区,根据《库什王纪》的描述对有关该地的地理信息作出归纳。

《库什王纪》述及有十余个马格里布城镇遭到布加人和努比亚人摧残,包括"天园一般的"卢巴拉(Rūb.la)[103];"有花园和流水的"凯鲁万(Qayravān)[104]、尤纳斯(Yūnas)[105]、塔尔法(Ṭarfa)[106];"与布加毗邻

(接上页)时代鲁斯塔姆与诸魔鬼战斗的马赞达兰,既不是古称泰伯里斯坦的里海南岸之地,也不是有些学者主张的印度之地,而是位于非洲。其重要论据是,鲁斯塔姆战胜诸魔鬼并拯救凯卡乌斯和伊朗大军的故事在《列王纪》和《库什王纪》中均有详述,这两部文献记述的马赞达兰都指向埃及附近的北非马格里布地区。Jalāl Matīnī, "Māzandarān dar jang-hā-yi Kay Kāvus va Rustam bā dīvān" (《凯卡乌斯和鲁斯塔姆与群魔之战中的马赞达兰》), *Īrānnāma* (《伊朗学报》) 8, no. 2 (1984 Tābistān [SH 1363]): 611—638。伊朗学者萨迪克・基亚(Ṣādiq Kiyā)在其出版于1975年初的一部专著中已正确地指出《列王纪》所载马赞达兰的地理方位。Ṣādiq Kiyā, *Shāhnāma va Māzandarān* (《〈列王纪〉与马赞达兰》), Tehran: Tamadun-i Buzurg, 1975 (SH 1353)。马提尼参阅了这部著作的前身——载于1971年出版的一部论文集中的同名论文,并在自己的文章中以《库什王纪》提供的信息支持了萨迪克・基亚的观点。

101 据《库什王纪》,象牙库什经阿斯旺进军抵达Ṭuvva。按《省道志》,Ṭuvva是位于布加国(bilād-i Buja)的一个城镇之名。Iṣṭakhrī, *Mamālik va masālik*, ed. Īraj Afshār, 1994, p. 116。

102 杨建新等编注:《古西行记选注》,银川:宁夏人民出版社,1987年,第135页。

103 马提尼未能从地理文献中查到这一地名。《库什王纪》抄本第7590和8028联中作Rūb.la,第8019和8167联中作Rūy.la,他将这四处类似写法统一校勘为Rūb.la。

104 *Ḥudūd al-ʿālam*称其为马格里布最大的城市。Sutūda (ed.), *Ḥudūd al-ʿālam: Min al-mashriq ilā al-maghrib*, p. 178。佚名著,王治来译注:《世界境域志》,第180页。《道里邦国志》记此城为阿非利加(Ifrīqiyyah)的首都,位于摩邻(Maghrib)的中央。伊本・胡尔达兹比赫著,宋岘译注:《道里邦国志》,第91页。

105 马提尼在《库什王纪》勘本中注曰:抄本中作Yūl.s, Yūn.s是按*Masālik va mamālik-i Iṣṭakhrī*所作修改。笔者怀疑是突尼斯(Tūnis)的误抄。据Sutūda (ed.), *Ḥudūd al-ʿālam: Min al-mashriq ilā al-maghrib*, p. 179, Zavīla下面一条就是Tūnis / Tūnus。《道里邦国志》将突尼斯称为突努斯(Tūnus)。伊本・胡尔达兹比赫著,宋岘译注:《道里邦国志》,第92页。Tūnis / Tūnus与Yūn.s的书写形式,仅有首字母之两点是在上还是在下的区别。

106 按其所在诗行格律,该专名应标音作Ṭarfa。作为地理专名,目前笔者仅见安达鲁斯的科尔多瓦有清真寺名为Ṭarafa,与其拼写一致,标音略有区别。*LND*, vol. 10, p. 15426。

的”布赛拉（Buṣayra）[107]、比什（Bīsh）[108]、纳库尔（Nākūr）[109]；“与鲁姆疆域相连的”祖瓦拉（Zavīla）[110]、马希（Māhī）[111]、沙兹达（Shāzda）[112]、法斯（Fās）[113]、?.jn.k[114]、胡姆（Hūm）[115]等。

此外还提及锡吉尔马萨（Sakimmāsa）[116]、萨马布（S.māb）即巴尔喀

---

107 马格里布城镇，情况记述可参见Sutūda (ed.), *Ḥudūd al-ʿālam: Min al-mashriq ilā al-maghrib*, p. 180，佚名著，王治来译注：《世界境域志》，第182页。

108 马提尼注曰：在*Muʿjam al-buldān*中，马格里布（Maghrib）的“Qafṣa”词条下面提及“Bīyash”，安达鲁斯（Andalus）有关内容中提及Bays；*Masālik va mamālik-i Iṣṭakhrī*和*Ḥudūd al-ʿālam: Min al-mashriq ilā al-maghrib*中提及马格里布（Maghrib）的塔纳思（Tanas）[也与之拼写形式相近]。

109 《世界境域志》记其为一个与塔纳思相似的马格里布城镇，可能指二者都位于海岸。Sutūda (ed.), *Ḥudūd al-ʿālam: Min al-mashriq ilā al-maghrib*, p. 179。佚名著，王治来译注：《世界境域志》，第181页。

110 抄本原文作R.zīla，马提尼据*Masālik va Mamālik-i Iṣṭikharī* (pp. 39, 40, 42, 47)和*Ḥudūd al-ʿālam: Min al-mashriq ilā al-maghrib* (p. 179)将其校勘为Zavīla。即马格里布城镇祖瓦拉，有关其情况的记述可参见佚名著，王治来译注：《世界境域志》，第181页。而在*Ḥudūd al-ʿālam: Min al-mashriq ilā al-maghrib*校勘本中，苏托德（Manūchihr Sutūda）有注曰[又作]Z.v.bla，故而Zavīla应为其校勘形式。另，Zavīla与上文所及无出处的Rūb.la在波斯语中书写差别也仅在第一个和第三个字母上各差一个点，且这段行文先说“有十二个马格里布城镇遭布加和努比亚摧残”，实际提及城镇名有十五个，笔者猜测二者（Zavīla与Rūb.la）可能源自同一地理专名，但在《库什王纪》诗作中被记为两处城镇，且分别适应所处诗行不同位置的格律要求。

111 作为地理专名暂无可考。似与波斯语词māh（月）有关，可能为虚构地名。

112 作为地理专名暂无可考。似与波斯语词shāhzāda（王子）有关，可能为虚构地名。

113 马格里布城镇，情况记述可参见Sutūda (ed.), *Ḥudūd al-ʿālam: Min al-mashriq ilā al-maghrib*, p. 180；佚名著，王治来译注：《世界境域志》，第182页。宋岘汉译作“发斯”，并注曰：“今摩洛哥王国的非斯城。”伊本·胡尔达兹比赫著，宋岘译注：《道里邦国志》，第93页。

114 原文残缺，词首字母不明，转写为“?”。按格律分析，有两个短元音不明。

115 原文说此地又名jazīra-yi Banī Raʿam。马提尼注曰：在Sutūda (ed.), *Ḥudūd al-ʿālam: Min al-mashriq ilā al-maghrib* (p. 180)中记作Jazīra-yi Banī Raʿnā，在*Masālik va mamālik-i Iṣṭakhrī* (p. 43)中记作Jazīra-yi Banī Mazghanā。《世界境域志》汉译为“加兹拉·巴尼·扎甘纳”。佚名著，王治来译注：《世界境域志》，第181页。

116 象牙库什发现的两个金矿之一所在地。在Sutūda (ed.), *Ḥudūd al-ʿālam: Min al-mashriq ilā al-maghrib*, p. 180中作Sijilmāsa，被归入“关于马格里布及其诸城镇”中。佚名著，王治来译注：《世界境域志》，第181—182页。

(Barqa)[117]、阿莱拉(Arayla)[118]、塔哈尔特(Tāhart)[119]、马巴特(Mabāt)[120]、阿特拉布卢斯(Aṭrābulus)[121]、尼鲁(Nīrū)[122]、坦加(Ṭanja)[123]、苏思·阿勒·阿克萨(Sūs al-Aqṣā)[124]、哈瓦拉(Havāra)[125]、扎拉什(Ẓ.r.sh)[126]、易弗里基叶/阿非利加(Ifrīqīya)[127]等一些地名。

---

117 据《库什王纪》,萨马布(S.māb)是马格里布一个边境城市的古称,诗中解释说"它现在的名字叫作拜尔盖(Barqa)"。拜尔盖即昔兰尼加(Cyrenaica)之阿拉伯语名称。*FFM*, vol. 5, p. 257。王治来汉译作"巴尔喀":"是一座大城,[马格里布]毗邻埃及之一省属于该城……" Sutūda (ed.), *Ḥudūd al-ʿālam: Min al-mashriq ilā al-maghrib*, p. 178。佚名著,王治来译注:《世界境域志》,第180页。此外,拜尔盖还见载于《地理词典》《道里邦国志》《省道志》等文献中。宋岘译《道里邦国志》中作"白尔盖"。

118 在Sutūda (ed.), *Ḥudūd al-ʿālam: Min al-mashriq ilā al-maghrib*, p. 180中记作Azayla,波斯语书写仅差一个点,二者当为同一专名。

119 情况记述可参见佚名著,王治来译注:《世界境域志》,第181页。马提尼注曰:抄本作Bāhart,根据*Masālik va mamālik-i Iṣṭakhrī* (pp. 39, 41, 46)、*Masālik va mamālik-i Ibn Khurdādbih* (pp. 87, 88)和*Muʿjam al-buldān-i Yāqūt Ḥamawī* (pp. 813—816/1)修改[为Tāhart]。

120 作为地理专名暂无可考,马提尼认为抄本此处可能有误。

121 波斯语文献中至少有两个名为Aṭrābulus的城市,东边的在苫国,西边的在马格里布,《库什王纪》中提到的在马格里布。据该史诗,其为象牙库什为抵抗蛮族而建造的一座城市。在Sutūda (ed.), *Ḥudūd al-ʿālam: Min al-mashriq ilā al-maghrib*, p. 178中作Aṭrābulus; *Muʿjam al-buldān*中作Ṭarābulus。"是阿非利加的第一城。"佚名著,王治来译注:《世界境域志》,第180页。

122 据《库什王纪》,象牙库什防御努比亚人入侵时修建了阿特拉布卢斯城,在其附近还建造或加固了纳库尔、尼鲁和凯鲁万的城防。其中的尼鲁(Nīrū)暂无可考。

123 《库什王纪》载象牙库什赐封给玛尔丹(Mardān Khūrra)之城。即丹吉尔,摩洛哥北部滨海城市,位于直布罗陀海峡西入口,大西洋与地中海交界。*FFM*, vol. 5, p. 1098。

124 按《库什王纪》,象牙库什将该地付与玛尔丹。其位于大西洋沿岸,是世界最西端城市。佚名著,王治来译注:《世界境域志》,第182页。Sutūda (ed.), *Ḥudūd al-ʿālam: Min al-mashriq ilā al-maghrib*, p. 182。

125 《库什王纪》载象牙库什在马格里布统治的城市。马提尼注:抄本作Havāda,根据*Masālik va mamālik-i Iṣṭakhrī*(pp. 46, 49)以及*Masālik va mamālik-i Ibn Khurdādbih*(p. 90)改为Havāra。该地名在德·胡耶校勘伊本·胡尔达兹比赫《道里邦国志》中标音作Hawwāra。Ibn Khordādhbeh, *Kitāb al-Masālik wa'l-Mamālik*, p. 90。《库什王纪》格律要求该专名中字母Vāv上不可有叠音。宋岘译《道里邦国志》汉译作"汉瓦拉"。

126 据《库什王纪》,此为象牙库什巡行马格里布时到达的海边城市,他在那里建造了高大的穹顶,里面是自己的水晶雕像。暂未查到这个城市的其他参考信息,按格律推测,应有两个短元音。

127 即非洲之名Ifrīqā / Afrīqā,古时指北非的突尼斯。*FFM*, vol. 5, p. 160。在《历史与故事辑要》中被记为柏柏尔地区的王所建之城,位于北非的阿拉伯人地区。耿昇译《黄金草原》汉译为"易弗里基叶";宋岘译《道里邦国志》汉译作"阿非利加"。《库什王纪》提及两个易弗里基叶,一个在马格里布,另一个位于中国。

（3）撒吉剌与鲁姆（Saqlāb va Rūm，第五区域）：指伊朗西北方的广大地域。

a. 鲁姆（Rūm）：上文对该专名已有注释，它曾是伊朗人对古希腊地区、马其顿王国、罗马帝国和拜占庭帝国的称呼。古希腊马其顿亚历山大曾入主伊朗，拜占庭帝国与萨珊王朝之间的大规模军事对抗长达数百年时间，在《库什王纪》成书的时代，伊朗西北方最重要的邻国仍是拜占庭，这些因素使得鲁姆在伊朗叙事文学传统中占有重要地位。尽管自曼齐刻尔特战役败于塞尔柱人之后，拜占庭帝国永久退出了安纳托利亚，作为地理名词的鲁姆在波斯语中还是常被用以指称安纳托利亚地区。而在承载着古伊朗人集体记忆的伊朗史诗文学传统中，鲁姆的疆域辽阔，安纳托利亚地区和与之相邻的欧洲大片地区都在其指称范围内。《库什王纪》中提到属于鲁姆的各地区与城市包括法兰克（Afranja / Ifranja / Ifrinja）[128]、ʿ.jl.sk.s[129]、B.shkūb.sh[130]、哈拉耶格（Khalāyiq）[131]等。

另外，在《库什王纪》的“库什在安达鲁斯”一节中，诗人先对安达鲁斯的概况作了介绍，随后说道：

---

128 据《德胡达大辞典》，该专名有Afranja、Ifranja、Ifrinja等多种标音。Ifranja和Afranja是Ifrang / Frānk / Farang的阿拉伯语化，即穆斯林对欧洲西部临海地区的称呼——“法兰克”。Afranja又为阿努席尔旺在埃及海边建造的繁华城市名；Ifranja和Ifrinja又指法兰克人。*LND*, vol. 2, pp. 3046—3047。在《库什王纪》中，此为库什再度去往安达鲁斯时途经之地。马提尼注曰：据*Muʿjam al-buldān-i Yāqūt*（324/1S），Ifranja又称Farank，毗邻鲁姆之地，在安达鲁斯北边。据《世界境域志》，Afranja / Ifranja是临鲁姆海（daryā-yi Rūm）的一个位于鲁姆的地区。Sutūda (ed.), *Ḥudūd al-ʿālam: Min al-mashriq ilā al-maghrib*, p. 186。王治来汉译作“法兰西”。佚名著，王治来译注：《世界境域志》，第188页。

129 据《库什王纪》，此为库什再度去往安达鲁斯经过之地，根据格律推断，有三个短元音不明。据马提尼注释，各地理书籍中的类似记载不同，读音也不明确。可能是《世界境域志》中的Gh.Lj.Sk.S，与B.Skūn.S同在法兰克和安达鲁斯之间。Sutūda (ed.), *Ḥudūd al-ʿālam: Min al-mashriq ilā al-maghrib*, p. 187。佚名著，王治来译注：《世界境域志》，第188—189页。

130 据《库什王纪》，此为库什征服哈拉耶格时经过的一处地方，属于鲁姆。但该地名在抄本中多处出现而书写不一，有时残缺。马提尼推断可能是《世界境域志》提到的B.Skūn.S，在法兰克和安达鲁斯之间。Sutūda (ed.), *Ḥudūd al-ʿālam: Min al-mashriq ilā al-maghrib*, p. 187。佚名著，王治来译注：《世界境域志》，第188—189页。

131 根据《库什王纪》的故事，有人向象牙库什描述了一个美人国度（marz-i Khūbān），指鲁姆的哈拉耶格。khalāyiq词义为被创造物、人，作为地理专名暂无可考，大概出自史诗作者的文学创造。

这些疆域和所有的国度，有知识的人认为它们属于鲁姆。

（第7957联）

据此，本节将在《库什王纪》中着墨甚多的安达鲁斯地区归为鲁姆的一部分。诗中提到位于该地区的地名包括古尔图巴/科尔多瓦（Qurṭuba）[132]、萨米兰（Samīrān）[133]、塔立格山（kūh-i Ṭāriq，直布罗陀）[134]、贾巴尔格（Jābalq）[135]、塔里（Tārī）[136]、萨提尔（S.tīr）[137]、巴尼·萨利姆（Banī Sālim）[138]、塔尔塔马/托雷多？（Ṭalṭama）[139]、图尔加拉/特

---

132 安达鲁斯首府。Sutūda (ed.), *Ḥudūd al-ʿālam: Min al-mashriq ilā al-maghrib*, p. 181。佚名著，王治来译注：《世界境域志》，第183页。

133 萨米兰，据《世界境域志》，为法尔斯地区一城镇；在《法尔斯志》中，其为一城堡名；*LND*, vol. 9, p. 13768。据《地理词典》，为安达鲁斯地区一城堡。*LND*, vol. 11, p. 17700。《库什王纪》载萨米兰城堡在安达鲁斯。

134 阿拉伯语作jabal Ṭāriq。据《库什王纪》，该地有七座在大海中耸起的山峰。象牙库什占领这片山地并建造数座城市于其中；此前，该地从未被任何人征服。该情节原型应为穆斯林大军征服伊比利亚半岛之史事："公元711年，穆萨派遣他的自由民柏柏尔人塔立格·伊本·齐雅德（Ṭāriq ibn Ziyād ibn ʿAbd Allāh），统率着由七千人（大部分是柏柏尔人）组成的大军，进攻西班牙……塔立格在一座峭壁前面登陆，那座峭壁后来被称为Jabal Ṭāriq（塔立格山），这是Gibraltar（直布罗陀）这个名称的由来，塔立格因此得以名垂青史。"希提：《阿拉伯通史》，第588页。

135 据《库什王纪》，此地是世界西极之地。象牙库什在鲁姆被萨勒姆与卡兰击败后逃亡时，贾巴尔格王曾派援军接应他；象牙库什在弃恶从善之后，应贾巴尔格王的请求，助其驱除食人蚂蚁，还为无水的乡村解决水源问题。据《德胡达大辞典》援引《布尔汗词典》和《阿南德拉治波斯语详解词典》（*Farhang-i jāmiʿ-i Fārsī-yi Ānandirāj*），Jābalq / Jābalqā / Jābulqā是人类世界东极之城，与西极之城Jābalṣā / Jābalṣ相对；但在波斯语中，Jābalq有时也指西极之城。《库什王纪》采用了后面一种说法。

136 象牙库什经营塔立格山情节中提到的地名，暂无可考。

137 塔立格山地区一条大河源头之地名，暂无可考。

138 据伊斯兰文献传统，巴尼·萨利姆（Banī Sālim）为阿拉伯地区一部落名，先知穆罕默德于星期五进入麦地那，并在巴尼·萨利姆部落的清真寺进行了在麦地那的首次聚礼——主麻日礼拜。今亦作地名，如埃及明亚（Minyā）省有村庄名为巴尼·萨利姆；但在古典史地文献中暂未注意到以此为名的著名之地。据《库什王纪》，其为象牙库什在塔立格山经营一城之名。

139 象牙库什在安达鲁斯建造的三座城之一。马提尼注曰：抄本如此。在*Masālik va mamālik-i Iṣṭakhrī* (pp. 44, 45)和*Masālik va mamālik-i Ibn Khurdādbih* (p. 89)中，安达鲁斯地区的该城名记作Ṭulayalṭula / Ṭulayalṭala。笔者发现在Sutūda (ed.), *Ḥudūd al-ʿālam: Min al-mashriq ilā al-maghrib*, p. 181也有同样的记载，据此推断，可能即今西班牙托雷多。

鲁希略?(Turjāla)[140]、西琳/圣塔伦?(Shīrīn)[141]、库兰甘山(kūh-i Kulangān)[142]等。

《库什王纪》还提到位于鲁姆的三片海域之名,分别是鲁姆海(daryā-yi Rūm)[143]、地狱海(daryā-yi Damandān)[144]和塔里斯海(daryā-yi Tārīs)[145]。

b. 撒吉剌/斯拉夫(Saqlāb):如同比鲁尼对大地第五区域的命名,撒吉剌之名在《库什王纪》中也多次与鲁姆并列出现,关于该地区内部

---

140 象牙库什在安达鲁斯建造的三座城之一。马提尼注曰:抄本作"B.rjāla"。该专名在 *Masālik va mamālik-i Iṣṭakhrī* (p. 44) 和 Sutūda (ed.), *Ḥudūd al-ʿālam: Min al-mashriq ilā al-maghrib* (p. 182) 中记作"Turjāla";在 *Muʿjam al-buldān-i Yāqūt* (p. 836/1) 中记作"Turjīla"。笔者推测即今西班牙特鲁希略地区。

141 象牙库什在安达鲁斯建造的三座城之一。马提尼注曰:抄本如此。在 *Masālik va mamālik-i Iṣṭakhrī* (pp. 40, 43, 44)、Sutūda (ed.), *Ḥudūd al-ʿālam: Min al-mashriq ilā al-maghrib* (p. 183) 和 *Muʿjam al-buldān-i Yāqūt* (p. 353/3) 中都出现与Shīrīn拼写形式非常接近的Shantarīn。笔者以此推测,该地大约即今葡萄牙圣塔伦。

142 词义为"鹤之山"。据《库什王纪》,该山高耸入云,鹤在峰顶筑巢,是塔立格(Ṭāriq)山七座山峰之一,象牙库什的居住地。

143 按诗中描述推断,应指地中海。《世界境域志》波斯语文本有daryā-yi Rūmiyān词条,描述地中海及其周边各国情况,参见Sutūda (ed.), *Ḥudūd al-ʿālam: Min al-mashriq ilā al-maghrib*, pp. 12—13;米诺尔斯基的英译本中译为the Rūm Sea,参见V. Minorsky (trans. and ed.), *Ḥudūd al-ʿĀlam: The Regions of the World*, with the preface by V. V. Barthold, Oxford: Messrs. Luzac & Co., 1937, p. 53;王治来据其汉译作"罗姆海",并作注释:"指地中海",参见佚名著,王治来译注:《世界境域志》,第6—7页。《黄金草原》将baḥr ar-Rūm [baḥr al-Rūm] 或al-baḥr ar-Rūmī直接译为地中海,参见马苏第:《黄金草原》,第141页。

144 据《库什王纪》,这是保加尔与撒吉剌所临水域,岸边有雪山。阿贝廷乘船渡过此海,而后穿过可萨人之地,再次登船进入吉兰海。据此推断,海边的雪山大概是高加索山脉,这片海域应指黑海。在民间,本有黑海因其水色深暗且多风暴而得名的附会之说,与地狱海的字面意思相呼应;且黑海航道是古代丝绸之路由中亚通往罗马的北线必经之路,地狱海处于阿贝廷自鲁姆一路行商返回伊朗的路上,也与此情况相符合。但在《库什王纪》载玛努切赫尔为伊拉治复仇的情节中,这个地名又出现在阿姆河以外之地,以至于马提尼在校注时也标注问号存疑。

145 围绕在安达鲁斯周围的大海之名,原文作Tārb.s。马提尼在地理文献中未查到该专名,因在《库什王纪》载象牙库什经营塔立格山的情节中出现地名Tārī,他将这片海域改称为Tārīs。

的地理分区，诗中仅述及保加尔（Bulghār）[146]和可萨（Khazar）[147]等个别地名。

《库什王纪》还载有几个或方位不详，或难以归入七境域中的地名，包括哥夫山（kūh-i Qāf）[148]、苏格瓦兰（Sūgvārān）[149]、曼（Man）[150]、伊拉姆（Iram）城堡[151]、马鲁格（Mārūq）[152]等。除哥夫山外，其余几处似均与世界西极之地有关。

4. 不同时代世界地理信息在《库什王纪》中的糅合

据穆斯林历史文献所载，贾姆希德与佐哈克统治世界的时代在努哈的后代库什与奈姆鲁德——《圣经》文献传统中其平行角色为古实和宁录——生活时代之前。此二人均属传说中的史前人物，他们的原型可能是古代美索不达米亚的君主。即便据西方学者的研究成果，做出把宁录等人与新巴比伦（迦勒底王国）诸王关联起来的大胆猜测，并

146 阿贝廷在返回伊朗的路上，经北方海路在大地边缘登陆，翻越哥夫山后到达保加尔。书中还数次提及此地与撒吉剌（斯拉夫）相邻。《世界境域志》在“关于罗姆国及其各省区与城市”的章节中提到鲁姆有一个族群名为Bulgharī，王治来汉译作“保尔加利”。Sutūda (ed.), *Ḥudūd al-ʿālam: Min al-mashriq ilā al-maghrib*, p. 186。佚名著，王治来译注：《世界境域志》，第188页。该书又把Bulghār-i Andarūnī，即“内保加尔”（王治来汉译为“内保尔加国”）作为单独的地区来记载。Sutūda (ed.), *Ḥudūd al-ʿālam: Min al-mashriq ilā al-maghrib*, pp. 189—190。佚名著，王治来译注：《世界境域志》，第193页。

147 据《库什王纪》，该地位于吉兰海（里海）和地狱海（黑海）之间。历史上有可萨汗国（8—10世纪）；《道里邦国志》汉译本第127页等多处根据中国史料记载，将其译作可萨突厥；苏托德校勘《世界境域志》第五十章为“关于可萨人的地区”（sukhan andar nāḥiyat-i Khazarān），王治来汉译作“关于可萨国”。

148 伊朗古代神话中围绕世界的大山脉，太阳从其后面升起。《列王纪全集》中汉译作“卡夫山”。

149 该地出现在《库什王纪》全诗最后的部分，是教导象牙库什的贾姆希德家族智叟曾居住的城市，词义为“伤心者之城”，应是为叙事而虚构的地名。

150 据《库什王纪》载，伊拉姆城堡在曼和安达鲁斯之间，但尚不清楚曼为何地。

151 据《库什王纪》，该城堡为凤凰以白银建造，凡人看不到它。位于曼和安达鲁斯之间。

152 位于伊拉姆城堡附近，是距胡姆丹八百法尔生格，有奇异集市的海滨城市。该城附近有奇异四角亭，相传为秦王玛汉格或秦王库什（象牙库什之父）奠基。这座亭子朝向东南西北四个方向各有一扇门，朝向城市常年敞开的第四扇门是朝北的门，其余朝向东、南、西的三扇门平时关闭，需要调节天气时就打开相对应的某一扇——开东门来冷风，开西门来热风，开南门下雨。

认同法里东形象的形成含有对居鲁士大帝生平记录的成分,《库什王纪》中主要故事发生的时代也应在历史上的阿契美尼德王朝建立之前到建立之初,即公元前6世纪及以前,但我们看到大量中古时期穆斯林史地著作中记载的地名出现在《库什王纪》中。促成这一现象的原因有多种。其一,《库什王纪》虽然成书于12世纪初,但它在被吟诵定型成诗歌之前,其故事情节可能在流传过程中长期发生变化,这使之能够不断吸收时人对世界地理认知的成果,同时又对伊朗古代神话、民间传说等多种信息都有所整理和继承。其二,诗人在创作诗歌体裁《库什王纪》之时,大量补充其自伊斯兰时代史地文献中获取的信息。即书中的地理名称一部分来自故事原本——流变时间段跨越伊朗伊斯兰化时代的传说;还有一部分来自诗人糅合进去的截至其创作时代的更为完备的舆地知识。从本节勾勒出的《库什王纪》所载伊朗人集体记忆中的世界概况可以看出,其呈现地理信息较为详细和精准的地域主要在两大片区域,一个是包括美索不达米亚、伊朗高原和中亚地区的伊朗文化大陆,另一个是包括埃及、马格里布和安达鲁斯在内的西方世界;而关于伊朗东西方最重要的两个国度——中国中原地区和鲁姆大部,难见细节记述。其原因在于,《库什王纪》中的世界地理信息有很大一部分来自穆斯林史地文献所载,而阿拉伯帝国的两大王朝对有关地域的征服——以阿拉伯半岛为起点,东含伊朗全境,直抵中亚,西及北非大部与伊比利亚半岛,促成了其后地理文献创作的繁荣,但中国中原地区和安达鲁斯之外的鲁姆地区并不在穆斯林征服的范围内。《库什王纪》后半部所述象牙库什在马格里布和安达鲁斯的开疆拓土,大约便是史诗创作者将伍麦叶王朝和阿拔斯王朝穆斯林大军征伐这些地区的有关记载融入了史诗情节中。此外,因中古时期穆斯林史地著作有机会融合古闪族、古波斯,乃至古希腊-罗马的上古传说和历史地理知识,从而载有一些更为古老的地理信息,也能够对《库什王纪》呈现古代世界面貌起到一定补充作用。

《库什王纪》里记录的大量古代地理信息表明,一千年前的伊朗人对古代世界已有较完备的地理认知。而在对古代世界地理状况描述的详细程度上,《库什王纪》借助于讲述异族统帅在伊朗地域之外开疆拓土的故事，令其中的地理信息可与中古时期穆斯林史地著作互作参照系，这一点使其很不同于其他伊朗民族史诗。这部史诗勾画出了一幅具有丰富细节，且高度贴合实际情况的古代世界大图景，佐哈克和法里东治下的世界，俨然是蒙古人建立覆盖欧亚大陆大部的古代世界体系之前的一统世界的蓝图。伊朗地处亚欧大陆中部，掌控丝绸之路中段，同其东方的中国、突厥、印度和其西方的罗马、阿拉伯、北非等地诸文明都有频繁接触，这使得古代伊朗人不断获取并积累大量有关全世界的地理信息，最终得以进入保存他们集体记忆的史诗文学传统。

三、《库什王纪》和古代伊朗天下观[153]

伊朗曾为区域性核心文明，又恰好处于古代人类文明世界的地理中心，这使得古代伊朗人集体意识中以自我为中心的大国心态世界观频繁呈现于波斯语文献中，本节集中讨论该现象。持有该世界观的古代伊朗人认为伊朗是大地中央的大国，常有统领世界的优越感和自豪感。这种伊朗中心主义的大国心态世界观，以下简称“伊朗天下观”。

人类族群在某一地域形成共同文化时，最初都会以自身所处位置为坐标原点，向四周由近及远地观察和探知世界，并在认识他者的过程中不断辨识自我。无论是人类个体还是群体，形成以自我为中心的自身优势心态世界观是自然而然的事情，在跨族群的大国民众集体意识中更是如此。中国古人很早就提出以王畿为文明中心的天下观，如《禹贡》里的五服观念，进而又发展出“溥天之下，莫非王土；率土之滨，莫非王臣”的天下观。伊朗文明形成于亚欧大陆中部，在与两河文明交融以后，伊朗文化大陆占据东西方交通要冲，与其周边多个重要的区域性文明有更多的冲突与融合，因而相较于中国古人的天下观念，古代伊朗天下观凸显出鲜明的“世界性”。

《库什王纪》描绘出来的以伊朗为中心的古代世界大图景，是古代

153 可参看拙文《波斯语古典叙事文学里的大国天下观略论》，载穆宏燕主编《东方学刊2014》（河南大学出版社，2014年），本节内容在前文基础上有修订和延伸论述。

伊朗人集体意识中的天下观在伊朗史诗传统中的一次清晰呈现。而伊朗民族史诗与文人叙事诗共同构成波斯语古典叙事文学的主体，其中都载有大量古代伊朗神话和民间传说，这些神话传说中的很大一部分记录有古代伊朗族群与其周边异族邻邦的互动。因此，通过综合考察包括《库什王纪》在内的波斯语古典叙事文学传统，可以略窥古代伊朗天下观的形成缘由、文学表现形式和历史作用。

1. 古代伊朗天下观形成的文化根源

（1）自然地理观念溯源：大地七境域说

古代伊朗人认为伊朗占据大地的中央地域，这是促使在他们的集体意识中形成伊朗中心主义天下观的一个重要原因。各人类族群早期神话和传说中的舞台都是“大地中央”，[154]随着人类各族群间的交往渐次展开，这种“我在大地中央”的族群意识才逐步消解。但在漫长的历史时期里，伊朗文化大陆的核心区文明发达、国力强盛，是区域性朝贡体系的一元中心，其地理位置也确实处于五海三洲交汇之地，即亚欧非古代世界的中央，因而伊朗人的“我在大地中央”的集体意识根深蒂固，大概一直持续到伊朗社会沦为半殖民地社会的近代。大地七境域说在伊朗文化传统中的发生与演进，便是伊朗人强烈以自我为世界中心的集体意识的一种具体表现。在《列王纪》《戈尔沙斯帕传》《库什王纪》等伊朗民族史诗，以及《亚历山大王纪》《七美图》等波斯语历史史诗和文人叙事诗中，都可见大地七境域说这一古老伊朗地理观念的呈现。举例来说，贾姆希德、佐哈克、法里东等上古君王，在讲述他们故事的多部史诗中被称作七国之王，七境域都听命于他们；再据《七美图》，萨珊王朝的巴赫拉姆·古尔（Bahrām-i Gūr）[155]曾娶大地上七个国度每一国的公主。

本书前面的章节对大地七境域说已有系统介绍。该观念出现伊

154 梅列金斯基：《英雄史诗的起源》，第386页。

155 即波斯萨珊王朝的巴赫拉姆五世（Bahrām V），又有汉译作白赫兰五世，参见孙培良：《萨珊朝伊朗》，第267页，以及巴赫兰五世，参见王治来：《中亚通史·古代卷（上）》，第167页。

始，伊朗人所在胡尼拉之地就被认为处于七境域中央，其余六块地域围绕在其周围。这种观念的形成，是古代伊朗人通过以自身为原点向周边观察世界得出的结论。到了比鲁尼的时代，伊朗人对其周边各主要人类族群以及他们居住的地域有了更加全面和大致准确的认识，而这种认识仍被伊朗人习惯性地放在大地七境域这个传统地理观念的框架内来表述——伊朗之地在大地中央，其周围的六块地域基本涵盖欧亚大陆加上北非的整个古代人类文明世界。也正因如此，波斯语古典叙事文学呈现的古代伊朗人集体意识中的天下观具有包举宇内的世界性。

（2）人文地理观念溯源：法里东三分世界的传说

在波斯语古典叙事文学中，伊朗处于世界朝贡体系的中心，促使这种观念形成的一个重要因素就是上文提到的法里东三分世界的传说。在该传说中，世界第一次被人为地分成不同区域。

马提尼在《库什王纪》校注本的《导言》中写道："到法里东为王当政时代的末期，伊朗的诸王实际上是世界的王，当然是在那个时代被认知的世界，从亚洲东部（包括今天的日本列岛）到非洲西（北）部（马格里布），大约到今天的直布罗陀海峡。"[156]即在《列王纪》和《库什王纪》之类肇始于伊朗古代神话传说的波斯语古典叙事文学作品中，法里东和他之前的上古诸王统治的疆域均包含整个世界——当时全部已知的人类文明区域，东到中国及东洋大海，西抵欧洲（鲁姆）和非洲西北部（马格里布）。基于这一认知，才有了法里东三分世界的传说，这也是伊朗某些著名君王被冠以"诸王之王""世界之王"头衔的缘由。法里东三分世界的传说，令世界的中心——伊朗与其周边诸地域区分开来。如果说在伊朗神话中，此前的叙事都是以未被分割的整个世界为主体，"而从这时起，神话中的历史之关注焦点是与其诸邻邦相关的伊朗"。[157]据法里东三分世界的故事，伊朗是大地中央之国，是天下最为繁华富庶之地；鲁姆、土兰与中国均处于世界文明体系的外围地带；三者同属一

156 Matīnī, "Muqaddama," p. 72.

157 Homa Katouzian, *The Persians: Ancient, Medieval and Modern Iran*, New Haven / London: Yale University Press, 2009, p. 21.

个有机互动的体系，但有中央与边缘、发源地与辐射区之别。

以伊朗为中心的世界体系差序格局之所以呈现于法里东三分世界的传说中，除伊朗人是该传说的创作者以外，可能还受到上古人类文明世界体系状况的影响。早在古印欧人尚未进入伊朗高原之前，横跨欧亚大陆的古代世界体系可能就已经形成，其核心区便在后来为伊朗人兼并的美索不达米亚。受某些人类学观点的影响，梅赫尔达德·巴哈尔提出，"很有可能，在前4千纪中期到前3千纪初期，这个发达的石器文化（前4千纪起源于西亚地区，以灌溉技术为标志的农耕定居文化）甚至经由中亚抵达中国北部，结果西亚地区的绘图红色陶器的使用范围，从位于中国黄河大拐弯以东的仰韶文化区域，一直延伸到花剌子模海（daryā-yi Khᵛārazm）[158]南边的克尔捷米纳尔［文化］（Kelteminar culture），从那里向西直到黑海以北，与繁盛的两河文化的另一分支——特里波利耶［文化］（Trypillian culture）相连"。[159]该说法实有可商榷之处。根据近年来有关新疆地区的考古发现与研究，新疆西部地区发现的彩陶数量大大少于新疆中东部地区，且新疆彩陶的断代晚于西亚和东亚（中国内地）彩陶，不符合同一彩陶文化自西向东次第传播的时间与方位逻辑，而且中国境内的东亚彩陶与西亚的彩陶在纹饰上也有明显区别，因此二者更可能是各自独立发展出现的。[160]尽管如此，近年来在人类学研究领域，还有一些基于对其他物质文化现象的发生与传播的研究得出的新推论，有学者据其进一步主张，"西亚及其附近地区5 000年前就形成了以红铜、锡、铅、青铜和粮食为主要商品的长距离贸易网，构成了一个具有中心—外围关系的古代世界体系。世界体系不局限于经济和政治关系，还可包括科学技术和意识形态方面的联系。东亚很可能和古代欧洲一样是以西亚为中心的青铜时代世界体系的一个更边缘的组成部分"。[161]

波斯语古典叙事文学的源头是上古伊朗神话，上古伊朗神话正是

158 原文注明又称Ārāl，即咸海。

159 Bahār, *Pazhūhish-ī dar asāṭīr-i Īrān* pp. 382—383.

160 余太山：《西域通史》，郑州：中州古籍出版社，2003年，第45—46页。

161 易华：《夷夏先后说》，北京：民族出版社，2012年，第243页。

形成于古印欧人进入伊朗高原与原住民及其周边诸部族征战的过程中。最古老的伊朗宗教经典和神话传说总集——《阿维斯塔》，也伴随着阿契美尼德王朝的建立与其对外征伐扩张得以不断丰富与完善。萨法主张："伊朗高原曾经是许多民族的居住地和过境通道，但是它真正的实质性变化还是发生在雅利安人从中亚平原迁徙过来之后。"[162]伊朗族群中的波斯人两度建立强盛的帝国，从小亚细亚和地中海东岸，到帕米尔高原和印度河流域，"这一古代世界文明的大片土地曾长期处在崛起于伊朗的世界征服者的统治之下"。[163]于是，伊朗人主宰世界的观念深深地印在自《阿维斯塔》以降一脉相承的伊朗文学传统中，并呈现为法里东三分世界的传说——大地和人类社会被分割成以伊朗为中心的不同地域和族群，进而为古代伊朗天下观在波斯语古典叙事文学中的形成、呈现和不断强化奠定了基础。

2. 联姻活动反映出的古代伊朗天下观

人类在氏族社会时期就基本形成了外婚制，这种婚姻制度或许是为了避免血亲婚配的危害，有利于人类优生和繁衍而产生的，它在客观上加强了相邻人类集团之间的社会经济联系。在波斯语古典叙事文学作品中，伊朗王族与外邦异族联姻的情节比比皆是。然而在这类情节中，多见伊朗王或王子迎娶他国公主或女子为妻，很难见到伊朗王族女子远嫁异邦。把这一现象放到男权社会的时代背景下来解读，就会发现这是古代伊朗人天下观在文学作品中的一种典型呈现。

(1)《库什王纪》中的联姻情节

《库什王纪》中有多处讲到不同族群之间的联姻。这些情节大致可分为两类，一类是伊朗王族与外邦异国的联姻，另一类是征服者与被征服者之间的联姻。贾姆希德娶秦王玛汉格的女儿为妻，在东方避难的贾姆希德后裔阿贝廷娶巴希拉王醍醐尔之女为妻等情节，是前一类

162 扎毕胡拉·萨法：《伊朗文化及其对世界的影响》，张鸿年译，北京：商务印书馆，2011年，第4页。

163 萨法：《伊朗文化及其对世界的影响》，第3页。

的例证;秦王库什在征服皮尔古尚部落后娶该部落一少女,以及库什之子象牙库什多次在其治下国度征召各城邦、各部落的少女等情节,属于后一类。

库什父子在征伐的过程中不断夺取异邦女子的行为,是征服者在强大军事力量和统治权的保障下对被征服地区的一种掠夺,这在人类古代文明史上是常见之事,未见其特殊性。然而流亡在异国他乡的伊朗王族后裔阿贝廷与为他提供庇护的巴希拉国君之女的婚姻,则充分展现了伊朗人意识中根深蒂固的自我中心主义天下观。阿贝廷求婚之时,其首辅卡姆达德对醍醐尔王有如下说辞:

> 王对此事有何顾虑?在世界上可有他人如阿贝廷王?
>
> 在慷慨刚勇、相貌、文化、见识上,真神哪曾创造其他如他之人?
>
> [他的]先祖是王,自己是王,他是王的父亲,[他们]都是高贵之人,是帝王和戴王冠的人。
>
> 在尘土中已经逝去的贵族们,他们全都曾是我王的仆人。
>
> …… ……
>
> 伊朗的拥有者[阿贝廷]比那配得上为王的人地位更高。
>
> …… ……
>
> 阿贝廷王是一位骑士,在大地上有谁会为他而蒙羞吗?
>
> 他是世界之主贾姆希德王的子孙,诸王都因贾姆希德才戴上冠冕。
>
> 即便天命已给他数度磨难,伟大与财富还会回归于他。
>
> (第3590—3606联)

这些说辞表达出伊朗人为自己君王血统之高贵感到自豪,他们认为伊朗先王是世界的主人,当前的王[族长]虽因暂时不如意而颠沛流离,但天命所归的世界之王终将出自伊朗王族。

(2)《列王纪》载伊朗王族与外邦异族的联姻

菲尔多西的《列王纪》中也有多处伊朗王族与外邦异族联姻的情节。在这部鸿篇巨制的叙事中,土兰是伊朗在东方的主要敌国,占这部史诗近半篇幅的勇士传说即在伊朗与土兰持续冲突的背景下展开。

但同时，伊朗与土兰之间的联姻关系也很密切。勇士传说部分的凯扬王朝第二位王卡乌斯有一妃子是土兰王阿夫拉西亚伯的兄弟格西乌(Garsīvaz)的外孙女，卡乌斯同她育有一子——夏沃什。[164]后来流亡在土兰的夏沃什相继娶了土兰大将皮兰(Pīrān)之女贾里莱(Jarīra)和阿夫拉西亚伯之女法兰吉斯。[165]此外，按照《列王纪》的叙事，有世界征服者之称的亚历山大终结了凯扬王朝，他的父母却分别是凯扬王朝第八位王达拉布与鲁姆王菲利普之女纳希德。[166]亚历山大在波斯语古典叙事文学中被描述为伊朗王与鲁姆公主之子，从主观上来说，是重述历史的伊朗文人为了维护本民族的荣耀与尊严，把异族征服讲述成伊朗王室内部斗争的结果；另一方面，该传说客观上也反映了伊朗与其周边的异族邻邦在政治、军事和文化上都有深入的交流与融合。"由于外婚制是人类生存的首要条件，所以古今文化都是本土传统与外来因素的合成体，很多文化的创始或奠基人传说都有因感孕而生出'异人'或因婚姻而导致'陌生人称王'的母题。"[167]波斯语古典叙事文学中的亚历山大传说就是源自"因婚姻而导致陌生人称王"这一母题的典型故事。但在伊朗民间传说和波斯语古典叙事文学作品中，世界征服者亚历山大为凯扬王族与异邦公主所生，依然是古代伊朗中心主义天下观的表述。在《列王纪》历史传说部分的故事中，在联合中国击败嚈哒(Haytāl)之后，伊朗王阿努席尔旺兴兵讨伐中国可汗，结果是中国可汗把女儿嫁给阿努席尔旺，双方得以修好罢兵。[168]此类例证在《列王纪》中为数不少。

---

164 Firdawsī, *Shāhnāma*, Moscow Edition, vol. 1, pp. 288—289。汉译见菲尔多西：《列王纪全集》，第二册，第3—7页。

165 Firdawsī, *Shāhnāma*, Moscow Edition, vol. 1, pp. 338—343。汉译见菲尔多西：《列王纪全集》，第二册，第125—139页。

166 Firdawsī, *Shāhnāma*, Moscow Edition, vol. 1, pp. 1080—1084。汉译见菲尔多西：《列王纪全集》，第四册，第292—300页。

167 张海洋：《序二：慎终追远 正本清源》，易华：《夷夏先后说》，北京：民族出版社，2012年，第16页。

168 Firdawsī, *Shāhnāma*, Moscow Edition, vol. 2, pp. 1514—1522。汉译见菲尔多西：《列王纪全集》，第五册，第482—510页。历史上，萨珊波斯的库萨和一世曾与突厥可汗联姻，双方联合攻灭嚈哒。参见余太山：《嚈哒史研究》，北京：商务印书馆，2012年，第126—138页。

（3）其他波斯语叙事文学作品所载伊朗王族与外邦异族的联姻

以伊朗王族与外邦异族的联姻来显示伊朗王是天下最尊贵的王这一叙事手段，在内扎米所作长篇叙事诗《七美图》中被发挥到极致。这部作品的主角——萨珊王朝君主巴赫拉姆·古尔娶了大地七国每一国的公主，[169]以此展示身为伊朗王的巴赫拉姆同时也是世界之王。

《列王纪》与《七美图》均载有一个巴赫拉姆偕同美婢打猎的故事，二者之间有一处细节差异——在《列王纪》中该婢女是鲁姆人（Rūmī），[170]而在《七美图》中她是中国人（Chīnī）。[171]在这两个故事中，婢女无论来自哪一国，对故事情节都没有影响，重要的是在两部作品中，服侍伊朗君王的婢女都来自同伊朗相邻的大国，这样的人物身份设定同样隐含伊朗王是世界之主的意味。

苏菲文学兴起后，这类故事逐渐失去作为时间参照系的历史背景，但仍频繁出现于波斯语古典叙事文学作品里。如莫拉维（Mawlavī，1207—1273）[172]的《玛斯纳维》载有一个伊朗王子追求中国公主的故事，即“夺人神志的城堡（画像城堡）的故事”；[173]哈朱·克尔曼尼（Khᵛājū Kirmānī，1290—1352）的《霍马与胡马云》（*Humāy va Humāyūn*）讲述了伊朗王子杀死中国天子（faghfūr-i Chīn）而娶走中国公主的故事。[174]

此外，在散文体伊朗民间故事中也常见此类情节。在整理成书年代略早于内扎米创作《七美图》的波斯语古典长篇小说《义士萨马克》（*Samak-i ʿAyyār*）中，载有阿勒颇（Ḥalab）王子霍尔希德沙赫（Khurshīd-

169 Niẓāmī Ganjavī, *Kulliyāt-i Khamsa-yi Niẓāmī*（《内扎米五卷诗全集》）, ed. Shiblī Nuʿmānī, Tehran: Jāvīdān, 1987 (SH 1366), pp. 777—778.

170 Firdawsī, *Shāhnāma*, Moscow Edition, vol. 2, p. 1291。汉译见菲尔多西：《列王纪全集》，第五册，第11—14页。

171 Niẓāmī Ganjavī, *Kulliyāt-i Khamsa-yi Niẓāmī*, p. 758。汉译见张晖译：《涅扎米诗选》，乌鲁木齐：新疆人民出版社，1987年，第247—257页。

172 又称鲁米（Rūmī）。

173 Jalāl al-Dīn Muḥammad ibn Muḥammad Mawlavī, *Maṯnavī-yi Maʿnavī*（《玛斯纳维》）, ed. Reynold A. Nicholson, Tehran: Hirmis, 2011 (SH 1390), pp. 1064—1120。汉译参见莫拉维（鲁米）：《玛斯纳维全集（六）》，穆宏燕译，长沙：湖南文艺出版社，2002年，第345—469页。

174 故事详情参见 Khᵛājū Kirmānī, *Khamsa-yi Khᵛājū Kirmānī*（《哈朱·克尔曼尼五卷诗》）, ed. Saʿīd Niyāz Kirmānī, Kerman: Kirmān Shahīd Bāhunar University Press, 1991 (SH 1370), pp. 261—466。

shāh)与中国公主玛赫葩丽(Mah-parī)[175]之间发生的爱情故事。[176]类似的伊朗民间故事还有《易卜拉欣和中国公主》[177]等。

(4) 伊朗王族与外邦异族的联姻是古代伊朗天下观的体现

尽管在历史上,“[阿契美尼德王朝]国王的女儿下嫁重要的将领和官吏,以示王恩浩荡这种事情也绝非罕见”,[178]但在波斯语古典叙事文学中却鲜有伊朗王室女性外嫁异族这样的反向例证。在《列王纪》中有一例,佐哈克夺取世界王位之后占有了贾姆希德的两个妹妹。[179]古代伊朗至高王权的核心象征之一是灵光,在上文已作详细介绍。按《列王纪》,由于贾姆希德失去了灵光,即神的佑护,佐哈克才得以窃踞王位而占有正统伊朗王族女性。佐哈克作为世界之主期间,身份是伊朗王与世界之王。当佐哈克的时运到了尽头,伊朗正统王族后裔——获得灵光的法里东夺取王位,他也顺带接收了佐哈克的两位宠妃,即贾姆希德的两个妹妹,法里东的三个儿子皆为此二女所出。[180]据某些伊朗神话传说所言,伊朗后世诸王,乃至世界上其他一些地区的君王皆为法里东之后,包括中国天子相传也是法里东的后裔。[181]综上,佐哈克占有贾姆希德两个妹妹时的身份是伊朗王,此二女后来又被法里东收入

175 Khurshīd-shāh 词义为“太阳王”,Mah-parī 意为“月亮仙女”。

176 故事详见 Farāmarz ibn Khudādād ibn ʿAbd Allāh al-Kātib al-Arrajānī, *Samak-i ʿAyyār* (《义士萨马克》), vol. 1, ed. Parvīz Nātil Khānlurī, Tehran: Bunyād-i Farhang-i Īrān, 1968 (SH 1347)。据潘庆舲,《库吉德沙赫与中国公主马赫葩丽》(潘译)本为波斯民间故事,后成为据大量民间故事于12世纪被整理成书的《义士萨马克》的素材。潘庆舲:《译序》,潘庆舲译:《九亭宫——古代波斯故事集》,上海:上海译文出版社,1982年,第6页。《库吉德沙赫与中国公主马赫葩丽》先后被收入潘庆舲译:《九亭宫——古代波斯故事集》,上海:上海译文出版社,1982年,第189—227页;以及据其增订再版的潘庆舲译:《魔幻山庄——波斯故事集锦》,上海:上海译文出版社,2001年,第139—167页。

177 故事的汉译参见王一丹主编:《伊朗民间故事》,沈阳:辽宁少年儿童出版社,2001年,第149—157页。

178 埃尔顿·丹尼尔:《伊朗史》,李铁匠译,上海:东方出版中心,2010年,第47页。

179 Firdawsī, *Shāhnāma*, Moscow Edition, vol. 1, p. 27。汉译见菲尔多西:《列王纪全集》,第一册,第59—60页。

180 Firdawsī, *Shāhnāma*, Moscow Edition, vol. 1, pp. 39—49。汉译见菲尔多西:《列王纪全集》,第一册,第89—109页。

181 Ibn Khordādhbeh, *Kitāb al-Masālik wa'l-Mamālik*, p. 16. Sutūda (ed.), *Ḥudūd al-ʿālam: Min al-mashriq ilā al-maghrib*, p. 60.

后宫，因此这个故事实际上并没有对“联姻关系体现古代伊朗人天下观”这一命题构成任何消解。

在男权社会时代，女性之于男性有明显的从属性质。在人类族群间的征伐活动中，女性群体往往是战利品的重要表现形式之一。在伊朗古老的文化传统里，一方地主人王把女儿外嫁具有特殊的含义：“根据当时的法则，某人把女儿外嫁意味着对王位继承的放弃，而在故事中，这就意味着放弃国家。”[182]据《库什王纪》，巴希拉王醍醐尔很不情愿把女儿法拉兰格嫁给阿贝廷，尽管阿贝廷是世界之王嫡裔，且具备一个贵族应有的全部优良品质。醍醐尔对阿贝廷派来求婚的首辅卡姆达德明确说道：

> 但是贵族们为维护名誉，也不曾把女儿交给外来之人。
>
> （第3599联）

可见在当时的观念中，把女儿嫁给外人确实是有悖于传统习俗的行为。贾姆希德为王当政时号称世界之主，他娶秦王玛汉格的女儿，体现出当时秦臣属于伊朗。《列王纪》所载法里东为其三个儿子娶也门王萨尔夫(Sarv)的三个女儿的故事中，萨尔夫迫于法里东的威势被迫应允，但在三个王子到了也门后他又百般刁难，甚至想用法术冻死他们，也是出于上述缘故。萨尔夫对法里东使者的求婚作答复时说道：

---

182 Dulęba, *The Cyrus Legend in the Šāhnāme*, p. 57。杜列巴将赫茨菲尔德关于新巴比伦尼布甲尼撒二世和波斯居鲁士大帝分别娶米底公主的有关论述作为支持其观点的论据。据赫茨菲尔德，尼布甲尼撒娶米底公主之事在伊朗传说中发生反转与夸张的演变——法里东(Θrētōna)要尼布甲尼撒将三个女儿嫁给自己的三个儿子。Ernst Herzfeld, *Zoroaster and his World*, Princeton: Princeton University Press, 1947, vol. 1, p. 48。居鲁士大帝击败米底王阿司杜阿该斯并杀死其婿斯皮塔玛斯(Spitamas)之后，娶其女儿阿米提斯(Amytis)，也被认为是以获取王权合法性为目的，即令其对米底王位的继承合法化。Ernst Herzfeld, *Zoroaster and his World*, vol. 1, p. 48。R. Schmitt, “Amytis,” in *EIr*, vol. 1, p. 999。Briant, *From Cyrus to Alexander: A History of the Persian Empire*, p. 33。大流士一世迎娶居鲁士大帝之女、冈比西斯二世的王后——阿托莎(Atossa)为自己的王后，“一个非常重要的动机可能是他希望通过与一位居鲁士家族成员的结合，使其以阿契美尼德旁支身份登基一事合法化”。R. Schmitt, “Atossa,” in *EIr*, vol. 3, pp. 13—14。

大王要我献上双眼献上国土平原，我也会欣然领命，心甘情愿。

但要献上女儿比这还难，因为这等于摘掉我的心肝。[183]

在这外交辞令般的言语中，王族女儿外嫁的特殊性可见一斑。另据《列王纪》，当扎尔提出要迎娶鲁达贝之时，女方家长梅赫拉布极为震惊且难以接受。他之所以抗拒这场联姻，或许确实有贾姆希德与佐哈克两大家族在多年前有深仇大恨的原因，这一点从男方家长萨姆的反应中也有所表现，他曾就此事说过：

他们的事恰似水火联姻结合，水火不容此事不会有好结果。

此事到末日若报知法里东与佐哈克，他二人会再启战端拼个你死我活。[184]

但也不能完全排除梅赫拉布担心自己家系和领地的传承由于同萨姆家族联姻而受到威胁。历史上，阿契美尼德王朝末代君主大流士三世死后，亚历山大善待其妻女，给予她们王族的优渥待遇，并迎娶大流士三世的女儿。[185]一方面，亚历山大在做这些事情的同时，还推动其政权的

183 Firdawsī, *Shāhnāma*, ed. Jules Mohl, vol. 1, p. 63。Abu'l-Qasem Ferdowsi, *The Shahnameh* (The Book of Kings), vol. 1, ed. Djalal Khaleghi-Motlagh, New York: Bibliotheca Persica, 1988, p. 97。汉译引自菲尔多西：《列王纪全集》，第一册，第115页。

184 Firdawsī, *Shāhnāma*, ed. Jules Mohl, vol. 1, p. 140。汉译引自菲尔多西：《列王纪全集》，第一册，第262页。

185 Arrian, *Alexander the Great: The Anabasis and the Indica*, trans. Martin Hammond, Oxford: Oxford University Press, 2013, pp. 92, 198。阿里安：《亚历山大远征记》，E. 伊利夫 · 罗布逊英译，李活译，北京：商务印书馆，2012年，第124、259页。亚历山大先娶巴克特里亚贵族奥克夏特斯（Oxyartes）之女罗克珊娜（Rhoxane），目的是与东伊朗贵族联姻结盟，利于平定当地；后又娶大流士三世之女斯妲特拉（又译斯塔苔拉）——或巴西妮（Barsine），以及阿塔薛西斯三世（Artaxerxes Ⅲ，约前359/358—前338/337年在位）之女帕瑞萨娣斯（Parysatis），亦有与阿契美尼德王室建立多重紧密姻亲关系，以巩固其统治合法性的意图。Ernst Badian, "Rhoxane ii. Alexander's Wife," in *EIr*, ed. Ehsan Yarshater, published September 30, 2015, updated April 6, 2018, https://iranicaonline.org/articles/rhoxane-alexander-wife。Ernst Badian, "Stateira," in *EIr*, ed. Ehsan Yarshater, published November 16, 2015, https://iranicaonline.org/articles/stateira. John Maxwell O'Brien, *Alexander the Great: The Invisible Enemy*, London / New York: Routledge, 1994, pp. 189—191。

政治和经济制度全面波斯化，这一系列举措都可视为亚历山大对波斯文化的仰慕和有持续统治亚洲广大地域的愿望；另一方面，他迎娶大流士三世之女确实起到了令其对波斯帝国故地的统治合法化的作用。此事也从反方向表明，在当时伊朗人的观念中，把王族女子嫁给外族人，至少意味着承认这个外族人对本族群的最高权力拥有继承权。波斯语古典叙事文学作品中，有大量伊朗王族男性纳异族女性为妻为婢的情节，而几乎不见伊朗王族女性远嫁异族外邦，这种单向的贵族阶层联姻活动正是古代伊朗中心主义天下观的表现。《黄金草原》讲述萨珊王朝的历史时也说："波斯国王可以娶外国国王的公主为妻，但他们不想以这些国王为婿，因为他们自认为自己是最高贵的种族。"[186]

伊朗人同外族联姻的情节频繁出现在波斯语古典叙事文学里，表明古代伊朗人与其周边各人类族群联系密切。关于伊朗与中国之间的王室通婚，在历史文献中亦存些许佐证。萨曼王朝时期，阿拉伯诗人、旅行家米撒儿（Abū Dulaf Misʿar ibn Muhalhil）曾自布哈拉（Bukhārā）向中国东游并撰有《米撒儿行纪》[187]，提及萨曼王娶中国公主之事。据许序雅综述，裕尔（Henry Yule）、托干（A. Z. V. Togan）、博斯沃思（C. E. Bosworth）、马迦特（J. Marquart）、张星烺、马雍、冯承钧、岑仲勉等多位学者的研究涉此文献。关于两国王室联姻一说，博斯沃思和马雍均结合祖拜尔（Aḥmad ibn al-Rashīd ibn al-Zubayr）的《珍宝录》（*Kitāb al-dhakhāʾir wa-al-tuḥaf*）[188]所载"中国皇帝遣使团于伊斯兰教历327年（939/940）通使布哈拉"一事做出研究。博斯沃思认为上述两件萨曼王朝与中国交往之事年代相近，可能实为一事，文献所及"中国皇帝"或为建立喀喇汗王朝（Qarākhāniyān / Kara-Khanid Khanate，840—1212）的葛逻禄部君主。马雍则认为《珍宝录》所载使团往来应是可靠的历史，其中的"中国皇帝"是于阗大宝王国国王李圣天；而《米撒儿行纪》

186 马苏第：《黄金草原》，第321页。

187 19世纪中叶至20世纪初，西方学者将其辑佚本译为多种西方文字出版，张星烺以《依宾麦哈黑尔之〈游记〉》为名在《中西交通史料汇编》中录有译自法译本的部分篇章。参见张星烺编注，朱杰勤校订：《中西交通史料汇编》，第二册，第780—791页。冯承钧依Misʿar记其名作"米撒儿"，称其"行纪"为《米撒儿行纪》。

188 撰于伊斯兰教历463年（1070/1071）。

所载联姻可能是真实事件，其中的"中国君主"或为喀喇汗王朝的萨图克汗。[189]许序雅认为，尽管已有研究结论尚存可商榷之处，但可以肯定，萨曼王朝与中国西北地区有联姻交往。[190]

3. 朝贡关系呈现出的古代伊朗天下观

如上一节所述，女子和金帛在男权社会的战争中皆属被争夺的战利品，在战争威胁中也都是贡赋的具体表现形式。中国汉初对匈奴的和亲就是以王室名义嫁女，同时附有大量财物作为贡赋。因而，在古代邦国交往中，远嫁王室女性至异邦在很多情况下具有朝贡的性质。波斯语古典叙事文学中，伊朗作为大地中央之国的宗主地位，除了通过其与异邦联姻的情节有所展现之外，还经常通过伊朗自异国邻邦收取贡赋来体现，即在这些文学作品中隐约可见一个以伊朗为核心的差序朝贡体系。

（1）《库什王纪》中的朝贡情节

《库什王纪》在序言部分之后的正文开篇就讲到一个有关朝贡的情节——伊斯兰时代一位名叫库什的伊朗王向鲁姆王索要与阿努席尔旺时期定下惯例相同的贡赋，[191]同类故事在后文中更比比皆是。印度王在请佐哈克出兵帮助他向秦王玛汉格复仇之时，随求援书信一起给佐哈克送去财物贡赋。[192]象牙库什作为秦王期间，他一方面向占据伊朗之地的世界之主佐哈克送去贡赋，另一方面又从自己势力所及的各个国度、城邦、部落收取贡赋，使秦呈现出典型的次级朝贡中心特征。有诗中例句为证：

来自土兰、莫克兰和鲁姆，以及印度和东方每一个国度的王，

---

189 马雍：《萨曼王朝与中国的交往》，《学习与思考》1983年第5期。

190 许序雅对已有研究之综述及其观点，均参见许序雅：《中亚萨曼王朝史研究（增订本）》，第85—89页。

191 Ibn Abī al-Khayr, *Kūshnāma*, p. 167.

192 Ibn Abī al-Khayr, *Kūshnāma*, p. 193.

都向他遣使送来贡品和税赋,每个地方都令他多添一座宝库。
(第3327—3328联)

这两联诗讲的是当象牙库什杀死马秦王贝哈克而吞并马秦之后,成为秦与马秦之王,势力如日中天,周边国度都给他送来贡赋以示顺服。法里东囚禁佐哈克之后,派遣部将率军征讨象牙库什,象牙库什在河中地区和东方国度组织抵抗,在此期间,他曾两次挥师经过莫克兰,莫克兰统治者每次都向象牙库什献上大量贡赋。[193]当象牙库什在西方攻击哈拉耶格之时,其王求和,象牙库什得到大量财物贡赋以及美貌的婢女。[194]法里东代表的伊朗正统王族重夺世界之主的王位之后,其舅父——巴希拉新君卡拉姆给他送来大量财物表示祝贺,法里东则向卡拉姆回赐了一些礼物并封其为马秦之王。[195]按照书中描述,巴希拉远在世界东方尽头,可见该情节中的法里东是名副其实的世界之主。法里东三分世界之后,伊朗王伊拉治向鲁姆王萨勒姆和土兰与秦之王图尔索取贡赋。[196]尽管后两者是前者的兄长,伊朗的统治者还是有权向包括他们在内的任何国度统治者索取贡赋。该情节的潜台词仍是伊朗是大地中央宗主之国,周边邻邦皆为其附庸,都要向其臣服纳贡。

(2)其他波斯语叙事文学作品中的朝贡情节

在《列王纪》中,鲁姆王菲利普在被伊朗凯扬王朝君主达拉布击败后向其求和,达拉布得知菲利普有一女是绝色佳人,便要求其嫁女并献岁贡——每年一万枚镶宝石的金蛋。[197]巴赫拉姆·古尔在位时期,曾击败中国可汗并收取突厥人[198]大量岁贡;[199]还曾以威胁开战为手段向

---

193 Ibn Abī al-Khayr, *Kūshnāma*, pp. 498—500.

194 Ibn Abī al-Khayr, *Kūshnāma*, pp. 602—608.

195 Ibn Abī al-Khayr, *Kūshnāma*, pp. 446—455.

196 Ibn Abī al-Khayr, *Kūshnāma*, p. 640.

197 Firdawsī, *Shāhnāma*, Moscow Edition, vol. 1, pp. 1081—1082。汉译见菲尔多西:《列王纪全集》,第四册,第292—296页。

198 在波斯语叙事文学作品里,“中国”(Chīn)一词常被用来指称伊朗东方的突厥人居住地区,故而在这个故事中,巴赫拉姆因击败“中国可汗”而自“突厥人”收取贡赋。

199 Firdawsī, *Shāhnāma*, Moscow Edition, vol. 2, pp. 1368—1370。汉译见菲尔多西:《列王纪全集》,第五册,第173—177页。

印度王索要贡赋。[200]阿努席尔旺当政时期，伊朗曾与鲁姆定下获取岁贡之约；[201]后来两国再起刀兵，鲁姆向伊朗请罪求和时再次遣使专程纳贡，鲁姆使者还对阿努席尔旺说了这样一番话：

> 伊朗的鲁姆属于你，伊朗正如鲁姆，无需把这国土疆界划分。
> 智慧在公正的诸王之王的时运中，恺撒[202]因他而挺直脊背。
> 无论是中国可汗还是印度王，都对这王冠与王位崇敬拜服。[203]

这一席话中，阿努席尔旺俨然是位君临万邦的天下雄主，在所有异族邻邦面前，无论是西方的鲁姆还是东方的中国与印度，伊朗都扮演着宗主国的角色。

据内扎米的《亚历山大王纪》，亚历山大在东征的过程中，对不满足其贡赋要求的各地方政权一律以武力征服，东方各地统治者若想避免灭亡的命运，唯有一途可循——按其要求献上贡赋并表示臣服。亚历山大到中国时，致书中国可汗索要七年的贡赋，[204]中国可汗尽管自忖军力不弱于亚历山大，但仍表示要顺从天命安排而臣服于他。由于在伊朗古代传说和文学作品中，亚历山大是凯扬王族后裔，因此他对世界的征服同样意味着凯扬王权对世界的征服，亚历山大故事依然体现了伊朗王是世界之主的观念。

（3）波斯语古典叙事文学作品中的朝贡体系

历史上，不同时代的区域性强国大多曾向它们征服或威胁要征服之地的统治者索取贡赋，并把贡赋视作进献者表示臣服的象征。例如，

200 Firdawsī, *Shāhnāma*, Moscow Edition, vol. 2, pp. 1382—1384。汉译见菲尔多西：《列王纪全集》，第五册，第202—212页。

201 Firdawsī, *Shāhnāma*, Moscow Edition, vol. 2, p. 1466。汉译见菲尔多西：《列王纪全集》，第五册，第383页。

202 qayṣar，鲁姆王（罗马皇帝）的称号。

203 Firdawsī, *Shāhnāma*, Moscow Edition, vol. 2, p. 1593。《列王纪全集》中的这段译文与本书所参照莫斯科本的联句顺序略有不同，笔者遂自作引文汉译，与《列王纪全集》相应译文略有不同，但大意不差。亦可参见菲尔多西：《列王纪全集》，第五册，第669—670页。

204 Niẓāmī Ganjavī, *Kulliyāt-i Khamsa-yi Niẓāmī*, pp. 1224—1225.

雅典人自提洛同盟中的其他城邦收取贡赋；亚述、巴比伦、迦太基和罗马等几个帝国都从它们的行省和属国收取贡赋。阿契美尼德王朝时期的伊朗是一个幅员辽阔且治下族群众多的帝国，“大流士把全国分成20个行省，除了故乡波斯行省之外（该省直接归国王统治，并且免除了税收），每个行省都必须向中央政府缴纳税收和贡赋”。[205]东亚的朝贡系统也是最为典型的一个。在中国中原政权强盛的商周、秦汉、隋唐以及明清等各个时代，以中原政权为朝贡中心的朝贡体系分别有畿服、册封、羁縻和朝贡等不同表现形式。中原政权势微之时，也向其他强势政权朝贡，比如宋向辽、金纳岁币以换取和平。朝贡体系有多种表现形式，基本原则却大致类似，即一元政治区域的边缘地区与族群政权向中心国度政权遣使奉献贡物以示服从；作为回报，朝贡中心国向各朝贡国回赐本国物产并封以王位或官职，以示对地方主权与统治权的认可。

《库什王纪》等波斯语古典叙事文学作品中的朝贡体系明显带有上古社会的邦国关系烙印，即征服者有索取贡赋的权利，目的在于获得被征服者的效忠与许诺，以及取得直接的经济利益。频繁描写伊朗作为世界性宗主向各藩属收取贡赋这类情节的波斯语古典叙事文学作品，多数为伊朗民族史诗。在伊朗的伊斯兰时代初期，出于重塑伊朗民族尊严和自豪感的需要，众多伊朗文人把散佚典籍中的上古神话、历史记载以及民间口头传说转化为波斯语史诗作品。这些史诗通过宏大的邦国间伐交叙事背景来着力刻画古时伊朗君王和诸英雄勇士的光辉形象，突出表现爱国主义并维护伊朗民族传统与荣耀，因而这些作品中的伊朗民族英雄往往德才兼备，战无不胜，伊朗的国家整体形象也呈现为天下万邦之宗主。

（4）《库什王纪》中的朝贡体系与古代中国的“五服”制度之比较

《尚书·禹贡》等一些编纂于周代的文献记录有“五服”制度，是基于“畿服”观念对过去时代政治制度的某种总结或设想。虽然在信史时期这一制度从未也不可能被严格执行，但它是中国古人的“天下”

205 丹尼尔：《伊朗史》，第43页。

观念——以王畿为中心的天下观的最早体现，并且对秦以后两千多年里中原王朝与周边藩属的关系，乃至于整个东亚地区政治生态都影响深远——中古时期的东亚朝贡体系可被视作五服制度的扩大化形态。五服制度的核心意义在于把王畿周围的不同地域按其距离王畿之远近划分为几个区域，并规定了各区域对王所负有的不同义务。

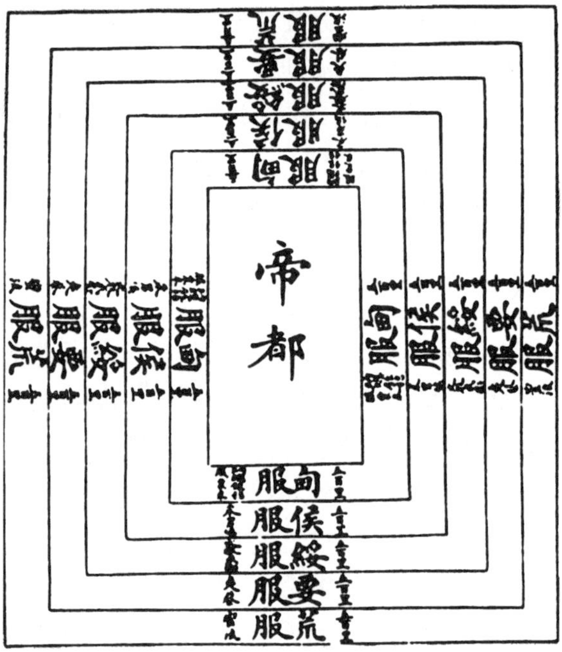

图4 《禹贡》五服图[206]

如图4，五服指甸服、侯服、绥（宾）服、要服、荒服。甸服是王的直辖区域，侯服为封臣区域，绥（宾）服为德化可及和武力可达的区域，要服和荒服为异族居所，也是中国流放犯人的区域。[207]不难看出，王对自内至外各区域的控制越来越弱，因此五服说同时也是一套与控制相关

---

206 图片来源：孙家鼐等主编，钱伟疆、顾大朋点校：《书经图说》，杭州：浙江人民美术出版社，2013年，第295页。

207 对五服的详细解释参见顾颉刚注释：《禹贡》，侯仁之主编：《中国古代地理名著选读（第一辑）》，北京：科学出版社，1959年，第2页。

的朝贡制度。按照受控程度的不同，五服大致可被划分为由内及外排布的三个同心区域：甸服区是处于王权完全控制下的核心区域；侯服区和绥（宾）服区是王权易于控制的中间区域；要服和荒服是王权不易控制的边缘区域。在古代中国历史上，这三个区域常常可以对应宗主国、藩属国和化外之地。

《库什王纪》的情节描绘出一个与"五服"制度非常类似的以伊朗为中心的世界政治格局。伊朗王等同于世界之王，因此伊朗地区是王权直接控制的核心区。伊朗东边毗邻的秦与马秦、西边的鲁姆等国度常向伊朗朝贡，表明这些地区是王权易于控制的中间区域；同时它们也是次级朝贡中心，因为莫克兰、吐蕃、葛逻禄等地方君主都要向秦与马秦之王象牙库什朝贡，哈拉耶格王法鲁格（Fārūq）和撒吉剌王巴苏兹（Bāsūz）也曾向鲁姆王萨勒姆朝贡。世界东北边缘的雅朱者之地和西南边缘的努比亚与布加等地则属于不服王化的荒蛮之地，其居民被描述为魔鬼一般的存在，这些地方即便有时与伊朗发生军事冲突，也难以被纳入"已知世界"的范围。希罗多德在前五世纪已总结出波斯人的这种观念："他们尊重离他们最近的民族，认为这个民族仅次于他们自己，离得稍远的则尊重的程度也就差些，余此类推；离得越远，尊重的程度也就越差。这种看法的理由是，他们认为他们自己在一切方面比所有其他的人都要优越得多，认为其他的人住得离他们越近，也就越发优越。因此住得离他们最远的也就一定是人类中最差的了。"[208]该观念与中国的五服天下观相类似。据唐晓峰，"五服"是一套方形层级空间结构，属宏观人文地理模式。这种模式有一定的事实基础，即越远的地方文化社会的发展水平越低，这是古人所看到的大体情形，在华夏人的视野内，基本正确。[209]在《库什王纪》的叙事中，努比亚人和布加人的几个重要将领都有魔鬼的称号，他们的首领是伊朗古代传说中著名的妖魔——白魔。虽然相较于《列王纪》的描写，《库什王纪》中这些异族将领身上的神话（妖魔化）色彩有所消退，但生活于

---

208 希罗多德：《历史》，第70页。

209 唐晓峰：《从混沌到秩序：中国上古地理思想史述论》，北京：中华书局，2010年，第228页。

伊朗文化大陆以外的这些蛮族人仍被描述得非常野蛮与可怕。《库什王纪》对阿贝廷取道海路返回伊朗时在大地东北部尽头看到哥夫山上的雅朱者们的描述，更是让人感觉那是一群恐怖的非人的存在。中国古人的观念何尝不是如此。以华夏文明为内核的文化圈体系的最外层被称为蛮、夷、戎、狄之地，其居民在文化圈内层居民的口头和笔下也明显呈现出“兽化”的形象。

时至今日，在伊朗阿契美尼德王朝的波斯波利斯（Persepolis）宫殿遗址，仍可见到阿帕达纳（Āpādānā）宫入口左侧的台阶侧墙上，刻有展示八方来朝宏大场面的浮雕群像。这组石刻浮雕再现了来自古波斯帝国治下二十多个族群的使者手捧贡品列队向有“诸王之王”之称的波斯王进贡的壮观场景（如图5）。看过中国历代《职贡图》的读者可能会觉得这个场景似曾相识（如图6）。

4. 古代伊朗天下观在其民族身份认同建构中的作用

文学作品对某种观念的表述是基于相应的历史语境的。在阿契美尼德王朝崛起后的上千年中，伊朗在大多数时间里都是一个疆域辽阔，治下族群众多，且文化发达的国度，这是古代伊朗人集体意识中天下观形成的客观历史条件；进入伊斯兰时代，伊朗民族尊严和凝聚力亟待重塑，因而着力重现伊朗古代荣耀的波斯语文学创作迅速繁荣，这是伊朗人的天下观成为波斯语古典叙事文学基调之一的时代背景。总体而言，波斯语古典叙事文学作品中的天下观以伊朗为一元中心，外延几乎涉及全部上古人类文明地域。这种天下观在《库什王纪》中的呈现尤为典型，其视域确实是世界性的，真正涵盖了“普天之下”。

近现代神话学研究显示，“从文化认知的视角来看，任何一个文化群体均有‘我族中心主义’的倾向，对于文化‘自我’持有一种认同与亲近感，而对异文化则抱排斥乃至敌对心态”。[210]由于伊朗人自认为是

210　王倩、尹虎彬：《从语义比较到文明探源——论比较神话学的近代转向》，《江西社会科学》2009年第6期。

图5　波斯波利斯阿帕达纳宫入口台阶侧墙朝贡浮雕[211]

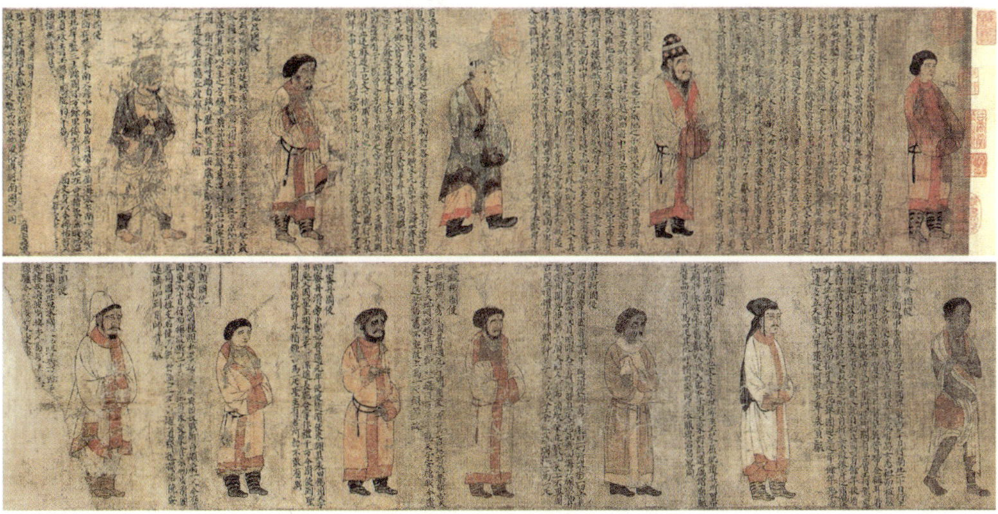

图6　宋摹本萧绎《职贡图》[212]

211　此图为该组浮雕四处局部照片拼接，仅作示例。笔者于2019年5月摄于波斯波利斯。

212　萧绎《职贡图》，（宋摹本，残卷），26.7 cm × 200.7 cm，现藏北京中国国家博物馆。原图是一幅横卷，为在本书页面中展示方便，现将其分割为两部分，本图中的上下两部分在原图中按从右至左顺序排列。

最优秀的族群，尤其在文化上具有优越感，尽管曾多次被异族武力征服，很多伊朗文人还是自信地认为先进的伊朗文化能够征服异族统治者，伊朗史诗和叙事文学传统中有关亚历山大的传说即表明这一点。现在我们了解到，象牙库什的故事是另外一个例证。《列王纪》讲述了创世之初伊朗上古诸王开辟文明的功业，正向促进了伊朗民族身份认同的建构；《库什王纪》则塑造出一个统治过遍及世界东西方多个国度的异族王——武力强大、无恶不作的象牙库什。待到这部史诗的结尾部分，贾姆希德家族的智慧老人令象牙库什归化于伊朗文化，使他成为符合伊朗道德标准的崇信真神、公正、行善的统治者，《库什王纪》遂以与众不同的方式起到促进伊朗文化认同的作用。

由于象牙库什是一个集成多重异族首领身份的史诗人物，他经伊朗智者教导而归化于伊朗文化，也可以解读出“天下归心”的象征意义。这是古代伊朗天下观在除联姻与朝贡等有关伊朗“硬实力”的情节之外，在文化优越性这项伊朗“软实力”方面的具体表现。据此，《库什王纪》的创作也直接参与了对古代伊朗人天下观的建构。伊朗民族身份认同的过程本是伊朗文化大陆居民的文化认同过程，《库什王纪》表现出来的古代伊朗天下观已不仅限于区域性的“我族中心主义”，而是更进一步言说“伊朗文化泽被整个人类文明世界”，更有助于伊朗人建立文化自豪感，从而推动伊朗民族身份认同的建构。

第 五 章

《库什王纪》所载古代东亚

一、《库什王纪》所载古代中国地理信息刍议[1]

《库什王纪》有别于大多数波斯语古典叙事文学作品的特征之一，是它记录了非常丰富和相对准确的古代世界地理信息。此外，这部史诗在行文中曾将自身称作“中国（秦）王的故事”（第132联）。伊朗神话中的上古君王贾姆希德的后裔逃亡于秦、马秦和巴希拉，抵抗秦与马秦之王库什父子的追击，而后返回伊朗重夺王权的经历，构成了整部史诗最重要的一段情节。于此对这段情节略加回顾。贾姆希德死后，佐哈克获悉其族人藏身于秦的丛林中，便遣库什赴秦为王，追剿伊朗王族残余势力。库什与史诗主角象牙库什父子相认并联手进击之后，贾姆希德族人渐感难以抵敌，其族长阿贝廷遂率族人离开秦地，经由马秦避往海中的巴希拉岛——在诗中曾被称为“另一个马秦”之地。象牙库什衔尾追踪，继而征伐巴希拉。库什死后，象牙库什继任为秦王，与阿贝廷和巴希拉岛之王醍醐尔进入长期军事对峙状态。在此期间，他杀死了暗中帮助贾姆希德族人的马秦王贝哈克，成为秦与马秦之王。阿贝廷之子法里东在伊朗重夺世界王位之后，应巴希拉新君卡拉姆（Kāram）所请，数度遣将率大军征讨秦与马秦。象牙库什则依托秦与马秦以及吐蕃、坎大哈和莫克兰等属地的军事力量竭力抵抗。经多场激战，秦与马秦终于自象牙库什暴虐的统治下被解救出来。[2]至此，《库什王纪》总计用六千多联诗句讲述了发生在秦与马秦，即古代中国及其周边地域的故事，约占其万联总篇幅的三分之二。

---

1 可参看拙文《伊朗史诗〈库什王纪〉所载古代中国地理信息刍议》，载朱玉麒主编《西域文史（第十辑）》（科学出版社，2015年），本节内容在前文基础上有修订。

2 Ibn Abī al-Khayr, *Kūshnāma*, pp. 257—534.

鉴于以上情况，有必要对《库什王纪》所载有关古代中国的地理信息做出探讨。地处世界东方尽头的巴希拉岛孤悬海外，又有高山拱卫，易守难攻，在库什父子占领秦与马秦的情况下，是阿贝廷所率贾姆希德族人的理想避难所。《库什王纪》将其描述为如同天国之地，自是文学虚构，却也可推断其原型为朝鲜半岛古国新罗。以新罗比照巴希拉的推论下文另有讨论，本节专就确属古代伊朗人用以称呼古代中国地域的秦和马秦做出论述。

1. 秦

秦，即波斯语的Chīn，在不同语境下具有多种含义。其一是现今地理和政治实体中国；其二是在波斯语古典文学作品和史料文献中，古代伊朗人基于自己的世界观和地理认知，对伊朗东方广大地域——主要是古代中国的称谓。第二种情况下，在不同的历史时期，波斯语中除秦以外还有多个词汇被用以指称中国相关地域。伯希和（Paul Pelliot）在《马可波罗游记注释》（*Notes on Marco Polo*）的Catai词条中指出，公元5—6世纪时，在中亚地区，用来指称中国的秦（Ch'in）被源于"拓跋"之名的桃花石（Tabγāč或Taβγāč）所替代。[3]该突厥语源词汇后来也进入波斯语，略微音变为Ṭamghāj或Ṭafqāj，但在波斯语文献，尤其是叙事文学作品中鲜见使用。阿拉伯语地理文献《黄金草原》曾提及："中国中原君主们的特殊尊号和在与他们讲话时对他们的称呼则是'桃花石汗'（Tamghāč khan）。"[4]唐帝国崩溃之后的数百年间，多个崛起于北方游牧部落的政权相继控制中国北部地区，西辽和蒙古帝国等政权更直接介入伊朗的历史进程，波斯语中亦随之出现指向中国不同地域的其他几个专名。如源自契丹之名的乞台（Khatāy），[5]主要指中国北部地

3 Paul Pelliot, *Notes on Marco Polo*, vol. 1, Paris: Imprimerie Nationale Librairie Adrien-Maisonneuve, 1959, p. 217.

4 马苏第：《黄金草原》，第168页。

5 又作Khatā、Khaṭā。据《德胡达大辞典》，Khaṭā是突厥斯坦一座城的名字，是出产麝香之地，还以美女和美男子而著称；另请参见Khatā词条。*LND*, vol. 7, p. 9860。而Khatā词条的解释是：由Khatāy变化而来的一个词，是突厥人的一个地区的名称，在波斯语诗歌和散文（转下页）

区；该称谓继续西传后，曾以Catai、Cathay和Alcathay等多种形式为中古时期的欧洲人所熟知，被他们用作对中国的称呼。[6]随着蒙古人入主伊朗，蛮子（Manzī）、南家思（Nankiyās）等用以指称中国南部的专名也出现在波斯语中。然而，在历时性上贯穿波斯语文学传统对中国地域的称谓还是秦，《库什王纪》也以秦指称中国。

秦这一地理名词的出现可追溯到前伊斯兰时代的伊朗。梅赫尔达德·巴哈尔在对伊朗古代神话中的世界地理大图景进行总结时说："这种神话世界地理以及其中蕴含的信息，伴随着那些后来又自安息王朝和萨珊王朝接受的影响——比如中国（Chīn）的名称——是属于阿维斯塔文化与西亚尤其是巴比伦文化相碰撞与融合的阿契美尼德王朝时期的。"[7]当然，在后来的波斯语古典文学作品中，秦的实际指向主要是曾有吐火罗人、塞人、粟特人、突厥语族群等各人类族群长期活动的中亚地区和中国西北部地区。从《库什王纪》所载从属于秦的各城邦名称亦可看出这一点。

最早的穆斯林历史地理文献之一，成书于公元9世纪的《雅古比历史》在描述去往中国之路时写道：

中国（Chīn）是一个广大的国家，无论谁想要取道海路前往中国，他必须穿越七个海，每个海都有自己的颜色、气味、鱼和风，同与它相临的海不同：第一个是法尔斯（Fārs）海，要从尸罗夫（Sīrāf）上船起航……第七个海叫做Ṣ.njī海，也被称为K.njlī，它是中国的海，人们借

（接上页）中有时把Khatāy写作Khatā。*LND*, vol. 6, p. 9522。Khatāy词条解释可概括为：是一个广大而著名的地区的名字，它的南方是中国（秦），它的西方是突厥斯坦和蒙古。*LND*, vol. 6, pp. 9523—9524。Khatāy是"契丹"的波斯语对音，指当时的中国北部。菲尔多西《列王纪》、内扎米《亚历山大王纪》等波斯语史诗均提及Khatā，且都将其与和田（Khutan）并置。拉施特（Rashīd al-Dīn）主持编纂的《史集》（*Jāmiʻ al-tavārīkh*）中是这样定义的："蒙古人称之为札忽惕（Jāuqūt），忻都（印度）人称之为秦（Chīn），在我们这里则以乞台（Khitāy或Khatāy）闻名。"王一丹：《波斯拉施特〈史集·中国史〉研究与文本翻译》，北京：昆仑出版社，2006年，第115页。本书采纳"乞台"作其对音汉译。

6 Pelliot, *Notes on Marco Polo,* vol. 1, p. 216.

7 Bahār, *Pazhūhish-ī dar asāṭīr-i Īrān*, p. 143.

助南风在这个海上航行，直到他们抵达一个淡水海［湾］[8]——那里［沿岸］有边防军，是繁荣地区之始——再从那里抵达广府（Khānfū）城。无论谁想要取道陆路前往中国，要沿着巴尔赫河（nahr-i Balkh [Jayḥūn]）[9]，穿过粟特（Sughd）、费尔干纳（Firghāna）、赭时（Chāch）[10]和吐蕃（Tubbat）之地，直到其抵达中国。[11]

关于中国的边界述及：

中国有三条陆地边界和一条海洋边界：

第一条边界是突厥（Turk）与九姓古思（Tughuzghuz），他们与中国之间一直在发生战争，直到达成和解，他们相互通婚和亲。

第二条边界是吐蕃，在中国与吐蕃之间有一座山，在山上有中国人抵御吐蕃的边防军，也有一些吐蕃抵御中国的边防军，他们处于两个国家的边境地带之中。

第三条边界与一个被称为Mānsās的部族相连，他们有独立的政权和一些广大的城市，据一些人说他们国家的东西和南北都有要走上数年的路程，没有人知道他们后面是些什么人，他们接近于中国的居民。

第四条边界与大海相连，是穆斯林来到中国之路，情况正如我们在

8 原文作 daryā-yi khvashguvār-ī，限定词的词义为“甜美适口的，宜食（饮）用的”。此处似指大江大河的入海口。

9 即今阿姆河，在我国有妫水、乌浒水、缚刍水等多种古称。

10 据《德胡达大辞典》，Chāch是乌兹别克斯坦共和国首都塔什干附近一座城市的名称；曾为河中地区古城，以出产杨木（Khadang）弓箭而闻名。即《新唐书》卷二二一下《西域下》所载之石国：“石，或曰柘支，曰柘折，曰赭时，汉大宛北鄙也。”又据《西域地名》Tashkend词条，“昔名Chaj，《魏书》作者舌，《隋书》为石国都柘折城（Binkath），《西域记》作赭时，《经行记》谓其国一名赭支，一名大宛，《新唐书》曰柘支，曰柘折，谓为故康居小王窳匿城，《元史・西北地附录》作察赤，《明史》作達失干，清时名塔什罕……”冯承钧原编，陆峻岭增订：《西域地名（增订本）》，北京：中华书局，1982年，第93页。波斯语文本《世界境域志》将其记作Chāj，校注者苏托德作注：Chāch。参见Sutūda (ed.), *Ḥudūd al-ʿālam: Min al-mashriq ilā al-maghrib*, p. 116。王治来汉译作“赭时”。参见佚名著，王治来译注：《世界境域志》，第115页。

11 Aḥmad ibn Abī Yaʿqūb Yaʿqūbī, *Tārīkh-i Yaʿqūbī* (《雅古比历史》), trans. Muḥammad Ibrahīm Āyatī, Tehran: Bungāh-i Tarjuma va Nashr-i Kitāb, 1963 (SH 1342), pp. 224—225.

那几个海[的部分]说过的。[12]

该书随后还写道："中国人崇拜偶像、太阳和月亮……"[13]

同样成书于公元9世纪的《道里邦国志》则载中国的君主叫白鹤布尔(Baghbūr)[14],是艾夫里宗(Afrīdhūn)[15]的子嗣;[16]还描述了经由印度地区沿岸去往中国的海上之路,提及沿途的中国港口和城市包括鲁金(Lūqīn)[17]、汉府(Khānfū)[18]、汉久(Khānjū)[19]、刚突(Qānṭū)[20]等。关于中国城市以及疆界情况,书中继续写道:"全中国有300座人口稠密的城市。其中较为著名的有90座。中国的疆界起始于海洋,经吐蕃、突厥,终至西面的印度。"[21]此外,该书还录有一些有关中国的物产以及对外贸易等内容。

成书于10世纪上半叶的《黄金草原》虽然未对中国的准确地理位置和疆界做专门描述,但也载有大量有关中国的信息可供参考。据该书所载,诺亚五世孙阿慕尔('Āmūr)的部分后裔渡过乌浒水,有一部分人留在那里,又分为居住于粟特、费尔干纳、塔什干等地的城镇定居居民,以及葛逻禄人、九姓乌古斯人等草原居民。书中于此还提到位于呼罗珊和中国中原地区之间的一个王国——京师名为Kūshān[22],

---

12 Ya'qūbī, *Tārīkh-i Ya'qūbī*, pp. 225—226.

13 Ya'qūbī, *Tārīkh-i Ya'qūbī*, p. 226.

14 源自波斯语,词义为"天子",与faghfūr同为波斯语词baghpūr的阿拉伯语化词汇。

15 即伊朗传说中三分天下的世界之主法里东。

16 Ibn Khordādhbeh, *Kitāb al-Masālik wa'l-Mamālik*, p. 16。伊本·胡尔达兹比赫著,宋岘译注:《道里邦国志》,第17页。

17 即唐代的龙编,今越南河内一带。伊本·胡尔达兹比赫著,宋岘译注:《道里邦国志》,第71页,译注③。

18 即广州。伊本·胡尔达兹比赫著,宋岘译注:《道里邦国志》,第72页,译注①。

19 从对音看,汉久应指杭州。但究竟为何地,尚待详考。伊本·胡尔达兹比赫著,宋岘译注:《道里邦国志》,第72页,译注②。

20 即江都郡。伊本·胡尔达兹比赫著,宋岘译注:《道里邦国志》,第72页,译注③。

21 Ibn Khordādhbeh, *Kitāb al-Masālik wa'l-Mamālik*, p. 69。伊本·胡尔达兹比赫著,宋岘译注:《道里邦国志》,第71—72页。

22 本段文字见于《黄金草原》第15章,该地名在1861年阿法对照本中,阿拉伯原文作Kūshān,法译文作Kouchan (Kaotchang), Maçoudi, *Les Prairies D'or*, vol. 1, p. 288,耿昇据法语文本译为高昌,但他认为此地应为龟兹,马苏第:《黄金草原》,第159页;在1965年波斯语(转下页)

其王尊号为回鹘汗(Uyghurkhān)——以及基马克(Kīmāk)、乌古斯等部族。随后马苏第继续提到,还有一支前往吐蕃定居,而阿慕尔后裔中的大部分人沿海滨前进一直到达中国,他们在那里分散定居,耕耘土地,设置县、府和城市,以一座名为扬州的大城为京都,并挖掘运河。马苏第详细描述了多位中国王在父王死后将其遗体置于金雕像中并率臣民早晚跪拜的内容,随后还专门谈到中国人宗教中偶像崇拜的特点。[23]

《雅古比历史》《道里邦国志》《黄金草原》皆为以阿拉伯语写成的早期穆斯林史地文献,同属受伊朗传统地理观念影响的阿拉伯古典地理学伊拉克学派著作。这三部著作中都有关于中国地域较详细的描述,在原文中均以阿拉伯语专名al-Ṣīn指称中国地域,可见在这一时期,穆斯林史地文献对中国地域的称呼较为统一。而al-Ṣīn是取自波斯语Chīn的借词。伯希和指出,波斯语的Chīn进入阿拉伯语后变成Ṣīn。因阿拉伯语没有辅音ch,阿拉伯人借用这个词之后,以ṣ代替了ch。[24] al-Ṣīn在《雅古比历史》的波斯语译本中被译为Chīn;在转译自法语的《黄金草原》汉译本和译自阿拉伯语原文的《道里邦国志》汉译本中,该词都被译为“中国”。

成书于10世纪的《世界境域志》在描述了包括海洋、岛屿、山脉、河流、荒漠等世界地形概况和整体地理分区之后,分别记录了数十个国度的情况,中国是第一个被介绍的。中国地域在该书中被称为秦或秦

(接上页)译本中作Kūshān, Masʿūdī, *Murūj al-ẓahab*, vol. 1, p. 129;在1841年英译本中作Kūsān (K.rsān), Sprenger (trans.), *El-Mas'ūdī's Historical Encyclopaedia, entitled "Meadows of Gold and Mines of Gems,"* vol. 1, p. 311。另,《黄金草原》第16章又述及“占据高昌(Kūshān)城的突厥人之王”,此处的该地名在1861年阿法对照本阿拉伯语部分仍作Kūshān, Maçoudi, *Les Prairies D'or*, vol. 1, p. 358;而在1841年英译本中作Kofristān (Kufristān),英译者注曰“在某一版本中读作Kūshān”, Sprenger (trans.), *El-Mas'ūdī's Historical Encyclopaedia, entitled "Meadows of Gold and Mines of Gems,"* vol. 1, p. 367。即《黄金草原》载该地名多与《库什王纪》载象牙库什作秦王开疆拓土时所建以其名命名的Kūshān城拼写一致,而从英译本所据原文信息看来,该专名似又与Kufristān(词义为“异教徒之地”)有所关联。

23 参见马苏第:《黄金草原》,第158—164页。

24 Pelliot, *Notes on Marco Polo*, vol. 1, p. 270.

尼斯坦(Chīnistān,即“秦之地”)[25]:

中国(Chīnistān)地区之东为东洋大海;南为佤克佤克(Vāqvāq)境、沙浪迪布山(kūh-i Sarandīb)和“大海”(daryā-yi aʿẓam);西为印度(Hindūstān)与吐蕃(Tubbat);北为吐蕃及九姓古思(Tughuzghuz)和黠戛斯(Kharkhīz)之地。其国胜地很多,有着奔腾不息的河流,以及许多金矿。该地区也有山脉、戈壁、湖泊和沙漠。其王被称为法格富尔·秦(Faghfūr-i Chīn)[26],据说是法里东的后代。又据说中国王(malik-i Chīn)管治三百六十个地区(nāhiyat),一年中每天都有一个地区的税金上缴国库。该地区的居民是很好的手艺人,其制作之精奇令人惊叹。他们乘船溯江往吐蕃进行贸易。他们绝大部分信仰摩尼教(dīn-i Mānī)。他们的王则是个佛教徒(Shamanī)[27]。该地区出产大量黄金,以及丝绸(ḥarīr)、素绢(parand)、中国绒布(khāvkhīr-i Chīnī)[28]、细锦缎(dībā)、[青]瓷器(ghażāra)[29]、肉桂、用以制作刀柄的牛角(khutū)[30],以及一切珍奇异物。中国也有象和犀牛。[31]

---

25 Sutūda (ed.), *Ḥudūd al-ʿālam: Min al-mashriq ilā al-maghrib*, pp. 59—63。Minorsky (trans. and ed.), *Ḥudūd al-ʿĀlam: The Regions of the World*, pp. 83—86。Chīnistān 与梵语词Čina-sthana同源,古印度人以之指称中国,在汉译佛经中有震旦、震丹、真丹、真旦、振旦、神丹等多种译名。

26 意为“中国的天子”。

27 在王治来译文中作“佛教徒(Shamani?)”,波斯语原文作Shamanī,即萨满教徒,伊朗人称其为偶像崇拜者。英译及校注者米诺尔斯基认为此处词义不应是萨满教徒,便将其英译为佛教徒(Buddhist),见Minorsky (trans. and ed.), *Ḥudūd al-ʿĀlam: The Regions of the World*, p. 84 (with note 1)。苏托德在波斯语校注本中亦为Shamanī作注——即佛教徒(Budāʾī),似乎受到米诺尔斯基观点的影响。若以《世界境域志》成书于10世纪晚期的年代背景而论,书中“Chīn”的信息混有大量与突厥语族群,甚至契丹人有关的信息,该书著者言及“中国君主是萨满教徒”也情有可原。在当时的伊朗人看来,佛教徒和萨满教徒均属偶像崇拜者,实不易精细辨别。且其言中国民众多信仰摩尼教,亦属以偏概全的讹误之说。

28 王治来未作汉译,而是存疑记作“Khavkhir(?)”。该词波斯语原文作khāvkhīr,据《德胡达大辞典》,又作khāvjīz或khāvkhīz,是一种可制衣的布料名称,可能指一种长绒织物。*LND*, vol. 6, p. 9470。

29 原文词义为一种绿色、芳香、细腻的黏土,亦指绿松石色的陶瓷器。*LND*, vol. 11, p. 16739。

30 据《德胡达大辞典》援引《布尔汉词典》,这是中国特产的一种牛角,关于其还有多种传言。*LND*, vol. 6, pp. 9532—9533。

31 Sutūda (ed.), *Ḥudūd al-ʿālam: Min al-mashriq ilā al-maghrib*, pp. 59—60。这段译文大致参照佚名著,王治来译注:《世界境域志》,第50页,笔者据波斯语原文有所修订。

《世界境域志》这段文字篇幅不长，却就中国的疆域、居民、物产提供了丰富的信息。在当时的信息传播条件下，能有这样的描述已属不易。这可能与其作者为中亚居民，获取中国信息更为直接和便捷有关。在这段文字中，多种丝织品被并置于中国的代表性物产中，突出了中国丝绸之乡的形象。

在《库什王纪》中，秦被描述为一个疆域辽阔、人口众多、物产丰富——尤其盛产丝绸——的国度。其国以胡姆丹为都城，在西边与伊朗毗邻，在东方与马秦接壤，遍布民居繁华之地，拥有数千座城市。象牙库什统治秦的时候，向当地三百六十个出众的城市分别委派了代理人，作为其地方王来对该国度众多的城市加以有效管理。[32]此外，龟兹、吐蕃、坎大哈、法尔喀尔、巴达赫尚、葛逻禄、莫克兰等地或在秦王治下，或为其藩属。《库什王纪》所述秦的这些特征，既是自古以来伊朗人关于中国的集体记忆在波斯语史诗传统中的投影，又可在中古时期穆斯林史地文献中找到可供印证的信息。

2. 秦与马秦

除了秦以外，《库什王纪》还多次提及地理专名"马秦"。在波斯语中，马秦也被用以指称中国相关地域，它最初与秦一样泛指中国地域，常与秦并置构成词组，作为对伊朗东方与古代中国有关的广大地域的统称；后随契丹、女真和蒙古等北方政权崛起并长期与南方政权对峙，马秦逐渐成为指称中国南方地区的专名，在秦与马秦这个词组中，二者关系也由同义重复转变为两地并列。上文已提及，早期穆斯林史地文献中多以秦（波斯语作Chīn，阿拉伯语作al-Ṣīn）作为对古代中国地域的称谓，直至《世界境域志》成书，马秦之名仍未见诸此类著作中。

成书于10—11世纪的比鲁尼所撰多部著作和菲尔多西的《列王纪》，是目前可见较早记载马秦之名的有影响力的文献。11世纪上半叶，比鲁尼在《印度研究》（*Taḥqīq mālil-Hind*）中写道：山的后面是摩

32 Ibn Abī al-Khayr, *Kūshnāma*, p. 409.

诃秦那，即大中国（Great China）。[33]裕尔指出："马秦（Machin）只是摩诃秦那（Mahachina）的缩写，古代印度人以这个名称指中国，我曾听到，印度土语中仍然使用这个名称。旧时见识广泛的伊斯兰教徒似乎也作此理解。阿尔·比鲁尼提到喜马拉雅山时说，过此山就是摩诃秦那。这位地理学家的同代人菲尔杜西也使用过这个名称。但大多数不识其意的人，将它与秦（Chin）冗繁地搭配在一起使用，以'秦与马秦'（Chin and Machin）表示同一事物。"[34]即波斯语中的马秦（Māchīn）之称谓源自梵语，是摩诃秦那（Mahācīna）的缩略形式，因梵语中Mahā意为"大"，马秦词义便应为"广大的秦"。

《列王纪》与《印度研究》成书于同一时代，其中多次出现马秦这一地名，但其所指并不明确，菲尔多西常以"秦与马秦"泛泛指代伊朗东方的大国。具体来说，在《列王纪》的神话传说部分，菲尔多西多用"土兰与秦"（Tūrān va Chīn）的词组指称伊朗以东的广大地域；在勇士传说以及历史传说的部分，秦这一地名常被单独使用，而马秦在该史诗中的每一次出现几乎都在与秦并列的词组中，如讲到鲁斯塔姆击败土兰王阿夫拉西亚伯而占领土兰时，出现了这样的诗句：

> 鲁斯塔姆在土兰登基为王，消息飞传，传遍了秦与马秦城乡。[35]

即秦与马秦并列在一起，笼统指代位于伊朗东方与土兰有关的大片地域。

自唐王朝崩溃直至元朝灭南宋的数百年间，中国地域内出现北方游牧族群和南方农耕定居居民各自建立的政权长期并立的局面。随着伊朗人对中国有了更为深入的接触和了解，秦和马秦这两个词开始逐渐明确指向中国的不同地域。11世纪下半叶，喀喇汗王朝学者麻赫

---

33 Edward C. Sachau (trans. and ed.), *Alberuni's India: An English Edition, with Notes and Indices*, London: Kegan Paul, Trench, Trübner & Co. Ltd, 1910, vol. 1, p. 207.

34 Henry Yule (trans. and ed.), *Cathay and the Way Thither: Being a Collection of Medieval Notices of China*, revised by Henri Cordier, London: Hakluyt Society, 1915, vol. 1, p. 150。汉译参见裕尔：《东域纪程录丛——古代中国闻见录》，第118页。

35 菲尔多西：《列王纪全集》，第二册，第266—267页。

默德·喀什噶里(Maḥmūd Kāshgharī)编纂的《突厥语大词典》(*Dīwān lughāt al-Turk*)在巴格达问世,据该词典记载:

桃花石。"马秦"国之名。这个国家距秦有四个月的路程,秦原来分作三部分:第一,上秦,地处东方,被称之为"Tavghāj/Tawγāč(桃花石)";第二,中秦,被称之为"Khīṭāy(契丹)";第三,下秦,被称之为"Barkhān(巴尔罕)",这就在喀什噶尔(Kāshghar)。但是,现在认为"Tavghāj"就是"马秦","Khīṭāy"就是"秦"。[36]

张广达先生在多年以前已论述过这段文字中秦的上下之分即东西之分,喀什噶里在此处描述的当时实际情况是,中国分为三部分——马秦(宋)在东,秦(契丹)在中间,喀喇汗王朝在西。[37]近年来,魏良弢先生经详细论证后提出主张,喀喇汗王朝为回鹘西迁葛逻禄的一支所建。[38]该王朝的先祖回鹘诸可汗中有数人曾娶唐朝公主,使其有理由自居为中国(秦)的一部分。而在喀什噶里编纂《突厥语大词典》的年代,同属突厥语族群支系建立的伽色尼王朝和塞尔柱王朝已相继入主伊朗。因此,突厥语族群渐次西进,给伊朗人带去有关中国的信息,以及《突厥语大词典》在伊斯兰世界的流传,都促使波斯语中的秦和马秦不再指向同一地区。

《库什王纪》成书晚于《突厥语大词典》约三十年,是最早明确以秦和马秦指称两片相临地域的波斯语文献之一。按照《库什王纪》的

36 麻赫默德·喀什噶里:《突厥语大词典》,校仲彝等译,北京:民族出版社,2002年,第一卷,第479页;并参见Maḥmūd Kāšγarī, *Compendium of the Turkic Dialects (Dīwān Luγāt at-Turk)*, part 1, ed. and trans. Robert Dankoff and James Kelly, Harvard University Printing Office, 1982, p. 341。

37 首发于张广达:《关于马合木·喀什噶里的〈突厥语词汇〉与见于此书的圆形地图(上)》,《中央民族大学学报(哲学社会科学版)》1978年第2期;增订本以《关于马合木·喀什噶里的〈突厥语词汇〉与见于此书的圆形地图》为题,收入张广达:《西域史地丛稿初编》,上海:上海古籍出版社,1995年,第57—82页;后又加附《黑汗王朝》,共同收录于张广达:《文书、典籍与西域史地》,桂林:广西师范大学出版社,2008年,第46—70页。

38 详论参见魏良弢:《中国历史·喀喇汗王朝史 西辽史》,北京:人民出版社,2010年,第27—51页。

描述，伊朗与秦毗邻，穿越秦的土地更向远行可至马秦，马秦的另一边濒临大海。

把中国有关地域分为秦和马秦两部分的另一则确切信息，来自成书于13世纪初的波斯语地理著作《世界志》：

中国有两个部分：人们把繁华丰饶的一部分称作绝对中国（Chīn-i muṭlaq），一些人称其为外中国（Chīn-i bīrūnī）；位于东方的另一部分被称作内中国（Chīn-i andarūnī），也被称为大中国（Māchīn，即马秦）。[39]

14世纪初，拉施特（Rashīd al-Dīn，1247—1318）主持编修了世界通史性波斯语巨著——《史集》（*Jāmiʿ al-tavārīkh*），其中的《中国史》（*Tārīkh-i Chīn*）部分被介绍为"讲述被称作秦（Chīn）的乞台（Khitāy或Khatāy）各民族以及摩秦（Māchīn）地区的历史"；[40]随后又说明秦与乞台其实同指一地，不过名称不同而已；而在乞台（秦）的东南方另有一地区称为摩秦，意为"大秦"。[41]

蒙元时代以后的伊朗人对中国有了更为准确的认知，成书于1347年，即伊利汗王朝崩溃后的《七地区或诸气候带之面貌》关于秦与马秦载有如下信息：

在第二气候带最东端的繁华之地，首先是秦与马秦诸城，那个国度长五百五十法尔生格，宽约三百法尔生格，可汗的王廷哈拉和林（Qarā-qurum）位于第三气候带伊始的秦之边境。该地气候温和，出产多种精美的食物、织物和器具等什物，有非常多的锡和银，出产的金少于银。秦地区的居民面貌俊美，肤色略黄，大多是偶像崇拜者，穆斯林很少……[42]

---

39 Muḥammad ibn Najīb Bakrān, *Jahānnāma* (《世界志》), ed. Muḥammad Amīn Riyāḥī, Tehran: Ibn-i Sīnā, 1963 (SH 1342), pp. 71—72.

40 王一丹：《波斯拉施特〈史籍·中国史〉研究与文本翻译》，第114页。

41 参见王一丹：《波斯拉施特〈史籍·中国史〉研究与文本翻译》，第115—116页。

42 Sutūda (ed.), *Haft kishvar yā Ṣuvar al-aqālīm*, p. 41.

在该著作中，马秦之名仅出现于第二气候带，有关秦的记述出现在第二和第三气候带，关于乞台的内容则多载于第三和第四气候带的章节中，据此可明确看出马秦、秦、乞台三地之间有依次从南向北排列的相对位置关系。

综上所述，在伊斯兰时代波斯语史地文献中，秦和马秦经常被用作对古代中国疆域的称谓，但在不同时代的著作中，它们所指称的区域范围并不一致。在包括大量史诗和文人叙事诗的波斯语古典文学作品中，秦和马秦又或被作为一个词组并列连用，泛指与古代中国相关的广大地域，或分别指向不同地域。即便在同一部作品中，如叙事时间跨度极大的《列王纪》，秦与马秦同它们各自的所指也可能不是严格的对应关系。大体来说，在秦和马秦各有所指的情况下，秦通常指向位于阿姆河以东与伊朗毗邻的地域，即今中亚地区以及中国西北部；马秦则指向与伊朗有秦之地相隔而并不接壤的中国中东部和南部地区。这与中国历史上经常存在的北方草原政权与南方农耕政权对峙的情况相吻合。

古代中国的版图经常发生巨大变化，尤其是当今地理观念中的中国西北部以及与其相邻的中亚地区，有时处于古代中国中原政权的控制之下，有时被北方草原各游牧族群占据，这对异国邻邦认知和称呼中国地域也有很大影响。因此，尽管秦和马秦等古代伊朗人用以指称古代中国相关区域的地理概念与当今中国人认知的古代中国不完全相符，但在古代伊朗人的集体意识中，这两个地名指称的对象大致就是古代中国的西北部和东南部地域。波斯语史诗《库什王纪》成书早于波斯语地理文献《世界志》一百年，早于波斯语历史著作《史集》二百年，而其中的秦与马秦已经明确指向两块并列的地域，即秦是紧邻伊朗的区域，马秦是经由秦可以到达而与伊朗不相邻的滨海国度，这对廓清波斯语文学传统中的秦与马秦这两个地理概念具有重要参考价值。

然而，《库什王纪》有关马秦的文字记录相当概略且模糊。其叙事仅仅告诉读者从秦穿越一条险峻的山路可以抵达马秦；马秦濒临大海，与巴希拉隔海相望。另外，该史诗在象牙库什攻杀马秦王贝哈克的情节中讲到，贝哈克因畏惧象牙库什的武力而取道基马克逃到邻近吐蕃的地方，最终被杀死在那里。基马克属突厥语族群一支，历史上的基马克汗国大致位于河中地区以北，而吐蕃则在中国西部，贝哈克在来自秦的军事攻击下选择的逃亡路线是经由基马克去往吐蕃，不合逻辑。同时，这段情节中也没有出现任何马秦地区的地名，这都说明当时的伊朗人对马秦所在准确方位及其内部地理状况知之不详，大概还停留在比鲁尼所说“过此山（喜马拉雅山）就是摩诃秦那（马秦）”这样的初步认识上。

3. 其他古代中国相关地名

如上一章概略清理，《库什王纪》提及多个位于秦境或听命于秦王库什父子之地的名称。这些地名多数有据可考，属位于中亚和西北中国的历史地名，也有少部分是文学虚构的产物，于此择其要者再加考察。

（1）有据可考之地

a. 胡姆丹（Khumdān）

《库什王纪》所载秦的首府写作Khumdān，即胡姆丹[43]，秦王库什奉佐哈克之命接管秦与马秦后驻扎于此：

库什去占领了马秦与秦，那整片大地都听命于他。
他一直走到太阳的泉眼，一支大军匆忙地赶路，
未曾有人在战斗中与他抗衡。当他回来，就留驻在胡姆丹。
他吩咐人们令那城市繁荣起来，它的美好好似来自天园。

（第841—844联）

此后，胡姆丹是库什父子两代秦王着力经营的都城：

43 亦有汉译作库姆丹。

当秦的首领[44]带领军队，上路向胡姆丹城行进，
所有沿途的各城市，都得知了那位王及其首辅的消息。
人们为了王的心愿都行动起来，全都用丝绸做了装扮。
王心满意足地行进着，来到胡姆丹的休憩之处。
人们为他在所有街区抛撒迪拉姆[45]，在他头上筛下番红花。
墙上都是秦的丝绸，集市中都充满了歌唱与琴声。
人们在胡姆丹建造了一座宫殿，在它内部备好各种器具。
人们在前殿摆放上象牙宝座，在宝座上方悬挂了王冠。
人们让库什[46]高兴地坐在宝座上，称呼他为莫克兰和秦的王。

（第2415—2423联）

诗中的胡姆丹不但繁华，而且有宽大的护城河和坚固的城墙，军资粮秣足备。伊朗大军曾数度对胡姆丹发动猛攻，但该城从未被攻克。阿贝廷曾趁象牙库什去圣城朝觐佐哈克之机，在马秦王贝哈克的指引下，自巴希拉出兵征伐秦与马秦，围攻胡姆丹数月，不克；[47]法里东登上世界之王宝座后，三次出兵讨伐占据秦与马秦的象牙库什，其麾下第一勇将卡兰也曾长期围困胡姆丹，同样未能破城。[48]

据《道里邦国志》，亚历山大在远征中国的过程中建造了两座城，一为疏勒（Shūl），另一为海姆丹（Khamdān）。他令中国首领率领自己的军队驻于海姆丹，令他的一员部将驻扎在疏勒。[49]由于除非特殊标明，波斯-阿拉伯语书面文字不体现短元音，《道里邦国志》汉译中转写为Khamdān并音译作海姆丹的地名，应即Khumdān。其所记上述内容大概受到公元7世纪初期拜占庭历史学家塞奥费拉克图斯·西摩卡塔（Theophylactus Simocatta）所著《历史》的影响，西摩卡塔在关于桃花石（Taugast，即中国）的一段记录中提及Khubdan是亚历山大所建城市名

44 指秦的统治者库什，象牙库什之父。

45 diram，以其阿拉伯语化形式dirham著称，为金银等金属制硬币名，在文学作品中常作金币名。

46 按马提尼注释，指象牙库什。

47 Ibn Abī al-Khayr, *Kūshnāma*, pp. 310—317.

48 Ibn Abī al-Khayr, *Kūshnāma*, p. 522.

49 伊本·胡尔达兹比赫著，宋岘译注：《道里邦国志》，第281页。

称之一。[50]Khumdān这一专名在古希腊语、阿拉伯语、古叙利亚语、波斯语、粟特语、梵语等中国以西世界诸语言中被广泛使用，地理上指称中国国都长安，源自上古汉语“咸阳”的对音，[51]在穆斯林史地著作中还有Khubdān[52]等其他拼写形式，概指中国的都城。阿布·赛义德所作《〈中国印度见闻录〉续编》以胡姆丹称呼在黄巢之乱中陷落的中国京城；[53]米诺尔斯基则在《世界境域志》的英译本中，径于Khumdān后面的括号内标注Ch’ang-an-fu，即长安府。[54]兹摘录《世界境域志》所载该词条，以为代表举例：

胡姆丹（长安府），是中国的首府。这是一个大城，为国王之驻地。该城位于海岸[55]，有许多树木、住房和名胜。胡姆丹出产珍珠。其居民圆脸宽鼻，穿着织锦丝绸，袖宽裙长。[56]

b. 阿儿浑（Arghūn）

阿儿浑在《库什王纪》中是个重要的地方，是贾姆希德族人避难于其中长达数百年的一片山间丛林：

他[57]把自己的妻子连同两个孩子，随同自己以及亲人们，

---

50 张绪山：《西摩卡塔所记中国历史风俗事物考》，上海社会科学院《传统中国研究集刊》编辑委员会编：《传统中国研究集刊（第一辑）》，上海：上海人民出版社，2006年，第82—102页。

51 关于该词溯源较为全面的论述见于高田时雄所作《Khumdan的对音》一文。该文全面整理了有Khumdan一词出现的文献；高田时雄还综合长期以来多位学者的有关研究，基于古粟特语的记载与汉代以前的上古汉语“咸阳”的发音作了详细的对音论述，最终得出结论，中国以西诸语言中的该词源于上古汉语“咸阳”的对音。参见高田时雄：《Khumdan的对音》，朱凤玉、汪娟编：《张广达先生八十华诞祝寿论文集》，台北：新文丰出版公司，2010年，第965—976页。

52 对音汉译作库伯丹。

53 穆根来、汶江、黄倬汉译：《中国印度见闻录》，北京：中华书局，1983年，第96页。

54 Minorsky (trans. and ed.), *Ḥudūd al-ʿĀlam: The Regions of the World*, p. 84.

55 或应译为河岸。

56 Sutūda (ed.), *Ḥudūd al-ʿālam: Min al-mashriq ilā al-maghrib*, p. 61。译文引自佚名著，王治来译注：《世界境域志》，第51页。

57 指贾姆希德。

带到秦的一个称为阿儿浑[58]的地方，那片大地上能看到的全都是丛林。

哈利尔[59][山]在阿儿浑的中间，雄鹰也无法从它上边飞过。

他的妻子也是秦王的女儿，他交给她一个有各种财物的宝库。

（第717—720联）

阿儿浑在《库什王纪》中写作Arghūn，与突厥语中的Arγūn在阿拉伯字母体系下的拼写完全相同。伯希和认为突厥语中作为部落名的Arγūn与作地名的Arγū是同一个词。[60]Arγū在《突厥语大词典》中释为：

两山之间。由此将怛逻斯和巴拉萨衮[61]之间的诸城市也称作"Arγū"，因为那些地方都处于两山之间。[62]

杨志玖在其所撰《元代的阿儿浑人》一文中，通过援引《元史》卷一五一《薛塔剌海传》中阿鲁虎[63]与赛兰[64]并置——两地皆在巴剌沙衮（Balasaghun）附近，并指出蒙古时代有些收声为元音的名词缀有尾音n，支持伯希和径以《突厥语大词典》中的Arγū为Arγūn的观点；他还指出巴托尔德（V. Barthold）提到的部落名Arghūn亦为《突厥语大词典》中Arγū这个地名，该专名有阿儿浑、阿鲁浑、阿鲁温、阿剌温、阿儿温、阿鲁虎、合鲁温等多种汉译。[65]萧启庆称阿鲁温（Arghun）是中亚信

58 Arghūn.

59 Ḥarīr. ḥarīr多作丝或丝绸之意，偶尔用作蛛网。另据《德胡达大辞典》，Ḥarīr还是一座黑色之山的名称。*LND*, vol. 6, p. 8897。根据上下文判断，此处应指一座高山，故而对音译为哈利尔山。

60 Pelliot, *Notes on Marco Polo,* vol. 1, pp. 47—51.

61 其汉译名更多见为巴剌沙衮。

62 喀什噶里：《突厥语大词典》，第一卷，第137页。

63 杨志玖认为是Arγū的对音。

64 又称塞兰或塞蓝，唐时称为白水城，阿拉伯语作Isfījāb，波斯语作Sipījāb（词义为"白色之水/河"）。

65 参见杨志玖：《元代的阿儿浑人》，杨志玖：《元史三论》，北京：人民出版社，1985年，第228—230页。

奉“回教”的一个部族，就是综合采纳了喀什噶里、伯希和、杨志玖的考证，他主张阿鲁温人原在怛逻斯和巴剌沙衮之间。[66]据此，《库什王纪》所载地名阿儿浑很可能源自怛逻斯和巴剌沙衮一带的山间之地Arγū。

另据《德胡达大辞典》，Arghūn作人名指阿鲁浑汗（Arghūn-khān ibn Abāqā-khān，1284—1291年在位）等多人；作为部落名为突厥语中的一个突厥部落名称；作为地名也见于多部波斯语文献中，但所指不定，又或方位不详。[67]而与其词形和发音非常相近的.rqūn（Arqūn / Urqūn?）词条之释义为：回鹘（Ūyghūr）地区一条河的名称，发源于哈剌和林（Qarāqurūm）山。见载于志费尼（ʿAlā al-Dīn ʿAtā Malik Jūvaynī，1226—1283）的《世界征服者史》（*Tārīkh-i Jahān-gushā*，作于1252—1260年）等波斯语蒙古史文献中。[68]姚从吾在《张德辉〈岭北纪行〉足本校注》里对“和林川”一词所作注释中赞同张星烺的观点，认为《元史》卷五十八《地理志》中的哈剌和林河即今鄂尔浑河。[69]据此，这条地处回鹘地区，发源于哈剌和林山，波斯语文本记其名作.rqūn的河流应指鄂尔浑河。《魏书》载蠕蠕（柔然）所据頞根河和《新唐书》载回纥所据嗢昆水，也均指今天位于蒙古国中西部的鄂尔浑河，頞根与嗢昆这两个地理专名亦可对音Arghūn或Urqūn。[70]按《突厥语大词典》，并非只有怛逻斯和巴剌沙衮之间地区称作Arγū，而是因该地处于两山之间

66 参见萧启庆：《元代科举与菁英流动：以元统元年进士为中心》，萧启庆：《内北国而外中国：蒙元史研究》，北京：中华书局，2007年，第208—209页。其论述过程详见第209页的注释①。

67 *LND*, vol. 2, pp. 1874—1881.

68 *LND*, vol. 2, p. 1886.

69 “和林川，即元史（五八）地理志的喀喇和林河。张星烺先生总合布瑞提施奈得（E. Bretschneider）等的研究，认为即是现在的鄂尔浑河，甚是。按鄂尔浑河，也作鄂尔坤河，或阿鲁浑河。此河初起盖有三源，皆出于外蒙古三音诺颜部，杭爱山脉的东部，合而东北流，乃名鄂尔浑河。再东北入土谢图汗境，会土拉河，哈拉河入色楞格河，长千余里。河水清浅，颇利灌溉；有名的“突厥阙特勤碑”，即出现于鄂尔浑河的沿岸。（按：川，也可以解作平川，广野的川，但元史（五八）地理志既有喀剌和林河，则自以解作河流为佳。）”姚从吾校注：《张德辉〈岭北纪行〉足本校注》，姚从吾撰，姚从吾先生遗著整理委员会编：《姚从吾先生全集（七）——辽金元史论文（下）》，台北：正中书局，1982年，第325页。

70 《魏书》卷一〇三《列传第九十一》中称頞根河，《新唐书》卷四十三下《地理志七下》中称嗢昆水，《元史》卷五十八《地理志一》中称哈剌和林河，《明史》卷二《太祖本纪》和《明史》卷一百三十三《列传第二十一》等篇章中称阿鲁浑河。

才被称为Aryū，那么鄂尔浑河之名可能也源自本意为“两山之间”的Aryū。鄂尔浑（河）在现代波斯语中写作Ūrkhūn，考虑到在中古时期波斯语的外来专有名词中，表相近发音的字母比如Ghayn与Qāf，Ghayn与Kha经常混用，且短元音通常由于没有标音符号而无从辨识，Arghūn、Arqūn / Urqūn和Ūrkhūn同指一地的可能性很大，即均指今蒙古国的鄂尔浑河。结合《库什王纪》所述阿儿浑地区多山地和丛林的地貌以及冬季极度严寒的气候特征，该地也有可能以鄂尔浑河的河谷地区为原型。

综上，与《突厥语大词典》成书年代相近的《库什王纪》中的Arghūn当取突厥语中“两山之间”的原意，是一个常见于蒙古高原和中亚地区的地名，具有地处山间、林木茂密的地貌特征。考虑到怛逻斯到巴剌沙衮一带的山间之地Aryū恰处于伊朗与中国的古代陆路交通线上，以该地为《库什工纪》所载阿儿浑地区原型最为合理。

c. 龟兹/库车（Kujā）

在库什统兵围剿逃亡在秦的贾姆希德族人的情节中，数次出现Kujā这一地名，例如：

他从秦和马秦召集来军队，好像在那里没有剩下一个骑兵。
一支大军来到Kujā，原野和大山由于他们的马蹄铁而疲惫不堪。

（第1259—1260联）

kujā在波斯语中最常见的词义是疑问代词“何处”，但此诗句中的Kujā显然应为地名。据《德胡达大辞典》转述《阿南德拉治波斯语详解词典》（*Farhang-i jāmiʿ-i Fārsī-yi Ānandirāj*）[71]极为简洁的释义：Kujā曾是中国（Chīn）地区一座城市的名称。而后，该词典给出提及该地名的几个例句，均出自阿萨迪·图西所作史诗《戈尔沙斯帕传》。[72]大概由于《戈尔沙斯帕传》与《库什王纪》成书年代相近，故两书中该地名拼写完全一致。而波斯语中作地名的Kujā应为Kūjā的异

71 编纂完成于伊斯兰教历1306年（1888/1889）的波斯语大词典，是《德胡达大辞典》问世之前体量最大的百科全书式波斯语大词典。

72 *LND*, vol. 12, pp. 18192—18193.

体。据奥希梯扬尼（'Abbās Iqbāl Āshtiyānī, 1896—1956）[73]著《蒙古史》（*Tārīkh-i Mughūl*），伊斯兰教历2世纪中叶（公元8世纪下半叶），回鹘人（Ūyghūr）迁至位于吐火罗人（Tukhār-hā）故地的突厥斯坦东部地区（Turkistān-i sharqī）建立政权，所辖城镇中可见与吐鲁番（Tūrfān）、别失八里（Bīsh-bālīgh）等并置的龟兹/库车（Kūjā）。[74]又因在波斯-阿拉伯语古代文献抄本中，Jīm和Cha这两个字母经常被混用而不加区分，位于秦的Kujā亦即《世界境域志》所载之Kuchā：

Kuchā 位于边境，属中国，常为九姓古思人（Tughūzghūziyān）所袭掠，是一座非常美好宜人的城市。[75]

王治来在该书的汉译本中径将Kuchā译为库车。[76]另据《西域地名》（增订本）对Kucha词条的解释："库车，昔之龟兹，亦作鸠兹。"[77]米诺尔斯基在《世界境域志》英译本中对Kuchā作注：Kuchā是一座位于塔里木盆地北缘的著名城镇，即汉语中的龟兹。他还通过指出喀什噶里《突厥语大词典》里有Kusan词条被解释为"一座回鹘人边境上被称作Kujā的城市之名"，而以Kusan为Kuchā的另一形式。[78]阿拉伯语没有字母Cha，在外来语专名中常以Jīm替代之，因而在以阿拉伯语解释突厥语词汇的《突厥语大词典》中，Kuchā便被记作Kujā。《突厥语大词典》汉译本亦将原文中的Kujā直接译作库车：

Kusan（Küsən）：龟兹。库车（Kujā）城的别名。这个城市坐落在回

73 即叶奕良译《伊朗通史》的作者。

74 'Abbās Iqbāl Āshtiyānī, *Tārīkh-i Mughūl az ḥamla-yi Chingīz tā tashkīl-i dawlat-i Taymūrī*（《蒙古史：从成吉思汗的进攻到帖木儿政权的建立》）, Tehran: Amīr Kabīr, 1985 (SH 1364), p. 16。《德胡达大辞典》亦收Kūjā词条，但仅据这部《蒙古史》的内容概述出一句极为简洁的释义。*LND*, vol. 12, p. 18679。

75 Sutūda (ed.), *Ḥudūd al-'ālam: Min al-mashriq ilā al-maghrib*, p. 62.

76 佚名著，王治来译注：《世界境域志》，第52页。

77 冯承钧原编，陆峻岭增订：《西域地名（增订本）》，第55页。

78 Minorsky (trans. and ed.), *Ḥudūd al-'Ālam: The Regions of the World*, p. 232.

鹘人的边境上。[79]

由是可以判定，波斯语文献中作为位于秦之城市名称出现的Kujā与Kuchā实则二而一，均指龟兹，亦即《元史》所记之曲先、苦先、苦叉，清中期始见于汉语文献之库车。

d. 吐蕃（Tabbat / Tubbat / Tibbat）

吐蕃在《库什王纪》中出现的频率很高。象牙库什追杀贝哈克时，后者经由基马克逃往吐蕃：

当夜晚来临之时贝哈克放弃了城市，他带着军队悲痛地离去。
他奔逃出去之后，库什得到消息，他的军队全都举起长矛。
他在吐蕃附近追上敌人，当敌人看到大军之时战栗起来。

（第3300—3302联）

法里东遣哥巴德为将第二次讨伐象牙库什的时候，双方在吐蕃地区展开激战：

当统帅[80]到了吐蕃国境，他扎下帅帐和军营。
他得到库什及其军队的消息，人们不认为宜于去往他[库什]那边。

（第6008—6009联）

在法里东遣卡兰为将第三次征讨象牙库什的战役中，吐蕃王统兵效命于象牙库什麾下：

[库什]把左翼托付给喀喇[81]，他是一位胜于众王的吐蕃之王。

（第6982联）

---

79 喀什噶里：《突厥语大词典》，第一卷，第426页。

80 指哥巴德。

81 Qarā.

喀喇与吐蕃的军队赶上前来，来了超过十三万名勇士。

（第6991联）

在这场战斗中，吐蕃王被伊朗将领纳斯图赫杀死：

纳斯图赫手握一柄狼牙棒冲锋，无人在他手下躲开留得活命。
这样一直来到吐蕃王身边，当他看到他就发出狮子般的咆哮，
狠狠地用一根投枪穿透他的胸膛，矛尖从他的后背穿出。

（第6994—6996联）

另外，有关吐蕃盛产麝香的记载常见于波斯语文学作品和穆斯林史地文献，[82]《库什王纪》也有不止一处言及于此，比如象牙库什送给巴希拉王醍醐尔的礼物中就包括：

有上好的松鼠皮和华丽的黑貂皮，首辅都拿到王跟前，
还有吐蕃的麝香一千脐，还有盔甲和一百柄精钢宝剑。

（第5095—5096联）

从吐蕃处于自伊朗向秦的都城胡姆丹的行军路线上，以及其地盛产麝香等内容来看，《库什王纪》关于吐蕃的描述与穆斯林史地文献所载基本相符。

e. 法尔喀尔（Farkhār）

地名法尔喀尔在《库什王纪》中仅出现一次，与吐蕃和坎大哈并置，被称作位于秦的疆域，且多有美女的出众城市：

见多识广的人说在秦的疆域，有三百六十个出众的城市。
所有的城市全都完全繁华，尽管在秦也有辛劳痛苦和欺凌压迫。

82　关于古代伊朗自秦、和田（Khutan）与吐蕃输入麝香的情况，详见王一丹：《波斯、和田与中国的麝香》，《北京大学学报（哲学社会科学版）》1993年第2期。

每个城市有一个库什朝廷派来的王，愉悦地坐在那里伴着芦笛和琼浆。

如法尔喀尔和吐蕃以及坎大哈，满是如同新春一般的美人们。[83]

（第4886—4889联）

farkhār词义为［非伊斯兰信仰的］修道院和庙宇（偶像寺院），词源为粟特语brgh'r，可能又来自梵语vihāra。[84]作专名时，Farkhār是某个以美人之乡而著称的城市之名，亦为某偶像寺庙（but-khāna va but-kada）之名。[85]再据《穆因大词典》，有多个城市名为Farkhār，如《世界境域志》正文所及位于吐蕃的Farkhār-i buzurg，还有米诺尔斯基提到位于河中地区塔里干（Ṭāliqan）的一座城市。[86]《世界境域志》在“关于吐蕃及其诸城镇”的章节中有如下记录：

K.rsāng：属于吐蕃，在其中有一［些］大的偶像寺庙，人们把那个地方称作大法尔喀尔（Farkhār-i buzurg）。[87]

经伊莱亚斯（N. Elias）、巴托尔德等学者的相继研究与考证，K.rsāng应是Ursāng，亦即Ūsāng，是吐蕃两大核心地区卫与藏的合称——卫藏的音译。[88]《世界境域志》波斯语文本的校注者苏托德后来也径将K.rsāng注释为Ūsāng。可见法尔喀尔本为穆斯林对吐蕃核心区

83 字面义为新春的naw-bahār亦作专名指巴尔赫一佛寺，以丝绸帷幔和鎏金佛像的金碧辉煌而著称；该专名中的bahār源自梵语vīhārā>vahāra，词义为敬神之地。波斯文学传统中，佛寺常与偶像（but）相关，but又有常用引申义“美人”，通khūbrūy。故而“如同naw-bahār的美人们（khūbrūyān）”应为“著名佛寺中美轮美奂的偶像”之误传。

84 *LND*, vol. 11, 17044. *FFM*, vol. 6, 1332.

85 *BQ*, vol. 3, p. 1452.

86 *FFM*, vol. 6, 1332. *BQ*, vol. 3, p. 1452。Minorsky (trans. and ed.), *Ḥudūd al-ʿĀlam: The Regions of the World*, p. 330。Ṭāliqan在《元史·太祖本纪》中作塔里寒，《元史·地理志·西北地附录》作塔里干，曾为丝路重镇，勿与伊朗西部同名之地混淆。见G. 勒·斯特兰奇著，韩中义译注：《大食东部历史地理研究》，第605页译者注。

87 Sutūda (ed.), *Ḥudūd al-ʿālam: Min al-mashriq ilā al-maghrib*, p. 76.

88 详见Minorsky (trans. and ed.), *Ḥudūd al-ʿĀlam: The Regions of the World*, p. 262；以及佚名著，王治来译注：《世界境域志》，第67页。

的称谓，但在《库什王纪》中，它被当作与吐蕃并列的城邦名称记录下来。

法尔喀尔、吐蕃和坎大哈都曾是佛教盛行地区，在穆斯林文献中多被记为偶像崇拜之地，如《世界境域志》中专门提到法尔喀尔有大的偶像寺庙。偶像寺庙在波斯语中作but-khāna，由词义为偶像的but和词义为屋宇的khāna两部分组成。but在波斯语文学作品，尤其是诗歌中，又表美人之意，于是在达里波斯语兴起的初期，but-khāna的字面意思亦可释为美人居所。因此，法尔喀尔、吐蕃和坎大哈在《库什王纪》中都成了"满是美人们(khūbruyān)"的城市，这一现象当由史诗作品的文学性促成。

f. 坎大哈(Qandahār)

《库什王纪》的情节中出现多个来自坎大哈的俊男美女，如象牙库什女儿的恋人即为出自该地的美少年：

他是如新春[89]般赏心悦目的一个年轻人，他并非秦的族人而来自坎大哈。

（第4849联）

人们还曾专为象牙库什推荐一名坎大哈的美女：

人们对他说：君王啊，在坎大哈有一个月亮面容(的少女)，

人们用她的鬈发制作锁子甲和铠甲，用她的面庞使黑夜变得白昼般明亮。

从家世上说她出身高门望族，从美貌来说她好似仙女所生。

人们走遍全世界，你在世上也找不到像她那样的——

身材如柏树，外貌如索鲁什，她的雍容如孔雀，言语似蜜糖。

如果王想要那个少女，找不到另外一个可与她相提并论。

（第6776—6781联）

89 naw-bahār，释义见注释83。

此外,在法里东第三次征讨象牙库什的战争中,坎大哈王率领军队为象牙库什助阵,他与吐蕃王二人堪称象牙库什的左膀右臂:

卡鲁汗[90]是坎大哈的王,他组织了一支强大的军队。
[库什]把右翼交给他和他的军队,他带着军队离开了大本营。
(第6980—6981联)

据此,在《库什王纪》中,坎大哈是秦王象牙库什的属地。

g. 莫克兰(Mukrān)

莫克兰是古代伊朗与印度之间的滨海地区,与古代中国本无密切关系,但在《库什王纪》的叙事中,却作为秦的藩属频繁出场——该地名在全诗中共出现三十余次,秦王象牙库什更曾杀其王,直接占其地。法里东第三次派遣大军自伊朗赴秦讨伐之时,象牙库什曾征发秦、马秦、莫克兰与吐蕃各地的军队共同抵抗:

当强大的库什得到消息,从伊朗来了一支大军,
他陷入沉思并召集军队,他按照名册给了将领们赏赐。
军队从马秦、莫克兰和吐蕃,乘风到来,聚集在路上。
由于棚屋和帐篷秦变成那样,大地都被遮蔽在丝绸的下面。
(第6886—6889联)

h. 葛逻禄(Khallukh)、巴达赫尚(Balkhash)、塔塔尔/鞑靼(Tātār / Tatar)

在《库什王纪》中还出现其他一些与古代中国相关的古国和部落名称,如葛逻禄、巴达赫尚、塔塔尔等,这些专名在史诗中均以贡物提供者的角色被提及。

据《库什王纪》,葛逻禄曾为秦王象牙库什提供俊男美女作为仆

90 Karūkhān. 马提尼于校注本此处作注:抄本原文如此。在哈立吉-穆特拉格整理的《列王纪》(*Shāhnāma-yi Firdawsī*)中作 Qarākhān,即喀喇汗。

婢。象牙库什初至胡姆丹时人们给他奉上的贡物中就有葛逻禄婢女：

给他送来了一百名青年仆役，一百匹精选的骏马配着金灿灿的鞍具。

一百一十名来自葛逻禄的美貌婢女，富有的宝库中的各种财物。

（第2424—2425联）

象牙库什遣使觐见佐哈克时备下的贡物也包括葛逻禄的仆人：

之后他打开了宝库的门，准备了各种各样的礼物。

十峰骆驼驮载上黄金和宝石，十峰骆驼都是金饰的衣服。

葛逻禄的仆人们和秦的少女们，一个个都正如玫瑰和茉莉花。

（第2700—2702联）

在象牙库什为亲自觐见佐哈克而准备贡物的史诗情节中，出产红宝石的巴达赫尚被提及：

五百颗绿松石和六百块巴达赫尚红宝石，漆黑的夜晚因其光辉而闪亮。

（第2817联）

在卡拉姆给法里东送去的礼物中，出产美女的塔塔尔被提及：

王的宝库管理者挑选并拿来，松鼠毛皮和黑貂裘。

人们从那毛皮中数出一万件，[还有]一百名来自秦和塔塔尔的美女。

（第5665—5666联）

从上述征引的诗句可以看出，葛逻禄、巴达赫尚、塔塔尔等专名在《库什王纪》中仅被零散提及，它们都是为秦、马秦和巴希拉王提供美貌仆婢和珍贵珠宝之地。关于葛逻禄、塔塔尔出美婢俊仆的文学描写和史料记述亦多见于其他穆斯林著作，尤其在伊朗史诗和波斯语古典叙事诗传统中，已成“套话”，如内扎米·甘泽维的《七美图》和《亚历山大王纪》等作品中都提到葛逻禄盛产美女。有关巴达赫尚盛产宝石的记载更频见于穆斯林史地著作和《珍宝志》类文献中，据《世界境域志》，“巴达赫尚是一个非常富庶的城市，商人辐辏之地，此地有银、金、石榴石、青金石诸矿。麝香由吐蕃贩运至此”。[91]

《库什王纪》行文中还数次提及喀布尔（Kābul），如在秦王玛汉格与麦赫拉贾的战争中：

他［佐哈克］召集了一支庞大的军队来王廷，挑选了五十万名头领，
［把他们］派去麦赫拉贾身边。当麦赫拉贾见到那支精兵，
整顿了军队并向秦进军，去向玛汉格与他的军队复仇。
在两支军队之间有很多次战斗，勇士们不吃也不睡。
然后从喀布尔和扎布尔[92]来了很多军队，到麦赫拉贾跟前支援。

（第822—826联）

以及在法里东赐给象牙库什的礼物中：

一百峰［驮］纯金一百峰［驮］香料，一百峰［驮］衣物和各种毛织品。

其余都是战斗器械和勇士的用具，有铠甲和喀布尔产的短剑。

（第7450—7451联）

在秦王玛汉格与麦赫拉贾的战争中，喀布尔人听命于占领伊朗的世界之主佐哈克与秦作战；伊朗王法里东赐给象牙库什的礼物中有“喀布尔产的短剑”，而这一物产从未出现在秦王献给伊朗王的礼物中。这都说明喀布尔在《库什王纪》中属世界之主——伊朗王直辖地域，不受

---

91 Sutūda (ed.), *Ḥudūd al-ʿālam: Min al-mashriq ilā al-maghrib*, p. 105。此处译文引自王一丹：《巴达赫尚的红宝石》，第151页。

92 Zābul，又作Zāvul。

秦的管制。反之，葛逻禄和塔塔尔的美女以及巴达赫尚的红宝石均出现在秦、马秦和巴希拉王进献给伊朗王的贡品里，却从未出现在伊朗王赐给秦王的礼物中，这表明在《库什王纪》呈现的以伊朗为朝贡中心的差序世界格局中，这几处地方都处于次级朝贡中心——古代中国的势力辐射区域之内。此为笔者将葛逻禄、巴达赫尚、塔塔尔等专名纳入古代中国相关地理信息来讨论的重要原因。

（2）难于稽考之地

a. 皮尔古尚（Pīlgūshān）

《库什王纪》主角象牙库什的母亲，是来自秦的皮尔古尚部落的女子：

> 由于库什在任何地方都没有发现敌人，他率领军队向皮尔古尚进发。
> 他杀死并俘虏了他们中的许多人，把那些战利品赐给每个人。
> 库什在这些人中间发现一个女孩，如生命般美丽，如理智般纯洁。
> 秋波卖俏正是那巴比伦的魔女[93]，面容正如扎布尔的玫瑰花朵；
> 身材高挑如翠柏，其上是月亮[94]，樟脑和樱桃李[95]都对她的身躯自愧不如。
> 王的心因那月亮[96]而激动难抑，一心想要与她成亲。
> 满一年之时她生下一个婴孩，创世者没有创造过如他一般的事物。
> 他有两颗野猪的獠牙和两个大象的耳朵，还有红色的头颅和头发，以及靛蓝般的双眼。
> 他的两个肩胛中间有个黑色的印记，那黑色如同恶贯满盈之人的身躯。（第962—970联）

在波斯语中，pīlgūsh词义为大象的耳朵，pīlgūshān即意为“象耳者们”。象牙库什的母亲是个美貌女子，他却长有巨大的獠牙和大象般

93 jādū-yi Bābilī，本意为巴比伦的巫师、魔法师。在伊朗古代传说中，巴比伦（Bābil）是出巫师和魔法之地。此处译作“巴比伦的魔女”，比喻此女美丽得令人失去神智，如同对人施了魔法一般。

94 身躯上方是面容，月亮比喻面容美丽。

95 樟脑出自波斯语诗歌传统意象，象征白色；樱桃李象征气味芳香，在诗文中不甚常见。

96 在波斯语诗歌传统意象中，月亮象征美人，亦可用以比喻美人面容。

的耳朵。这是一段充满奇幻色彩的情节，而皮尔古尚当是史诗故事虚构出来的部落名和地名。

b. 伽斯林（Qaṣrīn）和易弗里基叶（Ifrīqīya）

据《库什王纪》，象牙库什赴伊朗觐见佐哈克之时，马秦王贝哈克向避居在巴希拉的阿贝廷通风报信。在巴希拉王醍醐尔的支持下，阿贝廷率军袭掠秦地。在攻击胡姆丹未逞的情况下，他转而攻克伽斯林和易弗里基叶两城，并掠走大量财宝：

> 当阿贝廷听了他们的话语，他感到满足并因此事变得高兴。
> 然后他取得那财富并收拾起来，迅速去往伽斯林和易弗里基叶。
> 在那城市中有库什的宝库管理者，军队为了宝库付出艰苦的努力。
> 随后他用宝剑打开那两座城市，王从其中搬走了多个宝库。
>
> （第3166—3169联）

关于伽斯林，目前尚未查到翔实的参考资料，其名由来疑似与伊朗古城席琳堡（Qaṣr-i Shīrīn）有关。至于易弗里基叶，该地名的拼写与古典穆斯林史地文献中多有记载的位于北非的易弗里基叶完全一致，它在《库什王纪》中被描述为一座位于秦的城市，大概是故事讲述者随口杜撰之故。

4. 结语

《库什王纪》载有大量与古代中国相关的地理信息，表明当时，甚至前伊斯兰时代的伊朗人对中国地域已有一定认知，也间接反映出这两个古代文明区域之间长期存在频繁而深入的交往与互动。在《库什王纪》里，秦与马秦被明确描述为相邻的不同地区，还出现多个中古时期穆斯林史地著作中记载的地名和突厥语族群专名，说明该史诗糅合了不同时期的信息——以前伊斯兰时代传说为故事框架，融入部分伊斯兰时代初期以及中亚地区突厥化时期的地理信息。《库什王纪》对马秦的描述远较秦为概略，在一定程度上揭示了当时的伊朗人对东方世界的认知状况——对中亚和西北中国地区所知相对多一些，而对东南中国了解有限。

《库什王纪》属史诗文类，其行文重点在于依托上古伊朗神话传说，展示伊朗诸王与异族英雄之间的激烈冲突，渲染宏大的战争场面，这一点与通过收集和整理各种传世文字记录以及前人与时人所见所闻，旨在详细描述人类已知世界历史地理信息的穆斯林史地文献有本质上的区别。然而作为对古代伊朗人集体记忆的重构之作，问世于伊斯兰时代的波斯语史诗作品具有收集和记录伊朗古代口头与书面传说的重要文献价值，与穆斯林史地著作同属伊斯兰时代的文人学者重述历史的产物——有"民间历史"与"专业历史"之别，两类著作间存在着相互观照、映射和生发的内在联系，共同构成伊朗古代文化的载体系统。这在《库什王纪》所载古代中国地理信息中亦可见一斑。自古以来，伊朗人自认身处人类中央王国，在伊朗史诗传统的语境下，法理东三分世界之前的伊朗诸王都是已知人类世界的王。在《库什王纪》中，秦与马秦各有其王，互不相统属，但他们都是臣服于伊朗诸王之王的"诸侯王"。通过这部史诗的情节设置，读者亦可窥见古代伊朗人集体意识中的天下观在伊斯兰时代的传承。

二、《库什王纪》所载巴希拉与东亚古国新罗[97]

按《库什王纪》，逃亡的伊朗王族先后穿越秦和马秦之地，再渡海而至巴希拉（B.sīlā），可知该地位于世界东端，孤悬马秦海外。专名巴希拉在《库什王纪》中总计出现六十余次，格外引人注意。通过综合考察这部史诗和一些穆斯林史地文献的有关记载，可以认定巴希拉的原型是朝鲜半岛古国新罗。本节涉及巴希拉在波斯-阿拉伯语文献原文中书写形式的勘比，在这部分论述中，多处需使用该专名的各种转写形式，而非统一对音汉译巴希拉。

97　可参看拙文《〈库什王纪〉所载B.sīlā与东亚古国新罗》，载荣新江、党宝海主编《马可·波罗与10—14世纪的丝绸之路》（北京大学出版社，2019年），本节内容在前文基础上略有修订。

1. 波斯-阿拉伯语文献中的地名B.sīlā与新罗勘同

马提尼曾对《库什王纪》中B.sīlā一词的来源做出探究，他将穆斯林史地文献中类似B.sīlā的各种记录整理为四类，并指出有的文献更明确将该地记作岛屿或群岛：

[1] al-Sīlī, al-Saylā(ی), al-Sīlā, Sīlā(ی), Sīlā；

[2] al-Silāʾ, jazīrat al-Silā, Silā, jazīra-yi Silā；

[3] B.sīlā, B.silā Māchīn-i andarūnī, K.sīlā, L.sīlā, S.bīlā；

[4] al-Shaylāʾ, Shīlā, al-Shabulā。

这些文字中的一部分，也曾用"jazīra"（岛屿）这个词来记录该地区。如《黄金草原》(*Murūj al-ẕahab*)："bilād al-Saylā(ی) wa-jazāyirhā"（al-Saylā地区和群岛），《历史与故事辑要》(*Mujmal al-tawārīkh wa-al-qiṣaṣ*)："jazīra-yi B.silā Māchīn-i andarūnī"（内马秦B.silā岛），卡兹维尼（Qazvīnī）的《创造的奥妙》(*ʿAjāʾib al-makhlūqāt*)："jazīrat al-Silā"，[都]精准地与《库什王纪》中关于"第二马秦"出现的"B.sīlā"和"jazīra-yi B.sīlā"等名称相符。[98]

马提尼推断，上述在穆斯林史地文献中写法相近的专名均源自新罗之名。据其提供的初步线索，我们可对该地名在多种文献抄本和勘本中的记录做进一步考察。

在大英图书馆藏抄写完成于1397年的《库什王纪》孤本抄本中，该地名大多写作：

可清楚地识读为B.sīlā，如：

98 Matīnī, "Muqaddama," p. 75.

 [99]

（译文：第五天他们到了B.sīlā城，世界上没有人见过像B.sīlā这样的地方）

另有个别几处缺“点”或缺“凸起”的异体，比如：

 [100]

（译文：他通过大海抵达?.sīlā山，现在谁适合同?.sīlā作战？）

此联中两处B.sīlā皆缺点，形似Sīlā；再如：

 [101]

(译文：B.[sī]lā的仓库变成那样)

其中的B.sīlā缺少一个凸起，显得书写不准确。

晚于《库什王纪》十余年成书的《历史与故事辑要》，是目前已知最早录有《库什王纪》部分信息的波斯语文献。在该书的巴哈尔校勘本中，介绍法里东身世时写道：“他的母亲是内马秦（Māchīn-i andarūnī）B.s.lā岛（jazīra-yi B.s.lā）之王醍醐尔（Ṭ.hūr，《库什王纪》抄本中作Ṭīhūr）的女儿F.rīr.[n]k。”[102]巴哈尔的校勘基于巴黎国立图书馆——后并入法国国家图书馆——藏抄写于伊斯兰教历813年（1410/1411）抄

99 Īrānshān Ibn Abī al-Khayr, *Kūshnāmah* (《库什王纪》), transcribed in AH 800 (1397), Persian manuscripts collected in British Library, No. Or 2780, f 200v.

100 Ibn Abī al-Khayr, *Kūshnāmah*, collected in British Library, No. Or 2780, f 202v.

101 Ibn Abī al-Khayr, *Kūshnāmah*, collected in British Library, No. Or 2780, f 218v.

102 Bahār (ed.), *Mujmal al-tawārīkh wa-al-qiṣaṣ*, p. 27.

本的胶片本,而在柏林国立图书馆(Staatsbibliothek zu Berlin)藏抄写于更早的伊斯兰教历751年(1350/1351,亦早于前述《库什王纪》孤本抄本半个世纪)的抄本中,"内马秦B.sīlā岛之王醍醐尔"写作:

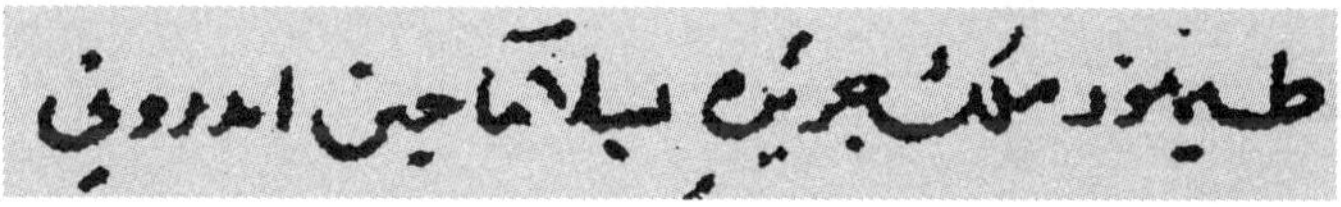
[103]

此处的醍醐尔明显应识读为Ṭīhūr;至于B.sīlā,将其辨识为S.blā或Sīlā也均无不可。

其他穆斯林史地文献中,以马提尼言及卡兹维尼于13世纪所著《创造的奥妙》为例,该著作流传甚广,数百年来有多种原文抄本和波斯语译文抄本传世,仅就笔者所掌握其十余个抄本扫描件而言,新罗之名便有多种写法,现以数例略作说明:

[104]

[105]

[106]

103 Īraj Afshār and Maḥmūd Umīd-Sālār (eds.), *Mujmal al-tawārīkh wa-al-qiṣaṣ* (《历史与故事辑要》), microfilmed copy, composed circa 520 AH (1126 AD), copied in 751 AH (1350 AD), Staatsbibliothek zu Berlin – Preussischer Kulturbesitz: Orientabteilung (HS or 2371), Tehran: Ṭalāya, 2001 (SH 1379), p. 27 (sheet 11).

104 Zakarīyā ibn Muḥammad Qazvīnī, *'Ajā'ib al-makhlūqāt wa-gharā'ib al-mawjūdāt* (《创造的奥妙》), transcribed in 1280, Arabic manuscripts in Bayerische Staatsbibliothek, BSB shelfmark: Cod. arab. 464.

105 Zakarīyā ibn Muḥammad Qazvīnī, *'Ajā'ib al-makhlūqāt wa-gharā'ib al-mawjūdāt*, transcribed around the AH 11th and 12th centuries, Persian manuscripts in Sāzmān-i Asnād va Kitābkhāna-yi Jumhūrī-yi Islāmī-yi Īrān (National Library and Archives of the Islamic Republic of Iran), call no. 17738.

106 Zakarīyā ibn Muḥammad Qazvīnī, *'Ajā'ib al-makhlūqāt wa-gharā'ib al-mawjūdāt*, transcribed between 1750—1770, Arabic manuscripts in Bayerische Staatsbibliothek, BSB shelfmark: Cod. arab. 463.

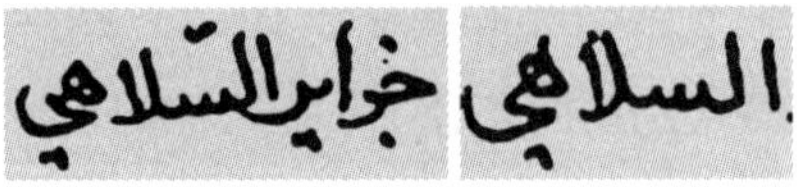
[107]

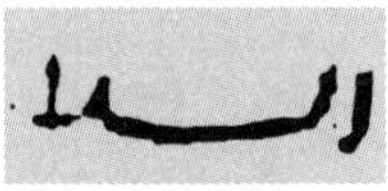
[108]

在上述抄本中，该地被称为岛（jazīra）或群岛（jazāyir），再抛开阿拉伯语定冠词al-，专名写作Silā[hī]、V.silā[?ī]、Silā等形式。Silā[hī]中的hī，可能本是指称Silā而引起下文的阿拉伯语阴性单数第三人称主格代词hiya，在后来的某些抄本中被当作该专名的一部分而误抄。[109]

近现代以来，各国学者对大量穆斯林史地文献做有校注，抄本中诸多异体的新罗之名常被校勘为Sīlā / al-Sīlā、Shīlā / al-Shīlā、Silā / al-Silā。《伊斯兰大百科》亦存此词条，并有如下解释："Shīlā或Sīlā大概是一个源自Si-ra（>Sila）的词。Sira原本被称作Sin-ra，是一个古老的朝鲜（Korean）王国（前57—935）。因此，看来伊斯兰教历3世纪（约公元8世纪）的阿拉伯地理学家们，通过中国商人或其他的消息提供者，得悉朝鲜的王国Sin-ra（>Shīlā, Sīlā）之名。"[110]Sin-ra即新罗，西方诸语之Silla。[111]在《库什王纪》迄今唯一的勘本中，B.sīlā并未被校勘为Sīlā或Shīlā，笔者以为主要原因有二。其一，抄本字体为纳斯赫（小楷），笔画清楚；其二，《库什王纪》是诗歌，B.sīlā若统一校勘为Sīlā，因少了一个

107 Zakarīyā ibn Muḥammad Qazvīnī, *ʿAjāʾib al-makhlūqāt wa-gharāʾib al-mawjūdāt*, transcribed in 1838, Arabic manuscripts in Wellcome Library, London, shelfmark: WMS Arabic 18.

108 Zakarīyā ibn Muḥammad Qazvīnī, *ʿAjāʾib al-makhlūqāt wa-gharāʾib al-mawjūdāt*, transcribed around the AH 9th century, Persian manuscripts in Kitābkhāna-yi Majlis-i Shawrā-yi Islāmī [Library of Islamic Consultative Assembly (The Parliamentary Library of Iran)], call no. 6712, registration no. 78833.

109 hī与hiya在阿拉伯语中拼写形式相同，仅读音不同。

110 T. Saguchi, "Al-Shīlā or Al-Sīlā," in *EI2*, vol. 9, p. 441.

111 据《三国史记・新罗本纪第四》，"新罗"国名始定于公元6世纪初，朝鲜汉字（hanja）作"新羅"，后世谚文拼作신라。按"韩国语（谚文）罗马字标记法修正案（2000年）"，ㄹ可标记为r或l；它的前面若为辅音n，则发生变音，二者一并标记为ll。因此，신与라若单独标记，为Sin Ra；若合在一起标记，则为Silla。

二音素的短音节,必然出律。但在多部穆斯林史地著作的勘本中,可见各种异体新罗之名被“规范化”校勘,或加以“规范写法”的注释。此处略举具有代表性的几例以为佐证。

据纳吉布·巴克兰用波斯语撰写于13世纪初的《世界志》所载:

[世界的]东方是中国(Chīn,秦)的诸城镇,以及被人们称为马秦(Māchīn)的内中国(Chīn-i andarūnī),还有L.sīlā᾽和Vāqvāq的国度。[112]

里亚希(Riyāḥī)校注本据博尔舍夫斯基(Borshchevsky)为胶片本所作附注,对L.sīlā᾽做有注释:“al-Shīlā”,即秦、马秦、新罗和倭国于此同列于世界东方地域。在《世界志》的另一处记载中,新罗之名又写作B.sīlā:

B.sīlā:在那有些人称其为内中国(Chīn-i andarūnīn),有些人称其为马秦(Māchīn)的中国(Chīn)地区之尽头。这是一个处于群山之中的地区,它的一部分位于水[海]中,人们称它为B.sīlā。

里亚希在此处又据博尔舍夫斯基的胶片本之附注为B.sīlā出注:“al-Shīlā᾽”。[113]

卡兹维尼《创造的奥妙》各抄本中的新罗多有误抄为Silāhī等写法的现象,在其19世纪的阿拉伯语勘本中还曾写作jazāyir al-Silāhī,[114]但近年来新出版的波斯语勘本中已写作jazīra al-Silā和jazīra-yi Silā。[115]

---

112 Bakrān, *Jahānnāma*, p. 9.

113 Bakrān, *Jahānnāma*, p. 70.

114 Zakarija Ben Muhammed Ben Mahmud el-Cazwini, *Kosmographie: Die Wunder der Schöpfung (Kitāb ʿAjāyib al-makhlūqāt)*, Aus den Handschriften der Bibliotheken zu Berlin, Gotha, Dresden und Hamburg, herausgegeben von Ferdinand Wüstenfeld, Göttingen: im Verlag der Dieterichschen Buchhandlung, 1849, S. 109.

115 Zakarīyā ibn Muḥammad ibn Maḥmūd Kamūnī Qazvīnī, *ʿAjāʾib al-makhlūqāt wa-gharāʾib al-mawjūdāt* (《创造的奥妙》), trans. anonymous, eds. Masʿūd Ghulāmiya and Yūsif Bayg Bābāpūr, Qum: Majmaʿ-i Ẕakhāʾir-i Islāmī, 2012 (SH 1390), p. 212.

阿布·菲达在其以阿拉伯语撰写于1321年的《地理志》中，将新罗与杭州（Khānjū）、泉州（剌桐，Zaytūn）等地并置，列为中国（al-Ṣīn）的十五个地区之一。新罗之名在中国十五地区列表中写作al-Sīlī（阿拉伯语亦可读作al-Sīlā）；该书在随后的文字叙述中明确写到“它被称为Sīlā”。[116]

至此，通过考察新罗之名在多种穆斯林史地文献以及《库什王纪》抄本和校注本中的书写情况，可知B.sīlā、L.sīlā’等皆为Sīlā / al-Sīlā或Shīlā / al-Shīlā在阿拉伯语和波斯语抄本中的误抄，盖因它们的写法非常相近，不过稍有“笔画”长短或“点”数多少的区别。中古早期穆斯林所知新罗大抵源自商贾在中国的听闻，当时的阿拉伯语和波斯语文献又以抄本的形式记录和流传，著作者将一个自己不熟悉的、远在天边的地名按道听途说的发音书写，抄写者又在传抄过程中一再误抄，新罗之名遂呈现为字形相近的多种形式。

2.《库什王纪》中的巴希拉与穆斯林史地文献所载新罗情状之比较

伊朗传说中的上古君王贾姆希德，原型乃印度–伊朗人共同体时期传说中的人类始祖。无论是《泰伯里历史》《黄金草原》等早期阿拉伯语穆斯林历史著作，还是《列王纪》《戈尔沙斯帕传》等波斯语史诗，均多录有贾姆希德败亡千年后，其后嗣重夺世界之王宝座的传说。部分文献亦有记载，在佐哈克君临天下的时代，贾姆希德和家人曾逃亡于印度或中国。相较于此类简略的记述，《库什王纪》就阿贝廷率族人在秦与马秦以及巴希拉的避难生涯展开详细叙事——佐哈克遣秦王库什搜捕贾姆希德后裔，使其难以长期安然躲藏，贾姆希德族人遂一路东逃，在马秦王贝哈克的暗中帮助下，来到位于世界东方海中的巴希拉。该地被贝哈克称作另一个马秦：

116 Reinaud and Slane (eds.), *Géographie D'Aboulféda: Texte Arabe*, pp. 364—367.

有两个马秦，一个在［我］这儿，［要去另一个］首先应该来我的马秦。

（第2108联）

位于马秦以东的海中，是一座群山环抱的巨大岛屿：

然后有一个月的水上路程，［你］应该迅速乘船而去。

你会看到一座头顶月亮的高山，它的长度、宽度和高度都是惊人的。

它上面的芦苇从大海伸到空中，按照发号施令的耶兹丹的指示。

它的长度有二百法尔生格，它的长度和宽度是一样的。

（第2109—2112联）

贝哈克还称巴希拉王与自己长久以来亲如兄弟：

一位君王统治着山和城市，他自世界得到所有如愿满足。

一位聪慧的王名字叫做醍醐尔，绝顶的运气令他如愿以偿。

……

若我的兄弟故去，经年累月间，那有名望的仁慈帝王正如我的兄弟。

（第2115—2116、2123联）

巴希拉地形险要、易守难攻，更有规模庞大的军队，防务固若金汤：

去往那座山中仅有一条道路，在那条路上两个人不能并行。

一个险峻的隘口像深深的井，你看它常年被积雪充塞。

即使世界上所有的军队，都去扑向那著名的王，

他的人凭着山谷守卫大山，他们不会畏惧也不和别人战斗。

正是这样的，比这更妙的是那个国度有比戈壁中的砂石数量更多的军队。

（第2118—2122联）

其都城巴希拉城（shahr-i B.sīlā）环境优美好似天园，居民美貌如同天仙：

第五天他们到了巴希拉城，世界上没有人见过像巴希拉这样的地方。

它的长度有两法尔生格宽度也是这样，到处都是满是茉莉的花园。

这是醍醐尔王的住处，它不是一座城市，而是满是天仙的天园。

所有的街区都有流水和小溪，溪边满是走动的翠柏[117]。

所有花园中都是郁金香和胡芦巴，每一朵郁金香都吹拂着另一朵的香气。

（第2241—2245联）

是富庶多金之所在：

所有的城区和街道都满是财富，都用秦的丝绸装点好。

所有屋顶上都是唱腔优美的乐师，整个城市都充满弦琴和芦笛的吟唱。

（第2254—2255联）

巴希拉另有众多民居之地土地肥美、繁华富庶：

君王啊在其中有七十座城市，在这座山里受益于世界。

［它们］巨大、人口众多且极为坚固，满是花园和流水以及果树。

（第5345—5346联）

巴希拉的城市繁荣程度甚至超过秦和马秦：

117 在波斯诗歌传统中，“走动的翠柏”指身材修长挺拔的美人。

在那山中有八十座出众的城市，任何一个都比马秦和秦[的]更美好。
在那些城市的周边，有四千个满是花园和果树的村庄。

（第2113—2114联）

以上各类典型性描述表明巴希拉具有如下几大特点：这个国度的地理方位在东洋大海之中，与马秦隔海相望；其地既处海岛，又有群山环抱，地势险要；内陆民居之地则肥沃多产、富庶多金；其王拥有规模庞大的军队，与马秦王关系良好；其居民身材姣好，美若天仙。一言以蔽之，巴希拉确实堪为阿贝廷率领的贾姆希德族人之理想避难所。可以看出，其地理方位、地形特征以及风物状况，皆与古典穆斯林史地著作对新罗的描述相吻合。且看几则成文早于《库什王纪》的文献记载。

伊本·胡尔达兹比赫著《道里邦国志》：

在与刚素（Qānṣū）[118]对面的中国的尽头有众山及诸国，那就是新罗（Al-Shīlā）国。该国盛产黄金，由于那里土地良美，故有一些穆斯林入其国就定居下来。没有人晓得新罗以外的情况。[119]

疑为阿拉伯商人苏莱曼（Sulaymān）于公元851年所作《中国印度见闻录》（*Akhbār al-Ṣīn wa-al-Hind*）：

中国东部临大海，有锡拉（Sila，即新罗）诸岛。岛上居民是白色的人，他们每年向中国朝廷纳贡。他们说如果不向中国君主纳贡，那么他们那里就不下雨。我们谁也没有去过这些岛上，因此也就不能谈有关岛上居民的情况。在这些岛上，动物有白隼。[120]

阿布·赛义德（Abū Zaid）所作《〈中国印度见闻录〉续编》：

---

118 按宋岘译注，此为刚突（Qānṭū）之误抄，即江都。

119 Ibn Khordādhbeh, *Kitāb al-Masālik wa'l-Mamālik*, p. 70。汉译引自伊本·胡尔达兹比赫著，宋岘译注：《道里邦国志》，第73页。

120 穆根来、汶江、黄倬汉译：《中国印度见闻录》，第25页。

中国更远为何处，不得而知。但康都[121]与位于新罗国（Sila）内的崇山峻岭遥遥相对。新罗国黄金丰饶。到访该国的穆斯林常因其国具有的各种便利而在此永久定居。[122]

伊本·罗斯特（Ibn Rusta）作于903年左右的《珍宝志》（*Kitāb al-a'lāq al-nafīsa*）：

在中国的一端有一个叫新罗的地区，盛产金子。穆斯林来到这里之后，便在那里定居下来，再也不愿意离开。[123]

马苏第著《黄金草原》：

在中国以远，于大海下侧既没有已知的王国，又没有已被描述过的地区，唯有新罗及其附属岛屿例外。从伊拉克或另一地区前往那里的一个外来人很少有离却而去的。那里空气多么有益于健康啊！水清澈见底，土地肥沃和所有的财产都丰富。居民们与中国人及其国王们和睦相处，他们与后者不断交换礼物。[124]

一些成书晚于《库什王纪》的穆斯林史地著作中有关新罗的内容，与先前的文献记载大同小异。《马卫集书》的编撰约完成于1120年，与《库什王纪》成书年代最为接近，书中提到新罗：

121 应即"江都"。

122 英译参见Yule (trans. and ed.), *Cathay and the Way Thither: Being a Collection of Medieval Notices of China*, vol. 1, p. 137；汉译引自裕尔：《东域纪程录丛——古代中国闻见录》，第106页。

123 费琅辑注：《阿拉伯波斯突厥人东方文献辑注》，第82页。

124 汉译引自马苏第：《黄金草原》，第187页。此处"新罗"在1861年阿法对照本阿文部分中作al-Sīlā, Maçoudi, *Les Prairies D'or*, vol. 1, p. 346；在1841年英译本中作es-Sabal (es-Sīlā?), Sprenger (trans.), *El-Mas'ūdī's Historical Encyclopaedia, entitled "Meadows of Gold and Mines of Gems,"* vol. 1, p. 358。

在中国的最远之地有个被称为新罗(Sīlā)的地方。任何人——无论是穆斯林还是非穆斯林——进入此地,因为那里的秀美,都会留在此地不会再出去。那里盛产黄金。[125]

米诺尔斯基在其译注的《马卫集论中国、突厥和印度》(*Sharaf al-Zamān Ṭāhir Marvazī on China, the Turks, and India*)对这段文字的注释中直接指出,Sīlā就是新罗王国,在汉语中读作Sin-lo。[126]另外值得一提的是,在该书后附米诺尔斯基亲手誊写的阿拉伯语文本中,新罗之名清楚地写作Sīlā。

وفى أقاصى أرض الصين بلاد يقال لها سيلا [127]

埃德里奇(al-Sharīf al-Idrīsī)作于1154年的《诸国风土记》(*Nuzhat al-mushtāq fī ikhtirāq al-āfāq*):

新罗群岛为数很多,而且相互靠近……其土地如此之肥沃,其财物如此之富有,以至于前往旅行的外国人定居在那里,再也舍不得离去。[128]

卡兹维尼的《创造的奥妙》在"中国海诸岛"(jazāyir baḥr al-Ṣīn)的章节中讲到新罗,与倭国诸岛(jazāyir al-Wāqwāq)[129]等地罗列一处:

其中有新罗岛(jazīra al-Silā),该岛物产丰富,由于那里丰富的物

---

125 V. Minorsky (trans. and ed.), *Sharaf al-Zamān Ṭāhir Marvazī on China, the Turks, and India*, London: Royal Asiatic Society, 1942, p. 27。汉译引自乌苏吉著,王诚译,邱轶皓审校:《〈动物之自然属性对"中国"的记载〉——据新发现的抄本》,《西域研究》2016年第1期。

126 Minorsky (trans. and ed.), *Sharaf al-Zamān Ṭāhir Marvazī on China, the Turks, and India*, p. 89.

127 Minorsky (trans. and ed.), *Sharaf al-Zamān Ṭāhir Marvazī on China, the Turks, and India*, p. *15 (Arabic text).

128 费琅辑注:《阿拉伯波斯突厥人东方文献辑注》,第212页。

129 宋岘认为al-Wāqwāq即倭国。伊本·胡尔达兹比赫著,宋岘译注:《道里邦国志》,第72页。

产，去往该岛之人都不能很快离开；该岛有很多黄金、白隼和猎鹰；其王要给中国君主送去珍奇礼物，据说如果他停止向中国王送去礼物，新罗岛就会不下雨，伊本·法基赫(Ibn Faqīh)在其书[130]中曾述及此事。[131]

他在另一部著作《各国建筑与人情志》(*Āthār al-bilād wa-akhbār al-ʿibād*)中又写道：

新罗(Shīlā)。这是一座居住起来非常舒适的城市，地处中国的边缘。那里空气纯洁，流水甘甜，到处是一片如此吉祥之地，以至于在那里根本就不会有人染病卧床。当地人是世界上体貌最优美的民族，而身体也最为健康……

拉齐还说："一旦踏入此岛，就会在那里定居，再也不想离去了。这里该是一块多么美好的天地啊！遍地都是上等物品和黄金，极为富裕。唯有上帝才知道其真实原因。"[132]

阿布·菲达的《地理志》：

新罗(Sīlā)位于中国东部。由海路前往中国的人并不常至新罗。新罗为东海岛屿之一，与西海中永恒、福运两岛相对应；西海诸岛宜于耕植、人民富庶；而东海诸岛情形适相反。[133]

---

130 即10世纪伊朗历史学家与地理学家伊本·法基赫·哈马丹尼(以Ibn Faqīh著称的Abī Bakr Aḥmad ibn Muḥammad al-Hamadānī)所著《列国志略》(*[Mukhtaṣar] Kitāb al-buldān*)。

131 引文译自波斯语勘本Qazvīnī, *ʿAjāʾib al-makhlūqāt wa-gharāʾib al-mawjūdāt*, p. 212。另可参见阿拉伯语勘本El-Cazwini, *Kosmographie: Die Wunder der Schöpfung (Kitāb ʿAjāyib al-makhlūqāt)*, S. 109。

132 参见阿拉伯语勘本Zakarija Ben Muhammed Ben Mahmud el-Cazwini, *Kosmographie: Die Denkmäler der Länder (Kitāb āthār al-bilād)*, aus den Handschriften des Hn. Dr. Lee und der Bibliotheken zu Berlin, Gotha und Leyden, herausgegeben von Ferdinand Wüstenfeld, Göttingen: im Verlag der Dieterichschen Buchhandlung, 1848, S. 32—33。汉译文引自费琅辑注：《阿拉伯波斯突厥人东方文献辑注》，第340—341页。

133 原文参见Reinaud and Slane (eds.), *Géographie D'Aboulféda: Texte Arabe*, p. 367；英译参见Yule (trans. and ed.), *Cathay and the Way Thither: Being a Collection of Medieval Notices of China*, vol. 1, p. 257；汉译文引自裕尔：《东域纪程录丛——古代中国闻见录》，第223—224页。

从上述文献记录可以看出，写下这些文字的穆斯林大都未曾亲至新罗，其著作中的有关内容多是基于传闻相互转述而成；此外，他们关于新罗的记载可以归纳为如下几点：新罗地理位置在世界东方尽头；其地或为岛屿（半岛）、或为群岛；或属中国东部之一部分，或为中国东方的独立王国，但与中国交往密切、关系良好；新罗的土地肥美、环境清洁、多产黄金；居民体貌优美。这几点恰与上文总结的《库什王纪》所述巴希拉的几个特点一一对应且高度相符，故可推断，《库什王纪》所载巴希拉的原型实为朝鲜半岛古国新罗，对其有关描述是古代伊朗人对中国东部沿海地区的概略认知与叙事者想象虚构相结合的产物。

3. 有关巴希拉原型的多角度辨析

随着《库什王纪》被整理出版，在伊朗学界出现一种观点——巴希拉指向日本列岛之一，最初提出该观点的便是该书校注者马提尼。马提尼潜心十余载对《库什王纪》做了整理和注释，并为出版的校注本撰写长逾百页的《导言》，以其多年的研究成果为读者了解这部史诗起到全面指导作用。他的上述工作无疑是卓越而可敬的，但笔者难以赞同他提出的“巴希拉指称日本说”。

马提尼在其发表于1990年的一篇论文中，结合对伊斯兰时代史地文献的研究，对《库什王纪》中的秦、马秦和巴希拉等地域加以探讨。他还通过援引朱杰勤的《中国和伊朗历史上的友好关系》一文[134]说明中伊两国交往历史悠久，进而提出《库什王纪》描述的上古伊朗人与中国打交道的情节是以前伊斯兰时代伊朗的口头与书面传统为基础的，因此书中的秦与马秦就是中国相关地域，而不是神话中的虚幻之地。但同时，他认为巴希拉的名称与朝鲜半岛古国新罗相近，却更可能与日本列岛之一有对应关系。[135]1998年，马提尼在《库什王纪》校注本的《导言》中重申了这一观点。[136]起初，马提尼并不了解东北亚的古代历

134 朱杰勤：《中国和伊朗历史上的友好关系》，《历史研究》1978年第7期。

135 Matīnī, “Farīdūn va sarzamīn-i āftāb-i tābān,” pp. 160—177.

136 Matīnī, “Muqaddama,” p. 76.

史和地名，曾推想马秦是朝鲜半岛，而jazīra-yi B.sīlā指日本列岛之一，便向日本的伊朗学家黑柳恒男（Kuroyanagi Tsuneo）询问日本之地在古时是否曾被称作B.sīlā。黑柳作答，Sīlā是朝鲜国土的古名，不属日本。随后另一位伊朗学者哈什姆·拉贾布扎德（Hāshim Rajabzāda）向马提尼提供《日本历史年表》（*Nihongi*）的英译本，他据此确认Silla是朝鲜国土的古名。[137]在此情况下，他并未提出任何新的可靠论据，就直接做出"《库什王纪》以新罗之名指称日本列岛之一"的推测，不免有失审慎。中古时期波斯语文献中的马秦多指中国的中东部或南部地区，在学界早已有公论，马提尼猜想《库什王纪》中的马秦指朝鲜半岛，亦属无据之说。他为"巴希拉指称日本说"提出的论据，仅仅是史诗借巴希拉王醍醐尔之口提到，在巴希拉三千年的历史中，秦的诸王从未染指这片土地；四千年来，巴希拉人是崇信真神者。[138]但据《库什王纪》，醍醐尔发表上述言论后不久，秦王象牙库什即用计攻陷巴希拉隘口天险，占领了除三座城池之外的全部巴希拉土地；而古代日本社会具有明显的多宗教特征，与巴希拉人"崇信真神"也无法联系起来。因此，醍醐尔对巴希拉历史的描述既有时间上的局限性，又有史诗人物话语的虚构性，仅凭其只言片语的自述，就做出巴希拉指日本列岛之一的判断显然不合适。

《库什王纪》校注本出版后，伊朗学者哈什姆·拉贾布扎德依据多部历史文献，对《库什王纪》里的中国相关地域做出辨析，基本言之有理、持之有据；但他又仅凭巴希拉独立于秦与马秦之外、地处海中、周围高山耸立——据他推断是火山——等地理状况，以及男人英勇、女子貌美的人物群像特征，主张这个国度指向日本。[139]然而《库什王纪》的叙事并未言及巴希拉群山是火山，何况火山在东亚地区也非日本独有，中朝边境上的长白山主峰就是休眠火山口，以火山的存在判定巴希拉指向日本，而排除其指向朝鲜半岛的可能性，未免牵强。现实中的朝鲜

---

137 Matīnī, "Muqaddama," pp. 75—76.

138 Matīnī, "Muqaddama," p. 76.

139 Hāshim Rajabzāda, "Zhāpun dar *Kūshnāma*" (《〈库什王纪〉中的日本》), *Kitāb-i māh-i tārīkh va jughrāfiyā* (《历史与地理月刊》) 56 and 57, no. 3 (2002 [SH Khurdād va Tīr 1381]): 65—71.

半岛与日本列岛均多山地,《库什王纪》所载因有高山和险隘的拱卫造成的巴希拉都城易守难攻的状况,亦与《宋史》有关高丽的记载——"使人由此登陆,崎岖山谷四十余里,乃其国都云"——相类。[140]至于说美貌、勇敢符合日本人特征就更不具排他性了——穆斯林史地文献中也常见突厥、中国多出美人和新罗人体貌优美的内容。拉贾布扎德作此论断大概是受到马提尼观点的影响,但马提尼本人也承认,他此前并不了解古代日本与朝鲜(新罗等古国)的历史与称谓。

西方学界在解读穆斯林史地著作中的Sila时,也曾有先推测为日本,而后确认是新罗的先例。裕尔在对《中国印度见闻录》所作综述中写道:"在著作的这一部分,[141]只提到吐蕃、九姓乌古斯国(Tughuzghuz)、中国的西部邻国以及东部的新罗诸岛——似指日本,除此之外对中国地理几乎毫无涉及。"[142]对裕尔的《东域纪程录丛——古代中国闻见录》(*Cathay and the Way Thither: Being a Collection of Medieval Notices of China*)做出修订的考迪埃(Henri Cordier)于此处加上自己的观点——Sila不是日本,而是朝鲜(Corea,高丽)。[143]概因一提及中国以东海岛,若非较为了解东亚古代史,人们首先会想到日本。马提尼等伊朗学者似乎也囿于先入为主的想法,有失深入考究。《库什王纪》行文中称巴希拉为岛屿,并不能作为判定其原型是日本列岛之一的有力论据。穆斯林史地著作也常以岛屿(jazīra)、群岛(jazāyir)来记新罗所处之地,而jazīra本身便有岛屿、半岛等多个词义。《库什王纪》载贾姆希德族人和象牙库什都自马秦渡海而至巴希拉,亦有汉文史料载古代中国人常取道海路去往朝鲜半岛的大量记录与之呼应。《史记》

---

140 脱脱等:《宋史》卷四八七《高丽传》,北京:中华书局,1977年,第14055页。

141 《中国印度见闻录》分为前后两部分。裕尔认为,前一部分的作者不详,内容是作者对他本人在一次航海至印度的经历中,在印度对去过中国的人——阿拉伯商人苏莱曼是其中之一——所做采访记录的汇编。参见Yule (trans. and ed.), *Cathay and the Way Thither: Being a Collection of Medieval Notices of China*, vol. 1, p. 126。

142 Yule (trans. and ed.), *Cathay and the Way Thither: Being a Collection of Medieval Notices of China*, vol. 1, p. 131。汉译引自裕尔:《东域纪程录丛——古代中国闻见录》,第102页。

143 Yule (trans. and ed.), *Cathay and the Way Thither: Being a Collection of Medieval Notices of China*, vol. 1, p. 131, note 3.

载汉武帝征卫氏朝鲜，楼船将军杨仆自海路进军。[144]隋唐两代更曾多次向朝鲜半岛渡海行军，频繁见载于《隋书》[145]《北史》[146]《旧唐书》[147]《新唐书》[148]等史籍。两宋因面临辽、金的军事压力，常修好高丽以为援，与之官方往来密切，民间贸易繁荣。由于辽、金隔断了宋与高丽之间的陆上交通，双方的交往多由海上交通实现。[149]受不同风向影响，宋与高丽之间的海程或数日，或数十日。[150]

早期穆斯林著作如《道里邦国志》《创造的奥妙》《世界志》等，将倭国（al-Wāqwāq / Vāqvāq）与新罗（al-Shīlā / Sīlā）相继记录在与中国（al-Ṣīn / Chīn）有关的部分，但对日本诸岛多语焉不详，甚至有些著作中的al-Wāqwaq / Vāqvāq是否确指日本尚需商榷；而关于新罗，对其与中国地理方位关系的记载常与实际情况相符，对其风土人情所作描述即便不甚翔实，甚至有以讹传讹的臆想内容，却也同《库什王纪》对巴希拉的描写如出一辙。因此，从《库什王纪》成书时代的伊朗人对世界东方边缘地带的认知程度来看，书中的巴希拉以新罗为原型的可能性远大于以日本为原型。

---

144 “天子募罪人击朝鲜。其秋，遣楼船将军杨仆从齐浮渤海；兵五万人，左将军荀彘出辽东，讨右渠。”司马迁：《史记》卷一一五《朝鲜列传》，北京：中华书局，1959年，第2987页。

145 例如：“[开皇]十八年，起辽东之役，征为水军总管。自东莱泛海，趣平壤城，遭风，船多飘没，无功而还。”魏徵等：《隋书》卷六五《周罗睺列传》，北京：中华书局，1973年，第1525页。

146 例如：大业八年“辽东之役，以护儿为平壤道行军总管，兼检校东莱郡太守，率楼船指沧海。入自浿水，去平壤六十里，高丽主高元扫境内兵以拒之”。李延寿：《北史》卷七六《来护儿列传》，北京：中华书局，1974年，第2591页。

147 例如：“[贞观]二十二年，万彻又为青丘道行军大总管，率甲士三万自莱州泛海伐高丽，入鸭绿水百余里，至泊灼城，高丽震惧，多弃城而遁。”刘昫等：《旧唐书》卷六九《薛万彻列传》，第2518页。

148 例如：“又明年（贞观二十一年）三月，诏左武卫大将军牛进达为青丘道行军大总管，右武卫将军李海岸副之，自莱州度海；李绩为辽东道行军大总管，右武卫将军孙贰朗、右屯卫大将军郑仁泰副之，率营州都督兵，繇新城道以进。”欧阳修、宋祁：《新唐书》卷二二〇《高丽列传》，第6194页。

149 “往时高丽人往反皆自登州，七年，遣其臣金良鉴来言，欲远契丹，乞改涂由明州诣阙，从之。”脱脱等：《宋史》卷四八七《高丽传》，第14046页。

150 “由海道奉使高丽，弥漫汪洋，洲屿险阻，遇黑风，舟触礁辄败，出急水门至群山岛，始谓平达，非数十日不至也。舟南北行，遇顺风则历险如夷，至不数日。”脱脱等：《宋史》卷四八七《高丽传》，第14052页。

关于《库什王纪》是否曾提及日本这个问题，笔者有一猜想，聊记于此，以备一说。早于《库什王纪》三十余年问世的《突厥语大词典》中绘有一幅世界地图，标示出太阳落山的西极之地是安达鲁斯（Andalus），东极之地是Jābarqā。据该词典汉译本："'Jābarqā查帕尔喀（日本）'人因居住遥远，与马秦隔海相望，我们不了解其语言状况。"[151] 可见当时穆斯林对东亚大陆以东海中岛屿情况的认知极为有限，且该词典汉译者认为查帕尔喀指日本。突厥语词Jābarqā与波斯语中人类世界东极之城名称Jābalqā / Jābalq[152]当为同一地理专名。考虑到新罗之名——Shīlā / Sīlā已多见于那个时代的穆斯林史地文献记载，Jābarqā或Jābalqā / Jābalq的确宜于同日本联系起来。《库什王纪》有一处文字提到世上有两个天园般美好的海岛，一个是距大陆一个月海程的巴希拉，另一个要航行七个月方可抵达。[153]若要在《库什王纪》所载极富传说色彩的海中国度与新罗和日本之间建立起推测的对应关系，显然以巴希拉对应新罗，以那个未被详述、位于大海更深处的岛屿比照日本列岛之一更为合适的。

4. 从《库什王纪》成书时代背景看记述B.sīlā（新罗）的合理性

《库什王纪》之所以载有大量可考的世界地理信息，是由其成书的时代背景决定的。在该史诗成书之前的数百年里，阿拉伯帝国的军事扩张和突厥语族群西迁相继发生，这两个横扫伊朗文化大陆的重大历史事件均给伊朗人带来大量有关世界地理的信息。而新罗成了《库什王纪》中的重要叙事场景的原型之地，或与以下两方面因素有更为紧密的关系：一是唐朝在亚欧大陆东部建立起地域广阔的统一政治体系；二是粟特人沿陆上丝绸之路的迁徙与行商，以及波斯人在海上丝

---

151 Maḥmūd Kāšγarī, *Compendium of the Turkic Dialects (Dīwān Luγāt at-Turk)*, part 1, p. 83。汉译文引自喀什噶里：《突厥语大词典》，第一卷，第32页。"（日本）"为汉译者所加。

152 据《德胡达大辞典》援引《布尔汗词典》和《阿南德拉治波斯语详解词典》，Jābalq / Jābalqā / Jābulqā是人类世界东极之城。*LND*, vol. 5, p. 7331。

153 Ibn Abī al-Khayr, *Kūshnāma*, p. 278.

绸之路上的贸易活动。

唐朝在其鼎盛时期将从东北亚直到中亚的辽阔地域纳入其版图，同时奉行开放的对外政策，为其疆域内外各族群的密切交往创造了良好的条件。来自西边的突厥人、粟特人和波斯人，以及从东方来自渤海国、朝鲜半岛和日本的人士都曾大量入华，这些外来人士有的在唐定居甚至入仕，有的往返于唐与母国之间，在中亚与东北亚之间的物质与文化传播中起到重要作用。自朝鲜半岛入唐的人士尤为众多，由使臣、商人、求学者、求法者、流民、战俘等多个社会群体构成，[154]他们与入华的粟特人、波斯人可能有过直接接触。据中国古籍记载，来自高句丽的高仙芝、来自百济的黑齿常之等人，还曾作为唐的军事将领参与经略西域。[155]另外，考古实物也有证据表明，西域同朝鲜半岛之间早已存在以中国为通道的物质文化交流。比如西方世界的玻璃器等物产经中国东传朝鲜、日本，已有中国东北和朝鲜半岛多地出土考古实证；[156]而在唐与粟特城邦关系密切的公元7—8世纪，唐朝使团中的朝鲜武士人像也出现在撒马尔罕古城阿夫拉西亚卜遗址（the historical site of Afrasiab）大使厅的西墙壁画上。[157]

粟特人和波斯人等伊朗族群商人的贸易活动分别在公元8世纪前后活跃于东西亚地区之间。粟特商队长期穿梭于中原王朝和北方草原游牧汗国之间，[158]而《库什王纪》所载有商队常年往返于秦与马秦两地，[159]大概就是粟特人的商队贸易在伊朗史诗中的投影。那么，粟特商人联通中亚与东北亚的贸易活动便为有关朝鲜半岛的信息进入伊朗人集体记忆提供了可能。粟特商人相对更集中活跃于北朝到唐朝前期

154　姜清波：《入唐三韩人研究》，广州：暨南大学出版社，2010年，第228—230页。

155　据《新唐书》卷一一〇《诸夷蕃将列传》、卷一三五《哥舒高封列传》等。

156　王小甫：《“黑貂之路”质疑——古代东北亚与世界文化联系之我见》，《历史研究》2001年第3期。

157　杨森：《敦煌壁画中的高句丽、新罗、百济人形象》，《社会科学战线》2011年第2期。马尔夏克：《突厥人、粟特人与娜娜女神》，毛铭译，桂林：漓江出版社，2016年，第55—56页。

158　参见荣新江：《波斯与中国：两种文化在唐朝的交融》，刘东主编：《中国学术（总第十二辑）》，北京：商务印书馆，2002年，第62页。

159　Ibn Abī al-Khayr, *Kūshnāma*, pp. 257—261。

北方陆上交通道路的沿线，而波斯商人在中国主要活跃于安史之乱以后；[160]波斯舶是公元8世纪中叶活跃于印度洋和中国南海的重要船队，即波斯人主要通过海路与中国进行贸易往来。[161]海上丝绸之路的繁荣为阿拉伯人和波斯人了解东亚世界提供了便利条件，部分公元9世纪以后成书的穆斯林史地文献里的有关内容，可以确定是基于自海上丝绸之路获取的信息撰写而成，比如《中国印度见闻录》及其续编、阿布·菲达《地理志》等著作中关于中国和新罗的记载。在文学作品方面，正如波斯商人的形象大量出现在中晚唐的笔记小说里，有关中国和新罗的情节见于波斯语史诗也在情理之中。人类贸易活动在《库什王纪》中的投影还有多处，留待下一章再做详述。

5. 余论

无论是在《库什王纪》还是大量穆斯林史地文献中，具有伊朗–伊斯兰文化背景的学者大多将新罗认作一个与古代中国关系极为紧密的国度。在《库什王纪》叙事者心目中，马秦与巴希拉是一衣带水、风物相近的友邻之地。巧合的是，在该史诗的成书年代，中原汉地与朝鲜半岛也的确是关系紧密的友好邻邦。宋辽对峙时期，自公元7世纪中叶起统一朝鲜半岛南部的新罗已经灭亡；公元936年，高丽成为半岛历史上又一统一国家。10世纪80年代至11世纪20年代，高丽数度挫败契丹的进攻，随后在宋辽之间保持中立。但因高丽在经济和文化方面对宋有所需求，宋亦欲结好高丽以抗辽，双方交往密切，具体表现为朝贡形式下实质性使团贸易的兴盛。

随着伊斯兰世界对外的军事和商业扩张，中古时期的穆斯林史地著作尤为丰富。这些文献对阿拉伯半岛、伊朗高原的人文地理状况记载相当准确，甚至对北非、河中地区、印度和中国的记载也较为翔实。

160 荣新江：《波斯与中国：两种文化在唐朝的交融》，第69页。

161 荣新江：《波斯与中国：两种文化在唐朝的交融》，第63页。W. Watson, “Iran and China,” in Ehsan Yarshater (ed.), *Cambridge History of Iran*, vol. 3 (1), *The Seleucid, Parthian and Sasanian Periods*, Cambridge: Cambridge University Press, 1983, pp. 552—553。

张广达先生认为古典穆斯林地理著作所提供的史料非常珍贵，三十余年前就已做评价："这类著作除了对边远地方的情况的记述限于当时的知识水平，或出于猎奇而采摭奇迹传闻（mirabilia），流于荒诞之外，对许多事物的记载或见闻的转述是翔实可信的。"[162]现在我们发现，有些早期波斯语史诗内容同古典穆斯林史地著作有很高的关联度。位于世界东部边缘的新罗不但在穆斯林史地文献中广有记载，还在伊朗史诗《库什王纪》中成了重要叙事地点，这表明经由长距离东西交通而获取的某些信息已清晰地投射在12世纪初的伊朗人集体记忆里，间接反映出古代伊朗人是东西交通的重要参与者。

162 张广达：《出土文书与穆斯林地理著作对于研究中亚历史地理的意义（下）》，《新疆大学学报》1984年第2期。

第六章

从《库什王纪》看古代伊朗与东亚之交通

一、古代贸易路线在《库什王纪》中的投影[1]

上古君王贾姆希德失去真神的佑护，大食首领佐哈克随即入主伊朗并称世界之王；一千年后，贾姆希德后裔法里东击败佐哈克重夺王位。这是一段重要的伊朗古代传说，《列王纪》对其有详述，在《泰伯里历史》《黄金草原》等早期穆斯林历史著作中也均有记载。然而，贾姆希德后裔在佐哈克君临天下时代的流亡生涯，在上述文献中仅一笔带过。《库什王纪》则以很大篇幅叙述了他们辗转于世界东方的经历，并明晰地描述出古代伊朗与东亚之间的交通路线，该路线沿途地理信息与诸多古典穆斯林历史地理著作所载内容亦可相互印证。

1.《库什王纪》所记伊朗与东亚交通路线及沿途地理信息

按《库什王纪》，贾姆希德败亡后，其后裔族人首先离开伊朗进入秦，后经由马秦一路东迁，直抵巴希拉，于该地避难多年后又返归伊朗。以下首先重点清理贾姆希德族人东迁与西归之路沿途的地理信息，以勾勒出该史诗呈现的伊朗与东亚交通路线之概貌。

(1)《库什王纪》所记伊朗与东亚交通路线的两端

贾姆希德族人流亡之路的起点和返国之路的终点，都在伊朗古称

---

1 可参看拙文《从〈库什王纪〉看古代伊朗与东亚之交通》，载《西域研究》2017年第1期，本节内容在前文基础上有修订。

泰伯里斯坦（Ṭabaristān）[2]之地，既是古代伊朗传说中世界之王贾姆希德–法里东家族的统治核心区，又是在伊斯兰时代发出复兴古伊朗文化先声的地区；他们足迹所及最远之处则是世界东方尽头的巴希拉。关于这两条路线的东亚端巴希拉——位于中国以东，与大陆隔海相望，以朝鲜半岛古国新罗为原型，在上一章中已有详论，于此仅就伊朗端加以展开考察。

《库什王纪》并未明示贾姆希德族人自何处出发逃离伊朗。按《泰伯里斯坦史》（*Tārīkh-i Ṭabaristān*），在古时的泰伯里斯坦，有些地方高山与大海相连；到了贾姆希德的时代，民众在他的带领下移山填海，使那些地区成为平地而宜居；贾姆希德还为山中居民建造了一些城堡。[3]另据《巴尔阿密历史》，毕瓦尔阿斯布[4]崛起之时，贾姆希德居住于泰伯里斯坦的达马万德山中；当他获悉敌人大军来犯，便逃走并躲藏起来。[5]据此可知，贾姆希德族人外逃之前定居在泰伯里斯坦，该地可被视为他们东迁之路的起点。

《库什王纪》在叙述贾姆希德族人回到伊朗的情节时，明确指出他们抵达阿莫勒并在那里隐蔽度日。据《世界境域志》，阿莫勒是位于里海南岸的泰伯里斯坦地区的一座大城，是泰伯里斯坦王的驻地。[6]按《列王纪》，法里东成为世界之王并巡行天下以后，来到其幼年生活之地驻扎下来：

---

2 《新唐书》中记作“陀拔思单”：“西域有陀拔思单国，在疏勒西南二万五千里，东距勃达国，西至涅满国，皆一月行，南至罗刹支国半月行，北至海两月行。”欧阳修、宋祁：《新唐书》卷四三下《地理志七下》，第1154页。

3 Ibn Isfandiyār, *Tārīkh-i Ṭabaristān*（《泰伯里斯坦史》）, ed. ʿAbbās Iqbāl Āshtiyānī, Tehran: Kalāla Khāvar, 1941 (SH 1320), vol. 1, p. 74.

4 在《列王纪》《库什王纪》《泰伯里历史》《黄金草原》等多部古典穆斯林文献中，均有毕瓦尔阿斯布与佐哈克为同一人的记载，但《巴尔阿密历史》为毕瓦尔阿斯布与佐哈克分别立传，上文已有详述。

5 Balʿamī, *Tārīkh-i Balʿamī: Takmila va tarjuma-yi Tārīkh-i Ṭabarī*, p. 132.

6 Sutūda (ed.), *Ḥudūd al-ʿālam: Min al-mashriq ilā al-maghrib*, p. 145。另可参见本书第四章第二节中关于“阿莫勒”的注释。

他经过阿莫勒到了塔米沙(Tamīsha)[7],就端坐在那著名的丛林里。[8]

据《世界境域志》,塔米沙和阿莫勒均为泰伯里斯坦的城镇,因而法里东的王庭驻地就在古称泰伯里斯坦,今里海南岸的马赞达兰(Māzandarān)地区。该地位于厄尔布尔士山脉与里海之间,在历史上数次成为伊朗人抵御外来入侵的最后根据地,因而相较于其他地区更好地保存了伊朗传统文化。《库什王纪》所载贾姆希德族人返归伊朗之路的终点亦在此地。

(2)贾姆希德族人东迁与西归路线

据《库什王纪》,贾姆希德在大势已去之时,把自己的族人从伊朗送至位于秦境的阿儿浑丛林,让他们藏匿于其中静待家族复兴的时机;[9]数百年后,贾姆希德族人行踪暴露。[10]秦王库什常驻于胡姆丹,得知伊朗人藏身于阿儿浑之后,他先自秦与马秦征召军队,随即来到龟兹集结大军,而后赴阿儿浑讨伐贾姆希德族人。据此可知,阿儿浑与龟兹皆位于秦境,后者相较于前者距秦的都城胡姆丹更近。在寡不敌众的形势下,凭借往来于秦与马秦之间的商队帮助,伊朗人首领阿贝廷得以与马秦王传递书信,然后率族人避开秦王库什的重兵围剿继续东逃,用十余天时间沿一条小路翻越高山,隐秘地进入马秦。面对秦王库什的军事压力,马秦王贝哈克不敢收留逃亡者,伊朗人遂未在马秦逗留,而是直接穿越其地来到海边。他们在海边得到马秦王暗中资助的船只、水手和给养,旋即登船出海,踏上东迁的最后一段旅程。经一个月的航行,贾姆希德族人终于抵达位于世界东方尽头的巴希拉,在那里得到可

7 《元史》中记有“塔米设”。宋濂等:《元史》卷六三《西北地附录》,第1573页。《新元史》卷五一《西北地附录》增补:“塔米设。达拔里斯单部属城。”《蒙兀儿史记》卷一六〇《地理志》又增补:“塔米设。城名。洪侍郎云在里海东南隅,阿拉比语曰塔米斯,波斯语类乎塔米赛。本陀拔斯单部地,今属波斯祃拶答而部。”上海古籍出版社、上海书店编:《元史二种》,第1册,第265页;第2册,第1092—1093页。即《世界境域志》汉译本所记“塔米沙”。参见佚名著,王治来译注:《世界境域志》,第145—146页。

8 Firdawsī, *Shāhnāma*, Moscow Edition, vol. 1, p. 48。汉译可参见菲尔多西:《列王纪全集》,第一册,第108页。此处译文略有改动。

9 Ibn Abī al-Khayr, *Kūshnāma*, pp. 187—188.

10 Ibn Abī al-Khayr, *Kūshnāma*, pp. 204—257.

靠的庇护。[11]贾姆希德族人东迁之路途经诸地在上一章中皆有详论，此不赘言。

流亡巴希拉多年以后，阿贝廷得到先祖贾姆希德的梦谕——令其率众返回伊朗。因自巴希拉经秦与马秦通往伊朗的陆路被库什之子——已继任为秦与马秦之王的象牙库什严密监控并重兵把守，贾姆希德族人只得以一位巴希拉老水手为向导，自巴希拉乘船出海，绕道返回伊朗：

> 人们升起了所有的船帆，用一个星期时间经过岛屿。
> 他（老水手）这样驾驶着而耶兹丹护佑着他，没有让一天无风。
> 没有无风[之日]也没有狂风[之时]，那受耶兹丹佑护之人就会这样[如意]。
> 水手这样驾着船一直过了五个月，他没有休息也没有绕路，
> 哥夫山出现在左边，它好似与天穹比肩，列阵相搏。
> 他们沿着山脉航行又过了四个月，这样直到日子到了十个月。
> 他们来到雅朱者之地附近，有很大一群人和一条长长的山脉。
>
> （第4057—4063联）

据伊朗古代神话，哥夫山环绕于大地边缘，大地四周皆为大海。由于巴希拉位于大地东方的海中，贾姆希德族人自该地出发后，首先要长时间航行在环绕陆地的海上。因此，据哥夫山位于船队左边这一点即可判定，船队在前五个月里先是朝向北方和西北方航行。鉴于阿贝廷一行沿哥夫山又航行四个多月，即在出发后的第十个月见到哥夫山上众多的怪物——雅朱者，可知船队此时已抵达大地的东北边缘。

在《库什王纪》此后的情节中，船队沿哥夫山再航行五个月到达山脉分叉处，这应是沿大地北部边缘自东向西的一段行程。当海岸上出现开阔地时，阿贝廷率众登陆，并在那里逗留四个月。其间，他派出一个小分队去探路。小分队先用一个月的时间翻越哥夫山，又用一个月的时间穿过保加尔（Bulghār）和撒吉剌（Saqlāb）的土地，进抵达曼丹海

---

11 Ibn Abī al-Khayr, *Kūshnāma*, pp. 257—278.

(daryā-yi Damandān)边。阿贝廷率众来到此地后，购船再度下海，不久到达可以看见雪山的可萨(Khazar)之地。穿越该地后，一行人在吉兰海(daryā-yi Gīlān)上又航行了三个星期，终于抵达目的地阿莫勒。[12]这段行程中出现多个地名，下面逐一辨明其大致地理位置。

保加尔原文作Bulghār，在波斯语中既指今天的保加利亚共和国，又指古时的保加尔人或其地。公元7世纪时，有多支保加尔人自黑海北岸草原向外迁徙，其中两支比较重要。一支向西南方来到多瑙河流域，在黑海西岸建立保加利亚王国；[13]另一支向东北方进入伏尔加河流域，即后来《元史》所载“不里阿耳”[14]。按《库什王纪》的叙事，贾姆希德族人自大地北缘出发，先翻越大山进入保加尔，再穿行撒吉剌，此处的Bulghār指东迁的伏尔加河保加尔人之地的可能性更大。

撒吉剌原文作Saqlāb，又作Ṣiqlāb，《德胡达大辞典》对其解释为“从突厥斯坦(Turkistān)直到接近鲁姆(Rūm)北部尽头的地域”。[15]据《世界境域志》，该地位于格鲁吉亚海(daryā-yi Gurz[iyān]，即黑海)和鲁姆以北；王治来将其汉译作“斯拉夫国(撒吉剌)”。[16]该地名在张鸿年和宋丕方译《列王纪全集》中被汉译为“萨格拉布”;《元史》记其名作“撒吉剌”。[17]

据《库什王纪》，达曼丹海是撒吉剌所临之海，旁边有雪山。贾姆希德族人首先乘船渡过这片海域，然后经陆路穿行可萨之地，再进入吉兰

12 Ibn Abī al-Khayr, *Kūshnāma*, pp. 364—366.

13 马迦特(J. Marquart)曾认为《世界境域志》中的“内保尔加国”(Bulghār-i andarūnī)是多瑙河保加尔人之地。但据该书记载，内保尔加国在撒吉剌(Ṣiqlāb)以东，格鲁吉亚海(daryā-yi Gurz，即黑海)以北，似指伏尔加河保加尔人之地或保加尔人自黑海北岸外迁之前所在之地。参见Sutūda (ed.), *Ḥudūd al-ʿālam: Min al-mashriq ilā al-maghrib,* pp. 187, 189—190。汉译见佚名著，王治来译注：《世界境域志》，第190、193页。

14 宋濂等：《元史》卷六十三《西北地附录》，第1570页。另据《新元史》卷五一《西北地附录》增补：“不里阿耳。部族名，亦城名，又作布尔嘎尔。《大典图》在钦察东北。唐波腊国。”上海古籍出版社、上海书店编：《元史二种》，第1册，第265页。

15 *LND*, vol. 9, p. 13683.

16 Sutūda (ed.), *Ḥudūd al-ʿālam: Min al-mashriq ilā al-maghrib,* p. 187。汉译见佚名著，王治来译注：《世界境域志》，第190页。

17 宋濂等：《元史》卷六十三《西北地附录》，第1570页。另据《新元史》卷五一《西北地附录》增补：“撒吉剌。部族名，亦城名。斡罗斯之属地。”上海古籍出版社、上海书店编：《元史二种》，第1册，第265页。

海。吉兰(Gīlān)是位于里海南岸偏西的一片地域,吉兰海亦即里海。此处的可萨之地当指可萨人兴起的高加索地区。《道里邦国志》汉译本中有多处根据汉文史料记载,将Khazar译作"可萨突厥";[18]《世界境域志》有"关于可萨人的地区"(sukhan andar nāḥiyat-i Khazarān)的专章,王治来汉译为"关于可萨国"。[19]据《库什王纪》,可萨人之地在达曼丹海与吉兰海之间,现已知高加索地区在黑海与里海之间,吉兰海指里海,达曼丹海当指黑海——《世界境域志》所记撒吉剌南临格鲁吉亚海(黑海)亦为佐证,附近雪山应即高加索山脉。黑海航道是古代丝绸之路由中亚通往罗马的北线必经之路;达曼丹海处于阿贝廷率众一路行商而穿越欧洲返回伊朗的路上,正与此情况相合。另外,达曼丹海字面意思是"地狱海",民间传言黑海因其水色深暗、多风暴而得名,亦与地狱海之称相符。

综上,《库什王纪》对贾姆希德族人西归之路前半段的描述相对简略,使之呈现为一条难于稽考的"北冰洋航线";而后半段,尽管海路与陆路交杂,书中对其沿途地理信息所作描述较为清楚,且与我们今天所知实际地理状况高度相符。

比鲁尼所撰《占星学入门解答》较《库什王纪》成书仅早数十年,其中描述的当时伊朗人认识世界的概况宜于用作《库什王纪》所载地理信息的基本方位参照系。若将《占星学入门解答》提供的示意图,即本书图3,顺时针旋转150°,与我们今天熟悉的世界地图叠置,再将《库什王纪》所载贾姆希德族人东迁与西归的路线以及途经之地标示出来,就会得到图7。

(3)史诗呈现上述交通路线沿途地理信息的时代背景因素

从图7可以看出,《库什王纪》所记这条路线蕴含的地理信息相当丰富且准确,笔者已多次提出主张,这不可避免地与其成书的时代背景有关。伊朗人以波斯语民族史诗的形式在伊斯兰时代重述历史的高峰出现在阿拉伯帝国向东西方的扩张之后,恰处突厥语族群西迁的浪潮之中。

《库什王纪》所述贾姆希德后裔于外逃避难之后返国重夺王位的传说,无疑来源于伊朗古老的口头和书面传统。然而深受以大地七境

18　伊本·胡尔达兹比赫著,宋岘译注:《道里邦国志》,第127页。

19　Sutūda (ed.), *Ḥudūd al-ʿālam: Min al-mashriq ilā al-maghrib,* pp. 192—193。汉译见佚名著,王治来译注:《世界境域志》,第198—199页。

域说为基础的伊朗传统地理观念影响而成书的一批早期穆斯林史地文献，以其录有穆斯林在对外军事扩张和远距离商业活动中所获取的大量世界地理信息，对伊朗民族史诗的写作产生了重要影响，《库什王纪》的叙事提及巴希拉（新罗）、撒吉剌、保加尔等国度，皆为实例。突厥语族群西迁也在一定程度上丰富了《库什王纪》中有关伊朗东方的地理信息。10—12世纪是波斯语史诗创作繁荣的时代，河中地区的突厥化以及塞尔柱人的势力深入西亚地区等重大历史事件也发生于这个时期。大批突厥语族群进入中亚与西亚地区，给包括伊朗在内的伊斯兰世界带去一些有关东方世界的信息，伊朗人便在重述自己前伊斯兰时代的集体记忆时，将部分新获得的信息融入伊朗古代传说中。《突厥语大词典》于1072—1074年在巴格达问世，正值东亚大陆上的宋辽对峙时期，该词典中有作为地名的Aryū词条，又有"桃花石"（Tavghāj）词条明确指出马秦（宋）和秦（契丹）是两个相邻而不相同的国度。其后三十余年，《库什王纪》成书，阿儿浑等突厥语源的地理专名出现在这部伊朗史诗中，以及其中的秦与马秦明确指向两片独立且相邻的地域，大概也是受到突厥语族群西进带来的文化融合所致。

2. 伊朗与东亚交通路线的商路本质

若对上述《库什王纪》有关伊朗与东亚之间交通的叙事做深入考察，可以发现其中常涉及行商的内容，不仅贾姆希德族人的多次迁徙受益于业已存在的商路，其他一些相关情节也伴随着贸易活动。

（1）草原游牧区与中原农耕区的贸易路线

《库什王纪》述及不断往返于秦与马秦之间的商队，当贾姆希德族人于东迁途中被围困在秦的山中之时，偶遇该商队：

> 一天，一支规模惊人庞大的商队，翻越崇山峻岭穿过马秦［而来］。
> 探路之人把他们带到阿贝廷这边，王向商人们询问：
> 从这里通往马秦之路如何？有多远？高贵的王叫什么名字？他是

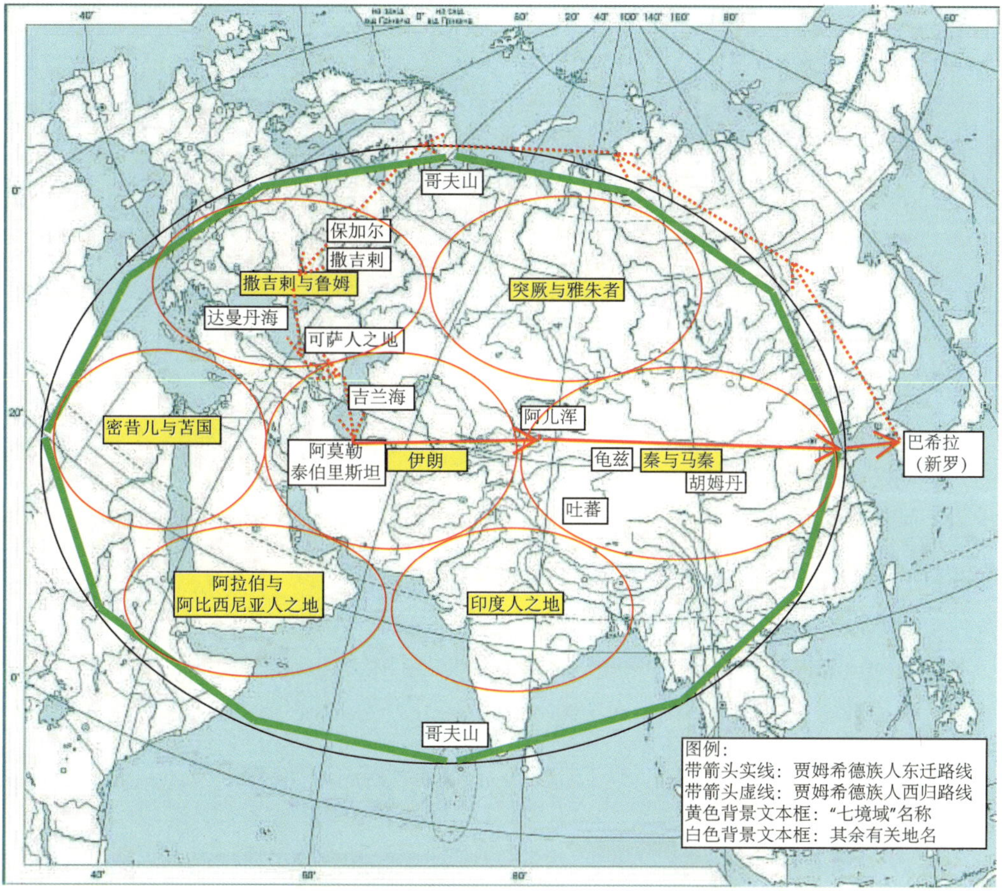

图7 《库什王纪》载贾姆希德族人东迁与西归路线图

怎样的人？

（第2011—2013联）

在获取有关马秦以及前往马秦之路的信息后，阿贝廷借助该商队与马秦王互通书信，然后率众经由一条隐秘之路来到马秦。[20]诗中还讲到往返于秦与马秦之间的商队贩运的货物：

> 这些牲口身上驮的都是食物，不是可穿的也不是铺盖之物。
> 我们要为了经商而去往秦，多年来一直自马秦运去这些东西。
> 从那里我们要再次踏上这条道路，在货物中放入袍服、地毯和器物。

（第2020—2022联）

商人们自马秦向秦贩运食物，自秦向马秦贩运袍服和地毯，表明在《库什王纪》故事形成时代的伊朗人集体意识中，秦盛产毛纺品而马秦盛产粮食，两地风土不同，物产有差异和互补性。正因这种经济上的互补性可以带来丰厚的贸易利润，有利于商业活动，商人们才不辞辛劳地经年往返于两地之间。历史上粟特人的长期商业活动与此情形非常吻合。荣新江指出："在粟特本土和中国东北的营州之间，他们［粟特人］在中原王朝和北方草原游牧汗国之间的夹缝地带，建立了一系列的殖民地，有些商人还深入到中原王朝的都城和草原帝国的汗庭所在地。可以说，从公元四世纪初，到公元八世纪上半叶，粟特人在中亚到中国北方的陆上丝绸之路沿线，已经建立了完善的商业贩运和贸易的网络。"[21]汉语文献中自古便有相应的记录，《大唐西域记》云窣利之人"大抵贪求，父子计利，财多为贵，良贱无差"，[22]《新唐书》载康国之人"善商贾，好利，丈夫年二十，去傍国，利所在无不至"，[23]都是说粟特人善于经商且常以在外行商为生。因此，《库什王纪》描写的大规模商队

20 Ibn Abī al-Khayr, *Kūshnāma*, pp. 257—268.

21 荣新江：《波斯与中国：两种文化在唐朝的交融》，第62页。

22 玄奘、辩机原著，季羡林等校注：《大唐西域记校注》，北京：中华书局，1985年，第72页。

23 欧阳修、宋祁：《新唐书》卷二二一下《西域下》，第6244页。

在秦与马秦之间往来兴贩，当为粟特商队在中亚与东亚地区的贸易活动在伊朗史诗中的投影。

（2）东北亚与中亚之间的毛皮贸易

古时在东北亚到中亚一带长期兴盛的毛皮贸易在《库什王纪》中亦有迹可循。据该史诗叙事，两代巴希拉王与中国王和伊朗王互赠的礼物中都有大量黑貂皮等珍贵毛皮。关于秦王象牙库什对巴希拉王醍醐尔的赠礼：

> 有一千只雪鼬和一千只貂，人们在他面前一只一只地数。
> 有上好的松鼠皮和黑[24]貂皮，首辅都拿到王跟前。
>
> （第5094—5095联）

关于醍醐尔之子卡拉姆献给法里东的礼物：

> 王的宝库管理者挑选并拿来松鼠毛皮和黑貂裘，
> 人们从那毛皮中数出一万件。［还有］一百名秦和塔塔尔的美女，
> 黄杨般身躯的婢女一百二十名，都善于抚琴和跳舞。
>
> （第5665—5667联）

从中可以看出，中国北方和新罗盛产黑貂皮裘，且在古时曾将其作为珍贵礼物送往伊朗。20世纪末叶，沙弗库诺夫（Э.В. Шавкунов）[25]等俄罗斯学者提出“黑貂之路”一说，指粟特人所开辟，经由北亚，连结中亚与靺鞨、高句丽、女真等古代民族所居东北亚地区——如渤海国的黑貂毛皮贸易道路。王小甫认为，“黑貂之路”就古代东北亚与世界文化联系的途径提供了一种说法，但在当前还只是一种假说，黑貂贸易更可能仍是利用以中国中原地区为中心的古代东亚交通网络而实现。[26]黑貂之

24 马提尼勘本中作sipāh，意为“军队”，不可解。经核实抄本，本作siyāh，意为“黑色”。见Ibn Abī al-Khayr, *Kūshnāmah*, collected in British Library, No. Or 2780, f 217v。

25 拉丁字母转写作V. E. Shavkunov。

26 王小甫：《“黑貂之路”质疑——古代东北亚与世界文化联系之我见》，第81—90页。

路是否是独立的、有别于传统丝绸之路的贸易道路之问题目前尚存争议，但粟特人参与了将东北亚的黑貂皮贩运至中亚的贸易活动则是学界共识。王小甫也主张，粟特商胡曾深入到靺鞨居地建立了聚居地；入居中国东北地区后仍然主要操持旧业，即东、西往来兴贩。[27]故而《库什王纪》所载巴希拉通过使团向伊朗送去貂裘等毛皮的情节，也可视为粟特商队在中亚与东北亚之间的行商活动投射于伊朗史诗中而生成的叙事。

（3）中原与朝鲜半岛间的海上贸易路线

在《库什王纪》载象牙库什自马秦征讨巴希拉的情节中，展现了中原与朝鲜半岛间的海上贸易路线。巴希拉岛四面环山，若要进入内陆必须通过有守军把守的狭窄隘口，因此象牙库什的第一次强攻以失败告终。当他再度进攻之时，采用了智取的策略。第一步，他在马秦与巴希拉两地间建立起密切的商业往来：

> 他（象牙库什）看到其中一人更加富有，就吩咐他统领一支商队。
> 自那以后他就踏上大海之路，经年累月都不曾离开商队。
> 巴希拉堆满了马秦［的货物］，他们仍日夜奔走在这条路上。
>
> （第5118—5120联）

第二步，他让马秦的商队给巴希拉王醍醐尔贩运去兵器：

> 商人带来了战争器械，他一天都没有在住处逗留。
> 他这样来来回回走了三趟，所有的货物都是锋利闪光的铁器。
>
> （第5175—5176联）

最后，他派遣一百名乔装打扮的精锐勇士随商队而去，趁巴希拉的隘口守卫大意而偷袭成功。[28]

27　王小甫：《“黑貂之路”质疑——古代东北亚与世界文化联系之我见》，第86页。

28　Ibn Abī al-Khayr, *Kūshnāma*, pp. 423—426.

若抛开上述叙事中战争谋略的成分，仅就史诗所载马秦与巴希拉之间频繁的海路贸易而言，恰似10—12世纪宋与高丽之间海路使团贸易和民间贸易的繁荣景象。公元962年，高丽首次派遣官方使节向北宋“献方物”。[29]按朴真奭据《高丽史》所做初步统计，高丽使节在1071—1136年间使宋共26次，宋朝使节去高丽22次。[30]两国使节除了完成政治任务之外，还有相应的贸易活动，即双方通过“朝贡”和“赐物”达到商品交换的目的。此时也是穆斯林商人大规模经海路来华贸易的时期，大食国商人还直接到高丽进行贸易。据《高丽史》载，11世纪前半叶，数以百计的大食商人先后三次到高丽贸易。[31]故而，《库什王纪》所载马秦与巴希拉之间频繁的海路贸易，很有可能是穆斯林商人的经历与传言在伊朗史诗中的文学表达。

（4）伊朗与欧洲的北方贸易路线

《库什王纪》所述贾姆希德族人的返国之路，包含一段自东向西绕欧亚大陆北缘的海上航线，以及一条伊朗与欧洲的北方贸易路线，与历史上的南方海上丝绸之路遥遥相对。在《库什王纪》成书的时代，“南方航线”已见诸多部穆斯林史地文献的记载，该史诗却描述出一条“北方航线”，其另辟蹊径之举格外引人注意。

《库什王纪》所述北方路线艰险而漫长，需行船一年半的“北方航线”由撒吉剌和鲁姆的商人开辟：

从[巴希拉的]第四个侧面[出发]，要在危险恐怖的海上航行一年半，

那时才会出现海岸，正是那其中有牧场的哥夫山。

人[的身体]会遭受大海的折磨，心灵会由于航海的艰辛而感到痛苦。

29 郑麟趾等著，孙晓主编：《高丽史》，重庆：西南师范大学出版社，北京：人民出版社，2014年，第一册，第52—53页。

30 朴真奭：《十一—十二世纪宋与商丽的贸易往来》，《延边大学学报（哲学社会科学版）》1979年第2期。

31 郑麟趾等著，孙晓主编：《高丽史》，第一册，第124—125、165页。

……

自哥夫山会到达撒吉剌和鲁姆,可以闻到那个国度的繁华气息。

从大山后面的那些城市,会有无数的商人前来。

他们每二十年到来一次,并从那里带来各种财物。

(第2351—2359联)

贾姆希德族人在返回伊朗的行程中,不但走的是这条商路,而且确实常有商业活动。他们在大地北部边缘登陆后,先扎下营帐休整数月。其间:

人们从那些城市来到王的跟前,赞颂者和怀有善意的人们来了。

每个前来的人都慰问了他,所有人都招待了阿贝廷。

每个人都在做买卖,人们的面庞由于喜悦而闪耀光芒。

(第4098—4100联)

贾姆希德族人继续赶路之时,也一直有商队相随。当他们行到达曼丹海附近:

由于商人们从撒吉剌和保加尔,带回了非常多的物资,

他们把辎重都带到海边,在那[有]胜利运气的王的身边。

开疆拓土者向他们购买了三条船,他把船只放入海中并上路。

(第4120—4122联)

就此,亦可见史诗所载与后世一段史事的巧合。《库什王纪》成书数百年后,由于奥斯曼土耳其帝国(Ottoman Empire,1299—1922)的扩张,欧洲与伊朗之间的两条传统商道——经黑海与高加索地区的北线和经地中海东岸叙利亚地区的南线在15世纪下半叶相继断绝。1488年,迪亚士(Bartolomeu Dias)绕行好望角,开辟了通向波斯湾与伊朗进行贸易的新航线;1515年,葡萄牙人占领极具战略和商业价值的霍尔木兹(Hurmuz),控制了波斯湾贸易。在此情况下,英国人曾于16世纪中叶取道俄罗斯开辟通往伊朗的新商路——从斯堪的纳维亚北方的

海上航道去往白海之滨的阿尔汉格尔斯克(Arkhangelsk),然后经伏尔加河流域和里海,绕过奥斯曼帝国的北翼去往伊朗。1562年11月,英国商人安东尼·詹金森(Anthony Jenkinson)经此路线抵达伊朗,向萨法维王朝(Ṣafaviyān / Safavid dynasty, 1501—1736)的塔赫玛斯普一世(Shāh Ṭahmāsp I)递交了伊丽莎白一世(Elisabeth I)的信函。然而,白海航线的危险以及伏尔加地区强盗的抢掠,导致英国人在1581年放弃了这条路线。[32]

3. 结语

归根结底,本节以上多种例证均说明,《库什王纪》所述伊朗与东亚之间的交通路线,无论表现为迁徙之路还是征战之路,都与贸易活动密切相关,都具有商路的性质。《库什王纪》所载贾姆希德族人的东迁和西归之路,不免令人联想到陆上和海上丝绸之路,有如伊朗史诗中的"一带一路"。这部史诗虽于伊朗伊斯兰化之后才被整理、加工定型,但仍以古代伊朗传说和书面文献为基础,据此可以推断,前伊斯兰时代的伊朗人就已掌握一些伊朗与东亚间海路和陆路交通的地理知识,而这必然与历史上各族群商人在欧亚大陆上大范围的商业活动密切相关。丝绸之路繁荣的原动力是古人对东西方长途贸易的需求,今人所研究的丝绸之路在文化、政治、军事等领域的价值,实则是贸易这一主要功能的衍生品。我们倘若把目光投向整个古代文明世界,亦是如此。萨珊波斯与拜占庭帝国为争夺小亚细亚和地中海东岸地区霸权,于公元3—7世纪长达数百年的时间里处于断续的战争状态,二者间争夺的焦点实际是东西方商路的控制权;公元7—8世纪的穆斯林大军在亚、欧、非广大地域上的征伐扩张,也以控制东西方商路和攫取商业利益为一项重要目的。反观《库什王纪》所描述的古代交通路线,也屡屡展现出其商路本质。

32 R. M. Savory, "Ṣafawids: II. Economic and commercial history; trade relations with Europe," in *EI2*, vol. 8, p. 773.

最后需要指出的是，波斯语史诗是由诗人基于民间口传故事整理创作为诗歌的文学作品，相较于历史学者所撰文献，其中的人物、事件和地理信息多有臆想之成分。但这并不妨碍我们通过研究这些作品了解不同维度的伊朗民族记忆。《库什王纪》所载贾姆希德族人在往返于伊朗和东亚之间的行程中利用已有商路，以商队为向导并借助其补充物资的情节，的确宜归结为各古代族群，比如安息人、粟特人、波斯人、突厥语族群等，在丝绸之路上长期而活跃的商业活动在伊朗民间传说中的文学表达。商贸活动帮助古代伊朗人积累了丰富而精准的地理知识，这些信息又投射在他们的口头与书面文学作品中。伊朗民族史诗与穆斯林史地文献皆有重述历史的性质，《库什王纪》所载大量有关古代伊朗与东亚交通的情节亦非无据之说，而是某些"民间历史"片段在古代伊朗人集体记忆中的投影。

二、《库什王纪》载伊朗王子避难于秦和巴希拉与史事之可能联系[33]

《库什王纪》曾在行文中将自身称作"中国（秦）王的故事"，究其原委，皆因史诗主角象牙库什在被伊朗人击败之前，长期称秦与马秦之王，且有关他在东方称王的故事占全诗过半篇幅。与之相对应的是，该史诗最重要的一段情节也围绕着伊朗王子王孙们逃亡于秦与马秦和巴希拉而展开，这已引起中国、韩国等东亚国家一些学者的强烈兴趣。因此，本节尝试探讨《库什王纪》所载伊朗王子流亡在世界东方的情节与历史事件之间存在联系的可能性。

1. 贾姆希德后裔逃亡在世界东方传说的流传与演变

作为伊朗神话历史的一部分，这段有关贾姆希德后裔逃亡在世

33　可参看拙文"Possible Connections between Historical Events and the Plots of Iranian Princes Exiled in Chīn and B.sīlā Depicted in *Kūshnāma*"，载*Acta Koreana*, vol.21, no.1 (2018)，本节内容在前文基础上有材料补充和修订。

界东方的传说被记录在诸多古典穆斯林史地著作中，但就贾姆希德在去世前的逃亡，尤其是其子孙后裔的流亡生涯，多种文献记载各不相同。

据泰伯里转述卡尔比（Hishām b. Kalbī, 737—819）的说法，当贾姆希德变成一个不公的暴君，真神赐予佐哈克战胜他的力量；当佐哈克率二十万人向他进军时，贾姆希德开始逃亡，直到一百年后被佐哈克擒杀。[34]此处没有说明贾姆希德逃到何处，也未提及其后裔流亡的情况。泰伯里在讲述法里东战胜佐哈克这一事件时，转述萨埃布（Hishām b. Muḥammad b. al-Sā'ib）的说法，述及法里东的出生地是达马万德（Danbawand），[35]但仅凭这一点并不能确定贾姆希德的数代子孙曾流亡于何地。马苏第所著《黄金草原》成书于10世纪前半叶，仅略晚于《泰伯里历史》，遗憾的是流传至今的版本大约仅是原书的纲要，大部分散佚，故而其中有关贾姆希德、佐哈克和法里东的记载都比较简单，完全看不到贾姆希德及其后裔逃亡之事，该书现存部分仅有一处讲到贾姆希德是被人杀死的。[36]编纂于10世纪后半叶的《巴尔阿密历史》，在《泰伯里历史》记载的基础上插叙道：据波斯人（Pārsiyān）说，贾姆（Jam）逃到扎布尔斯坦（Zāvulistān）[37]，扎布尔王的女儿遇到他并成了他的妻子，他在儿子出生后又逃到印度斯坦（Hindūstān），并死在那里。[38]在以上三部早期穆斯林史地著作中，成书相对较晚的《巴尔阿密历史》明显做了补充，录有贾姆希德逃亡在扎布尔斯坦娶妻生子，又逃到印度斯坦的内容。

有关贾姆希德及其后裔逃亡的叙事也多次出现在波斯语史诗文

---

34 Ṭabarī, *The History of al-Ṭabarī (Ta'rīkh al-rusul wa'l-mulūk)*, vol. 1, *General Introduction and From the Creation to the Flood*, trans. Franz Rosenthal, ed. Ehsan Yar-Shater, Albany: State University of New York Press, 1989, p. 352.

35 Ṭabarī, *The History of al-Ṭabarī (Ta'rīkh al-rusul wa'l-mulūk)*, vol. 2, *Prophets and Patriarchs*, p. 23.

36 马苏第：《黄金草原》，第266页。

37 波斯–阿拉伯语文献中更常写作Zābulistān，即汉语史料中的漕国、谢飓等。但本节论述涉及多部穆斯林史地文献和伊朗史诗，时代跨度和地理范围变化较大，因此对音汉译作扎布尔斯坦。

38 Bal'amī, *Tārīkh-i Bal'amī: Takmila va tarjuma-yi Tārīkh-i Ṭabarī*, pp. 132—133.

献传统中。据《列王纪》，贾姆希德失去王权后在世上躲藏了一百年，而后在中国海（河）[39]被发现，并被佐哈克擒杀。[40]这部史诗还提到法里东的父亲阿贝廷被佐哈克擒杀，但未言明地点；随后讲到阿贝廷的妻子法兰纳克曾说到，她要带着年幼的法里东去印度斯坦和厄尔布尔士山（Alburz kūh）中躲避。[41]《列王纪》对这几件事的叙述均只有寥寥数联诗句。《戈尔沙斯帕传》则用约四百联诗句讲述了如下情节：贾姆希德先逃到扎布尔斯坦，娶妻生子后又相继逃往印度斯坦和秦，最后在秦被佐哈克擒杀。[42]较《列王纪》叙事又略有延展。相较于前两者相对简略的叙事，《库什王纪》以超过四千联的篇幅详述了贾姆希德后裔逃亡于秦、马秦和巴希拉的故事。按《库什王纪》，贾姆希德因其妻子是秦王玛汉格之女，在遭到佐哈克攻击时将家人送往秦的阿儿浑地区的丛林中躲避。由于受到佐哈克的兄弟库什的追杀，贾姆希德曾孙阿贝廷带领族人取道马秦，逃至东海中的巴希拉，该地在诗中也有"马秦"之称。库什之子象牙库什追至马秦海边，并统兵征伐巴希拉。后借象牙库什西归朝见佐哈克之机，阿贝廷在巴希拉王醍醐尔的资助下一度反攻秦与马秦，但因畏惧再度东来的象牙库什强大的武力，终又退回巴希拉。阿贝廷在巴希拉娶醍醐尔之女法拉兰格为妻。某日，他梦到贾姆希德命其返回伊朗，便率族人自北方海路绕道潜回阿莫勒。阿贝廷在法拉兰格所生之子法里东尚未成年之时便被佐哈克杀死，而法里东最终击败佐哈克成为世界之主。[43]上述三部波斯语史诗分别成书于11世纪初、11世纪中叶和12世纪初，相互间隔约半个世纪，有关贾姆希德及其后裔逃亡的叙事，亦可明显看出由简到繁的趋势。

《库什王纪》之后，又有几部通史性著作录有此事。佚名作者所撰

39　可能指阿姆河。

40　Firdawsī, *Shāhnāma*, Moscow Edition, vol. 1, p. 25。汉译参见菲尔多西：《列王纪全集》，第一册，第57页。

41　Firdawsī, *Shāhnāma*, Moscow Edition, vol. 1, pp. 31—32。汉译参见菲尔多西：《列王纪全集》，第一册，第70—72页。

42　Asadī Ṭūsī, *Garshāsbnāma*, pp. 47—64.

43　Ibn Abī al-Khayr, *Kūshnāma*, pp. 187—446.

《历史与故事辑要》成书仅比《库什王纪》晚十数载，其中有些信息很可能直接来自《列王纪》《戈尔沙斯帕传》《库什王纪》等伊朗史诗。据该书所载，当大食首领佐哈克崛起，贾姆希德开始逃亡。他曾逗留于扎布尔斯坦，与扎布尔王之女结婚生子。二十年后，贾姆希德逃入内印度斯坦（Hindūstān-i andarūnī），在当地称王一百年，又育有多个子嗣。[44]这些内容与《戈尔沙斯帕传》的记载高度相符。该书另一处又提到贾姆希德与马秦王玛汉格[45]之女所生二子，法里东的父亲阿贝廷是二子之一。[46]在介绍法里东的身世时又讲到，其母为内马秦（Māchīn-i andarūnī）B.s.lā岛之王Ṭ.hūr的女儿Farīra[n]k。[47]这些内容又与《库什王纪》所载庶几一致。编纂于14世纪上半叶的《选史》关于贾姆希德败亡的记载非常简略：佐哈克驱逐贾姆希德，夺取了王位。[48]贾姆希德因佐哈克而逃走，在世界上游荡了一百年，直至死去。[49]但自其书名就可看出，这是一部简明纲要式的伊斯兰通史，忽略细节也是事出有因。

总体来说，随着时间的推移，古典穆斯林历史文献和波斯语史诗中关于贾姆希德及其后代逃亡的记载逐渐丰富起来。而无论是所涉地域还是事件细节，《库什王纪》所载最为详尽，故而本节着重探讨《库什王纪》中有关情节的可能来源。

2.《库什王纪》情节与涉及古代中国的历史事件有所关联的可能性

上文已及，据《库什王纪》叙事，贾姆希德后裔长期流亡在秦，后经马秦逃至巴希拉，即他们在佐哈克族人东向追杀的过程中，避难于古代中国与新罗。既然《库什王纪》涉及的地名大多有据可考，其情节或许也与某些历史事件相关，本节接下来就这种可能性做出讨论。

---

44 Bahār (ed.), *Mujmal al-tawārīkh wa-al-qiṣaṣ*, pp. 39—40.

45 据《库什王纪》，玛汉格是秦王。

46 Bahār (ed.), *Mujmal al-tawārīkh wa-al-qiṣaṣ*, p. 25.

47 Bahār (ed.), *Mujmal al-tawārīkh wa-al-qiṣaṣ*, p. 27.

48 Mustawfī Qazvīnī, *Tārīkh-i guzīda*, p. 82.

49 Mustawfī Qazvīnī, *Tārīkh-i guzīda*, p. 81.

（1）从伊朗民族史诗自身的特点来看

波斯语伊朗民族史诗的创作是在萨曼王朝复兴古代伊朗文化的努力下兴盛起来的，其素材主要来自经时人搜集、整理的散佚巴列维语文献，以及流传在伊朗地区的口头传说和书面资料等。所以，伊斯兰时代的波斯语史诗是对古代伊朗人集体记忆的重述，既包含远古神话故事，又夹杂着大量信史信息。《库什王纪》的叙事就明显以前伊斯兰时代伊朗传说为框架，又融入伊斯兰时期伊朗人获得的新知。

在伊朗流传已久的佐哈克传说，本源自进入伊朗高原的印欧人与两河流域的古闪族人发生军事冲突的集体记忆。然而，佐哈克在波斯语文献传统中被表述为大食人首领，当是受到阿拉伯大军征服伊朗之历史事件的影响。在伊斯兰初期对外迅猛扩张的四大哈里发时期和伍麦叶王朝，有多位著名的穆斯林将领名为佐哈克（al-Ḍaḥḥāk）。据《泰伯里历史》等穆斯林历史著作，阿赫纳夫（al-Aḥnaf b. Qays）统兵追击伊嗣候（Yazdgird Ⅲ）至呼罗珊，致使后者在木鹿（Marw）被杀。[50]而阿赫纳夫的名字也曾被记作——尽管可能是误记作——佐哈克（al-Ḍaḥḥāk）。[51]换言之，据某些记录来看，攻灭萨珊王朝的就是“佐哈克”，一位强大的阿拉伯统帅。贾姆希德败亡于佐哈克的传说，便在伊斯兰时代伊朗人历史记忆的支撑下被补充建构起来。[52]

波斯语史诗所载贾姆希德及其后人的东逃，也与历史文献所载伊朗王族数度在王朝倾覆之际东逃的记录相呼应。阿契美尼德王朝

50 Ṭabarī, *The History of al-Ṭabarī (Ta'rīkh al-rusul wa'l-mulūk)*, vol. 14, *The Conquest of Iran*, trans. G. Rex Smith, ed. Ehsan Yar-Shater, Albany: State University of New York Press, 1994, pp. 51—60.

51 Ch. Pellat, “Al-Aḥnaf b. Ḳays,” in *EI2*, vol. 1, pp. 303—304. Philip Khūri Ḥitti, *The Origins of the Islamic State: Being a Translation from the Arabic, Accompanied with Annotations, Geographic and Historic Notes of the Kitāb Futūḥ al-Buldān of al-Imām abu-l ʻAbbās Aḥmad ibn-Jābir al-Balādhuri*, vol. 1, New York: Columbia University, London: P. S. King & Son, 1916, p. 500.

52 波斯语Żaḥḥāk与阿拉伯语Ḍaḥḥāk书写完全一样，但词源和词义不同，参见本书第二章第二节。

的大流士三世在亚历山大东征时便曾向东逃亡。[53]另有传言，出自王族的萨珊（Sāsān）在帝国覆亡后逃亡在野外，其后裔阿尔达希尔·巴伯康（Ardashīr Bābakān）后来建立萨珊王朝。[54]在伊朗语文献，如巴列维语的《阿尔达希尔业绩书》（*Kār nāmak* of Ardashir）[55]和波斯语的《列王纪》等著作中，还载有萨珊及其后裔流亡于印度的传说。[56]据《列王纪》，凯扬王朝君主达拉（即大流士三世）之子萨珊在父亲死后东逃至印度，躲避在山中生活；其后有四代子孙皆以萨珊为名。[57]《戈尔沙斯帕传》载贾姆希德逃亡在印度，也是受该传说影响而创作的情节。按拜拉祖里（Aḥmad ibn Yaḥyā al-Balādhurī, ?—892）和泰伯里，萨珊王朝亡于穆斯林大军之时，泰伯里斯坦（Ṭabaristān）总督请伊嗣候前去避难，[58]但他选择了东逃，想寻求与突厥人联合或前往中国；[59]伊嗣候死后，其子卑路斯（Fairūz）继续东逃至突厥并娶了突厥妻子。[60]《库什王纪》载贾姆希德后裔逃亡在秦与马秦和巴希拉，以及阿贝廷娶巴希拉公主为妻的情节，均存在受到这些史料记载影响的可能性。

波斯语史诗所载法里东借助卡维起义击败佐哈克和象牙库什，恢复伊朗人王权的情节，也不能排除伊斯兰时代伊朗人新的集体记忆叠加投射在古老传说中的可能。阿拉伯帝国时期，什叶派伊朗人

53 Arrian, *Alexander the Great: The Anabasis and the Indica*, pp. 88—91。阿里安：《亚历山大远征记》，第117—121页。

54 Ṭabarī, *The History of al-Ṭabarī (Ta'rīkh al-rusul wa'l-mulūk)*, vol. 4, *The Ancient Kingdoms*, trans. Moshe Perlmann, ed. Ehsan Yar-Shater, Albany: State University of New York Press, 1987, p. 83.

55 目前学界对此书全称为*Kār-nāmag ī Ardašīr ī Pābagān*。

56 Richard N. Frye, *The History of Ancient Iran*, München: C. H. Beck'sche Verlagsbuchhandlung, 1983, p. 284.

57 Firdawsī, *Shāhnāma*, Moscow Edition, vol. 1, pp. 1179—1180。汉译参见菲尔多西：《列王纪全集》，第四册，第498页。

58 Ḥitti, *The Origins of the Islamic State: Being a Translation from the Arabic, Accompanied with Annotations, Geographic and Historic Notes of the Kitāb Futūḥ al-Buldān of al-Imām abu-l 'Abbās Aḥmad ibn-Jābir al-Balādhuri*, vol. 1, p. 490.

59 Ṭabarī, *The History of al-Ṭabarī (Ta'rīkh al-rusul wa'l-mulūk)*, vol. 14, *The Conquest of Iran*, p. 59.

60 Ḥitti, *The Origins of the Islamic State: Being a Translation from the Arabic, Accompanied with Annotations, Geographic and Historic Notes of the Kitāb Futūḥ al-Buldān of al-Imām abu-l 'Abbās Aḥmad ibn-Jābir al-Balādhuri*, vol. 1, p. 493.

阿布·穆斯林（Abū Muslim ʿAbd al-Raḥman ibn Muslim al-Khurāsānī, 718/719—755）[61]于公元8世纪中叶在呼罗珊地区起义，推翻了伍麦叶王朝，同时拥立阿布·阿拔斯·阿卜杜拉·萨法赫（Abū al-ʿAbbās ʿAbd-Allāh ibn Muḥammad al-Saffāḥ, 750—754年在位）为哈里发——因其出自圣裔，是先知穆罕默德的叔父阿拔斯·本·阿卜杜勒-穆塔利卜（ʿAbbās ibn ʿAbd al-Muṭṭalib, 568—653）的后嗣，开创了阿拔斯王朝。相较于伍麦叶王朝，阿拔斯王朝表现出高度的波斯-伊朗化特征，波斯人占据了政府中最重要的职位，[62]其政治制度借鉴自萨珊王朝，社会习俗和文化思想也深受波斯的影响。[63]阿拔斯王朝立国方数十年，伊朗地区便渐次出现相对独立的地方王朝，伊朗传统文化的大规模复兴也随之而来。卡维起义后拥戴法里东为王，恢复伊朗王权的史诗情节，与上述史事颇为呼应。另外，阿布·穆斯林作呼罗珊总督期间，于公元751年遣其部将齐亚德·本·萨利赫（Ziyād ibn Ṣāliḥ）在怛逻斯击败高仙芝统率的唐军；而《库什王纪》所载卡维之子卡兰击败"中国王"象牙库什，讨平秦与马秦的情节，又与该史事暗合。

穆斯林历史文献所记内容被嫁接到伊朗民族史诗中的例证还有很多，此处再以《库什王纪》的一段情节为例。阿贝廷向巴希拉王醍醐尔求娶其最珍爱的女儿法拉兰格，但醍醐尔不愿将其远嫁，便示阿贝廷以众多衣饰华丽的美貌少女，让荆钗布裙的法拉兰格身处其中，然而阿贝廷偏偏选中了她。[64]此事与伊朗文献中已有记载的库思老一世·阿努席尔旺的首辅为其选出突厥可汗（khāqān-i Turk）嫡女为妻的故事如出一辙。巴尔阿密翻译《泰伯里历史》时，在关于霍尔木兹四世（Hurmuz Ⅳ）与老臣梅赫尔·乌斯塔德（Mihr Ustād）对话的记述中补充道：乌斯塔德曾出使突厥宫廷，面对一众精心装扮的突厥公主，他

---

61 《新唐书》卷二二一下《西域下》中记其为"呼罗珊木鹿人并波悉林"。

62 希提：《阿拉伯通史》，第334页。

63 希提：《阿拉伯通史》，第341—342页。

64 Ibn Abī al-Khayr, *Kūshnāma*, pp. 338—353.

选中不施粉黛且衣着粗糙的突厥可汗与其可敦（khātūn）所生之女[65]嫁给阿努席尔旺。[66]在《列王纪》中，此事被记在阿努席尔旺当政时期与中国可汗（khāqān-i Chīn）结盟攻灭嚈哒之后双方联姻的情节中。[67]萨法认为，伊朗文献所记此事的出处可能是编纂于萨珊晚期的巴列维语《帝王纪》的某个翻译本和修订本，或是多部散文体《王书》中的一部，比如阿布·姆耶德·巴里黑的《王书》。[68]伊斯兰化之前的中亚和中国西北边疆地区是粟特人、于阗人、突厥语族群的聚居地，该地域在伊朗史诗和波斯-阿拉伯语历史文献中常被称作秦，亦即中国之称谓。有关伊朗与中国和突厥统治者联姻的内容也见于这些文献，如上文所及伊嗣候之子卑路斯娶突厥女子为妻，萨曼王朝与中国——喀喇汗王朝或于阗王国联姻等记载。在《库什王纪》的叙事中，伊朗王族与古代中国王室的姻亲关系尤为紧密，贾姆希德之妻为秦王之女，他们的嫡曾孙阿贝廷的妻子，即法里东的母亲则被讲述为巴希拉——另一个马秦之王的女儿。而阿贝廷避难巴希拉期间娶该国公主，又与粟特人徙居东北亚的史事暗合——自10世纪上半叶起，九姓胡（粟特人）自营州和渤海国持续经由辽东迁入朝鲜半岛，且曾在新罗末期与新罗王族通婚。[69]

古典穆斯林史地文献编撰繁荣起来的时代仅稍早于伊朗民族史诗创作的兴起，二者的共性在于都对前伊斯兰时代直至伊斯兰时代的历史记录和民间传闻做出收集和整理，且其作者有很多是伊朗人——某些以阿拉伯语著书立说的穆斯林历史和地理学家如拜拉祖里、泰伯里、伊本·胡尔达兹比赫等均为伊朗人；不同的是，前者偏

---

65 即霍尔木兹四世的母亲。

66 Abū ʿAlī Muḥammad ibn Muḥammad ibn Balʿamī, *Tārīkhnāma-yi Ṭabarī*（《泰伯里历史书》）, ed. Muḥammad Rawshan, Tehran: Surūsh, 1985, (SH 1374), p. 765.

67 Firdawsī, *Shāhnāma*, Moscow Edition, vol. 2, pp. 1514—1522。汉译参见菲尔多西：《列王纪全集》，第五册，第493—510页。

68 Ṭabarī, *Bahrām Chūbīn: Az tarjuma-yi Tārīkh-i Ṭabarī*（《巴赫拉姆·楚宾——选自〈泰伯里历史的翻译〉》）, trans. Balʿamī, ed. Ẕabīḥ Allāh Ṣafā, Tehran: Amīr Kabīr, 1973 (SH 1352, the 7th edition), p. 7.

69 刘永连：《九姓胡在朝鲜半岛史迹考略——九姓胡再次移民朝鲜半岛的路线及史态刍议》，陈春声主编：《海陆交通与世界文明》，北京：商务印书馆，2013年，第100—105页。

重史料考据，后者则更注重文学性和故事性。因此，波斯语史诗中的某些内容与历史事件必然有所关联。《库什王纪》所载伊朗王子流亡的情节，便很可能与萨珊王族在阿拉伯人征服伊朗过程中的逃亡有联系。

（2）从《库什王纪》成书前数百年的历史背景来看

不论《库什王纪》所述贾姆希德后裔逃亡在秦、马秦与巴希拉有关情节的信息来源是穆斯林史地文献所载，还是流传在伊朗人中间的口传故事，都与伊朗伊斯兰化前后数百年间繁荣的中西交通有所关联。由行商和游牧等人类活动沟通的古代文明世界体系很早便已形成，自那时起，由欧亚大陆和北非组成的人类世界中的大范围物质、文化交流就日益密切起来。《库什王纪》描写的巴希拉通过使团向伊朗送去貂裘等毛皮，以及商队在秦与马秦之间往来兴贩，均为行商于中亚与东亚和东北亚之间的粟特商队在伊朗史诗中的投影。此外，贾姆希德族人在商队的帮助下，隐秘地从秦前往马秦与巴希拉，后又沿一条由撒吉剌和鲁姆商人开辟的海上航线返回伊朗，他们一边与途经诸国的居民贸易，一边寻道前行；象牙库什则长期巡游在伊朗以外的世界并开疆拓土，其足迹遍及整个古代已知人类文明世界。无论以上史诗情节中的史地信息来源于自古以来业已存在的东西方海陆贸易交通，还是阿拉伯人和突厥语族群的迁徙与征战，都说明在《库什王纪》成书前，东亚乃至东北亚与伊朗之间的交通已甚为顺畅，发生在中国和新罗的历史事件便都有可能进入伊朗人的集体记忆，并进而成为波斯语史诗某些情节的“民间历史”原型。

3.《库什王纪》中伊朗王子逃亡情节可能的历史事件原型：卑路斯和泥涅师（师）流亡在唐

如上文所及，《库什王纪》所载贾姆希德后裔在秦与马秦和巴希拉避难的故事有丰富的细节，其历史原型很有可能是伊嗣候的子孙在吐火罗地区和唐代中国的活动。下文专门梳理卑路斯（Peroz Ⅲ）和泥涅师（师）（Narses / Narseh / Narsieh）的逃亡生涯与复国努力，并同《库什王纪》所载有关情节做以比对。

在《旧唐书》(编纂于941—945年)、《太平御览》(编纂于977—983年)、《册府元龟》(编纂始于1005年)、《新唐书》(编纂于1044—1060年)、《资治通鉴》(编纂于1066—1084年)等几部官修史籍中,集中留有关于卑路斯和泥涅师(师)流亡在唐的记录。近百年来,张星烺、向达、张广达、王治来、薛宗正、姜伯勤、荣新江等中国学者均做过与此相关的研究。荣新江更基于对这些记录的耙梳,将有关卑路斯和泥涅师(师)在中亚抵抗大食以及逃亡至唐廷的事件按年代顺序做出综述,以之作为他对古代波斯与中国的交往和波斯人入华问题所作论述的组成部分。[70]康马泰(Matteo Compareti)所撰《伊朗学大百科》词条"中国伊朗关系(Chinese-Iranian Relations)"中有"最后的萨珊人在中国(The Last Sasanians in China)"一节,他结合多位西方学者的研究成果,也对《旧唐书》和《新唐书》里有关卑路斯、泥涅师(师)的记录做出梳理。[71]为方便与《库什王纪》所载伊朗王子逃亡在秦、马秦和巴希拉的情节做比对,还是将伊嗣候及其子孙流亡在中亚和唐代中国的经历罗列于此。[72]

表5 汉文官修史籍所载伊嗣候、卑路斯、泥涅师(师)有关情况一览——兼及此期间波斯遣使入唐情况

时间	人物与事件	文献出处	备注
贞观十二年(638年)	[伊嗣候]遣使者没似半朝贡。	《新唐书》卷221下《西域下》	
贞观十三年(639年)	二月波斯遣使朝贡。	《册府元龟》卷970《外臣部·朝贡第三》	

70 荣新江:《波斯与中国:两种文化在唐朝的交融》,第59—60页。

71 Matteo Compareti, "Chinese-Iranian Relations xv. The Last Sasanians in China," in *EIr*, ed. Ehsan Yarshater, published July 20, 2009, accessed July 26, 2017, https://iranicaonline.org/articles/china-xv-the-last-sasanians-in-china.

72 以下简述以荣新江在《波斯与中国:两种文化在唐朝的交融》一文中依据中国官修史籍所作综述为基础,以波斯-阿拉伯语史料和近现代学者研究成果为补充,仅为补充处出注,汉文史料原始记载与出处请参见荣新江原文以及此处表5。

（续表）

时间	人物与事件	文 献 出 处	备　注
贞观二十一年（647年）	伊嗣候遣使献兽。	《旧唐书》卷198《西戎传》；《太平御览》卷794《四夷部十五·西戎三》；《册府元龟》卷966《外臣部·继袭》	《册府元龟》卷970《外臣部·朝贡第三》又记：正月波斯贡方物。三月波斯国献活褥蛇。
贞观二十二年（648年）	正月波斯遣使朝贡。	《册府元龟》卷970《外臣部·朝贡第三》	
永徽五年（654年）	大食引兵击波斯及米国，皆破之，波斯王伊嗣候为大食兵所杀。伊嗣候之子卑路斯走投吐火罗，遣使来告难，上以路远不能救之。寻而大食兵退，吐火罗遣兵援立之而还。	《旧唐书》卷198《西戎传》；《册府元龟》卷995《外臣部·交侵》；《新唐书》卷221下《西域下》；《资治通鉴》卷199《唐纪十五》	《旧唐书》《新唐书》未明确年份；《册府元龟》记为永徽五年五月；《资治通鉴》记为永徽五年夏四月。
龙朔元年（661年）	卑路斯奏言频被大食侵扰，请兵救援。诏遣陇州南由县令王名远充使西域，分置州县，因列其地疾陵城为波斯都督府，授卑路斯为都督。是后数遣使贡献。	《旧唐书》卷198《西戎传》；《太平御览》卷794《四夷部十五·西戎三》；《册府元龟》卷966《外臣部·继袭》；《新唐书》卷221下《西域下》	
龙朔二年（662年）	正月立波斯都督卑路斯为波斯王。	《册府元龟》卷964《外臣部·封册第二》；《资治通鉴》卷200《唐纪十六》	
乾封二年（667年）	十月波斯国献方物。	《册府元龟》卷970《外臣部·朝贡第三》	
咸亨二年（671年）	五月波斯遣使来朝贡其方物。	《册府元龟》卷970《外臣部·朝贡第三》	
咸亨四年（673年）	波斯卑路斯自来入朝。	《册府元龟》卷999《外臣部·入觐》	
咸亨五年/上元元年（674年）	十二月，辛卯，波斯王卑路斯来朝。	《旧唐书》卷5《高宗本纪下》；《册府元龟》卷999《外臣部·入觐》；《资治通鉴》卷202《唐纪十八》	

（续表）

时间	人物与事件	文献出处	备注
咸亨中（670—674年）	卑路斯自来入朝，高宗甚加恩赐，拜右武卫将军。	《旧唐书》卷198《西戎传》；《太平御览》卷794《四夷部十五·西戎三》；《新唐书》卷221下《西域下》	
仪凤二年（677年）	十姓可汗阿史那匐延都支及李遮匐扇动蕃落，侵逼安西，连和吐蕃，议者欲发兵讨之。行俭建议曰："吐蕃叛涣，干戈未息，敬玄、审礼，失律丧元，安可更为西方生事？今波斯王身没，其子泥涅师（师）充质在京，望差使往波斯册立，即路由二蕃部落，便宜从事，必可有功。"高宗从之，因命行俭册送波斯王，仍为安抚大食使。	《旧唐书》卷84《刘郝裴传》；《册府元龟》卷366《将帅部·机略第六》；《新唐书》卷108《刘裴娄传》	
仪凤三年（678年）	令吏部侍郎裴行俭将兵册送卑路斯为波斯王，行俭以其路远，至安西碎叶而还，卑路斯独返，不得入其国，渐为大食所侵，客于吐火罗国二十余年，有部落数千人，后渐离散。	《旧唐书》卷198《西戎传》；《太平御览》卷794《四夷部十五·西戎三》	
调露元年（679年）	始，其子泥涅师为质，调露元年，诏裴行俭将兵护还，将复王其国。以道远，至安西碎叶，行俭还。泥涅师因客吐火罗二十年，部落益离散。	《新唐书》卷221下《西域下》	
永淳元年（682年）	五月波斯遣使献方物。	《册府元龟》卷970《外臣部·朝贡第三》	
神龙二年（706年）	七月波斯国遣使贡献。	《册府元龟》卷970《外臣部·朝贡第三》	

（续表）

时间	人物与事件	文 献 出 处	备 注
景龙二年（708年）	又来入朝，拜为左威卫将军，无何病卒，其国遂灭，而部众犹存。	《旧唐书》卷198《西戎传》；《太平御览》卷794《四夷部十五·西戎三》；《新唐书》卷221下《西域下》	《旧唐书》《太平御览》记为卑路斯；《新唐书》记为泥涅师。学界共识应是泥涅师(师)。《册府元龟》卷970《外臣部·朝贡第三》又记：三月波斯遣使来朝。

公元638—648年，波斯多次遣使入唐，当是伊嗣候在大食攻击下求援于唐。《泰伯里历史》有记载呼应此事：当阿赫纳夫逼近呼罗珊的木鹿（Marw al-Shāhijān），伊嗣候（Yazdajird）离开该城逃到穆尔加布河（Murghāb）畔的小木鹿（Marw al-Rūdh，意为“河边的木鹿”）。在那里他分别向突厥统治者（khāqān），以及粟特（Soghdia）和中国的统治者遣使致书，请求援助。[73]后来他趁呼罗珊叛乱回到木鹿，但不久后在公元651年被杀。获悉伊嗣候被杀以及阿赫纳夫正在向巴尔赫（Balkh）[74]进军之后，前来援助萨珊君主的突厥统治者随即带着伊嗣候的家人和随从撤离巴尔赫。当他们渡过阿姆河之时，遇到伊嗣候派遣到中国求援的使者归来，使者带来了中国君主婉拒发兵援助的答复。[75]

其后，伊嗣候之子卑路斯避居吐火罗。[76]据拜拉祖里的《开疆拓土之书》（*Kitāb futūḥ al-buldān*）记载，伊嗣候自伊斯法罕（Iṣbahān）经克尔曼（Karmān）、锡斯坦（Sijistān）来到呼罗珊，并在木鹿（Marū）城外穆

73 Ṭabarī, *The History of al-Ṭabarī (Ta'rīkh al-rusul wa'l-mulūk)*, vol. 14, *The Conquest of Iran*, pp. 53—54.

74 汉语文献中有薄罗、缚渴罗、班勒纥、巴里黑、把力黑等多种译名。

75 Ṭabarī, *The History of al-Ṭabarī (Ta'rīkh al-rusul wa'l-mulūk)*, vol. 14, *The Conquest of Iran*, pp. 60—61.

76 关于卑路斯在伊嗣候死后的去向另有一说。据《黄金草原》，伊嗣候被杀时留下二子——韦赫拉姆（Vahrām / Bahrām）和费鲁兹（即卑路斯），以及三女；他的后裔们一般都定居在木鹿。马苏第：《黄金草原》，第330—331页。但此处有关卑路斯去向说法模糊，且异于其他史料所载。

尔加布河边的磨坊被杀；据说其子卑路斯落入突厥人之手，并娶突厥女子为妻。[77]公元654年，卑路斯遣使入唐告难并请兵救援，唐高宗以路远为由婉拒。公元655年，大食人撤退，吐火罗的军队支持卑路斯为王。[78]公元661年，卑路斯再次遣使入唐，请兵救援。唐朝此时已击破西突厥汗国，对中亚地区原属西突厥的各国设置羁縻州府加以控制，于是在同一年（661），派遣王名远到吐火罗地区设置羁縻都督府州，以疾陵城（Zaranj）设波斯都督府，授卑路斯为都督。公元662年，唐廷立波斯都督卑路斯为波斯王，意味着其已公开支持波斯的复国活动。[79]公元667年、公元671年，波斯使者入贡于唐，当是卑路斯所遣。公元667年，阿拉伯将领哈卡姆（al-Ḥakam b. ʿAmr al-Ghifārī）被齐亚德（Ziyād b. Abīh）派到呼罗珊，继续向东方的古尔（al-Ghur）山区等地发动军事行动，[80]在征服下吐火罗斯坦（Lower Tukhāristān）之后，他还挥师渡过阿姆河进入石汗那（Chaghāniān），把卑路斯赶向中国。[81]公元674年，卑路斯无法在西域立足，逃入长安，最后客死中土。

公元678年，唐朝册立留在长安的卑路斯之子泥涅师（师）为波斯王。公元679年，唐高宗命裴行俭为“安抚大食使”，发波斯道行军，以册送泥涅师（师）为名，实际目的是在途中袭击西突厥余部与吐蕃联合的军事力量。据吐鲁番出土汉语文书，约在公元680年，唐朝军队把泥

---

77 Ḥitti, *The Origins of the Islamic State: Being a Translation from the Arabic, Accompanied with Annotations, Geographic and Historic Notes of the Kitāb Futūḥ al-Buldān of al-Imām abu-l ʿAbbās Aḥmad ibn-Jābir al-Balādhuri*, vol. 1, pp. 490—493.

78 H. A. R. Gibb, *The Arab Conquests in Central Asia*, London: The Royal Asiatic Society, 1923, p. 16. 此为吉布（Gibb）结合汉文史料所作申论。

79 薛宗正：《波斯萨珊王裔联合吐火罗抗击大食始末——兼论唐与大食中亚对峙形势的演变》，《新疆社会科学》1988年第6期。

80 Ṭabarī, *The History of al-Ṭabarī (Ta'rīkh al-rusul wa'l-mulūk)*, vol. 18, *Between Civil Wars: The Caliphate of Muʿāwiyah*, trans. Michael G. Morony, ed. Ehsan Yar-Shater, Albany: State University of New York Press, 1987, p. 92.

81 H. A. R. Gibb, *The Arab Conquests in Central Asia*, p. 16。另见珀西·塞克斯（Percy Sykes）《阿富汗史》：“这一年［667年］，在齐雅德·本·阿比希统率下的阿拉伯人曾越过乌浒河，入侵下吐火罗斯坦。在这一战役中，萨萨尼王朝最后一个不成器的君主叶兹吉格德三世的儿子伯洛兹被打败，而且被赶回中国去了。” Percy Sykes, *A history of Afghanistan*, vol. 1, London: Macmillan, 1940, pp. 159—160。汉译引自珀西·塞克斯：《阿富汗史》，张家麟译，潘庆舲校，北京：商务印书馆，1972年，第一卷，上册，第264页。

涅师（师）经护密护送到吐火罗。[82]公元683年、公元706年都有波斯使者来到唐朝，或许是泥涅师（师）所遣。公元708年，泥涅师（师）在吐火罗地区坚持与大食相抗二十余年后又回到长安，不久后即病故。

现在可以参考史料所载萨珊王子流亡的情况，对《库什王纪》讲述的贾姆希德后裔抵抗佐哈克大军并渐次东逃的历程加以回顾。贾姆希德族人先是躲避在位于秦境的一处名为阿儿浑的丛林中，该地原型是突厥语源的Arghū，即处于粟特人城邦怛逻斯与八剌沙衮之间的山地。按汉文史料和穆斯林历史文献所载，公元7世纪中叶，卑路斯入唐之前与伊嗣候家人和随从一起逃至巴尔赫，后跟随突厥人渡过阿姆河进入吐火罗存身。当时，该地是受突厥人直接统辖的粟特城邦地区。粟特人世居之地（Sogdiana）曾先后为萨珊波斯和嚈哒占领，随着萨珊波斯联合西突厥灭嚈哒，该地受突厥人管辖。在公元657年唐军灭西突厥之后，唐廷于粟特人地区和吐火罗设置羁縻府州。此后近百年里，位于阿姆河流域以及包括楚河平原在内的锡尔河流域的吐火罗和粟特人聚居地，大多数时候处于唐廷设立的安西（大）都护府管控之下。据此，《库什王纪》所载伊朗王子暂居秦之阿儿浑避难一说与有关卑路斯的史料所载大体相符。

另据《库什王纪》，阿贝廷在巴希拉避难时曾趁象牙库什去圣城朝见佐哈克的机会，在马秦王传递信息和巴希拉王提供资助的情况下，反攻并占领秦一段时间；在此期间，那些因畏惧佐哈克而东躲西藏、流离失所的人们从伊朗逃过来，聚集在阿贝廷的周围；但后来阿贝廷还是因畏惧象牙库什再度来秦而退回巴希拉。这段情节又与泥涅师（师）的经历相类——在公元680年被唐军送至吐火罗以图聚众复国，二十余年后，在阿拉伯人再度大举东进时退回唐都。《库什王纪》中秦与马秦的处境和扮演的角色，与阿拉伯帝国同唐王朝在中亚争锋时的粟特

82　姜伯勤：《敦煌吐鲁番文书与丝绸之路》，北京：文物出版社，1994年，第49—50页。姜伯勤：《吐鲁番文书所见的“波斯军”》，《中国史研究》1986年第1期。荣新江：《吐鲁番文书〈唐某人自书历官状〉所记西域史事钩沉》，《西北史地》1987年第4期；收录于《新疆通史》编纂委员会编：《新疆历史研究论文选编·隋唐卷》，乌鲁木齐：新疆人民出版社，2008年，第317—320页。

城邦等吐火罗地方政权相似：原本都与东方盟友——分别是巴希拉和唐王朝——交好，并对流亡的伊朗王族给予支持；当西方强敌的统帅——分别对应象牙库什和阿赫纳夫——因故西归时，都与盟友参与伊朗人的抵抗活动；但最终被来自西方的入侵者——分别对应象牙库什和屈底波等阿拉伯将领——彻底灭国。这里的史诗情节与史籍所载在地理信息上有所错位，但其中军事行动的方向逻辑和事件的因果逻辑是一致的，该情形可以用集体记忆和口传故事所固有的变异性来解释。

至此，我们可以将《库什王纪》所载贾姆希德后裔逃亡的情节与萨珊王子卑路斯和泥涅师（师）在吐火罗的复国努力以及逃亡至唐代中国的史事加以分解类比：

表6 《库什王纪》载伊朗王子逃亡情节与可能史事原型对照表

《库什王纪》情节	可能的历史事件原型
贾姆希德的妻子是秦王玛汉格之女。	卑路斯娶突厥妻子。该情节又或受阿努席尔旺娶突厥可汗之女、萨曼君主娶喀喇汗或于阗王之女等历史事件的影响。
贾姆希德在遭到佐哈克进攻时，将家人送往秦的阿儿浑地区丛林中躲避。	阿赫纳夫攻击呼罗珊，卑路斯逃亡至吐火罗斯坦，居于突厥人之中。
因受到佐哈克派遣库什父子的追杀，阿贝廷率领族人取道马秦，逃到另一个马秦——巴希拉。	齐亚德遣哈卡姆侵逼吐火罗地区，卑路斯逃入唐都长安，得到可靠的庇护。
象牙库什西归朝见佐哈克。阿贝廷在巴希拉王的支持下攻占秦地，流离失所的伊朗人聚集在他的身边。	阿赫纳夫西归。唐高宗令裴行俭率军护送泥涅师（师）赴吐火罗立为波斯王。泥涅师（师）在吐火罗聚众抵抗大食人二十年。
因畏惧再度东来返回秦地的象牙库什，阿贝廷退回巴希拉。	屈底波发动军事行动攻略中亚，泥涅师（师）部众离散，复国无望，逃回唐廷。
阿贝廷在巴希拉避难期间，娶其王之女法拉兰格为妻。	卑路斯娶突厥妻子。该情节也可能是九姓胡迁入朝鲜半岛，有些人与新罗王族通婚之史事在史诗中的投影。

卑路斯据疾陵城抵抗大食一事不见于穆斯林历史文献记载，在《库什王纪》中也没有适于比对的目标情节，却可在《戈尔沙斯帕传》等其他波斯语史诗中寻到踪迹——有关贾姆希德及其后人逃亡在扎布尔斯

坦的叙事。汉文史料所载之疾陵城，据裕尔和沙畹（Émmanuel-Édouard Chavannes）称，似指锡斯坦的首府Zarang / Zaranj，[83]其实 Zarang亦为锡斯坦古称之一。[84]与锡斯坦之名源自塞人之地，[85]传于前伊斯兰时代有所不同，扎布尔斯坦是出现于伊斯兰早期的地名，很可能来源于曾顽强抵抗阿拉伯大军的尊比勒（Zunbīl）政权，大致在今阿富汗的加兹尼省和扎布尔省一带。[86]在波斯–阿拉伯语史料中，加兹尼（Ghaznīn）[87]及其周边地域一般被称作扎布尔斯坦，[88]位于巴尔赫（Balkh）与吐火罗斯坦（Ṭukhāristān）以南。[89]但该专名有时特指加兹尼城，有时又指较大一片地区，甚至包括锡斯坦——据巴哈尔：扎布尔斯坦曾是尼姆鲁兹（Nīmrūz）地区的名称，包括锡斯坦、扎敏–达瓦尔（Zamīn-dāvar）、土兰（Ṭūrān）、加兹尼（Ghazna）、坎大哈，直抵喀布尔。[90]另据《贾杭吉里词典》（*Farhang-i Jahāngīrī*，编撰于17世纪）等波斯语大词典，扎布尔是"又被称作尼姆鲁兹的锡斯坦地区之名"；[91]尤其在《布尔汗词典》中，Zābul被释作"锡斯坦地区的名称"，[92]Sagistān亦被释为"即扎布尔斯坦，也就是锡斯坦"。[93]在《列王纪》中，呼罗珊以南的伊朗东部地区——锡斯坦，也被称作尼姆鲁兹；[94]而锡斯坦和扎布尔斯坦也常被不加区别地用以指称一处。这种状况的确影响了以其为代表的波斯语史诗文献传统。尽管支持卑路斯曾在锡斯坦抵抗大食的史料证据尚嫌单

---

83 Yule (trans. and ed.), *Cathay and the Way Thither: Being a Collection of Medieval Notices of China*, vol. 1, p. 99; 冯承钧原编，陆峻岭增订：《西域地名（增订本）》，第107—108页。因阿拉伯语没有字母Gāf，波斯语Zarang在阿拉伯语中写作Zaranj。

84 *FFM*, vol. 5, p. 841.

85 本为"塞人（Sakā或Saka）"加上后缀"之地（stān）"，在波斯语中写作Sagistān > Sagizstān，阿拉伯语化成为Sijistān，最后演变为Sīstān。*FFM*, vol. 5, p. 841; *LND*, vol. 9, pp. 13886—13887。

86 C. E. Bosworth, "Zābul, Zābulistān," in *EI2*, vol. 11, p. 371.

87 波斯–阿拉伯语有Ghazna、Ghaznī、Ghaznīn等不同书写形式，又有加兹尼、吉慈尼、哥疾宁等多种对音汉译。

88 Sutūda (ed.), *Ḥudūd al-ʿālam: Min al-mashriq ilā al-maghrib,* p. 105.

89 Ḥamawī Baghdādī, *Muʿjam al-buldān*, vol. 2, p. 606.

90 Bahār (ed.), *Tārīkh-i Sīstān*, p. 295.

91 *LND*, vol. 8, p. 12512.

92 *BQ*, vol. 2, p. 993.

93 *BQ*, vol. 2, p. 1158.

94 C. E. Bosworth, "Sīstān," in *EI2*, vol. 9, p. 681.

薄，却也有伊朗民族史诗所载贾姆希德及其后人逃亡在扎布尔地区的传说与其呼应。若确有其事，则说明历史上的卑路斯在入唐之前的活动范围较大——南到锡斯坦和扎布尔斯坦，北至吐火罗斯坦。

4. 结语

《库什王纪》所载贾姆希德的东逃与被杀，以及阿贝廷率族人辗转避难于秦、马秦和巴希拉的故事，应是伊斯兰时代的伊朗人在前伊斯兰时代业已存在有关传说的基础上再创作而成。该史诗的作者在重述有关传说之时，将原有情节在萨珊王朝覆亡后数百年里流传与变异的多种结果也囊括进来，很有可能，萨珊王子卑路斯和泥涅师（师）逃亡于中亚，避难于唐，并作复国努力这一系列历史事件的集体记忆，在这一再创作的过程中也被糅合进入故事情节。此外，当时伊朗人对东北亚地区模糊、有限的地理认知也为文学虚构提供了空间，使有关传说得以进一步演进。当佐哈克称王于世界的时候，贾姆希德后裔的避难处须是易守难攻之地，于是这部史诗把以新罗为原型的巴希拉用作重要的叙事场景。换言之，《库什王纪》的故事可能是由其作者将来自伊朗人悠久的口头和书面传统，当时伊朗人对萨珊遗民逃亡至中国的集体记忆，以及波斯-阿拉伯语文献所载古代中国和朝鲜半岛有关内容的多个片段叠加起来并加以整合而成。

最后，基于本节上面的论述，我们或可将《库什王纪》所载有关信息视作“民间历史”形式的证据，来探查萨珊王子流亡在唐、粟特人徙入朝鲜半岛，以及中古时期中亚与东亚之间频繁接触与交往等历史事件。

三、《库什王纪》所载“骏马出于水”传说：东西亚马文化的相遇[95]

关于古代伊朗与东亚地区的物质、文化交流，《库什王纪》载有一

95 可参看拙文《“骏马出于水”母题在古代亚洲的流布——基于汉文和波斯-阿拉伯语古籍的考察》，载《西域研究》2021年10月11日“中国知网”网络首发。本节内容在前文基础上有重编和修订。

个巴希拉人以驯化马与海中神马杂交而获得骏马的故事，颇为吸引人。驯化和役使马匹，对形塑人类文明起到至关重要的作用。大约由于野马常活动于水草丰美之地，诸多古代族群的文献记载和民间传说中都有"骏马出于水"的内容。此类记述中，又以古人借助出水野马繁育骏马的内容格外值得关注。通过考察古代汉文文献，古典穆斯林史地著作，乃至伊朗、突厥语诸族群的史诗和民间文学中的有关内容，本节首先对"骏马出于水"记述在古代亚洲诸地的分布做大致耙梳，据其探讨各地类似记述之间相互影响的可能性，以及有关传说可能的流传轨迹，进而挖掘《库什王纪》有关叙事的深层文化交流意义。

1. 波斯–阿拉伯语古籍以及突厥语传说中的有关记述

(1)《库什王纪》所载

波斯语文学传统中有关水中神马与凡马交配生驹的记述，以《库什王纪》所载情节最为详尽、内容最为丰富，且成文年代较早。据该史诗叙事，伊朗王阿贝廷率族人逃亡于异国他乡之时，曾与巴希拉王醍醐尔一同出猎，阿贝廷率众架鹰牵豹却一无所获，醍醐尔率族人仅靠纵马驰骋就收获颇丰，原因是他们骑乘的马匹有海中神马的血统，神骏无比。该史诗还通过醍醐尔向阿贝廷的答话，详细讲述了巴希拉人如何利用海中神马来获取优良马匹：

醍醐尔对他说：春天的时候，我会把很多马匹送到海边。

是那大食种的快马，它们身躯如狼，跑起来迅疾如风。

每个人在身边拴上几匹马，我派给它们很多人作为守卫。

在黑夜里，会有一匹马从海中出来，奔跑迅疾，气宇轩昂，如同圣火精。

当它嗅到牝马身上的气味，就会像风一样迅疾地来到它们这边，

在交配之后回到水中。它会后悔并再从水中回来，

冲向那些牝马以杀死它们。那正在看守之人便点燃火焰。

当它的眼睛望向火焰，就会停住在当地。它会再从那里逃开，

自火焰[处]去往海中它的世界。它一看到糟糕的情况就会躲藏起来。

牲畜是那样地害怕火，而睁眼瞎的人们却不畏惧。

…… ……

第二年春天，小马驹就会出世，出自那帝王听闻的马匹。

在其十岁之时，我们将其置于鞍鞯之下。我们就这样自大海得到驮畜。

它们在水里如同游鱼之敏捷，在山上如豹子般疾跑。

如果丛林狮出现，没有狼、狮子和人能跑在它们前面。

（第2296—2311联）

《库什王纪》还有多处提及海中神马和有其血统的骏马。水马种骏马曾被作为珍贵礼物由巴希拉王醍醐尔赠予秦王象牙库什；[96]史诗的结尾处对此情节又有呼应，讲到象牙库什的坐骑是醍醐尔所赠水马种骏马。[97]这种骏马还出现在醍醐尔的继任者巴希拉王卡拉姆赠予伊朗王法里东的礼物清单中，[98]该处情节接下来的联句中又出现对海中神马的描述——关于它强健而美丽的身躯、如风般的奔跑和雄狮般的勇猛，讲到它无论在水里还是在山上都行动迅捷，还言及夏沃什著名的黑色骏马贝赫扎德（Bihzād）亦为其后代。[99]

（2）其他伊朗文学著作所载

倘若仅言马出于水，成书早于《库什王纪》约一个世纪的《列王纪》已有所记述：萨珊王朝时，耶兹德卡尔德一世（Yazdgird Ⅰ）为治疗鼻血不止之症，来到图斯（Ṭūs）附近名为苏泉（chashma-yi Sū）之地的一条大河[100]边，见到一匹强壮而凶悍的白马从河中出来。当他给这

96 Ibn Abī al-Khayr, *Kūshnāma*, p. 418.

97 Ibn Abī al-Khayr, *Kūshnāma*, p. 664.

98 Ibn Abī al-Khayr, *Kūshnāma*, pp. 447—448.

99 Ibn Abī al-Khayr, *Kūshnāma*, p. 448.

100 原文作daryā。古时，波斯语词daryā既表大河又表大海之意，此处事发地为呼罗珊地区的图斯附近，故解为“大河”。若遇无法通过参考上下文做出判断的情况，daryā在本书中译为“海”或“水”。

匹水中马带上笼套和马鞍时，马踢中他的头，而后迅速没入水中，耶兹德卡尔德就这样死去了。[101] 史料中关于耶兹德卡尔德一世之死有多种说法。据沙赫巴齐(Shapur Shahbazi)："流传甚广的当地民间说法是，当他在赫卡尼亚(Hyrcania)[102] 留驻，被一匹从泉眼里出来，随后又隐没入那个泉眼的骏马杀死，人们就此说到，'这匹马是真神派来的一位天使'，来终结国王的暴政。正如诺德克(Theodor Nöldeke)指出，这是一个由贵族们编造出来的神话，很可能是这些贵族在遥远的赫卡尼亚谋杀了他们所痛恨的王。"[103]《列王纪》所载与民间传言大致相符，地点略有差异。尽管《列王纪》的这段叙事基于杜撰之说，但神异之马出于泉、河、湖、海的传说确实在中亚和西亚地区广泛流传。

另外，按伊朗文学传统，勇士鲁斯塔姆的坐骑拉赫什(Rakhsh)神骏异常，可屠狮搏龙。在伊朗民间传说中，神奇骏马往往有"海中马"的血统，虽然《列王纪》并未述及拉赫什的血统，后来还是有多种传说讲到拉赫什亦属海马种：一说鲁斯塔姆的坐骑与一匹牝马一同从海中出来；而据另一说，一匹怀孕的牝马出于海，生下的马驹成了鲁斯塔姆的坐骑；[104] 还有一说，拉赫什是一匹出自海中的马与一匹海边的牝马交配所生。[105]

(3) 古典穆斯林史地文献与突厥语传说所载

把视野拓展到古典穆斯林著作，我们会发现"马出水中"内容也多见于其中。据公元9世纪成书的伊本·胡尔达兹比赫所著《道里邦

101 Firdawsī, *Shāhnāma*, Moscow Edition, vol. 2, p. 1298.

102 即中古波斯语和新波斯语中的戈尔甘(Gurgān)，位于里海东南岸，在古代其范围曾覆盖今伊朗戈勒斯坦省全部和马赞达兰省东部，以及土库曼斯坦共和国南部。

103 A. Shapur Shahbazi, "Yazdegerd I," in *EIr*, ed. Ehsan Yarshater, published July 20, 2003, accessed April 9, 2018, https://iranicaonline.org/articles/yazdegerd-i.

104 Sayyid Abū al-Qāsim Anjavī Shīrāzī, *Firdawsīnāma: Mardum va Shāhnāma* (《菲尔多西之书：人民与〈列王纪〉》), Tehran: ʿIlmī, 1990 (SH 1369), p. 92.

105 Jalāl Khāliqī-Muṭlaq, "Yikī dāstān ast pur āb-i chashm" (《一个充满眼泪的故事》), in Jalāl Khāliqī-Muṭlaq, *Gul-i Ranj-hā-yi Kuhan: Barguzīda-yi maqālāt darbara-yi Shāhnāma-yi Firdawsī* (《古老的辛劳之花：关于菲尔多西〈列王纪〉之论文集萃》), ed. ʿAlī Dihbāshī, Tehran: Nashr-i Markaz, 1993 (SH 1372), p. 78.

国志》：中亚地区胡泰兰（Khuttalān）[106]有一千个泉眼，出产良马。在其中一眼巨大的泉源中藏有很多马匹，有时它们会悄悄地出来。在这些泉中马里，有一匹特别高大的骏马，曾与牧人为国王牧养的母马交配，它们的后代载人如同在天、地之间飞行，容易驾驭、驰骋轻盈。后来，这些神奇的马全都回到泉眼中，再也没有出来。[107]《道里邦国志》另有一处讲到，"印度地区"的扎比吉（al-Zābij）[108]有一海岛叫做拜尔塔义勒（Barṭāyl）[109]，该地"海水中可腾跃出马，这种马颇类我们的马，只是这种马的鬃毛长可曳地"。[110]鬃毛长正是野马的典型外观特征。若将这两则记述结合起来，便可大致得到《库什王纪》所载巴希拉人利用海中马繁育骏马故事的原型。

成书于12世纪后半叶的哈马丹尼所著《奇迹志》有载：据说内沙布尔（Nīshābur）和图斯之间有个村庄名叫苏（Sū），该地有一个被称作苏河（Sū rūd）的泉眼。据说那里有一匹海马（asp-i baḥrī），与当地埃米尔的一匹牝马交配，生下一匹杂色的马驹。当马驹长大，它去了那个泉眼里面。[111]这条记录的情节与上面所述《道里邦国志》相关记载庶几一致，事件发生的地点又与《列王纪》所载相同。

在突厥语史诗中，《先祖廓尔库特书》（*Dede Korkut*）讲到英雄喀喇布达克（Qarabūdāq）的坐骑是海马种骏马；[112]《阔尔奥格鲁故事》（*Koroğlu dastanı*）更是由阿姆河（Jayḥūn）中马与凡马交配生驹的情节

---

106 此据宋岘汉译，即今塔吉克斯坦之哈特隆，汉文史料中常作骨咄，详见下文。

107 Ibn Khordādhbeh, *Kitāb al-Masālik wa'l-Mamālik*, pp. 180—181。汉译参见伊本·胡尔达兹比赫著，宋岘译注：《道里邦国志》，第192—193页。

108 又作al-Rābij、al-Zāmij。宋岘注："我国史称三佛齐，即苏门答腊岛。"伊本·胡尔达兹比赫著，宋岘译注：《道里邦国志》，第68页。

109 又作Būṭāyl或Ẕūṭāyl。

110 Ibn Khordādhbeh, *Kitāb al-Masālik wa'l-Mamālik*, p. 68。汉译参见伊本·胡尔达兹比赫著，宋岘译注：《道里邦国志》，第70—71页。

111 Muḥammad ibn Maḥmūd Hamadānī, *ʿAjāyibnāma*（《奇迹志》）, ed. Jaʿfar Mudarris Ṣādiqī, Tehran: Nashr-i Markaz, 1996 (SH 1375), p. 236.

112 Parvīz Zāriʿ Shāhmirsī, *Kitāb Dədə Qorqud*（《先祖廓尔库特书》）, Tehran: Takdirakht, 2013 (SH 1392), p. 39.

引出。[113]此外，侯赛因·塞赤门（Ḥusayn Seçmən）在南安纳托利亚的乌尔法（Urfa）收集到一则民间传说：一农夫在一个湖边见到湖中出来一匹牡马，与其饲养的牝马交配后，马驹降生。为再次得到这样的马驹，农夫再次将牝马带到湖边引诱湖中马，然而湖中马这次出来后直接将新生的马驹带到湖中并杀死。[114]

以上记述，有的见载于古典穆斯林史地著作，有的出自伊朗语和突厥语诸族群的史诗和民间传说。从内容上看，这些记述表现出相互关联和影响关系。据公元9—10世纪的什叶派圣训学者库莱尼（Shaykh Kulaynī），真主在海中创造了一百匹马，它们是普通马的先祖。[115]经伊斯兰时代初期阿拉伯百年翻译运动，伊朗文化也大量吸纳了古希腊-罗马文化元素，库莱尼的说法可能受到海神波塞冬-尼普顿创造马的传说之影响，伊朗乃至伊斯兰文化盛行地区多有海中马传说或许与此也有一定关系。考虑到诸如《列王纪》《库什王纪》等以年代久远的散文体著作为基础的波斯语史诗中已有奇马出水的情节，伊朗学者阿伊丹鲁（Sajjād Āydinlū）认为："伊朗故事中的勇士之马为海马种情节是个正宗且古老的母题，不应因其在一些文献和通俗故事中的重复而认为它是后人和大众的创造。"[116]尽管如此，马出于海与马出河湖的传说却可能有着不同的源头，尤其是人们借助出水奇马繁育骏马的情节当另有渊源，这些传说后来在长期、大范围的流传过程中发生了融合。下文另有探讨。

2. 汉语文献中的有关记述

古代中国地域长期存在农耕汉地与草原牧区两种文明的冲突与融

---

113 Raḥīm Raʾīs Niyā, *Kūr-ūghlū dar afsāna va tārīkh* (Koroghlu in Myth and in History), Tabriz: Nīmā, 1989 (SH1368), p. 231.

114 Raʾīs Niyā, *Kūr-ūghlū dar afsāna va tārīkh*, p. 200.

115 ʿAlī Sulṭānī Gurd Farāmarzī (ed.), *Du Farasnāma manṣūr va manẓūm* (Two manuals of horses in prose and poetry), Tehran: The Institute of Islamic Studies McGill University, Tehran Branch in Collaboration with Tehran University, 1987 (SH 1366), p. 13.

116 Sajjād Āydinlū, "Asp-i daryāyī dar dāstān-hā-yi pahlavānī" (《英雄故事中的海中马》), *Muṭāliʿāt-i Īrānī* (《伊朗研究》) 7, no. 1 (2005 [SH Bahār 1384]): 15—38.

合，马匹对于中原王朝来说一直是重要战略物资，故而在汉文文献中多有求骏马的记载，也多见“骏马出于水”传说。

（1）水中马状异兽

先秦汉文古籍中的“马出于水”记述往往神话色彩浓重。《礼记·礼运》论天下大顺之状有言：“天降膏露，地出醴泉，山出器车，河出马图。”据孔颖达疏，“按《[尚书]中侯·握河纪》：‘尧时受河图，龙衔赤文绿色’，注云：‘龙而形象马，故云马图。’是龙马负图而出。”[117]即负图出河之龙马实为龙。另据《周礼》，“马八尺以上为龙，七尺以上为騋，六尺以上为马”，[118]龙亦骏马之名，故而于此权以“龙马负图出河”引出诸多汉文古籍所载“马出于水”传说。

《山海经》多载出自水中的马状异兽，如滑水的水马，[119]旄水的騂马，[120]北海的騊駼、駮[121]等。但此类记载更近采摭奇迹传闻的“奇闻录”，重在言其奇异、可怖，似适于同凯尔特神话中的凯尔派（Kelpie）和水马（each uisge）相类比。[122]尽管如此，它们还是大多与野马有关。例如出自北海的騊駼，在《尔雅·释畜》中便释为“野马”。[123]至于駮，《尔雅·释畜》亦有疏曰：“駮，亦野马名也。”[124]《诗·秦风·晨风》云“隰有六駮”，[125]因隰为低湿之地，亦可解为野马出于水。

某些传奇色彩浓厚的域外水中马状异兽亦见载于汉文史料。按《北史·西域传》：“伏卢尼国，都伏卢尼城，在波斯国北，去代

117 十三经注疏整理委员会整理，郑玄注，孔颖达疏，龚抗云整理，王文锦审定：《礼记正义（十三经注疏）》，北京：北京大学出版社，2000年，第832—833页。

118 《十三经注疏》整理委员会整理，李学勤主编，郑玄注，贾公彦疏，赵伯雄整理，王文锦审定：《十三经注疏·周礼注疏》，北京：北京大学出版社，1999年，第867页。

119 袁珂校注：《山海经校注》，上海：上海古籍出版社，1980年，第67页。

120 袁珂校注：《山海经校注》，第81页。

121 袁珂校注：《山海经校注》，第246页。

122 Carol Rose, *Spirits, Fairies, Gnomes, and Goblins: An Encyclopedia of the Little People*, Santa Barbara, CA: ABC-CLIO, 1996, pp. 97, 178.

123 《十三经注疏》整理委员会整理，李学勤主编，郭璞注，邢昺疏，李传书整理，徐朝华审定：《十三经注疏·尔雅注疏》，北京：北京大学出版社，1999年，第334页。

124 《十三经注疏》整理委员会整理，李学勤主编：《十三经注疏·尔雅注疏》，第334页。

125 《十三经注疏》整理委员会整理，李学勤主编，毛亨传，郑玄笺，孔颖达疏，龚抗云等整理，刘家和审定：《十三经注疏·毛诗正义》，北京：北京大学出版社，1999年，第430页。

二万七千三百二十里。累石为城，东有大河南流，中有鸟，其形似人，亦有如橐驼、马者，皆有翼，常居水中，出水便死。”[126]专记域外诸国风物的《诸蕃志》有云：“[勿斯里国]江中有水骆驰、水马，时登岸啮草，见人则没入水。”[127]当然，汉文古籍中的“水马”也不一定都是出自水源地的野马。如《诸蕃志》所载勿斯里国的水马，勿斯里为Miṣr之对音，乃埃及，其江中之水骆驰、水马或为尼罗河流域河马（Hippopotamus）之属。

（2）野马出于水

汉武帝时，出于对匈奴作战需要以及武帝个人喜好，中国人对骏马的追求达到一个高峰，“野马出于水”的记载屡见于史料。据《汉书》，“[元鼎四年]秋，马生渥洼水中”；[128]“[元狩二年]夏，马生余吾水中”。[129]当时，偶得于野外、可遇而不可求的良马称作天马。汉廷为庆贺“马出渥洼水”，特作《天马歌》为赞，列为汉室郊祀之歌。[130]太始元年三月，武帝诏中又有“渥洼水出天马”的辞句。[131]《资治通鉴》亦有辑录：“[武帝元狩三年]是岁，得神马于渥洼水中。”胡三省注则清晰勾勒出古人煞费苦心套得水边野马的情景：

> 李斐曰：南阳新野有暴利长，当武帝时遭刑，屯田敦煌界，数于此水旁见群野马，中有奇马与凡马异，来饮此水。利长先作土人持勒绊于水傍，后马玩习。久之，代土人持勒绊，收得其马，献之，欲神异此马，云从水中出。[132]

再据成书于东晋的《华阳国志》载，“章帝时，蜀郡王阜为益州太

126　李延寿：《北史》卷九七《西域传》，第3223—3224页。

127　赵汝适原著，杨博文校释：《诸蕃志校释》，北京：中华书局，1996年，第120—121页。

128　班固：《汉书》卷六《武帝纪第六》，北京：中华书局，1962年，第184页。

129　班固：《汉书》卷六《武帝纪第六》，第176页。

130　谢成侠：《中国养马史》，北京：科学出版社，1959年，第99页。见载于《史记》：“又尝得神马渥洼水中，复次以为《太一之歌》”，以及《汉书》载《郊祀歌》十九章之《〈天马〉十》：“元狩三年马生渥洼水中作。”司马迁：《史记》卷二四《乐志第二》，第1178页。班固：《汉书》卷二二《礼乐志第二》，第1060—1061页。

131　班固：《汉书》卷六《武帝纪第六》，第206页。

132　司马光：《资治通鉴》卷一九《汉纪十一》，第636页。

守，治化尤异，神马四匹出滇池河中”。[133]在此类野马出于水的记载中，“水”当解为水量丰沛之地，适于野马生息，谢成侠早已阐明这一点。[134]

《水经注》本为记载我国诸多河流及有关历史遗迹、人物掌故、神话传说的综合性地理著作，“马出于水”自然频见其中，如：

[土军]县有龙泉，出城东南，道左山下，牧马川上多产名驹骏，同滇池天马。[135]

湖水出桃林塞之夸父山……其中多野马，造父于此得骅騮、绿耳、盗骊之乘，以献周穆王，使之驭以见西王母。[136]

今西县嶓冢山，西汉水所导也……西流与马池水合，水出上邽西南六十余里，谓之龙渊水，言神马出水，事同余吾、来渊之异，故因名焉。《开山图》曰：陇西神马山有渊池，龙马所生。即是水也。[137]

若水又迳会无县，县有骏马河，水出县东高山，山有天马径，厥迹存焉。马日行千里，民家马牧之山下，或产骏驹，言是天马子。[138]

晋太元十四年，宁州刺史费统言：晋宁郡滇池县两神马，一白一黑，盘戏河水之上。[139]

诸如此类民间传说也见载于地方志类文献，如《礼县志》载有一则孤儿玉连降服野马河滩的食人野马并以之为坐骑的故事。[140]

(3) 自“水中马”求骏马

相较于先秦古籍所载，我国汉代以后有关奇马出水的记录更多反映出古人令驯化马与野马杂交而求得骏马的努力。据《华阳国志》：“[滇池]长老传言，池中有神马，或交焉，即生骏驹，俗称之曰‘滇池

---

133 常璩撰，刘琳校注：《华阳国志校注》，成都：巴蜀书社，1984年，第347页。

134 谢成侠：《中国养马史》，第100页。

135 郦道元原注，陈桥驿注释：《水经注》，杭州：浙江古籍出版社，2001年，第46—47页。

136 郦道元原注，陈桥驿注释：《水经注》，第58页。

137 郦道元原注，陈桥驿注释：《水经注》，第312页。

138 郦道元原注，陈桥驿注释：《水经注》，第550页。

139 郦道元原注，陈桥驿注释：《水经注》，第555页。

140 礼县志编纂委员会：《礼县志》，西安：陕西人民出版社，1999年，第775页。

驹’，日行五百里。”[141]《水经注》有转载：“[滇池]长老传言，池中有神马，家马交之则生骏驹，日行五百里。”[142]

青海游牧民更有利用湖中野马与驯化马杂交的育马传统。据《北史》：

青海周回千余里，海内有小山。每冬冰合后，以良牝马置此山，至来春收之，马皆有孕，所生得驹，号为龙种，必多骏异。吐谷浑尝得波斯草马，放入海，因生骢驹，能日行千里，世传青海骢者也。[143]

这条记载内容清晰、详尽，且言及波斯牝马，表现出古代中国人对波斯良马的认可。丝绸之路凿空后的近两千年里，波斯马随使团和贸易商队持续输入中国，但因饲料条件差异等原因，未能在中国繁衍起来。[144]另据《隋书》，隋炀帝西巡之时，曾于“[大业五年]秋七月丁卯，置马牧于青海渚中，以求龙种，无效而止”。[145]野马发情旺季一般在阳历三月至六月的春季，隋炀帝在夏历七月牧马求龙种于青海，九月车驾已入长安，即事在初秋，且历时很短，这恐怕是其此举无效的主要原因。虽然隋炀帝求龙种马未果，青海的海心山长久以来还是以龙驹岛著称，《旧唐书》中多处载有龙驹岛之名，[146]《新唐书》又有对该地宜畜牧特征的

141　常璩撰，刘琳校注：《华阳国志校注》，第396页。

142　郦道元原注，陈桥驿注释：《水经注》，第555页。

143　李延寿：《北史》卷九六《吐谷浑列传》，第3186页。类似记录在《北史》编纂之前见于《魏书》《周书》《隋书》等官修史籍，后又辑录于《通典》卷一九〇《边防六·西戎二·吐谷浑》、《太平御览》卷八九五《兽部七》、《文献通考》卷三三四《四裔考十一·吐谷浑》等文献中。参见魏收：《魏书》卷一〇一《吐谷浑列传》，北京：中华书局，1974年，第2240—2241页；令狐德棻等：《周书》卷五〇《异域下·吐谷浑》，北京：中华书局，1971年，第913页；魏徵等：《隋书》卷八三《吐谷浑列传》，第1842页；杜佑：《通典》，王文锦等点校，北京：中华书局，1988年，第5164页；李昉等：《太平御览》，第3974页；马端临：《文献通考》，北京：中华书局，1986年影印本，第2621页。

144　阿里·玛扎海里：《丝绸之路——中国-波斯文化交流史》，耿昇译，北京：中华书局，1993年，第17—24页。

145　魏徵等：《隋书》卷三《炀帝上》，第74页。

146　刘昫等：《旧唐书》卷一〇四《哥舒翰列传》，第3212—3213页。刘昫等：《旧唐书》卷一三四《浑瑊列传》，第3703页。

补充记载。[147]

关于龙种马或龙驹，汉文古籍另有一些有趣的记载。据《大唐西域记》："[屈支]国东境城北天祠前，有大龙池。诸龙易形，交合牝马，遂生龙驹，㤭戾难驭。龙驹之子，方乃驯驾，所以此国多出善马。"[148]玄奘讲到屈支的龙驹因有龙的血统，脾性暴戾，不适驾驭，而借助龙驹繁衍的下一代马匹堪称善马。关于迦湿弥罗国，玄奘又提及龙种马："国大都城西临大河……出龙种马及郁金香、火珠、药草。"[149]此外，杜环《经行记》关于大食国有云："其马，俗云西海滨龙与马交所产也，腹肚小，脚腕长，善者日走千里。"[150]龙马原指形态像马的龙，又指身形魁伟的骏马，后因文献有载龙与马交，也指二者所生龙种马。以上几则记述皆为中国古人游历域外之见闻，却也均可归为借水中马繁育骏马的事例。而关于龙马，后来的汉文古籍中更有附会之说，如《五杂组》云："龙性最淫，故与牛交则生麟，与豕交则生象；与马交则生龙马。"[151]

汉文史料中还有一些自山中马求骏马的记载。《隋书》载"[吐火罗]其山穴中有神马，每岁牧牝马于穴所，必产名驹"，[152]是对吐火罗人利用野马与驯化马杂交以求骏马的记录。《北史》和《新唐书》皆有类似记载。[153]这些记载说明，在中原和西域居民交往密切的北朝和隋唐时代，西域人利用野马改良驯化马的实践已为中原人知悉。及至宋代，因西北势危，宋廷着手在广西地区开辟新的马源地，[154]文献关于西南边疆又有类似记述。据《岭外代答》卷九《禽兽门·天马》："邕州溪峒七源州有天马山，山上有野马十余匹，疾迅若飞，人不能迩。熙宁间，七源知州纵牝马于山，后生驹，骏甚。自后屡纵，迄不可得矣。"[155]这类记载实为

147 欧阳修、宋祁：《新唐书》卷一三五《哥舒翰列传》，第4570页。
148 玄奘、辩机原著，季羡林等校注：《大唐西域记校注》，第57页。
149 玄奘、辩机原著，季羡林等校注：《大唐西域记校注》，第321页。
150 杨建新等编注：《古西行记选注》，第134页。
151 谢肇淛撰，郭熙途校点：《五杂组》，沈阳：辽宁教育出版社，2001年，第172页。
152 魏徵等：《隋书》卷八三《吐火罗列传》，第1853—1854页。
153 李延寿：《北史》卷九七《西域传》，第3236页。欧阳修、宋祁：《新唐书》卷二二一下《西域下》，第6252页。
154 刘复生：《宋代"广马"以及相关问题》，《中国史研究》1995年第3期，第85—93页。
155 周去非著，杨武泉校注：《岭外代答校注》，北京：中华书局，1999年，第348—349页。

“骏马出于山”，但与“借助水中奇马培育骏马”传说情节相似，且同样展示出古人令驯化马与野马杂交而求骏马的努力，聊记于此，以备一说。

3. 朝鲜半岛的马文化及其文献有关马出于水的记载

（1）朝鲜半岛的马文化

中国文献所载有关改良马种之事多发生在中国西部以及广义的西域地区，《库什王纪》中自海中马求骏马的情节却发生在巴希拉——原型为新罗之地，固然是其作者将流传在古代伊朗和穆斯林史地文献记述的类似传说嫁接在史诗叙事中所致，而亚欧大陆北方草原地带的游牧文化也的确在东北亚的朝鲜半岛显现出影响。

1973年，两幅绘于白桦树皮上，挂在鞍鞯两侧的天马图出土于韩国庆州大陵苑一座后来得名“天马冢”的新罗王陵。这两幅天马图绘于公元5—6世纪，是截至当时仅有已发现的新罗绘画，因此于1982年11月被选定为大韩民国国宝第207号。[156]据韩国《朝鲜日报》网站2014年3月4日报道，国立庆州博物馆方面表示，他们新近在一竹制鞍鞯上发现一幅装饰用金铜天马图。至此，韩国新罗天马图增加到3幅。[157]此前有关天马图的研究，在韩国艺术史学界曾有“是马还是麒麟”的争议。[158]2014年庆州博物馆主办天马冢展览并推出第三幅天马图的消息发布之后，这一争论再度引起人们的热议。据《朝鲜日报》

---

156 Munhwachaech'ŏng (Cultural Heritage Administration), "Kukpo che 207 ho: Kyŏngju Ch'ŏnmach'ong changni ch'ŏnmado［慶州 天馬塚 障泥 天馬圖］" (National treasure no. 207: the paintings of the heavenly horse on the plates shielding from the dust unearthed at Ch'ŏnmach'ong in Gyeongju), accessed Sept. 23, 2020, http://www.heritage.go.kr/heri/cul/culSelectDetail.do?VdkVgwKey=11,02070000,37&pageNo=1_1_1_0.

157 Yunhŭi Hŏ, "Chamjadŏn Kŭmdong Ch'ŏnmado… 1500 Nyŏn Mane Mosŭp Tŭrŏnaeda" (《沉睡的金铜天马图……1 500年前的面貌呈现出来》) *Chosun Ilbo* (《朝鮮日報》), March 4, 2014, http://srchdb1.chosun.com/pdf/i_service/pdf_ReadBody.jsp?Y=2014&M=03&D=04&ID=2014030400007.

158 Yunhŭi Hŏ, "[Onŭrŭi Sesang] Ch'ŏnmato '1500 Nyŏnŭi Ohae': Mali Anira Kiriniŏnne" (《［今日之世界］天马图“1 500年的误会”：它不是一匹马而是麒麟》), *Chosun Ilbo* (《朝鮮日報》), Sept. 28, 2009, http://news.chosun.com/site/data/html_dir/2009/09/28/2009092800044.html.

网站2014年4月14日报道，当前学界认为，图中动物头上的角状物应是马鬃结，因此天马图所绘的是马，而不是麒麟。该报道还援引梨花女子大学中文教授、神话学家郑在书（Chŏng Chaesŏ）的观点："桦树是北方人萨满教的圣树，绘在桦树皮上的天马图与崇拜天堂和马的游牧民族文化密切相关。"中国神话研究者金善子（Kim Sŏncha）也就其做出解释："在白桦树皮上绘制的白马，是充当使者将死者引向天空的白马。"[159]

史料中亦有朝鲜半岛出产骏马的记录。据《后汉书・东夷传》："[濊]有果下马。"注曰："高三尺，乘之可于果树下行。"[160]而将驯养马用于狩猎在朝鲜半岛也有悠久的传统，在高句丽时代的舞踊冢壁画狩猎图中，以及朝鲜王朝流行的"胡猎图"屏风上均有武士骑马狩猎的场景。[161]此外，朝鲜式马球（击毬）和马术（马上才）均在《武艺图谱通志》所载武艺二十四技之列。[162]可以确认，朝鲜半岛古代文明深受游牧文化影响，某些古典穆斯林地理著作亦提及朝鲜半岛的游牧文化元素，如苏莱曼的《中国印度见闻录》记录新罗出产白隼，[163]卡兹维尼《创造的奥妙》载该地出产猎鹰。[164]

（2）朝鲜文献有关马出于水的记载

朝鲜文献中有关水中马的记载大致可分为两类，一类受中国文献的影响创作而成，另一类是古代朝鲜半岛居民根据自己的见闻所作记录。朝鲜半岛在历史上长期受儒家思想影响，且古籍多以汉字书写。

159 Yunhŭi Hŏ, "Malin'ga Kirinin'ga… Tashi Pulbut'ŭn Ch'ŏnmado Nollan" (《它是马还是麒麟……天马图争议再次火热起来》), *Chosun Ilbo* (《朝鲜日報》), April 14, 2014, http://premium.chosun.com/site/data/html_dir/2014/04/14/2014041400140.html.

160 范晔撰，李贤等注：《后汉书》卷八五《东夷列传》，北京：中华书局，1965年，第2818页。

161 Ki-baik Lee, *A New History of Korea*, trans. Edward W. Wagner with Edward J. Shultz, Seoul: Ilchokak, 1984, p. 64, see also the 2nd illustration in front of the main text. UNESCO, "Preservation of the Koguryo Kingdom Tombs," accessed May 27, 2019, http://whc.unesco.org/uploads/activities/documents/activity-275-1.pdf.

162 Kim (trans.), *Kukyŏk Muye Tobo T'ongji*, pp. 351—370.

163 穆根来、汶江、黄倬汉译：《中国印度见闻录》，第25页。

164 Qazvīnī, *'Ajā'ib al-makhlūqāt wa-gharā'ib al-mawjūdāt*, p. 212. El-Cazwini, *Kosmographie: Die Wunder der Schöpfung (Kitāb 'Ajāyib al-makhlūqāt)*, S. 109.

因此，儒家经典所载“河出马图”亦见于朝鲜古代文献，中国史料所记“马出渥洼水中”也屡见于朝鲜诗文，如金麟厚（1510—1560）《天马歌》：君不见神龙飞出渥洼水，风鬃雾鬣非骊騧；[165]李珥（1537—1584）《天马》：当时不独月窟产，渥洼神驹绝潇洒；[166]金道洙（？—1742）《杂诗》：天马出渥洼，当年远致之。纵受黄金羁，不与凡马驰。[167]

古代东北亚居民根据自己见闻所撰“神马出于水”有关记载，大约最早见于《三国史记》：“[高句丽大武神王三年]秋九月，王田骨句川，得神马，名駏驤。”[168]事在公元20年，地点不详，因骨句川于《三国史记・杂志第六・地理四》被归入“三国有名未详地分”项下，[169]但可推断为当时高句丽控疆境内某条河流。后世学者李瀷（1681—1763）为此事作有《駏驤行》：月窟为骨句，龙媒出駏驤。[170]駏驤即朝鲜语kŏru，意为野马，朴恩用援引马尔蒂・莱赛宁（Martti Räsänen）的研究，指出该词大约并非高句丽固有名词，而与蒙古语的呼兰（khulan），回纥语及其相关突厥诸语，比如察合台语的呼兰（kulan）同源。[171]

按李瀷《星湖先生僿说》卷六《万物门》所载“济马”：“太宗时，贡马明朝。成祖曰：此天马也，汝王爱我，故献此。”[172]再据成海应撰《兰室谭丛》所载“龙潭马”：“本朝英庙时。龙潭县产马。其高九尺。神骏无比。英庙以献于成宗皇帝。帝曰。朝鲜国王爱我。得神驹。不自乘

165 民族文化推进会编：《韩国文集丛刊》第三十三辑《河西全集》，首尔：民族文化推进会，1989年，第64页。

166 民族文化推进会编：《韩国文集丛刊》第四十四辑《栗谷全书》，首尔：民族文化推进会，1989年，第20页。

167 民族文化推进会编：《韩国文集丛刊》第二百十九辑《春洲遗稿》，首尔：民族文化推进会，1998年，第12页。

168 金富轼著，孙文范等校勘：《三国史记》，长春：吉林文史出版社，2003年，第183页。

169 金富轼著，孙文范等校勘：《三国史记》，第449页。

170 民族文化推进会编：《韩国文集丛刊》第一百九十八辑《星湖全集》，首尔：景仁文化社，1999年，第170—171页。

171 朴恩用，“韓國語와 滿洲語와의 比較研究(上)” (A Comparative Study of Manchu and Korean),《曉大論文集》(*Research Bulletin of Catholic University of Taegu-Hyosung*) 14, no.1 (1974): 119–120. Martti Räsänen, *Versuch eines etymologischen Wörterbuchs der Türksprachen*, Helsinki: Suomalais-ugrilainen Seura, 1969, p. 298.

172 Ik Yi, *Sŏngho Sasŏl* (《星湖僿说》), vol. 2, Seoul: Minmun'go, 1989, p. 92 of the Hanja (漢字) part.

而送于我。”[173]济马和龙潭马均为出自海岛的骏马，龙潭马之名又暗含骏马与水中龙的意象关联。此外，这两条文献内容还说明朝鲜半岛所产骏马曾被当地君主作为礼物献给中国皇帝，而该现象在古代中国与朝鲜半岛政权的交往中由来已久。据《三国志·魏书·乌丸鲜卑东夷传》：“濊南与辰韩，北与高句丽、沃沮接，东穷大海……出果下马，汉桓时献之。”[174]

从广泛的史料中可以看出，古代的伊朗、中国和朝鲜半岛等地均流行马球运动，朝鲜统治者常向中原政权君主贡献骏马。《库什王纪》中巴希拉王与伊朗王打马球，以及向秦王赠送海马种骏马的情节，均暗合有关史料所载，这也从民间文化记忆投射于文学作品中的角度，佐证了亚欧大陆各地区之间曾存在广泛的马文化交流现象。现在，让我们聚焦于“骏马出于水”有关记述在古代亚洲各地流布的问题。

4. 中亚草原与绿洲文明结合部对“骏马出于水”记述流传的枢纽作用

“骏马出于水”传说几乎是个世界性母题。据阿伊丹鲁总结，海马种骏马的母题在伊朗、伊斯兰世界[175]、库尔德、亚美尼亚、阿塞拜疆、土耳其、蒙古、骨咄、吐火罗、乌尔法、阿姆河周边地区都存在。[176]据上文耙梳的汉文和波斯-阿拉伯语古籍有关记述，仅言“神异之马出于水”者众，分布地域广阔，但记述内容大多简要，似多属“原生”记述，难言相互影响，遂无涉流传；而有关“借助水中奇马培育骏马”的记述则相对情节丰富，更具研究价值。若以其中地理信息为主线，辅以部分其他马出于水记载做出考察，可略窥此类记述在亚洲诸地传播之一斑。

---

173 民族文化推进会编：《韩国文集丛刊》第二百七十八辑《研经斋全集外集》，首尔：民族文化推进会，2001年，第84—85页。

174 陈寿：《三国志》卷三〇《魏书·乌丸鲜卑东夷传》，北京：中华书局，1959年，第848—849页。据侯文通转述钱剑夫考证，“汉桓时献之”为“汉时恒献之”（意为汉时经常贡献）之讹误。侯文通：《我国矮马源流简析》，《农业考古》1990年01期，第340—344页。

175 此据阿伊丹鲁原文，当主要指阿拉伯地区。

176 Āydinlū, “Asp-i daryāyī dar dāstān-hā-yi pahlavānī,” p. 30.

（1）从中亚到西亚

在上述波斯–阿拉伯语古籍和突厥语传说中的数则记述中，伊本·胡尔达兹比赫撰于公元9世纪的《道里邦国志》成书最早，录有骨咄（Khuṭṭalān）地区泉中马与牝马交配生驹之事。在伊斯塔赫里撰于10世纪的《省道志》中，骨咄记作Khuttal，[177]与吐火罗斯坦（Ṭukhāristān）、潘杰希尔（Panjshīr）、巴达赫尚（Badakhshān）并置，列为巴尔赫（Balkh）相邻之地。[178]该地出产优良而强壮的驮畜，因其素质优秀且数量众多而输往世界各地，被人们贩运。[179]同成书于10世纪的《世界境域志》亦载"骨咄出产大量良马"。[180]由此可见，早期穆斯林地理著作对该地及其物产的记载较为清晰且一致。该地是中古伊斯兰时代阿姆河上游右岸的一个地区，位于今塔吉克斯坦境内，护沙河（Vakhshāb）与喷赤河（Panj，又作Jaryāb等）之间，在杜尚别（Dushanbe）东南百余公里。[181]自公元7世纪起，河中地区已开始突厥化进程。据托甘（Z. V. Togan），"突厥人相信，在赐下出自海、湖或山中牡马所生的无与伦比的骏马这件事上，相较于其他民族和族群，真主更加偏爱他们。"[182]骨咄地区的泉中马传说便很可能与突厥语族群的马文化有关。鉴于伊朗叙事文学传统深受古典穆斯林史地著作影响，两类文献中关于骏马出于水的类似记述也必然存在密切而复杂的联系。

在成书于11世纪初的《列王纪》中，有关耶兹德卡尔德一世的马出于河的故事发生在图斯附近名为苏泉之地。考虑到《列王纪》的史

177 Khuttal从词源上来说可能源自Hayṭal，即早期穆斯林史料所记之嚈哒。按波斯语构词规则，Khuttalān是Khuttal（人）的复数，亦指代该族群的聚居之地。

178 Iṣṭakhrī, *Mamālik va masālik*, ed. Īraj Afshār, 1994, p. 289.

179 Iṣṭakhrī, *Mamālik va masālik*, ed. Īraj Afshār, 1994, p. 290.

180 Sutūda (ed.), *Ḥudūd al-ʿālam: Min al-mashriq ilā al-maghrib*, pp. 118—119。Minorsky (trans. and ed.), *Ḥudūd al-ʿĀlam: The Regions of the World*, pp. 119, 359。佚名著，王治来译注：《世界境域志》，第118页。

181 Clifford Edmund Bosworth, "Ḵottal," in *EIr*, ed. Ehsan Yarshater, published April 20, 2009, https://iranicaonline.org/articles/kottal-province-of-medieval-islamic-times-in-modern-tajikistan。玄奘、辩机原著，季羡林等校注：《大唐西域记校注》，第111页。

182 转引自Ra'īs Niyā, *Kūr-ūghlū dar afsāna va tārīkh*, p. 199。

诗性质，该故事应是菲尔多西在收集散佚史料和民间传说的基础上做文学加工而成。菲尔多西本为图斯人，该故事很有可能来自诗人在当地的听闻。

在成书于12世纪初的《库什王纪》中，奇马出于海的故事发生在巴希拉，原型是朝鲜半岛古国新罗，自是文学虚构使然。考虑到其作者大致是雷伊人，蒙古西征以前，雷伊是呼罗珊通往安纳托利亚要道上的重镇，加之《库什王纪》恰成书于波斯语诗歌创作自伊朗东部地区向伊朗中西部扩展的年代，借助海中奇马繁育骏马的故事原型便很有可能来自东伊朗大呼罗珊地区。

成书于12世纪后半叶的哈马丹尼《奇迹志》所记水中马故事发生在苏泉，地点与《列王纪》所载一致，但内容更加丰富，有水中奇马与凡马交配生驹的情节。该书作者是哈马丹人，而哈马丹是伊朗古都，位于雷伊西边通往美索不达米亚和安纳托利亚的交通要道上。

《阔尔奥格鲁故事》言及阿姆河出奇马，与牧人之马交配生骏驹的情节，而该史诗后来主要流传在里海东西岸地区，即今土库曼斯坦和阿塞拜疆。采集于乌尔法的那则传说出现的年代暂不可考，但与《库什王纪》所载最为相近——均有牧人故意以牝马诱出水中马以及水中马［试图］杀死幼驹的情节，二者间极可能存在直接联系。将它们联系起来的大概仍是诸如《阔尔奥格鲁故事》的突厥语传说，该史诗随乌古斯部族的迁徙，在18世纪被书面记录下来以前的数百年里，经历了自中亚逐渐传播至南高加索和安纳托利亚的过程。

至此可作推测，水中奇马与凡马交而生骏驹的传说源出阿姆河流域，更具体可能在骨咄地区，大约在公元9—12世纪，经图斯、雷伊、哈马丹一路西传，嗣后直至南安纳托利亚的乌尔法。该时间进程和流传轨迹，恰与突厥语族群在萨曼王朝、伽色尼王朝和塞尔柱王朝时期自中亚向西亚的征战与迁徙过程相吻合。据此，在波斯-阿拉伯语文献中广为流传的水中马故事当是印欧人神话与突厥语族群西迁带来的中亚地区游牧族群民间传说相结合的产物。sū在波斯语中词义为方向，而在突厥语中是水的意思，《列王纪》和《奇迹志》所载苏泉应是取自突厥语与水相关的地名，此亦可为佐证。

（2）从西域到中原

在古代中国人看来，西北草原地区具有良好的牧马条件，骏马多出自西域。《岭外代答》卷九《禽兽门·蛮马》称："唯地愈西北，则马愈良。"[183]中国古人常往西域求骏马。汉武帝时自乌孙、大宛得骏马。[184]《洛阳伽蓝记》载，北魏宗室元琛"遣使向西域求名马，远至波斯国。得千里马，号曰追风赤骥。次有七百里者十余匹，皆有名字"。[185]关于西域诸地出产骏马的记载更是不绝于汉文史料。如据《隋书·西域》，"[波斯]土多良马、大驴"；[186]据《诸蕃志》，"[吉慈尼国]多畜牧驰马"；[187]等等。

中国中原地区与西域在西汉时期就有官方交往。因西域畜牧业发达，长期出产良马，中原与之交往部分与骏马有关。大宛马和苜蓿在汉代输入中国，对中国的畜牧与农业有一定作用。[188]至唐代，中原与西域关于马匹的交往更加密切。据《文献通考》卷一五九《兵考十一》："其后突厥款塞，元宗厚抚之，岁许朔方军西受降城为互市，以金帛市马，于河东、朔方左右牧之，既杂胡种，马乃益壮。"[189]再据博斯沃思（C.E. Bosworth）："骨咄（Khuttal）是一个草场丰美、以马匹养殖而著名的地区。它的居民也以蹄铁术、兽医科学，以及鞍具和各种马具的制作而闻名。在蒙古和帖木儿时代，骨咄的马出口到中国。"[190]可见西域良马自汉唐至元明，在相当长的时段里持续输入中国。

从借助水中奇马求骏马的记载来看，中亚的草原和绿洲文明结合部，尤其是骨咄，是连结东西亚马文化的枢纽。按《大唐西域记》，

183　周去非著，杨武泉校注：《岭外代答校注》，第349页。

184　司马迁：《史记》卷一二三《大宛列传》，第3170、3172、3177页。班固：《汉书》卷六一《张骞李广利传》，第2693—2694、2702页。

185　杨衒之撰，周祖谟校释：《洛阳伽蓝记校释》，北京：中华书局，1963年，第164页。

186　魏徵等：《隋书》卷八三《西域传》，第1857页。

187　赵汝适原著，杨博文校释：《诸蕃志校释》，第112页。

188　谢成侠：《中国养马史》，第98页。谢成侠此前已有专文加以考证，参见谢成侠：《二千多年来大宛马（阿哈马）和苜蓿传入中国及其利用考——中国畜牧兽医史料之一》，《中国畜牧兽医杂志》1955年第3期。

189　马端临：《文献通考》，第1387页。

190　Bosworth, "Ḵottal."

Khuṭṭalān对音记作珂咄罗，[191]再据《新唐书·西域》："骨咄，或曰珂咄罗……多良马、赤豹。"[192]另一条有关骨咄的史料也值得注意：龙朔元年（661），唐廷在原属西突厥的葱岭以西置十六都督府，其中有"天马都督府，以解苏国数瞒城置"和"高附都督府，以骨咄国施沃沙城置"。[193]骨咄的地理位置上文已及，在今塔吉克斯坦西南部哈特隆州瓦赫什河流域；解苏国都数瞒城则为《大唐西域记》中的愉漫国，穆斯林地理文献中作Shūmān，在今杜尚别附近，与哈特隆州相邻。[194]即按唐帝国的西域羁縻州府行政区划，骨咄与天马都督府地界毗连。而《新唐书》所记"天马都督府"在《旧唐书》中作"大马都督府"，[195]无论是否因二者之一属抄写讹误，都可看出唐人对该地区出产良马的深刻印象。关于骨咄所产名马，托甘有言：这些马匹，依据民间观点，是海中牡马所生，中国人在公元之初的几个世纪里得到关于它们的消息，为获取这样的马匹付出努力。[196]据汉文史料，自公元前1—公元4世纪，汉、晋两朝曾多次自费尔干纳谷地古国大宛得到骏马，[197]呼应托甘之说。突厥语族群西迁之前，中亚地区是粟特人的定居地。考虑到粟特人的商业活动长期活跃于中亚与东亚之间的陆上丝绸之路，且"粟特语确曾作为沟通亚洲西部和东部的文明媒介起到积极作用"，[198]海中神马母题甚或可溯源至前伊斯兰时代粟特语传说，有关马文化的传说也有条件在中亚和东亚之间交流与传播。

中古时期，中原地区与操伊朗语、突厥语各族群所居中国新疆、中

191 玄奘、辩机原著，季羡林等校注：《大唐西域记校注》，第111页。

192 欧阳修、宋祁：《新唐书》卷二二一下《西域下》，第6256页。

193 欧阳修、宋祁：《新唐书》卷四三下《志第三十三下·地理七下》，第1136页。

194 玄奘、辩机原著，季羡林等校注：《大唐西域记校注》，第107—108页。Minorsky (trans. and ed.), *Ḥudūd al-ʿĀlam: The Regions of the World*, p. 353。

195 刘昫等：《旧唐书》卷四〇《志第二十·地理三》，第1649页。

196 转引自Ra'īs Niyā, *Kūr-ūghlū dar afsāna va tārīkh*, pp. 199—200。

197 班固：《汉书》卷六《武帝纪第六》，第202页。房玄龄等：《晋书》卷三《武帝纪第三》，北京：中华书局，1974年，第60页。房玄龄等：《晋书》卷一一三《苻坚上》，第2904页。

198 Badr al-Zamān Qarīb, "Introduction," in Badr al-Zamān Qarīb, *Farhang-i Sughdī: Sughdī-Fārsī-Inglīsī* (*Sogdian dictionary: Sogdian-Persian-English*), Tehran: Farhangān, 1995 (SH 1374), p. xviii.

亚和西亚地区交往密切，西域马匹输入中原对“自水中马求骏马”记述频见于汉文古籍的现象当亦有助力。一些此类传说的影响甚至持续至今，如古代屈支国，或曰龟兹国的龙驹与龙马的故事，在今天新疆各族流传的民间故事中，依然隐约能够找到一些踪迹；[199]青海（“库库诺尔”，蒙语“青海湖”）当地人士至今也仍有传说，曾于海心山（龙驹岛）上出良马。[200]

5. 从海路交通的信息传播看“骏马出于水”记述的流布

上文所及《库什王纪》载借助海中奇马繁育骏马的故事，涵盖神马出于海和借助出水奇马繁育骏马两个细分母题，叙事场景横跨从伊朗高原到朝鲜半岛的广袤地域。鉴于唐中后期以后，大食和波斯商人频繁自海路来华贸易，那么除亚欧中央草原游牧文明的辐射作用之外，东西亚之间海路交通兴起带来更便捷的跨地域、跨族群文化信息的长距离传播，也当是形塑该故事的重要因素。

按《库什王纪》，巴希拉人以大食种牝马与海中神马杂交培育极品骏马，因在伊朗文学传统中，大食马即骏马之代称。据《诸蕃志》，“[瓮蛮国]山畜牧马极蕃蔗。他国贸贩，惟买马与真珠及千年枣”。[201]瓮蛮国即今阿拉伯半岛之阿曼。再结合杜环对大食马的描述——“西海滨龙与马交所产，善者日行千里”，可见在古代伊朗人和中国人眼中，大食马都是著名的骏马。

再据《诸蕃志》，“[记施国]土产真珠、好马”。[202]按杨博文注释：“记施之马疑非土产，乃阿拉伯、波斯之名马。阿拉伯、波斯各地将马运至记施及忽鲁谟斯等城聚集，然后由商人购买而转贩至印度等地。”[203]记施即今波斯湾基什（Kīsh）岛，不具大规模牧马的条件，但长期是波

199　王邦维：《龙驹、龙马与金花王》，《文史知识》2014年第5期。

200　谢成侠：《中国养马史》，第130页。

201　赵汝适原著，杨博文校释：《诸蕃志校释》，第107—108页。

202　赵汝适原著，杨博文校释：《诸蕃志校释》，第108页。

203　赵汝适原著，杨博文校释：《诸蕃志校释》，第109页。

斯湾贸易的枢纽，故杨注为是。

据玄奘转述佛典所云僧伽罗国名由来的传说，大商主之子僧伽罗与五百商人入海采宝，至该岛大铁城，困于罗刹女。有此前被困之人告知，“海滨有一天马。至诚祈请，必相济渡”。[204]后僧伽罗果得天马之助而逃脱。僧伽罗国在汉文古籍中又称锡兰、狮子国，即今斯里兰卡。“此岛由于地处东西方航线中心，自古海上贸易发达，各地商人云集。佛经中的神话即暗示这一事实。”[205]值得注意的是，这则传说也言及海滨天马。

《道里邦国志》载海中腾跃出马的拜尔塔义勒岛在扎比吉，即汉文古籍中的三佛齐，[206]领有今苏门答腊岛、马来半岛等地，控连通印度洋与太平洋海上航线之要冲。按《诸蕃志》，“其国在海中，扼诸蕃舟车往来之咽喉”；其物产多“大食诸蕃所产，萃于本国”。[207]《道里邦国志》成书之时，该地正是穆斯林商人云集之处，可巧亦有马出于该地海中的传说见载于该文献。

朝鲜半岛三面临海，周边多岛屿，牧马于海岛是朝鲜马文化的一个重要特征。《宣和奉使高丽图经》卷三十七《海道》载有“马岛”：“盖清州境也。泉甘草茂。国中官马，无事则群牧于此。因以为名。”[208]实际上，朝鲜自古以牧马闻名之地是济州岛。上文所及献于明成祖的济马，即产自济州岛的骏马。另据成海应《兰室谭丛》载“牛岛马”：

济州即东国之屈产也。州之东境。有牛岛周五十里。产此者最良桀。岛西南有窦。可容一小舡。稍进则可藏船五六艘。其上大石如屋。如有日光浮耀。星芒灿列。气甚寒凉。毛发竦然。俗称神龙藏处。七八月间。不可往。往则大风雷雨拔木损禾。有官济州者。获马

204 玄奘、辩机原著，季羡林等校注：《大唐西域记校注》，第873—874页。

205 玄奘、辩机原著，季羡林等校注：《大唐西域记校注》，第877页。

206 “其爪哇名为Sambhoja，阿拉伯文名作Sambuza。”汪大渊原著，苏继庼校释：《岛夷志略校释》，北京：中华书局，1981年，第143页。“为梵文Srivijaya之对音……大食人地志中……或称Zābag亦指此国。”赵汝适原著，杨博文校释：《诸蕃志校释》，第36页。

207 赵汝适原著，杨博文校释：《诸蕃志校释》，第35—36页。

208 徐兢：《宣和奉旨高丽图经》，北京：中华书局，1985年，第四册，第130页。

于此。首低腹广。状似鲤。性甚悍。蹄啮不可近。遂复放之岛。盖龙种云。[209]

这条记载既为龙种马出于济州岛附属岛屿的传说，又言明济州本为出骏马之地。

据以上文献所载，阿拉伯半岛瓮蛮、波斯湾记施、印度南面的僧伽罗、马六甲海峡周边的扎比吉、朝鲜半岛西南方之济州，都有出骏马、出奇马的记录，诸地串联起来恰呈现为中古时期西起波斯湾、东至朝鲜半岛的海上贸易航线。我们虽仍不能得出这些骏马传说必有相互影响的结论，但至少可以认为，《库什王纪》载巴希拉海出奇马的叙事，大概率是受长期流传在伊朗的奇马出于水传说与早于其成书的穆斯林史地文献中有关新罗记述共同作用的产物。上文已及，穆斯林史地文献中描述新罗的部分内容可确定是对海路交通获取信息所做记录，那么海路交通所致信息传播当对“骏马出于水”传说在沿线的交流也起到促进作用。

6. 结论

在本节探讨的有限范围内，“骏马出于水”传说广泛流布于东起朝鲜半岛、西至安纳托利亚高原的广大地域，在伊朗高原、中亚和中国西北部地区尤甚。其中，人们令驯化马与“出水奇马”杂交而培育良马的记述，因其内容丰富，流布地域广，传世数量多，格外引人关注。在“借助水中奇马求骏马”传说的发生与流传上，以骨咄为代表的阿姆河流域是关键地区，东西亚的此类传说大概或多或少均受到该地繁盛马文化的影响。据此，我们还可进一步认识到畜牧业和商业都很发达的古代中亚地区对促进东西亚之间物质与文化交流所起到的枢纽作用。

另外值得注意的是，《库什王纪》载巴希拉人利用海中马求骏马的故事，将伊朗传说嫁接于新罗，却非纯粹文学想象。结合以上对汉语和

209　民族文化推进会编：《韩国文集丛刊》第二百七十八辑《研经斋全集外集》，第84页。

波斯–阿拉伯语古籍的耙梳来看，可知该叙事蕴含丰富的背景信息：其一，伴随着亚欧中央草原马文化的广泛传播，发端于河中地区的“骏马出于水”传说在12世纪初已流传至伊朗高原西部；其二，波斯湾到东亚沿海地区海路交通的兴盛，给当时的伊斯兰世界带去关于朝鲜半岛的有限认知，以及某些海岛出骏马的传说，这些信息经由穆斯林史地文献而进入伊朗史诗传统，被糅合、加工和再创作。故而伊朗史诗所载有关内容与穆斯林史地文献和汉文史料中的同类记述一样，都是中古时期东西亚之间繁荣交通的产物。

第七章

《库什王纪》里的中国形象

——兼谈波斯语古典叙事文学视野下的中国形象演变

《库什王纪》亦称“中国王的故事”，其情节与古代中国关系密切，故而有必要从比较文学形象学的角度对其中的中国形象加以梳理。但该史诗并非唯一涉及古代中国的波斯语叙事文学作品。伊朗拥有高度发达的古典叙事文学，达里波斯语文学时期，大致形成以古典叙事诗为主体，以散文体故事为补充的格局。由于伊朗地处于东西文明交汇之地，其叙事文学传统多有涉及异国的情节，中国作为与其交往密切的文明古国，以非常高的频率出现在这类作品中——《库什王纪》即为一部重要的作品。然而，这些文学作品里的中国形象显现出多种不同面貌，即使同一部作品里的中国形象也不统一。因此，若将《库什王纪》里的中国形象放在波斯语古典叙事文学传统的语境下考察会更具价值。本章首先勾勒出《库什王纪》里的中国形象，而后通过耙梳创作于不同时代的多部波斯语古典叙事文学著作里的中国形象，探讨其历时性演变过程。[1]

一、《库什王纪》里的中国形象

1.《库什王纪》里的中国人物形象

人类活动所创造的丰富多彩的文化，是各个族群和国度的整体形象在文学作品中展现出多样性的基础。创造出各具特色的诸多文化之

---

1 可综合参看拙文《波斯语叙事诗里的中国形象浅析》，载曾琼、曾庆盈编《认识“东方学”》（北京大学出版社，2014年），以及《中国形象在波斯语古典叙事文学里的演变》，载曾庆盈、曾琼编《探索“东方学”》（北京大学出版社，2015年），本章内容在以上二文基础上有重编和修订。

主体，即各族群、各国度的居民和代表性人物，是构成文学作品中异国整体形象最重要的元素之一。《库什王纪》情节展开的主要场景是古代中国相关地域，所涉中国人物众多，其形象均值得关注。

（1）中国君王

在《库什王纪》中，秦王玛汉格和马秦王贝哈克等中国“原住民”君王，相较于他们的主要敌手——大食人首领佐哈克和库什父子等，都显得仁慈善良有余，武勇谋略不足。玛汉格和贝哈克都帮助过贾姆希德族人，却分别被听命于佐哈克的印度王与象牙库什攻杀，致使秦与马秦都落入异族统治者之手。

阿贝廷举族流亡期间得到的最有力支持来自巴希拉王醍醐尔。中古时期的新罗与中国同处汉文化圈，在伊朗–伊斯兰文化圈居民作远观的视野下，东方诸国的整体形象相近且趋同。因此，尽管巴希拉王醍醐尔的原型应是新罗王，本章权将其置于中国君王之列加以讨论。凭借地理天险的优势，醍醐尔为阿贝廷所率贾姆希德族人提供了长时间的庇护，但他在与象牙库什的军事对抗中也落于下风。其子卡拉姆即位后，立即致书世界之主法里东，请求其发兵，助他解除象牙库什的军事威胁。

库什和象牙库什在书中都作过中国王，但他们本是大食人首领佐哈克的兄弟和侄子，因此不纳入中国人物的讨论范围。尤其是具有突出的妖魔化形象与性格特征的象牙库什，实为中国原住民诸王的对立面。

在波斯语古典叙事文学作品中，中国君主被冠以王（shāh）、首领（sālār）、可汗（khāqān）和天子（faghfūr）等多种称谓频繁出场，其形象有千篇一律之嫌，多种称谓又显示出不同族群和不同时代的文化烙印。在波斯语中，shāh是对君主最通用的称呼，可用于任何地区和族群的统治者；sālār与sardār同源，自巴列维语进入波斯语，带有一定古老文化遗存色彩。此二称谓普遍见于各种波斯语古典叙事文学作品中。波斯语的khāqān词义为“汗之汗”（khān-i khān），借自突厥语，本为北亚地区势力强盛的游牧族群首领之称号，在波斯语中用以指称突厥和中国的君主；faghfūr为意译汉语词“天子”（bagh-pūr）的阿拉伯语化，专指中国君主。此二称谓多见于“叙事历史年代”相对晚近的情节中。在《列王纪》的历史故事部分，以及《七美图》《亚历山大王纪》《霍马与胡马云》等作品中，除王以外，中国君主常被称作可汗或天子；而因《库什王纪》涉及中国王的叙事历史时段完全局限于神话传说时代，其中的中国君主常被称为王和首领，天子之称仅出现一次，可汗之称则从未出现。同时，伊朗古人对中国君主几种称谓的深层含义并未做精细辨别。波斯语叙事文学对中国君主的称呼虽多种多样，他们的形象却没有呈现出明显的差异化，大都被表现为无褒贬色彩而中规中矩的异邦统治者。但在《库什王纪》中，由于中国人与伊朗人之间的军事冲突均在外来异族中国王——库什和象牙库什的组织下发生，而玛汉格、贝哈克和醍醐尔等人都是贾姆希德家族的同情者、支持者和庇护者，原住民中国王都得到叙事者褒扬性的描述。

另外，在波斯语叙事文学所涉信史时代的历史故事里，中国君主在战阵中有时以大象为坐骑——在《列王纪》载鲁斯塔姆擒获中国可汗的情节中，中国可汗骑在大象上作战，且其率领的军队中有象队，战象身上皆披中国锦缎；《亚历山大王纪》也写到中国可汗骑乘着大象，率领军队来到亚历山大的营地。古代中国与伊朗文明的核心区相距甚远，处于两者之间的北印度到中亚地区在历史上归属不定，是古代伊朗、印度和中国多个文化圈之间的“缓冲地带”，而印度人自古即有驯象并驱之作战的军事传统，其战象在阿契美尼德王朝和萨珊王朝时期曾被伊朗统治者征用。在信息交流效率相对低下的古代社会，认知自我相对容易，辨识他者则加倍困难。在遗忘了自家战象传统的古代伊朗民间集体记忆中，中国是伊朗东方的大国，一些包括印度文化元素在内的异国元素，被笼统地杂糅于中国形象中。不过在仅涉及神话传说时代的《库什王纪》所载中国王的故事中，并未出现中国王骑乘战象的形象。

（2）中国女性

《库什王纪》里的中国女性人物形象格外引人注目。因秦王玛汉格之女嫁与贾姆希德为妻，巴希拉公主法拉兰格与阿贝廷婚后育有法里东，该史诗所载正统伊朗王族后裔从母系血统上来说与中国人关系密切；此外，全书主角——伊朗人的宿敌象牙库什，亦为秦地皮尔古尚部落女子所生。这些中国女性通过自己的孩子影响了整部史诗故事情节的发展。同时,诗人对中国美人的容貌极尽赞美之辞,尤其是法拉兰格,诗中以大段文字渲染其与日月争辉的超凡美貌。

但凡提及中国的波斯语古典叙事作品,几乎都有中国公主或中国美人的形象出现,从民族史诗、文人叙事诗到散文体民间传说,概莫能免。伊朗王或王子对中国公主的追求,甚至成为某些波斯语文人叙事诗和伊朗民间故事的核心主题,是一类重要母题。被伊朗文人不吝溢美之词频繁在作品中刻画的中国美人形象,反映出在古代伊朗人集体意识中存在着根深蒂固的中国女子貌美出众的程式化印象。再进一步,这些作品对中国美人的描写,又隐约关联到中国精致华美的整体形象。

(3) 其他中国人物

《库什王纪》里的其他中国人物形象,比如贵族、智者、民众和士兵等,大都显得相当单薄,在故事情节中一般只承担陪衬性的"串场角色"。秦与马秦上到贵族,下至民众,对"外人称王"没有做出任何反应——在自己的王被杀之后,便恭顺听命于库什父子,并在他们的驱使下与贾姆希德家族代表的伊朗人作战。秦的智者在《库什王纪》情节中的表现也仅限于向法里东申诉和求援,呈现出一副弱者面孔。在中国人的社会记忆里,以华夏文明为主体的古代中原居民在信史时代经常与北方游牧族群处于激烈对抗中,"夷夏之辨""华夷大防"的观念延续两三千年不衰,"外人称王"绝不是可轻易接受之事。而据《库什王纪》,外来人可随意在秦与马秦称王,中国居民展示出无区别的友善和软弱的群体性格特点,该群体被表现为不同于中国人自身历史记忆的另一种面貌。

(4)《库什王纪》里的中国人物形象特征

从人类学角度来看,"我们看到许多最极端的'我群'、'他群'之分别,主要是建立在主观的文化和生活方式的差异。人类历史上最重要的敌对关系,并未发生在生物性的种族差异上,而是在文化、政治和经济的冲突方面"。[2] 人类不同文化族群之间常因相互敌视和仇视而丑化、兽化

2 叶舒宪:《文学与人类学:知识全球化时代的文学研究》,第5页。

和妖魔化他者，波斯语古典叙事文学也有丑化敌对异族的传统。

在《列王纪》中，取代贾姆希德夺取伊朗王位的大食人首领佐哈克被描述为双肩生蛇的暴君形象。上文已及，该形象脱胎于《阿维斯塔》神话中的恶魔之一——蛇形巨妖阿日达哈克（Azhdahāk）。暂且不论阿拉伯人终结萨珊王朝统治这一历史事件究竟令菲尔多西作何感想，仅就佐哈克的形象而言，《列王纪》中的阿拉伯人形象就被赋予了妖魔化色彩。阿拉伯部族在波斯语古典叙事文学中展现出的是游牧文明形象。据《列王纪》，大食人上古首领玛尔达斯公正仁慈，在草原上教人自羊、驼、牛、马等驯养的牲畜取乳来供应人们生活，其子佐哈克却乖戾任性、凶狠无情，且受恶魔的引诱转向邪恶。与之相对应的是，伊朗上古诸王一面教人驯养畜禽、冶铁、水利灌溉、农耕定居、以丝绸麻布制衣、建造浴室和宫殿、开采金银宝石、医疗、造船、制订历法、作社会分工，一面与魔鬼斗争，并利用降服的魔鬼创造文字，发展知识文教。[3]可见，农耕定居文明与游牧文明的二元对立自伊朗民族史诗发端之初就已显现。

《库什王纪》的主角象牙库什虽有中国王的称号，但实际上他是大食人首领佐哈克的侄子，外貌如同魔鬼一般——有大象的耳朵、大象和野猪的獠牙、骆驼的嘴唇、红色的头颅和头发、漆黑的两颊和靛蓝的双眼，他的脾性亦如魔鬼般颠三倒四、反复无常。[4]中国的居民则总体呈现出容貌俊美、性格温和的人物形象，与之形成鲜明对比。

《库什王纪》中还有令象牙库什都感到惊骇的妖魔化强敌，即马赞达兰诸魔鬼，其中包括伊朗传说里著名的白魔：

那著名之人的名字就是孙加[5]，勇敢的魔鬼在他的掌中。

他造就一支英勇的军队，委任了几名首领。

---

3 Firdawsī, *Shāhnāma*, Moscow Edition, vol. 1, pp. 11—26。汉译参见菲尔多西：《列王纪全集》，第一册，第23—56页。

4 Ibn Abī al-Khayr, *Kūshnāma*, pp. 202, 217.

5 Sunja，是一个白人和黑人混血的勇士。*LND*, vol. 9, p. 13783。《列王纪全集》中汉译为“三吉”。

一位是名叫[A]r.dū[6]的英雄，祖父是先知努哈，父亲是含。
他有骆驼般的身体和白色的皮肤，恐惧和希望都来自他的力量。
按照努比亚人那样说出的话语，人们把他称作白魔。
在战斗之时人们未曾见过，在那片疆域有谁的力量如他一般。
他的一条臂膀如同大树的枝杈，他的脖颈如同凶猛的大象。

（第9581—9587联）

上文已及，在闪族传说中努比亚人就是含之子库什的后裔，但在伊朗传说中，作为跨文化因子之一的库什之名已发生异化。《库什王纪》并未提及象牙库什出自含的家族，却明确指出白魔是含的后裔，其可怕程度甚至超过象牙库什。这表明在伊朗传说中，相较于同伊朗人有过频繁冲突和战争的闪族诸英雄，含的后裔是更加可怕的族群。至于《古兰经》文献传统所载雅朱者，在《库什王纪》的文字中也被描述为一种非人的存在：

创世主在大地上，没有令比这生物更坏的东西出现。
如果在前面没有大海之水，如果水中不出产鱼，
世界就因他们而遭受灾难了，谁知道已降临多么巨大的灾难。
这个世界在一天时间就毁灭了，由于这些有害的生物和迷途者们。
它们的数量比人类多百倍，它们不懂良善也不识人道。

（第4069—4073联）

上古时期伊朗先民同古闪族人曾有大规模的激烈冲突，关于此类事件的某些记忆碎片和闪族敌手的妖魔化形象，历经历史长河漫长时间的遗忘作用仍顽固留存在伊朗人集体记忆中，成为沉淀和固化的记忆片段。这些记忆片段的前因后果已然模糊不清，但在被整合进入伊朗民族史诗以后，经由重述历史的史诗吟诵者的再创作，它们被连缀成

6 原文残缺。马提尼注曰：抄本中就是这样记录了这个词。这就是那位在努比亚人（Nūbī）的语言中被称为白魔（Dīv-i Sipīd）的英雄，在[《库什王纪》]第9585、9588、9593、9623、9656、9662、9665联中仅以Dīv-i Sipīd之名提到他。

具有另外一副模样的故事。在波斯语古典叙事文学传统中，清晰可见佐哈克和象牙库什等闪族统治者受到强烈丑化的形象。此外，白魔等马赞达兰诸勇士，以及远在大地边缘地带的蛮夷——雅朱者，由于居住地分处已知文明世界西南和东北的边缘地带，在波斯语古典叙事文学传统中被视为"化外之民"，也呈现出被兽化和妖魔化的形象。相较于以上几类形象，其他异族人物如中国人、鲁姆人和印度人等，在《库什王纪》中未被强烈丑化。然而，在"库什与玛努什的故事"中，伊朗王库什凭借一份伪造的上古文书，在未动刀兵的情况下就迫使鲁姆王玛努什臣服——缴纳贡赋并送来人质，[7]读者从该故事中可以感受到鲁姆人遭到伊朗叙事者调侃的意味。另外，印度王曾在给佐哈克的书信中诽谤秦王玛汉格，以不实之词骗得佐哈克发来援兵，得以"公报私仇"杀死玛汉格，[8]印度人的形象于此处的表现也并非光明正大。再看《库什王纪》里的中国人物，男性常具备宽厚仁慈、正直忠勇的品格，女子皆有"体态如松柏、面容似明月"的外貌。在上述有关鲁姆王和印度王叙事的反衬下，中国人物普遍被呈现为有所美化的形象。

从马秦濒临大海，巴希拉位于海中的地理位置来说，中国人定居在世界东方尽头，也属已知世界边缘地区的居民，但《库什王纪》里的中国人物却未呈现为类似努比亚人或雅朱者那样的妖魔化形象，其中至少有两方面的原因。其一，早在前伊斯兰时代伊朗神话传统形成的过程中，伊朗与中国就一直有密切的往来，伊朗人很早就认识到中国是一个拥有高度文明的国度。在有关伊朗与其东方邻国敌对冲突的集体记忆中，他者的突出代表是土兰，是有别于秦与马秦的国度，因而即便在伊朗史诗中传说时代的故事里，中伊两国之间也始终未表现出截然的二元对立关系。其二，中古时期伊斯兰世界与东亚地区的交往更为密切，穆斯林史地文献常把中国地域和朝鲜半岛记作繁华富裕之地，将其居民描述为肤白貌美、体态端庄的形象。虽然在波斯语古典叙事文学传统中，突厥人与中国人有时被混为一谈，但在广泛的穆斯林著作中，

---

7 Ibn Abī al-Khayr, *Kūshnāma*, pp. 159—169.

8 Ibn Abī al-Khayr, *Kūshnāma*, pp. 190—193.

也多有关于突厥语族群人物俊美的记述。无论《库什王纪》的叙事者是否有意将中国人与突厥语族群区别开来，其都对居于遥远东方的中国人物做出了美化想象。

2.《库什王纪》里的其他中国元素

文学作品里的中国本身就是一个巨大的不确定概念，在不同时间、空间和人群的维度中，从地理学、历史学、政治学以及文学等不同角度来看，它都具有不同的内涵与外延。随着时间的推移，术语中国之外延不仅早已超越其"天子所在中央城郭"的最初词义，也超出了"华夏中土"的范畴。从今天的认识出发，中国的整体形象是个跨地域、跨族群，多元文化相互融合而成的复杂集合体。在文学作品中，到底哪些元素是中国形象的有效构成部分，是个见仁见智的话题。但可以肯定的是，除人物形象以外，还有其他几类元素也是中国整体形象的重要组成部分。

（1）中国相关地名术语及其城市面貌

在伊朗人从古至今的集体意识中，秦与马秦无疑是中国这一概念的地理主体。波斯语文学作品中常以这两个术语指称古代中国地域，把中国作为一个整体性叙事元素来描述——东方异族居住的国度。而巴希拉在《库什王纪》中被马秦王贝哈克称为"另一个马秦"，他还称巴希拉王醍醐尔如同其兄弟，可见在史诗的叙事者眼中，巴希拉与马秦亲如一家。此外，在醍醐尔宴请阿贝廷的盛大宴会上，有对两位巴希拉王子衣着的描写：

> ［醍醐尔］王的两个孩子站立着，戴着金色的冠冕，穿着秦的袍服。（第2318联）

此信息也表明，巴希拉同秦与马秦文化相通。该史诗还数度述及巴希拉是一个随处可见华丽丝绸的国度，也完全符合中古时期伊朗人对中国的印象。因此，《库什王纪》中的巴希拉可视为其叙事者想象出来的中国幻象的一个构成部分。

据《库什王纪》,中国的城市和人口数量众多,展现出人丁兴旺、繁荣富庶的面貌。诗中讲到象牙库什治下安达鲁斯变得空前繁荣时,有如下类比:

> 它[安达鲁斯]变得那样繁荣昌盛,无论是秦还是伊朗大地都不曾那样。
>
> (第7950联)

这联诗显然运用了文学修辞上的夸张手法,秦和伊朗被用作衡量一个地区繁荣程度的标杆,二者自然本是诗人心目中最繁华的地方。以伊朗人一贯以大地中央之地居民自居的自豪感来说,将秦与伊朗并称为最繁华之地,可谓对秦的繁华程度非常认可的表达了。

城市是人群聚居的繁华之地,各国度城市数量的多寡和规模大小,标志着繁荣程度的不同。《库什王纪》极力渲染中国地域城市数量众多且规模巨大。其行文述及,秦的疆域有三百六十座出众的城市;巴希拉有八十座出众的城市;胡姆丹和巴希拉城等城市有规模巨大、人口众多、城墙高耸入云、护城河宽深、街市繁华富庶、城中满是花园等特点。如许内容未见于描写其他国度的诗句,说明中国的繁荣程度在《库什王纪》里甲于天下。

波斯语古典叙事文学里出现的中国城市大致可分为两类。一类以历史地理文献所载位于中国地域的城市为原型,如《列王纪》《亚历山大王纪》等史诗中提到的和田(Khutan)[9]、喀什(Kāshghar)[10]等丝绸之路上的西域古城;另一类是叙事者为了展开故事情节而虚构出来的城市,如《七美图》中的"无知觉者之城"等。前一类中国城市大多呈现出模糊不清的面貌,少有细节描写,它们在叙事中主要起地理坐标的作用。后一类城市面貌往往有具体细节,然而此类细节明显出于诗人的

---

9 自汉代始称于阗,清代称和阗,1959年改称和田。

10 旧译"喀什噶尔"。

想象或诗人基于伊朗人集体想象的拓展发挥,呈现为伊朗人眼中奇幻的异域风情,与史料所载中国城市面貌相去甚远。在《库什王纪》中,秦的都城胡姆丹属前一类,这座城市见载于众多穆斯林史地著作,指古时曾多次作中国都城的长安。巴希拉城、盖尔和乌尔等巴希拉岛上的城市则属后一类,其面貌被描述为天园一般花团锦簇,并点缀以丝绸等代表中国的符号化元素。相较于《列王纪》,《库什王纪》较少提及位于中亚地区的古代绿洲城邦之名,但对胡姆丹、巴希拉等繁华大城有较详细的描述。这些位于中国的城市皆有高大的城墙和宽深的护城河,表现出农耕文明聚居地的特点,从而赋予《库什王纪》里的中国形象以农耕定居文明的色彩。

(2)中国的物产

在大多数人无法亲至异国的情况下,经由贸易等物质文化交流活动流入本国的异国物产和人造器物,往往是人们认知异国的相当重要的媒介。波斯语叙事文学里的这类中国元素较为丰富,包括丝绸、麝香、画笔、纸张、刀剑、铠甲等物产。自绘画和织物等物品的图样上,可窥其原产国的社会风貌,宫殿、民居以及偶像寺庙(butkhāna)等中国建筑也通过这一途径进入伊朗人的视野。在波斯语古典叙事文学传统中,高明画师和能工巧匠也是中国形象的重要组成部分,[11]但《库什王纪》没有提及此类人物,故而于上文中国人物分类耙梳中未曾单列。而在种类繁多的中国物产中,最具代表性的当属丝绸,以ḥarīr、khazz、parand、parniyān、sayfūr、abrīsham / barīsham等多种称谓,频繁出现于几乎每一部有涉及中国情节的波斯语叙事文学作品中,突显中国的物产工艺精湛、华美珍贵之特点。

据《库什王纪》,中国的自然物产和人造物品尽皆丰饶,从吃穿用度到金银珠宝,再到刀剑铠甲,无不盛产于中国。各项中国物产中也以

11 关于高明的中国画师,下文有多处论及,此不赘言。至于中国的能工巧匠,除可推想精美器物必出自其手之外,于此再举一建筑师的例证。据伊朗民间故事《九亭宫》,中国著名匠师狄福(Ti Fu)受聘在达班德(Darband)建造了一座园林环绕的精美宫殿,园林里建有根据坐落方位之星宿命名的九个亭子。Reuben Levy (trans.), *The Three Dervishes and Other Persian Tales and Legends*, London: Humphrey Milford, Oxford University Press, 1923, p. 104。汉译参见潘庆舲译:《九亭宫——古代波斯故事集》,第114页。

丝绸最为出众,在该史诗中出现的频率极高。珍贵的丝绸成了最具代表性的中国符号,这与古代中国以西各国居民对中国的普遍印象一致。另外,《库什王纪》所载海中神马这一神话色彩浓重的物产给人以深刻的印象,有关海中神马的情节出现在该史诗中,当是叙事者将奇闻轶事叠加于对伊朗人尚未真正了解的遥远国度所作叙事中所致。于是,伊朗人亲眼见过的华美丝绸等精致人造物,以及传闻中的海中神马等奇异"神造物",也对构建文学作品中美丽而神奇的中国整体形象起到辅助作用。

(3) 中国人的宗教信仰

中国人在信仰上有偶像崇拜的特点,此为古代伊朗人和穆斯林大众对中国人一个大体的印象,诸如《黄金草原》等文献对中国人的偶像崇拜都有详述。该印象的形成大概也是由关于中国人的多种信息共同促成——中国人,尤其是贵族人群有祖先崇拜的传统,具体表现为对祠堂家庙中的先祖牌位和画像的祭拜仪式等;佛教造像艺术在中国的流行,也使中国人表现出佛像崇拜的群体特点;道教、萨满教等中国本土宗教和某些民间信仰也有偶像崇拜的表象。

而据《库什王纪》,中国人偶像崇拜的习俗源自象牙库什的强制。在象牙库什统治秦与马秦期间,他要求当地人按其面容制作偶像并对其礼拜,让人们把那些偶像称为真神。[12]当象牙库什对其狂热爱慕的女儿之死感到痛心,他又令秦与马秦的贵族都按照自己心爱之人的容貌制作偶像,偶像崇拜就此在当地流行开来。[13]从这些有关信仰的事件中亦可略窥中国大众模糊的集体群像——他们轻易地屈从于暴政,甚至放弃一直以来崇信真神的正道,转而崇拜偶像。

(4) 与中国有关的民间传说

某些与中国有关的民间传说存在于波斯语古典叙事文学传统中,也构成一类展现中国形象的重要元素。以下列举三例。

其一是画师摩尼(Mānī)传教。摩尼本为源出伊朗的世界性宗教

---

12 Ibn Abī al-Khayr, *Kūshnāma*, pp. 403—404.

13 Ibn Abī al-Khayr, *Kūshnāma*, p. 411.

摩尼教的创始人,因其东游传教时曾到过中亚和中国西部,在波斯语古典叙事文学作品中,他与中国有着颇深的渊源,在《列王纪》里甚至被称作中国人。据《列王纪》的叙事,摩尼是个自称为先知的画师,来到伊朗传布异教,但未被伊朗人接受。[14]据内扎米的《亚历山大王纪》,摩尼自雷伊去往中国传教,由于其画技高超而被有偶像崇拜传统的中国人所接受。[15]这些故事说明,一方面,中国人偏好形象艺术,有高超的绘画技艺;另一方面,中国的宗教信仰状况与伊朗不同,是个流行偶像崇拜的异教国度,这一印象在伊朗人的集体意识中根深蒂固。

其二是中国与鲁姆两国画师斗技。该传说在伊朗民间流传甚广,内扎米的《亚历山大王纪》、莫拉维的《玛斯纳维》等多部波斯语长篇叙事诗中都有基于此传说改写创作的故事情节,服务于各自叙事的主旨。无论故事细节在不同叙事作品中如何变化,中国人绘画技艺或手工艺水平高超之特征一以贯之。[16]

其三是伊朗王或王子追求中国公主。这是一个在波斯语古典叙事文学传统中得到广泛应用的母题,成书跨数百年时间的《列王纪》《库什王纪》《七美图》《亚历山大王纪》《玛斯纳维》《霍马与胡马云》等著名波斯语长篇叙事诗中都有此类故事。按情节展开的不同,这些故事大致可分为两类。一类是伊朗民族史诗作品中伊朗王娶中国公主为妻

---

14 Firdawsī, *Shāhnāma*, Moscow Edition, vol. 2, pp. 1274—1276。汉译参见菲尔多西:《列王纪全集》,第四册,第679—681页。

15 Niẓāmī Ganjavī, *Kulliyāt-i Khamsa-yi Niẓāmī*, p. 1232.

16 按伏鲁赞法尔(Badīʿ al-Zamān Furūzānfar, 1899—1970)的研究,波斯语文献载中国人与鲁姆人竞赛画技的故事最早出现在安萨里(Imām Muḥammad Ghazālī, 1058—1111, 又译“加札利”)的著作中。据安萨里的讲述,中国和鲁姆的画师效力于同一位王,奉命竞赛画技;中国画师们不用颜料,而是将作画之处打磨得光滑明亮如镜。安萨里将圣徒们(‘Uliyā’, 又译“长老”)净化灵魂、澄清心灵的努力比作中国画师们的行为。此后,安瓦里(Awḥad al-Dīn Anvarī, ? —约1187)在其诗作中也讲述了类似的故事,但绘画竞技不是在鲁姆人与中国人之间,而是在两位中国绘画大师之间展开。此二则记述皆早于内扎米和莫拉维的相关叙事。Abū Ḥāmid Muḥammad Ghazālī, *Iḥyāʾ ʿUlūm al-Dīn* (《宗教学问的复兴》), trans. Muʿayyid al-Dīn Muḥammad Khᵛārazmī, ed. Ḥusayn Khadīv Jam, vol. 3, Tehran: ʿIlmī va Farhangī, 1989 (SH 1368), p. 46。Awḥad al-Dīn Anvarī Abīvardī, *Dīvān-i Anvarī* (《安瓦里诗集》), vol. 2, Tehran: Bungāh-i Tarjuma va Nashr-i Kitāb, 1961 (SH 1340), pp. 759—760。Muḥammad-ḥasan Furūzānfar, *Aḥādīs̱ va qiṣaṣ-i Mas̱navī* (《〈玛斯纳维〉中的圣训与故事》), ed. Ḥusayn Dāvudī, Tehran: Amīr Kabīr, 2001 (SH 1380), pp. 136—139。关于内扎米和莫拉维所作叙事,下一节中专有论述。

的故事。此类故事的情节通常不甚曲折，服务于古代伊朗君王权倾天下的主题。另一类是伊朗民间传说和文人叙事诗中伊朗王子追求中国公主的故事。这类故事的情节设置基本遵循同一定式——中国公主美艳无比，若要追求成功需克服重重险阻，甚至有性命之忧，最终某个伊朗王子凭借其好运、智慧与勇敢而抱得美人归。

《库什王纪》中未见上述前两个传说，但多载异族君王求娶中国公主的故事，且这几段故事都推动了整部史诗主线叙事的发展。贾姆希德娶秦王玛汉格之女为伊朗人与大食人冲突的场景东移至中国作了铺垫；库什娶秦地皮尔古尚部落的少女，促成全书主角象牙库什出世；阿贝廷求娶巴希拉公主法拉兰格的故事被以较大篇幅浓墨重彩地讲述，情节曲折，引人入胜，是引出伊朗传说中最伟大君王法里东的降生及其复兴伊朗王权有关叙事的一段华丽前奏。因此，异族君王求娶中国公主的故事对《库什王纪》的情节发展起到驱动性作用。

3.《库什王纪》里的二重中国形象与多维中国原型

中国幅员辽阔、人口众多、城镇繁华富庶，君王、贵族与民众普遍性格善良而略嫌软弱，女性容貌美丽，自然物产丰饶，人工制品工艺精湛，这一切共同构成了波斯语叙事文学传统中有关中国的符号化他者形象。同时，该中国形象又是个复杂的集合体，仅《库什王纪》里的中国形象就具多层次、多维度的特征。

(1)《库什王纪》里的二重中国形象

《库什王纪》里的中国是古代伊朗人关于远方异国的抽象化片段投射于文学作品中的产物。因叙事者刻意将展开故事情节的场景托名为中国，亟需令其具备各种典型特征，以便尽量与读者集体意识里的中国印象相吻合，故而很多先于《库什王纪》成书的文献所载关于中国的信息都在这部史诗中有所展现。随着伊朗人所获关于中国信息的不断积累，史诗所载中国的细节也逐渐丰富起来。关于中国的地理分区及方位，相较于《列王纪》和《戈尔沙斯帕传》，《库什王纪》所载便更加详细和相对准确。故而波斯语史诗所载有关中国的内容，在一定程度上反映出不同时代伊朗人对中国认知的整体状况。

类似于张鸿年对《列王纪》所载中国的分析，[17]《库什王纪》里的中国也呈现出二重形象：一重是在“诗记史”类文学作品中被用作叙事场景的中国，原型是与东伊朗地区相邻的国度，是伊朗人有一定实际认识的地区，该地居民主要是印欧人和操突厥语各部族；另一重是在史诗里零散点缀于有关中国的情节中，具有典型性特征的各种中国元素之本源，即华夏文明核心区。但由于远隔千山万水，对于绝大多数伊朗史诗编撰者来说，那只能是一个基于道听途说被拼凑构建起来，又以文学想象加以丰富的中国幻象，大体被描绘为一个出产华美丝绸和上好麝香等物产，金珠遍地，屋宇饰以精美绘画，男男女女皆貌若天仙的国度。在《库什王纪》的叙事中，可见其作者融合上述二重形象的努力——用丝绸等精美物产以及娇柔美人等元素来修饰和装点秦、马秦、巴希拉等史诗所及与古代中国有关的国度，试图令二重中国形象统一起来。但这种努力的结果依旧是符号化中国形象的呈现。

（2）《库什王纪》里多维度的中国原型

伊朗地处人类文明十字路口。伊朗人在历史上与亚述人、迦勒底人、塞种人、古希腊人、罗马人、嚈哒人、阿拉伯人、突厥语族群和蒙古人等其他族群多有冲突与融合。《库什王纪》问世之时，除蒙古人入侵尚未发生，上述其余族群皆同伊朗人发生过冲突。其中亚述人、迦勒底人和阿拉伯人均属闪族支脉，佐哈克传说一般被认为是闪族统治者在伊朗史诗中的投影。《库什王纪》的主角象牙库什是佐哈克的侄子，主张以其为主角的传说含有伊朗人反抗闪族人的集体记忆片段自有其道理。然而，该史诗中毕竟有伊朗人与秦人（Chīniyān）和突厥人（Turkān）作战的情节，有关伊朗人与其东方各族群之间发生军事冲突的集体记忆片段也不应被忽视。

《库什王纪》大半篇幅讲述的故事发生在伊朗以东的地区，包括秦、马秦和巴希拉，以及河中地区和莫克兰等地。在法里东称王之前的故事里，象牙库什的称号是“秦王”以及“秦与马秦之王”；在法里

17 详见张鸿年：《列王纪研究》，第150页。

东登基以后直至他擒获象牙库什的情节中，象牙库什的称号是“突厥人和秦的王”（shāh-i Turkān va Chīn）。[18]在象牙库什与法里东的战争中，他率领的军队时而被称为中国人（Chīniyān），时而被称为突厥人（Turkān）。[19]突厥和突厥人这两个术语在《库什王纪》中总共出现17次，仅有一次出现在全书序言部分对塞尔柱苏丹穆罕默德一世的颂辞中，其余16次都出现在法里东讨伐象牙库什及其后的情节里（6910联及以后）。与此情形类似的是，在菲尔多西的《列王纪》中，有关贾姆希德、佐哈克和法里东的故事也没有提及突厥，该专名直到玛努切赫尔当政时期的情节中才出现。及至《列王纪》的勇士传说部分，土兰是伊朗的主要敌国之一，诗中常称该地居民为突厥人。由于在《库什王纪》独有的详述贾姆希德族人逃亡经历的故事中，完全没有出现突厥和突厥人这两个术语，这部分故事情节的形成可能早于中亚地区突厥化。在那个时代，突厥还没有作为一个人类族群集团在伊朗东方边境地带与伊朗人打交道，以至于伊朗人尚未熟知突厥之名。从这个角度来说，《库什王纪》中的秦以法里东派遣卡兰赴秦讨伐象牙库什为时间界线，前后呈现出不同的特点。此前的秦未见与突厥有任何联系；此后的秦，有时被与突厥并置，指两片相互邻近的不同地域，其地居民有时也被称为突厥人。《库什王纪》中的秦是伊朗东方最重要的国度，而上述两阶段故事中的秦实则分别脱胎于中亚地区开始突厥化之前与之后伊朗人对其东方邻邦的集体记忆。

a.《库什王纪》里的中国形象与于阗王国

自古以来，亚欧大陆中央草原的游牧族群与中国中原地区和伊朗地区的居民均互动频繁，《汉书》所载西域的塞种人，即伊朗文献所载游牧于土兰之地的印欧人族群。在伊朗文学传统中，土兰（Tūrān）与伊朗（Īrān）是一对相关且相对的专名，二者分别来自法里东次子图尔（Tūr）和三子伊拉治（Īraj）的领地，[20]大致分指阿姆河东北的游牧印欧人所在地域和阿姆河西南的定居印欧人领地。在历史上，操东伊朗语

18 Ibn Abī al-Khayr, *Kūshnāma*, p. 514.

19 Ibn Abī al-Khayr, *Kūshnāma*, pp. 515—521.

20 *LND*, vol. 3, p. 3706.

支语言的一支塞种人进入塔里木盆地南沿地区后建立于阗王国，在西汉时隶属于西域都护府；东汉时灭莎车始强盛，协助班超平定西域；魏晋南北朝时期一直入贡中原王朝；唐朝于公元7世纪中叶在安西督护府下置毗沙都督府，以于阗王为世袭都督，直至公元8世纪末；北宋时继续入贡，直至11世纪初灭国。在《库什王纪》关于秦与马秦的描述中，可窥见于阗王国的投影，理由有四：其一，《库什王纪》载伊朗与秦交往密切，而在西域诸国之中，于阗一方面与中原王朝关系紧密，长期为后者藩属，即其可能是伊朗人自古就很熟悉的"中国"，另一方面，通过密切的贸易往来，如麝香贸易，于阗与伊朗同样关系紧密。其二，于阗较早获得养蚕和纺织丝绸的技术，且绘画艺术发达，符合波斯语古典叙事文学里的中国"盛产丝绸的国度"和"高明画师的故乡"两大特征。其三，象牙库什统治下的秦流行偶像崇拜，而于阗在佛教入华的过程中发挥过重大作用，在很长的时间里是西域的佛教文化中心。其四，于阗王国为皈依伊斯兰的喀喇汗王朝所灭，《库什王纪》载象牙库什治下偶像崇拜的秦终为信仰真神的法里东征服，二事情形类似。《库什王纪》成书约百年后，内扎米在《亚历山大王纪》中用"中国的统帅"与"和田（即于阗）的君王"同指一人，[21]亦可作为以上推论的一个后来旁证。

b.《库什王纪》里的中国形象与中亚地区粟特城邦

萨珊王朝倾覆后的伊朗伊斯兰化时期，恰逢中国在中亚地区势力达到极盛的唐代，唐廷所置安西都护府下辖地域涵盖河中地区，直抵伊朗东部。[22]在唐帝国的整合之下，从朝鲜半岛到伊朗的广袤地域上各族群之间发生频繁的接触和互动，西突厥突骑施人哥舒翰曾率唐军屡破吐蕃，高句丽人高仙芝亦曾远征石国。操东伊朗语支语言的粟特人在中亚地区的诸城邦多在安西都护府统辖之下，很多粟特聚落首领成了唐王朝的地方贵族、边疆镇守者和军事将领。发动安史之乱的安禄山即为信仰琐罗亚斯德教的粟特人，其父是粟特九姓胡的康国人，其母

21 Niẓāmī Ganjavī, *Kulliyāt-i Khamsa-yi Niẓāmī*, p. 1220.

22 参见荣新江：《中古中国与粟特文明》，北京：三联书店，2014年，第267—275页。

出自突厥阿史德家族。而在此前，从魏晋到隋唐，已有大批粟特人长期往返穿梭于粟特本土、西域绿洲城邦诸国、草原游牧汗国和中原王朝之间。同时，粟特商人常通晓多种语言，粟特语也成为当时丝绸之路上不同民族间交往使用的混合语（lingua franca）。[23]达里波斯语于公元9世纪兴起于河中地区之后，逐渐导致粟特语等伊朗东部方言的消亡，但在这一此消彼长的过程中，粟特语承载的信息必然大量进入波斯语口头和书面传统中。可以确定的是，经由粟特人的沟通，中国和伊朗得以获取大量有关对方的信息。《库什王纪》载阿贝廷率领族人逃亡的情节便有粟特人商业活动的清晰投影——在往返于中国和伊朗之间的漫长旅途中，阿贝廷既曾直接雇用商队传递书信，又曾多次利用商队开辟的商路迁徙；而伊朗人迁徙的过程也伴随着频繁的贸易活动。该史诗讲到为抵抗法里东的讨伐，象牙库什在中国大规模征兵的情形时，有如下诗句：

他征召了军队并在清晨时分召唤它，军队如蚂蚁和蝗虫来到他的跟前。

全部秦和马秦［的人］都去了原野，一支军队全都是奴仆和拜金者。

（第6000—6001联）

此处提及秦与马秦之人都是拜金者，恰与汉文史料所载粟特人“大抵贪求”和“好利”的特点相符，表明伊朗人集体记忆中的粟特人形象也投射、叠加于《库什王纪》里的中国形象之中。

c.《库什王纪》里的中国形象与突厥语族群

在《库什王纪》所述法里东征讨占据河中地区和莫克兰的秦王象牙库什的情节中，秦之居民常被称为突厥人，当与中亚地区的突厥化有关。突厥是对公元6世纪崛起于北亚和中亚草原的一个游牧族群集团的统称。中国史籍关于唐与突厥对抗的记载中提及同属突厥族群

23 荣新江：《中古中国与粟特文明》，第273页。

集团的突骑施、葛逻禄、薛延陀等众多部族，它们时而顺服于突厥汗国，时而依附唐帝国，又或建立独立政权。突厥这一术语在波斯语文献中出现之初也并不特指某个族群或国度，“公元9—10世纪时，穆斯林作者笔下的所谓‘突厥人’，乃是指锡尔河右边草原地区不信仰伊斯兰教的游牧人”。[24]10—11世纪，同属突厥语族群建立的伽色尼王朝和塞尔柱王朝相继入主伊朗，此时伊朗东北方的邻邦是回鹘汗族西奔葛逻禄建立的喀喇汗王朝，该王朝有多位君主的称号是桃花石汗，[25]意即“中国王”。西喀喇汗王朝首位君主易卜拉欣·本·纳赛尔更是不但称为“桃花石博格拉喀喇汗”，还有“东方与中国（秦）之王”的封号。[26]桃花石本是突厥语对中原汉地的称谓——上文已及，据《突厥语大词典》的“桃花石”词条，当时中国分为三部分：桃花石即马秦（宋），在东南，秦（辽）在中部，喀喇汗王朝在西北。喀喇汗王朝的先祖回鹘诸可汗中有数人曾娶唐朝公主，因此喀喇汗王朝以中国（秦）的一部分自居。自公元893年萨曼王朝攻破喀喇汗王朝怛逻斯城开始，终萨曼一朝，双方之间战争不断。[27]而萨曼王朝一直以穆斯林征讨或抵御异教徒的名义与喀喇汗王朝作战，说明在此时的伊朗人眼中，东方的突厥语族群与伊朗人种族有别，文化相异，信仰不同。虽然喀喇汗王朝在10世纪下半叶皈依了伊斯兰教，[28]但秦地居民是“突厥人”的印象已然留在伊朗人的集体记忆中，这也解释了为何《库什王纪》中象牙库什有“突厥人与秦的王”之称号。

在伊朗民族史诗兴盛的时代，伊朗人集体意识中的中国人与突厥语族群有千丝万缕的联系，这一点在《列王纪》中表现得非常明显。但在《库什王纪》中，作为与伊朗人发生冲突的东方异族被称为中国人的次数难以计数，而突厥人的称谓仅出现十余次，大概是由于从《列王纪》开始创作到《库什王纪》成书之间的一百余年里，作为突厥语族群

24 王治来：《总序》，王治来：《中亚通史·古代卷（上）》，乌鲁木齐：新疆人民出版社，2004年，第4页。

25 魏良弢：《喀喇汗王朝史稿》，乌鲁木齐：新疆人民出版社，1986年，第241—243页。

26 魏良弢：《喀喇汗王朝史稿》，第109页。

27 许序雅：《中亚萨曼王朝史研究（增订本）》，第77—80页。

28 魏良弢：《喀喇汗王朝史稿》，第78页。

聚居地的中亚地区的伊斯兰化进程发生了大幅加速。随着伊朗政权经历由波斯人建立的萨曼王朝向突厥语族群建立的伽色尼王朝和塞尔柱王朝的过渡，至《库什王纪》成书的年代，迁徙到中亚和西亚地区的突厥语族群在一定程度上接受和继承了伊朗文化——伽色尼王朝和塞尔柱王朝在文化上均具伊朗—伊斯兰化的特点，即以波斯语为官方和文学通用语，信奉伊斯兰教。此后数百年间，伊朗的蒙古和突厥语族群建立的王朝持续使用波斯语作为官方语言，突厥语文人也主要以波斯语创作文学作品。直到帖木儿王朝时期，15世纪的突厥语大诗人阿里希尔·纳瓦伊（ʻAlī-shīr Navāʾī）以属突厥语东支的察合台语创作大量长篇叙事诗[29]和苏菲抒情诗等经典文学著作，在其大力倡导下，突厥诸语文学作品创作才真正兴盛起来。因此，在10—12世纪初的伊朗叙事文学传统中，突厥语族群形象大致经历了自异质他者向同质自我转化的过程。在《库什王纪》的叙事中，作为当时伊朗统治者的突厥语族群已不适宜作为伊朗的主要敌人加以描绘；在东方，唯有更远处的中国人才是真正的他者。同时，伊朗人集体意识里的中国形象还具有人丁兴旺、群体性格软弱的特点，恰好与《库什王纪》里中国所扮演的“既可为敌所用，又可作我之援”的中间派角色相合。

二、波斯语古典叙事文学视野下的中国形象演变

古代中国与伊朗是两片长期交往密切的文化大陆。在以卷帙浩繁的史诗和文人叙事诗为主体的波斯语古典叙事文学作品中，可见大量对中国地域、人物和物产的描写，以及与中国有关的传说等元素，这些中国元素共同勾勒出层次丰富的中国形象。本节首先对适于同《库什王纪》做比较研究的《列王纪》《七美图》《亚历山大王纪》《玛斯纳维》《霍马与胡马云》等不同时代具有代表性的波斯语叙事文学作品进行文本挖掘，梳理其中的中国形象大致轮廓，进而探究其形成与演变过程。

---

29 其叙事诗代表作为察合台语《五卷诗》（*Khamsa-yi Navāʾī*，作于1483—1485年），为仿效波斯语大诗人内扎米的《五卷诗》所作。

1. 波斯语古典叙事文学里的中国

(1)《列王纪》里的中国：与伊朗战多和少的东方邻邦

提起波斯语古典叙事文学，首先还是要谈到《列王纪》。因叙事时间跨度巨大，该史诗中有大量涉及中国这一伊朗重要邻邦的情节。

a. 神话传说里的中国[30]

《列王纪》神话传说部分涉及中国的内容，主要与俾什达迪王朝时期法里东三分世界时赐给次子图尔的领地有关。法里东将大地中央的伊朗、西方的鲁姆和哈瓦尔，以及东方的土兰与中国，分别封给三子伊拉治、长子萨勒姆和次子图尔。图尔率大军前往封地，当地的贵族随即承认他为土兰与中国之王。诗中对图尔的称呼有多种，如“中国的首领”(sālār-i Chīn)、“土兰之主”(Tūrān khudāy)、“突厥人与中国的首领”(sālār-i Turkān va Chīn)、“中国王”(shāh-i Chīn)以及“突厥人与中国的诸王之王”(shāhanshāh-i Turkān va Chīn)等。[31]

在《列王纪》中，相对于最受上天眷顾的大地中央国度伊朗，中国与土兰以及鲁姆等其他地域都被贴上文明边缘区域的标签。尽管在亚欧大陆中央草原的民族融合过程中，可能有一部分塞种人融入后来的突厥语族群集团中，土兰和突厥也绝非一对等同的概念。然而在菲尔多西创作《列王纪》的年代，伊朗人没能把土兰与突厥乃至中国相互辨析开来，而是笼统地混为一谈——中国与土兰之地被划给一位统治者，此处的中国形象是模糊不清的。

按照《列王纪》的叙事，萨勒姆和图尔共同谋害了伊拉治，于是法里东培养伊拉治的外孙玛努切赫尔，后者为伊拉治复仇后继承了法里东的王位。伴随着玛努切赫尔与图尔各率大军在阿姆河附近的中国边疆地区展开激战，《列王纪》里伊朗与中国不断冲突的大幕被拉开。

---

30 关于《列王纪》的神话传说、勇士传说和历史传说三大部分如何划分，学界存在略有差异的多种意见，此处权且采用一种相对简明了的划分方式——将有关鲁斯塔姆的故事作为勇士传说，之前部分归入神话传说，之后归入历史传说。以下逐一考察《列王纪》三部分内容里的中国形象。

31 Firdawsī, *Shāhnāma*, Moscow Edition, vol. 1, pp. 54—76.

b. 勇士传说里的中国

在《列王纪》的勇士传说部分，中国元素的广度和密度明显加大，出现在诗中的有“中国的勇士”(gurdān-i Chīn)、“中国的贵族”(buzurgān-i Chīn)、“中国的智者”(dānā-yi Chīn)、“中国的偶像”(but-i Chīn)[32]、“中国的偶像寺庙”(butkhāna-yi Chīn)[33]、“来自中国的稀罕货”(ṭarāyif zi Chīn)、“中国的集市”(bāzār-i Chīn)、“中国的丝绸”(dībā-yi Chīn)、“中国的马匹”(asbān-i Chīn)、“中国的纸”(qirtās-i Chīn)以及“中国的笔”(khāma-yi Chīn)等等。这些中国元素勾勒出的中国形象大致具有以下特点：中国人勇敢而智慧；中国是个偶像崇拜的国度；中国物产丰富，尤其盛产丝绸等对于伊朗来说是稀罕货的物品。

在《列王纪》勇士传说的诗句中，对中国君主的称呼与前一部分神话传说相比有明显不同——前一部分常用的是“王”(shāh)和“首领”(sālār)等称谓，这一部分则频繁使用“中国可汗”(khāqān-i Chīn)与“中国天子”(faghfūr-i Chīn)这两个术语——二者分别出现八十余次和近二十次。当然，在第三部分历史传说的行文中，它们出现的次数更多，分别是二百余次和三十多次。这一文辞表述上的变化说明，随着叙事时代的推移，中国形象有逐渐具体化的趋向。“可汗”(khāqān)一词借自突厥语族群对自己首领的称呼，在波斯语中被用来指称中国和突厥君主。[34]被广泛应用于中古时期波斯-阿拉伯语文献中的“天子”(faghfūr)一词则源自波斯语词汇baghpūr，bagh词义为天神，pūr意为子嗣，合在一起是“天神之子”或“天子”之意，专门用来指称中国的皇帝或王。[35]据《〈列王纪〉词典：人名与地名》(*Farhang-i Shāhnāma: Nām-i kasān va jāy-hā*)的faghfūr词条解释：“在古代的中国，人们把王称为T,ientszé，意思是天的儿子(即天神的儿子)。T,ien在汉语里意为天，tszé意为儿子。伊朗人把这两个词转化为自己的语言造出baghpūr(阿

32 或译为“中国的美人”。

33 在《列王纪全集》中，有时也被汉译作“中国画廊”，因为在中国的偶像寺庙中，展现着大量为伊朗人所称道的精细逼真、金碧辉煌的中国绘画和塑像。参见菲尔多西：《列王纪全集》，第二册，第112页，以及菲尔多西：《列王纪全集》，第三册，第14、18页。

34 *LND*, vol. 6, p. 9325.

35 *LND*, vol. 11, p. 17187.

拉伯语化：faghfūr）这个词。”[36]由此可见，该术语在波斯语中的出现必然受到来自中国信息的影响。上述两个词的使用表明，《列王纪》勇士传说的叙事者已自他者一方获得某些具体信息，并转化为自己的语言用以描述他者。

在汉语语境中，天子与可汗一般分指定居族群和游牧族群的首领，以这两个称谓指称同一君主的情况比较少见。在《木兰辞》的“归来见天子，天子坐明堂。策勋十二转，赏赐百千强。可汗问所欲，木兰不用尚书郎”这几联诗句中，天子与可汗明显指同一位君主。作为民歌的《木兰辞》大致发轫于北魏时期，诗中情节同北魏与柔然战争的历史背景也相吻合。北魏起源于北亚游牧部落鲜卑拓跋氏在北中国地区建立的政权，在孝文帝汉化改革与太和迁都之后，其社会文化转向农耕定居。由于《木兰辞》生成于北魏社会自游牧向定居过渡的历史语境中，诗中把君主同时称为可汗与天子就有了合理性。同时，这也没有改变两个术语分别具有的定居政权君主和游牧族群首领的含义，因鲜卑人入主中原后，其君主兼具天子与可汗的双重身份。此外，初唐至盛唐的多位皇帝有“天可汗”称号，即对内称皇帝，对外称可汗，以此体现其被草原诸部奉为共主的君临天下政治地位。在波斯语叙事文学传统中，天子和可汗均为常见的中国君主称号，此二术语或亦与某些伊朗民族史诗里中国形象的二重性相关——在某种程度上，天子代表定居文明的中国形象，即史诗作者基于对遥远的中国中原地区的零星信息，描摹出来的幻象中国；而可汗代表着游牧中国形象，来源于伊朗人对北亚游牧文明和中亚绿洲文明结合部的认知。但在成书较早的《列王纪》的叙事中，“中国可汗”和“中国天子”被不加区别地混用。据《列王纪》，伊朗作为“定居农耕的中央文明”与其周围诸“边缘文明”处于频繁的战争之中，作为边缘文明的诸多异族邻邦都带有游牧文明色彩，中国也位列其中，即无论《列王纪》的叙事称中国君主为可汗还是天子，都不改变在当时伊朗人的观念中存在“游牧中国”这一形象的状况。

---

36 *FSNKJ*, pp. 526—527.

《列王纪》勇士时代的故事中讲到凯扬王朝的凯霍斯鲁在位时期，伊朗与土兰之间爆发一场规模宏大的战争。在土兰王阿夫拉西亚伯的动员之下，秦、马秦、贵霜匿（Kushānī）[37]、巴尔赫（Balkh）、赫拉特（Hirāt）、沙坎（Shiknān）[38]、和田（Khutan）、石汗那（Chaghānī）、柏柏尔（Barbar）、莫克兰、信德（Sind）、印度（Hind）、鲁姆以及萨格拉布（Saqlāb，即撒吉剌）等地都卷入了这场与伊朗敌对的战争。终因伊朗勇士鲁斯塔姆英勇无敌，土兰及其盟军被击败。在这场大战中，中国可汗作为土兰王最得力的盟友多次出场，他与鲁斯塔姆的战斗也被浓墨重彩地描写。最终，中国可汗兵败被俘。[39]在这个叙事时间段里，中国形象仍同伊朗的宿敌土兰混杂在一起。

c. 历史传说里的中国

在《列王纪》的历史传说部分，与中国有关的第一场大戏是亚历山大东征时，他扮作信使去给中国天子下书，索要贡赋；中国天子答复说，他虽然有信心击败亚历山大，但不愿牺牲人命去逞强争霸，因此要给亚历山大以比他要求的更多的财物，来彰显自己的富有与慷慨，于是亚历山大与中国天子之间没有爆发战争。该情节里中国天子的形象表现出仁慈、智慧、强大而谨慎的特征。

---

37 据《德胡达大辞典》，该词在波斯语中有Kashānī和Kushānī两种读音，词义为属于Kashān / Kushān或Kushāniya的，该城位于那个在撒马尔罕的粟特之地（bilād-i Sughd），在印度河流域（vādī-yi Sind）以北，距撒马尔罕城十二法尔生格。*LND*, vol. 12, p. 18349。同据《德胡达大辞典》，Kashān / Kushān"是位于河中地区的一个地名"。*LND*, vol. 12,p. 18348。《列王纪全集》取Kashān和Kashānī对音汉译为喀沙和喀沙尼。另据《世界境域志》，Kushānī是粟特（Sughd）之地最繁荣的一座城市。Sutūda (ed.), *Ḥudūd al-ʿālam: Min al-mashriq ilā al-maghrib*, p. 107。在《〈列王纪〉词典：人名与地名》中，该地名标音为Kushānī，并有基于《世界境域志》所载简要解释而做的进一步说明。*FSNKJ*, pp. 565—567。再据《西域地名》Koshania词条："《隋书》何国，《西域记》屈霜你迦，《新唐书》云：'何或曰贵霜匿，即康居小王附墨城故地。'"冯承钧原编，陆峻岭增订：《西域地名（增订本）》，第54页。综上，贵霜匿为更接近该地名原文读音的已有汉译，故采用之。

38 据《德胡达大辞典》，Shiknān，同Shignān，为瓦罕（Vakhān）的一个地区名，阿姆河（rūd-i Jayḥūn）穿过该地区，位于印度北界与河中地区边境之间。*LND*, vol. 9, p. 14409。大概即王治来在汉译《世界境域志》关于西卡什姆和瓦罕的注释中所及"什格南"。参见佚名著，王治来译注：《世界境域志》，第120页，注④。

39 Firdawsī, *Shāhnāma*, ed. Jules Mohl, vol. 2, pp. 676—739。汉译参见菲尔多西：《列王纪全集》，第二册，第550—668页。

《列王纪》随后主要讲述了萨珊王朝的历史故事，其中的中国继续作为伊朗的一个重要邻国，在伊朗几位著名君王当政时期与其或战或和，不断互动。其中的重要情节包括：沙普尔·祖尔阿克塔夫（Shāpūr ẕū al-Aktāf）[40]当政时期，来自中国的画师兼摩尼教创始人摩尼[41]到伊朗传教，因与琐罗亚斯德教大祭司辩论失败而被处死；[42]巴赫拉姆·古尔为王时期，中国可汗进攻伊朗，兵败被俘；[43]阿努席尔旺在位时期，中国军队击败嚈哒后与伊朗大军对阵疆场，由于中国可汗把女儿嫁给阿努席尔旺，双方得以联姻修好；[44]在霍尔姆兹德（Hurmuzd）和霍斯鲁·帕尔维兹当政时期，伊朗大将巴赫拉姆·楚宾（Bahrām Chūbīn）反叛，成为中国可汗身边的重臣，并率中国军队攻击伊朗。[45]

立足于《列王纪》的文本来考察，这部分的中国形象表现为与伊朗时战时和的异族邻邦形象。与前一部分相比，中国与伊朗不再是全然对立的敌国，中国形象也逐渐复杂、丰满起来。

（2）《库什王纪》里的中国：友善的边远国度

《库什王纪》所载中国形象已于上一节中详论，在此仅作简要概括。在这部史诗里，中国的原住民诸王都是失国流亡的伊朗王族的支持者和庇护者，双方甚至有紧密的姻亲和盟友关系。然而由于无力抵抗佐哈克的强大势力，秦王和马秦王先后兵败被杀，其子民遂受大食人首领驱使，参与对伊朗人的围剿。伊朗王族终在世界东方尽头的海岛上，凭天险阻隔和巴希拉王的庇护，躲过灭顶之灾。故而《库什王纪》

---

40 即萨珊王朝沙普尔二世。

41 摩尼在《列王纪》中被描述为来自中国。

42 Firdawsī, *Shāhnāma*, ed. Jules Mohl, vol. 3, pp. 1557—1558。汉译参见菲尔多西：《列王纪全集》，第四册，第679—681页。

43 Firdawsī, *Shāhnāma*, ed. Jules Mohl, vol. 3, pp. 1656—1661。汉译参见菲尔多西：《列王纪全集》，第五册，第166—175页。历史上，萨珊波斯的巴赫拉姆五世曾击退嚈哒人的进犯并杀其王。参见王治来：《中亚通史·古代卷（上）》，第169—170页。《列王纪》载巴赫拉姆·古尔与中国可汗发生于木鹿附近的大战，或以该史事为原型。

44 Firdawsī, *Shāhnāma*, ed. Jules Mohl, vol. 4, pp. 1823—1845。汉译参见菲尔多西：《列王纪全集》，第五册，第469—511页。

45 Firdawsī, *Shāhnāma*, ed. Jules Mohl, vol. 4, pp. 2028—2140。汉译参见菲尔多西：《列王纪全集》，第六册，第166—384页。

里的中国是伊朗人的避难地，呈现为对伊朗友善的遥远异国形象。

(3)《七美图》里的中国：二重形象——史诗中的敌国与乌托邦般的美女之乡

内扎米的《七美图》，又称《巴赫拉姆王纪》(*Bahrāmnāma*)，创作于1196年。按学界既有观点，这部作品应归入文人创作叙事诗之列。但《七美图》的内容具有不同于其他伊朗史诗或文人叙事诗的复杂性，明显由两部分内容构成。一部分是与《列王纪》中一段情节相类似的叙事——萨珊王朝君主巴赫拉姆·古尔传奇的一生，包括他凭勇力争得王位，战胜中国可汗而称雄天下，以及娶回印度等国公主等故事，这部分内容约占全诗一半的篇幅，是为叙事的主线；其间穿插着借巴赫拉姆所娶七国公主之口讲述的诗人所作七个独立寓言性故事，这部分内容也占全诗篇幅的一半。既然《列王纪》是由文人基于收集整理的散佚巴列维语历史文献和伊朗民间口传故事而再创作的伊朗民族史诗，那么《七美图》就应当被视为伊朗民族史诗与文人创作叙事诗的混合体，是史诗传统在伊朗叙事文学中影响的延伸。正因如此，《七美图》呈现出明显不同的二重中国形象。其一是源于伊朗古代历史传说叙事主线部分中与伊朗之间战事不断的敌对邻邦；其二是诗人出于说理的需要，基于想象描绘出来的作为故事发生地的中国。前者对《列王纪》里的中国形象有所继承，中国可汗、中国大军以及宏大的战争场面等元素共同构成史诗化的敌对异族形象；后者则展示出奇异而美丽的中国城市和中国人物形象，尤其在以“无知觉者之城”的天仙美女为主角的故事中，呈现出奇幻的异域风情。

《七美图》讲到中国可汗率领大军入侵伊朗时，以史诗式的宏大文学话语，令表现为敌对异族的中国形象跃然纸上：

诸汗之汗从中国出发，要令王的领地遭到侵袭。
三十万名强弓硬弩手，如马蹬上咆哮的恶龙。[46]

46 Niẓāmī Ganjavī, *Kulliyāt-i Khamsa-yi Niẓāmī*, p. 768.

同在《七美图》中，印度公主对巴赫拉姆所讲旨在说明人享有幸福时不应贪多心切之道理的寓言式故事里，中国却是一个有着极为美丽的城市和美貌的居民，又神秘得不真实的国度，显现出一个截然不同的中国形象：

她说：在中国地区有个城市，一座装饰得如同天园的城市。
那座城市名叫无知觉者之城，是穿黑衣的人们的悼念室。
所有人都有如月的脸庞，都像黑色绸缎上的月亮。[47]

在那里，连前去猎奇的印度王结识的屠户都容貌俊美且有修养：

当我观察了每一位长者，我见到一位高尚的屠户。
他面容俊美，脾性温柔且和缓，不说任何人的坏话。
由于他的善良和良好见识，我找到与他结识之路。[48]

那个城市所通往的天园般奇幻之地，以及那里仙子般美貌的少女们就更不消说了。总之，在这个内扎米创作的故事中，中国形象呈现出一种奇幻而美丽的异国情调。

此外，《七美图》还载有一个关于巴赫拉姆与婢女的小插曲。故事中说，巴赫拉姆极为宠爱一个美貌伶俐又擅抚琴的中国婢女，她不愿迫于王威殷勤谄媚，因有话直说面临杀身之祸，终又凭借机智讲明了道理而令巴赫拉姆回心转意。在这个寓言式的小故事中，该婢女来自哪个国度其实无关紧要，但她在诗中被称为“中国婢女”，可能由于貌美、聪慧、品行高洁且多才多艺的女性形象，比较符合诗人内扎米以及当时伊朗人集体对中国美女的想象。

（4）《亚历山大王纪》里的中国：物产丰饶、君主智慧、居民多才艺的国度

47 Niẓāmī Ganjavī, *Kulliyāt-i Khamsa-yi Niẓāmī*, p. 790.

48 Niẓāmī Ganjavī, *Kulliyāt-i Khamsa-yi Niẓāmī*, p. 791.

内扎米的《亚历山大王纪》创作于1200年前后，分为《光荣书》(*Sharafnāma*)和《幸福书》(*Iqbālnāma*)——又称《智慧书》(*Khiradnāma*)两部分。萨法将其划入历史史诗之列，[49]但该作品与后世那些赞颂当世君王功业，以及相对准确地记载重要历史事件的多数历史史诗还是有所不同，或可将其视作历史史诗与文人创作叙事诗的混合体。

《光荣书》载有一段类似《列王纪》所记亚历山大东征中国的叙事，但二者情节有差异。据《光荣书》，亚历山大率大军从印度(Hindūstān)经吐蕃向中国进军。吐蕃之地水草丰美，遍地是麝，亚历山大带领军队在该地扎营，猎麝一个月之久，此情节与古时伊朗人偏爱使用麝香并持续自和田和吐蕃输入大量麝香的史实相呼应。[50]另外，在《七美图》"对语言、智慧与箴言的赞颂"的章节里，内扎米写下这样的诗句：

中国富商装载麝香，用阿魏脂[51]将麝香围绕。[52]

意思是说，中国商人在贩运麝香时，用阿魏脂浓烈刺鼻的气味来掩盖珍贵麝香的香气，以防盗贼。这联诗句至少传递了两个信息，一是在诗人看来，中国人有智慧，善于经商；二是佐证了古时有伊朗从中国输入麝香的大宗贸易。

《光荣书》继续讲到，中国可汗扮作自己的使者去见亚历山大，因他福运深厚且聪慧善言，亚历山大把原本索要的七年贡赋减为一年之量。随后，中国可汗在向亚历山大展示其强大的军队之后，仍表示要安于天命而臣服于亚历山大，亚历山大便将索要的一年贡赋也免去了。值得注意的是，诗中讲到中国可汗听闻亚历山大率领大军前来，有如下

49 Ṣafā, *Ḥamāsa-sarāyī dar Īrān*, pp. 343—352.

50 参见王一丹：《波斯、和田与中国的麝香》。

51 anguzha，同angūzha或angūza。阿魏是出产于印度的一种草本植物，因有浓烈的类似大蒜的气味，属佛教徒禁食的五辛之一。切断其根状茎，有乳汁状液体流出，待其干涸可制成阿魏脂，或称阿魏胶。

52 Niẓāmī Ganjavī, *Kulliyāt-i Khamsa-yi Niẓāmī*, p. 703.

记述：

可汗感到害怕并就忧惧之事与人商议，因那样一位敌人确有可怕之处。

他给每个边疆统治者写了血书——尘土与鲜血在我们的边境混合，

发送给从乞台王到和田汗［的众人］。他安排人们集结，

有塞兰[53]和费尔干纳的军队，还有其他贤明的边境镇守者们。

他从黠戛斯[54]、赭时和喀什噶尔[55]，召唤来众多金腰带勇士。[56]

当军队集结在一起，众汗之汗的心情有所放松。[57]

这段诗句说明与亚历山大打交道的这位中国可汗治下属国众多，包括北中国到中亚的多个国度，是名副其实的众汗之汗。此外，在中国可汗扮作使者去见亚历山大时，诗中这样写道：

中国的统帅、和田的君王，把自己装扮成一名使者。[58]

在这联诗中，中国的统帅（sipahdār-i Chīn）与和田的君王（shahriyār-i Khutan）互为同位语，都指中国可汗。

在两位君王成为朋友之后，双方欢聚饮宴。该情节中穿插有中国

53 Sipanjāb，据《德胡达大辞典》，是突厥斯坦一个地区之名，《列王纪》载被鲁斯塔姆杀死的卡姆斯·喀沙尼（贵霜匿）是那里的人，该地也被称作Ispanjāb，也就是没有字母"Nūn"的Sipījāb，据说在Saqnāq（锡尔河高地附近一村镇名）和突厥人之地被称作Sayram和Sīrān。*LND*, vol. 9, p. 13438。Sayram如今汉译作"塞兰"，在我国古代史料中亦作"赛兰"，位于今哈萨克斯坦共和国境内，古时为丝绸之路上的重镇。

54 Kharkhīz，据《德胡达大辞典》，是突厥斯坦、乞台与和田的一座城市名称，出产上好麝香和一种丝绸外袍。*LND*, vol. 7, pp. 9663—9664。该地名见载于《世界境域志》，王治来汉译作"黠戛斯"。参见Sutūda (ed.), *Ḥudūd al-ʿālam: Min al-mashriq ilā al-maghrib*, p. 79；佚名著，王治来译注：《世界境域志》，第74—75页。

55 Kāshghar.

56 指那些受赐过金腰带的出众的勇士和英雄们。

57 Niẓāmī Ganjavī, *Kulliyāt-i Khamsa-yi Niẓāmī*, p. 1206.

58 Niẓāmī Ganjavī, *Kulliyāt-i Khamsa-yi Niẓāmī*, p. 1220.

和鲁姆两国画师斗技，以及摩尼在中国传教并展示画技的故事。[59]中国和鲁姆两国画师斗技的故事以不同的面目出现在多部波斯语叙事诗中。在内扎米笔下，鲁姆画师老实地绘画，中国画师则把画室墙壁打磨成镜，映照出对面鲁姆画师的画作。此处的结论是鲁姆人画技高超，中国人研磨手艺精湛。[60]《光荣书》中的摩尼故事也不同于《列王纪》里的相关叙事。据内扎米，摩尼从雷伊来到中国传教，中国人在他的必经之路用纯净水晶假造了一个逼真的水塘。口渴难耐的摩尼用陶罐取水，却在水晶上打破了陶罐。摩尼明白之后，在假水塘上画了以假乱真的生满蛆虫的死狗，使口渴者不至于在此受骗而匆匆取水。中国人叹服于他的画技而成了他的追随者。[61]

《幸福书》里的中国相关情节主要围绕亚历山大在归途中再次与中国可汗相会展开。在中国可汗的陪伴下，他先在海港目睹了水中仙女吟唱的奇景，之后乘船出海探险。这是亚历山大与中国可汗的再次见面，他们已经成了朋友，而且前者的文化深刻影响了后者：

> 两位国主坐在一起，或多或少谈及每个国度。
> 当过了一段长久的日子，他们更新了所有的盟约。
> 可汗接受了他[62]的信仰，习得他的经典和仪轨。[63]

需要注意的是，亚历山大在波斯语叙事诗中以伊朗王和世界之主的身份出场，因此这段文字的寓意可以理解为中央文明伊朗对边缘文明中国的教化。同时，这段情节里的中国仍展现为一个奇幻国度，关于亚历山大目睹海中仙女吟唱的场景，诗人这样写道：

> 在那海港远远地扎下营帐，珍宝从海中带来光芒。

---

59 由于这两段故事与中国有关，张晖已将其汉译并收录在《涅扎米诗选》中。参见张晖译：《涅扎米诗选》，第275—283页。

60 Niẓāmī Ganjavī, *Kulliyāt-i Khamsa-yi Niẓāmī*, pp. 1229—1232.

61 Niẓāmī Ganjavī, *Kulliyāt-i Khamsa-yi Niẓāmī*, p. 1232.

62 指亚历山大。

63 Niẓāmī Ganjavī, *Kulliyāt-i Khamsa-yi Niẓāmī*, p. 1473.

在其中看到水波里的美人们，举起太阳般的旗帜。[64]
发辫披散在自己的身躯上，犹如麝香[65]撒在纯银[66]上。
每个吟唱者歌唱的都不一样，是比百般祝福还要美妙的吟唱。
当那甜美的音调传到他[67]的耳朵里，他内心炙热，血液沸腾。
为那音调与歌声略作哭泣，又笑起来——那哭泣是怎么回事？
那起伏的音调令人惊奇，因为它会一起带来欢笑与哭泣。[68]

在夜幕下的海滨，美丽的仙女和曼妙的歌声传递出奇幻唯美的异国情调。《戈尔沙斯帕传》《亚历山大王纪》等波斯语史诗有讲述奥德赛式冒险旅程故事的传统，类似上述奇闻轶事多见于其中。

《幸福书》还载有一个希腊哲学家阿基米德（Arshimīdis）[69]在学生时代迷恋中国艳婢的故事。[70]但该故事以说理劝谕为目的，其中的中国美女仅仅是令人丧志的美色象征，形象显得较为单薄。

虽然没有确凿的史料证据，但有关亚历山大到过中国的传说从中东到中亚都广为流传，也引起一些著名东方学学者的关注。劳费尔（Berthold Laufer）在《中国伊朗编》（*Sino-Iranica*）书中专题归纳亚历山大故事中的中国人时，谈及菲尔多西和内扎米著作中所及亚历山大在中国的故事。[71]

（5）《玛斯纳维》里的中国：绘画与人物皆美的符号化形象

讨论波斯语古典叙事诗，苏菲文学也是不容回避的内容，因著名的

---

64 可理解为“美人们如日出般挺立起身躯”之暗喻。

65 黑色，喻秀发。

66 银白色，喻美人身躯。

67 指亚历山大。

68 Niẓāmī Ganjavī, *Kulliyāt-i Khamsa-yi Niẓāmī*, pp. 1474—1475.

69 张晖汉译本中按波斯语对音译作“阿尔史米德斯”。

70 Niẓāmī Ganjavī, *Kulliyāt-i Khamsa-yi Niẓāmī*, pp. 1364—1368。汉译参见张晖译：《涅扎米诗选》，第287—295页。

71 详情参见Berthold Laufer, *Sino-Iranica: Chinese Contributions to the History of Civilization in Ancient Iran*, Chicago: Field Museum of Natural History Publication 201, 1919 (printed in China, 1940), pp. 570—571；汉译见劳费尔：《中国伊朗编：中国对古代伊朗文明史的贡献，着重于栽培植物及产品之历史》，林筠因译，北京：商务印书馆，2001年，第405—407页。

波斯语诗人大多受苏菲思想的影响。诗人莫拉维本是一位苏菲教团长老，他创作于1260—1273年之间的六卷苏菲哲理叙事诗《玛斯纳维》跻身于伊朗文化四柱之列。苏菲思想起源于一些穆斯林对部分上层穆斯林热衷于世俗物质享受的批判，主张坚持对真主的纯洁信仰，“通过一定方式的苦行和修道，滤净自身的心性，修炼成纯洁的‘完人’，在‘寂灭’中和真主合一，在合一中获得永存”。[72]伊朗于公元7世纪被阿拉伯人征服，10世纪末以后，相继被突厥语族群建立的伽色尼王朝和塞尔柱王朝统治，13世纪又遭蒙古人入侵，数百年间战乱频仍，社会动荡。“在这种社会条件下，人们容易产生悲观失望的情绪，对现实生活中的一切都丧失信心，这在客观上也助长了苏菲思想的传播。”[73]《玛斯纳维》正是创作于这样的历史背景之下。

《玛斯纳维》取材于历史典故、伊斯兰教经典和民间故事，以夹叙夹议的手法阐释苏菲神秘主义玄理。因其故事都是说理的工具，诗中的中国形象更具抽象和符号化的特征。

中国与鲁姆两国画师斗技的故事在《玛斯纳维》中被再次讲述，但这次辛苦作画的是中国画师，鲁姆人则把墙壁打磨得光滑如镜。诗中做出评判：

罗马[74]人就是苏菲，不用复习书本且技艺不备。
但他们擦亮了自己心田，对贪婪吝啬仇恨无所染。
无疑明亮之镜就是心房，它匹配得上无数的图像。[75]

故事所说之理一如禅宗高僧神秀关于“勤拭明镜台”的著名偈子所示。莫拉维以对鲁姆人行为的赞赏表明其观点，用以反衬鲁姆人的中国画师形象则遵循波斯文学传统中的套话——绘画技艺高超。

72 穆宏燕：《波斯大诗人莫拉维和〈玛斯纳维〉(译者序)》，莫拉维(鲁米)：《玛斯纳维全集(一)》，穆宏燕译，长沙：湖南文艺出版社，2002年，第11页。

73 张鸿年：《波斯文学史》，第150页。

74 在征引译文中作“罗马”，与本书中统一汉译作“鲁姆”的原文术语相同。

75 Mawlavī, *Maṣnavī-yi Ma'navī*, pp. 154—155。汉译参见莫拉维(鲁米)：《玛斯纳维全集(一)》，第350页。

《玛斯纳维》所载“夺人神志的城堡(即画像城堡)的故事”,以伊朗王子追求中国公主的母题助其说理。[76]该故事里的中国公主彻底抽象为真理的象征,甚至未曾展露真容。苏菲神秘主义诗人为形象地阐释“认主之道”,常在诗歌中实践“神爱思想”——以佳丽情人喻真主,以追求者喻修道者,[77]中国公主姿容绝世的套话便顺理成章地进入波斯语苏菲文学传统。倘要对故事里的公主何以是中国公主这个问题更作探究,大概可用“知识即使远在中国,亦当往求之”[78]这句圣训来解释。

由此可见,在波斯语苏菲叙事诗里,中国元素成了辅助说理的符号化载体。因有关素材源于流传广泛的民间故事,诗歌里的中国形象表现为套话残留,比如中国人绘画技艺非凡,中国美女夺人神志等。

(6)《霍马与胡马云》:跨国爱情颂歌里的“中国美人”套话残留

13世纪以后,随着蒙古大军横扫大半个亚欧大陆,各族群之间的联系和相互了解客观上得以进一步加强。伊利汗王朝时期的著名诗人哈朱·克尔曼尼著有五部叙事诗,合称《五卷诗》(*Khamsa*),其中的第一部《霍马与胡马云》创作于公元1331年。这部篇幅超过四千联诗句的叙事诗讲述了伊朗王子霍马(Humāy)与中国公主胡马云(Humāyūn)相爱的故事。据该诗叙事,霍马在仙子花园幻境见到胡马云明艳动人的画像,随即远赴他乡去追求这位中国公主。霍马历尽曲折艰险,克服了中国天子设置的重重阻挠,终因执着努力而娶回中国公主胡马云。故事中的胡马云表现为一位美丽迷人、值得伊朗王子不顾一切去追求的中国美女形象。她在霍马与中国天子的冲突中左右为难,一面女扮男装与霍马对阵疆场,一面又忧心于自己与霍马的爱情能否修成正果。

诗人哈朱·克尔曼尼是一位苏菲修行者,因此有学者主张他的叙事诗可从世俗爱情诗和苏菲神爱诗两个角度来理解。但《霍马与胡马

76 Mawlavī, *Maṣnavī-yi Maʿnavī*, pp. 1064—1120。汉译参见莫拉维(鲁米):《玛斯纳维全集(六)》,第345—469页。

77 关于“神爱”思想在苏菲神秘主义说理诗歌中的表现,详见穆宏燕:《波斯古典诗学研究》,北京:昆仑出版社,2011年,第98—107页。

78 先知穆罕默德在此所说的“知识”,一些伊斯兰神学研究者将其释为“教义学”,或许苏菲们更愿意将其理解为“神智知识”。

云》与《玛斯纳维》所载“夺人神志的城堡的故事”区别很大。后者重说理，故事性不强，人物和事件均具高度符号化和象征性的特征；而前者重叙事，情节连贯，通过描绘细节做事件讲述和人物刻画，且整部作品就是一曲以伊朗王子与中国公主为主角的爱情颂歌，这在波斯语叙事诗中也是很独特的。然而《霍马与胡马云》里的中国形象仍主要通过“中国美人”的套话残留来表现；此外，故事中的伊朗王子娶走中国公主以其杀死中国天子为前提条件，这样的情节还是反映出波斯语叙事文学里中国形象一贯具有的“弱者”特征。该叙事诗中伊朗人“肆意欺凌”中国人的情节设定，映射出作为世界大国的伊朗与被其称为“中国地区”的中亚地区诸多城邦小国之间的关系。

2. 波斯语古典叙事文学里中国形象的形成及其整体特征

（1）波斯语古典叙事文学里中国形象的形成

与伊朗民族史诗自伊朗传统文化汲取大量养分相类似，波斯语文人叙事诗也大都从历史典故、宗教经典和民间故事中选取创作动机，而后再由作者发展成为个人创作的完整作品。作为“社会集体想象物”的波斯语古典叙事文学里的中国形象，是在史地文献、宗教经典、民间故事和文人想象创造等多方因素的共同影响下形成的。上古时期伊朗初民与外族冲突的集体记忆遗存以神话传说的面貌大量存在于宗教经典和历史典籍中。及至信史时代，伊朗长期是丝绸之路的中转站，来自中国的织物、绘画等实物载体为中国人物和建筑的形象乃至社会风貌进入伊朗人的集体意识提供了渠道，再考虑到发生在行商者之间的沟通与交往，其民间故事不可避免地受到伊朗与中国之间物质和文化交流的影响。伊朗神话和民间故事中有关东方邻邦的古代伊朗人集体记忆遗存，与波斯语文学传统形成时期伊朗社会对中国的集体想象交缠在一起，共同对波斯语古典叙事文学里的中国形象起到塑造作用。

众多文人在此基础上所做的文学加工和再创作，在一定程度上令中国形象更加多元化。尤其是12世纪以后，随着历史文化语境的变迁，伊朗民族史诗创作走向衰落，苏菲神秘主义文学迅速兴起，波斯语叙事诗中纯粹基于文人想象的文学创作内容大幅增加，作为叙事产物的中国形象的在场性也随之弱化。诞生于该时代的波斯语叙事长诗仅有少数与这个大趋势不符。如上文所及哈朱·克尔曼尼于14世纪创作的《霍马与胡玛云》，其中的中国形象表现出具象而并非虚幻的特征。哈朱·克尔曼尼虽是一位大苏菲，留下大量带有浓厚苏菲神秘主义色彩的抒情诗和叙事诗作，但他的叙事诗，特别是其早期作品有模仿民族史诗的倾向。在他的《五卷诗》中，成书在前的《霍马与胡玛云》和《古勒与诺鲁孜》(*Gul va Nawrūz*)分别讲述两位伊朗王子与中国公主和鲁姆公主的爱情故事，属世俗爱情叙事诗，而成书稍晚的《至善诗篇》(*Kamālnāma*)、《明媚之园》(*Rawża al-anwār*)和《奇珍异宝》(*Gawharnāma*)则属苏菲神秘主义叙事诗。[79]

然而，诗歌对语言简洁性的需要，又迫使其中的异国形象在相当程度上放弃了丰富性。在波斯语文学之滥觞《列王纪》里，中国(秦，或秦与马秦)，本身就已符号化。历史上的中亚地区诸城邦有时在《列王纪》中被抽象成“中国”，使得诗中的中国形象带有明显的误读色彩。但这种误读又并非纯粹的误读，如同今天的伊朗人把现代民族国家意义上的中国称为Chīn，古时的伊朗人曾习惯于把阿姆河以东的地域统称为“秦”。

中国在波斯语古典叙事文学传统中首先表现为模糊的东方国度集合。相对于世界的中心——伊朗，中国处于文明边缘地带，具有野蛮和精致的二重性。中国形象的野蛮性体现在频繁对伊朗发动军事攻击。在波斯语叙事文学作品中，伊朗时常受到游牧部落，如西方的大食人，以及东方的土兰、嚈哒、突厥等族群的侵扰，来自东方的犯边常被笼统称为“中国的进攻”，亦可算作套话之一。中国形象的精致性则通过中国女子品貌端庄，中国丝绸华丽精美，以及中国工匠技艺精湛等细节元素呈现出来。野蛮性的中国形象主要存在于伊朗民族史诗里，大多服

---

79 参见Ẕabīḥ Allāh Ṣafā, *Tārīkh-i adabiyāt-i Īrān* (《伊朗文学史》), vol. 2, Tehran: Firfaws, 2005 (SH 1384) p. 159；以及张鸿年：《波斯文学史》，第234页。

务于伊朗王君临天下的主题。在这类情节中，叙事背景是以伊朗为中心的差序世界格局，伊朗人面对“不服王化”的中国的进犯不断取得辉煌胜利。精致性的中国形象既可见于史诗类作品，又呈现在一般性文人叙事诗中。而苏菲神秘主义叙事诗里的中国形象，服务于阐释认主之道的主题，人与物常皆奇幻唯美而显得不真实，终亦属精致性的中国形象。波斯语古典叙事文学作品里的二重中国形象，是想象主体——伊朗社会群体意识——在不同时期社会语境下的自我延伸，使想象主体呈现为迷恋意识和批判意识共存的矛盾集合。值得注意的是，中国形象的野蛮性并未被通过诸如丑化和妖魔化之类常见用于敌对异族的叙事手法来表现；而就精致性而言，中国形象常被奇异化和美化。中国君主、将领、军队等与战争有关的元素在伊朗史诗中通常被以中性的文辞描述；中国的美人、物产、建筑等元素，无论在史诗还是在文人叙事文学作品中，大都以被美化的形象示人——中国女子无不美若天仙，中国画师和工匠全都技艺高超，中国丝绸一律花团锦簇、流光溢彩，中国的建筑尽皆美轮美奂、巧夺天工。

波斯语古典叙事文学传统里的中国形象之野蛮性和精致性，源自伊朗人集体意识中的游牧中国与农耕中国的二重印象。历史上，北方草原游牧文明与中原农耕定居文明的对抗与融合不断在中国发生。在波斯语文学传统中呈现出一定写实特征的中国原型是今中亚和中国新疆地区——与伊朗多有直接交往和冲突的游牧族群所居草原地区和绿洲城邦。该具象中国的特征包括君主常被称作可汗、军队的作战方式以骑射为主、中国人无论在聚居地还是在行军扎营地多以帐篷为住所等。在波斯语文学传统中呈现出虚幻特征的中国则出于伊朗人对古代中国农耕定居地区之想象。《七美图》描绘的位于中国、通往天园的“无知觉者之城”，《亚历山大王纪》载中国东海之滨的善歌海中仙女，都是对他者的奇幻想象，呈现为唯美的异国景致；《库什王纪》所载巴希拉城在迎接阿贝廷的到来时全城都被绚丽的丝绸装饰，无疑也是经文学夸张手法修饰的场景，却暗合每逢重大节庆都要张灯结彩的中国传统习俗。在这类描写中，作者基于伊朗人群体意识里“中国物华人杰”的符号化特征展开想象，从而创造出一个奇幻的国度。

（2）波斯语古典叙事文学里中国形象的整体特征

通过对上述多部作品的综合考察，我们看到波斯语古典叙事文学里的基本中国形象是一个地域广大、人物俊美、物产丰饶、工艺精湛，但与伊朗战和不定、信仰不同的异族形象。这样一个多层次、多角度的中国形象，反映出作为叙事主体的伊朗社会集体想象，在邦国关系层面上对中国表现出较强的敌对和批判意识，同时在民间交流的层面上对中国表现出强烈的迷恋意识。

不同的波斯语古典叙事文学作品往往在相类似的基本中国形象基础上，又在不同侧面做出有区别的描绘。《库什王纪》《七美图》《亚历山大王纪》均源出伊朗民族史诗传统，叙事主线都可对应上《列王纪》中的某一段情节，其中的中国形象也与《列王纪》里的中国形象表现出一脉相承的特点，即在描绘邦国间冲突的宏大叙事中，中国被呈现为与伊朗信仰不同、时战时和、国力强大但集体性格软弱的异族邻邦形象。上述几部作品，尤其是《七美图》和《亚历山大王纪》，在叙事主线之外还穿插讲述了一些与中国有关的奇闻轶事，这些故事勾勒出充满奇幻异国情调的中国形象。及至《玛斯纳维》和《霍马与胡马云》等文人叙事诗，中国成了纯粹为展开故事情节而设置的舞台，其中的中国形象主要通过美丽的中国公主来呈现。波斯语叙事诗里的中国形象在细节上表现出差异的主要原因有二。一方面，随着时间的推移，伊朗人在与其东方邻邦的居民打交道并发生物质和文化交流的过程中，对中国的认知逐渐被一些新获取的信息丰富起来；另一方面，不同时代的诗人创作叙事作品的目的也有差异，其着力展示的中国形象便有不同的侧重点。归根到底，历史语境的变迁是驱动中国形象在不同波斯语叙事文学作品里表现出差异化的重要因素。

3. 中国形象在波斯语古典叙事文学中的演变

作为波斯语古典叙事文学作品创作素材主要来源的历史文献与民间传说互有融合，彼此界限不清，其中的中国形象在很大程度上反映了时人对异域的集体想象。同时，古代伊朗文人在创作叙事文学作品时，大多直接自民间传说和历史文献取材，很少另起炉灶，对社会集体想象没有表现出明显的批判意识。但文学作品中的异国形象毕竟是经由想象主体文化中的内在规则重组的，是创造式的而非再现式的，不是被感知的而是被创造和再创造出来的，[80]因此，波斯语古典叙事文学里的中国形象在不同时间、不同作者的创作与再创作过程中，也发生了明显的演变。

从历时性的角度来说，波斯语古典叙事文学里的中国形象有一个从与想象主体相敌对，到友善，再到不甚相关的虚幻神奇国度的演变过程。在伊朗民族史诗的范畴内，从《列王纪》到《库什王纪》，中国形象首先经历了从具有强烈侵略性的游牧文明形象向保守的农耕定居文明形象的转变。苏菲文学兴起之后，波斯语古典叙事文学对中国形象的呈现大幅改弦更张。“苏菲神秘主义的兴盛给伊朗人民的社会生活和民众心理带来了巨大的变化，由菲尔多西（940—1020）所处时代崇尚建功立业、积极进取的入世精神转变为厌倦现实生活，向往超尘绝俗，避世独处，崇尚清心寡欲。浓厚的出世情绪消磨了进取心，外在的功名心完全让位于内心的安宁自在，力求在静思冥想中寻找对宇宙、人生的最根本的解释。苏菲神秘主义形成为一股强大的思想潮流时，对文学思想的影响是巨大的。它首先深刻地影响了诗人们的世界观、生活态度和审美情趣，从而影响到他们的创作倾向。”[81]内扎米和哈朱·克尔曼尼都是苏菲修行者，莫拉维更是一个苏菲教团的长老，他们创作的叙事诗里的中国形象明显有别于先前的伊朗民族史诗里的中国形象。如果说内扎米的《七美图》和《亚历山大王纪》是兼有两种中国形象的过渡时期作品，莫拉维笔下的中国形象则已经与伊朗民族史诗中的迥然不同。《七美图》及其后的文人叙事诗里的中国形象被强烈抽象化，通常表现为一种异国情调，是文人构想的乌托邦。《七美图》描绘的位于中国地区的“无知觉者之城”和《玛斯纳维》所载“画像城堡故事”里的中国，都是诗人说理的工具，是质疑现实或帮助质疑现实的“无何有

80 孟华：《比较文学形象学论文翻译、研究札记（代序）》，孟华主编：《比较文学形象学》，北京：北京大学出版社，2001年，第6页。

81 穆宏燕：《波斯大诗人莫拉维和〈玛斯纳维〉（译者序）》，第13页。

之乡”。

从波斯语古典叙事文学里的中国形象沿时间轴的演变，还可以反向考察伊朗社会集体想象的发展历程。古时伊朗社会经历了四次异族作用下的大规模整合，分别来自马其顿希腊、伊斯兰阿拉伯、突厥语族群和蒙古人。波斯语文学作品中作为他者的中国形象的持续存在和流变，恰恰反映出作为想象主体的伊朗社会群体意识经历了从伊斯兰阿拉伯整合后寻求本民族文化复兴，经由突厥语族群统治的过渡，到蒙古入侵后转为对现实无可奈何而去探寻天命的发展过程。

《库什王纪》成书之时，多个强大的突厥语族群政权已相继在伊朗建立，伊朗社会正在经历突厥语族群统治下的文化整合，尽管这些突厥语族群建立的王朝信奉伊斯兰教，以波斯语为文学语言，即在文化上高度伊朗—伊斯兰化。该历史背景令《库什王纪》里的中国形象在两个方面有异于开始创作于波斯人建立的萨曼王朝时期的《列王纪》。第一，现实中来自东方的突厥语族群成了伊朗的统治者，史诗里东方他者的代表——中国，与伊朗敌对的色彩随之淡化。据《库什王纪》，在东方与伊朗人冲突的是侵占秦与马秦之地的佐哈克家族的库什与象牙库什，秦、马秦和巴希拉的原住诸王都是贾姆希德族人的同情者和支持者。第二，突厥语族群的西迁浪潮在客观上促进了中国和伊朗之间的信息交流，相较于以往的伊朗史诗，《库什王纪》所载有关中国的信息，尤其是地理信息，变得相对丰富和准确。然而，《库什王纪》也是对中国做出较为翔实描述的最后一部波斯语古典叙事长诗。由于大塞尔柱帝国在12世纪初即告崩溃，伊朗进入一段地方王朝割据的乱世。13世纪初，蒙古人开始不断西进，伊朗民族史诗创作的黄金时代从此一去不返。随着波斯语古典叙事诗创作进入苏菲文学主导的时代，其中的中国形象再度抽象化、模糊化，变得不真切起来。

中国形象在波斯语古典叙事文学传统中被不断言说，频度之高令人惊叹，但看似内容丰富的中国形象又具有高度符号化、套语化的特征。此外，中国形象在被重复描述的过程中也不断发生演变，在一定程度上反映出伊朗社会的历史条件和文化语境的变迁。综观中国形象在波斯语古典叙事文学传统中的发生与演变，并不是简单地对曾经敌对冲突的邻邦之丑化，或是伊朗人在集体想象中对遥远异国的美化，而是一个兼而有之的复杂过程。总体来说，中国形象因敌对而被丑化的程度较轻，因向往而被美化的色彩更浓重些。归根到底，《库什王纪》乃至波斯语古典叙事文学里的中国形象是伊朗人借以反照自我的诸多想象他者之一，不免表现为对真实他者的某种误读。

第八章

从重述民间历史到民族身份再认同

一、文学对伊朗民族记忆的重构

萨珊王朝亡于阿拉伯大军之后，巴列维语文献大量亡佚，于是自从伊朗地方王朝和达里波斯语相继兴起，在伊斯兰化的伊朗即出现重述本民族历史传统的浪潮。在伊朗文化与阿拉伯伊斯兰文化碰撞、交流和相互影响的过程中，伊朗人的重述历史呈现为多种形式，见载于伊斯兰世界通史和地方史、穆斯林地理著作、伊朗民族史诗等文献中。就伊朗民族史诗类著作而言，《列王纪》的创作以萨珊王朝末期成书的正史性文献《帝王纪》为基础，同时融入大量野史性帝王事迹与民间的勇士传说——本书权将其统称为民间历史；而《库什王纪》等其他同类著作，大多在《列王纪》的历史叙事框架内，更多地承担起重述民间历史的任务。

从伊朗民族史诗作品与早期穆斯林史地著作之间千丝万缕的联系中不难发现，这些文本在伊朗人重述历史的过程中明显发生相互参照和影响，也反映出传统的伊朗文史关系。因参与在穆斯林史地文献和伊朗史诗的书写与传诵过程中的著者、译者和口传者同时又是读者和听众，这两类文献传统表现出典型的多重主体互文性（intertextuality）。前面各章多处讨论已显示，本书研究对象《库什王纪》同《列王纪》等伊朗民族史诗，以及与《泰伯里历史》《巴尔阿密历史》《黄金草原》《历史与故事辑要》《世界志》等穆斯林史地著作都存在较强的文本关联，[1]

1 《列王纪》与《泰伯里历史》《巴尔阿密历史》《黄金草原》等早期穆斯林历史著作的内容关联，主要体现在《帝王纪》的内容以摘录或转述的形式保存于这些著作中。张鸿年：《列王纪研究》，第38页。同时，《库什王纪》与《列王纪》等伊朗民族史诗中的某些内容，又为稍晚的穆斯林史地著作——如《历史与故事辑要》《世界志》《选史》等——所采纳或辑录。

故此可将其放在广泛的文献参照系中做出有效的影响与接受研究，从而通过仔细考察该史诗所载，丰富我们对古代伊朗文化的系统性认识。上述著作的作者具有相似的文化背景：既深受古代伊朗文化传统的影响，又都在伊朗文化与阿拉伯文化相互碰撞与融合的伊斯兰时代初期著书立说，因此对彼此的著述有较高的接受度。但不同作者的创作意图和个人主观意识必然存在差别，他们在受到前人影响对过往文献所载有所接受与传承的同时，又不断结合自己的理解和主观倾向做出创新。尤其是《列王纪》和《库什王纪》等伊朗民族史诗，天然具有很强的文学再创作性质。基于对书面和口头文本的收集整理，以及选取素材，在不同诗人构思酝酿的过程中会生成不同的前文本，诗人们据此对传统做出各有侧重的选择性传承，并进行多样化的叙事、阐释和再创作。

依据上文对《库什王纪》按情节所作七部分划分，作为序言的第一部分和充当引子的第二部分“库什与玛努什的故事”独立于全书主体情节之外。与中国有关的第三部分“象牙库什与阿贝廷的故事”、第四部分“象牙库什与法里东的故事”和第六部分“法里东三分世界的故事”具有某些共同特点：故事情节曲折，细节描写丰富；有关古代世界和中国的地理信息与以往时代的同类作品相比更显明晰，但与该史诗其他章节提供的西方世界信息相比则显得笼统和模糊。与此形成鲜明对比的是余下的发生于西方世界的两部分故事——“象牙库什征讨马格里布”和“象牙库什在西方开疆拓土”，故事情节相对简单，但有关古代西方世界的地理信息却非常丰富和精准。这表明，与中国有关的三个部分素材主要来源于前伊斯兰时代的伊朗古代传说，以及粟特人行商和突厥语族群西进带来的有限信息；而由于在阿拉伯人征服伊朗之后不久，穆斯林大军便相继占领北非和安达鲁斯，随着多部波斯-阿拉伯语地理著作的问世，有关这些地区的大量信息得以在整个伊斯兰世界迅速传播，并进入《库什王纪》有关西方世界的叙事中。因此，《库什王纪》文本的形成，是由古代伊朗文明与阿拉伯伊斯兰文明的冲突与融合促成的，具有文化视野的互文性，体现出纵横交错的文化系统中先前文化和周围文化的影响。得益于伊朗人在伊斯兰时代重述历史的浪潮中对古代伊朗文化元素的搜集和整理，前伊斯兰时代的伊朗传说跨越漫长的历史时段，成为波斯语史诗《库什王纪》的创作基础；在阿拉伯两大哈里发帝国迅猛扩张，以及伊朗和阿拉伯文献传统交融发展的历史文化语境下，穆斯林在新开拓疆域的见闻也进入《库什王纪》的叙事中，体现出共时性维度下异文化对伊朗文本跨越空间的影响，也令载有大量跨地域文化交流的内容成为该史诗的一大特色。

另按波斯语叙事长诗的创作传统，诗人完成创作后会将作品进献给当时的统治者，一为获取赏赐作为经济回报，二为使作品得到更好的传播条件，因此这类诗作中一般都有赞颂进献对象的内容。为了给当世君王歌功颂德，诗人往往会说起被赞颂者的文治武功，因出自当世文人之口，有关诗句天然具有史料价值。此类内容在《库什王纪》中有两段。一段按照惯例格式，出现在开篇序言部分，提及塞尔柱苏丹穆罕默德一世（Muḥammad Ⅰ，1104—1117年在位）攻克被保坦尼耶派占据的伊斯法罕肖赫迪兹城堡，以及他战胜并擒杀庇护保坦尼耶派残余势力的阿拉伯艾米尔——本·萨达伽等事件。另一段出现在诗作的中间部分，提及穆罕默德一世任命艾哈迈德·尼札姆·穆勒克为维齐尔，诗人于此盛赞只有这对君臣组合可与他们的父辈——马立克沙与尼札姆·穆勒克·图西（Niẓām al-Mulk Ṭūsī，1018—1092）相提并论，还言及自己与前任维齐尔的不睦。后一段之所以出现在诗作中间，极有可能由于穆罕默德一世任命艾哈迈德·尼札姆·穆勒克为维齐尔这一历史事件就发生于诗人创作的过程中，诗人即时以诗作中的联句将其记录下来。由是观之，《库什王纪》不仅参与了对前伊斯兰时代伊朗历史与传说的整理和重述，还提供了某些诗人生活时代的历史信息。

根据以上对伊朗史诗与穆斯林史地文献的多重互文性和波斯语叙事诗创作传统所作分析可以得出结论，古代伊朗人以《库什王纪》为载体，不但记录下来大量口头和书面的古代伊朗文化遗存，还融入他们在伊斯兰时代获取的丰富信息，使有关伊朗和闪族的上古诸王与先知世系，以及中古时期的世界地理和不同族群状况的大量信息被整合进来，并且可以同成书时代相近的多部伊朗民族史诗和穆斯林史地著作所载相互印证。因此，《库什王纪》是伊斯兰时代的伊朗人重述历史的产物。如果说世界范围内很多经典史诗是各民族年代久远的集体记忆之自然残留，于伊朗伊斯兰化之后以达里波斯语写成的《列王纪》《库什王纪》等伊朗民族史诗则是文学对民族记忆的重构。《列王纪》以正面颂扬伊朗历代先王与诸英雄的方式，起到在伊斯兰时代重塑伊朗民族身份的重大作用；《库什王纪》则以多名异族暴君为原型，通过为与伊朗人为敌的一位英雄立传，反衬伊朗诸王与勇士品德高尚、智勇双全的光辉形象，同样对伊斯兰时代的伊朗民族身份再认同具有强烈的促进作用。

二、《库什王纪》与伊朗社会信念

12世纪初大塞尔柱帝国余威尚在是《库什王纪》创作的政治文化背景。自萨曼王朝建立，伴随其疆土的拓展与国力迅速强大，伊朗东部地区逐渐脱离阿拔斯哈里发的直接统治。在萨曼宫廷的鼓励下，伊朗文化在这一时期得以大规模复兴，菲尔多西也在萨曼王朝后期开始创作《列王纪》。尽管自10世纪末起，突厥语族群相继在伊朗建立伽色尼王朝和塞尔柱王朝，但此二者在某种程度上都是伊朗文化的接受者与继承者——使用波斯语作为官方语言，任用伊朗人为主要行政官员。伊本·阿比·黑尔在《库什王纪》中出言赞美的塞尔柱维齐尔艾哈迈德·尼札姆·穆勒克就是波斯人，他的父亲尼札姆·穆勒克·图西更曾作为维齐尔执掌大塞尔柱帝国的行政大权近三十年之久。《列王纪》创作于萨曼王朝与伽色尼王朝之交，当时的伊朗政权虽已是独立的地方政权，但尚未与阿拔斯哈里发帝国形成分庭抗礼的局面。而《库什王纪》的创作正当大塞尔柱帝国之威势已然凌驾于阿拔斯帝国之上的时代，哈里发对伊朗的统治已彻底名存实亡。《库什王纪》这部伊朗民族史诗创作于这样的历史背景之下，其内容也主要关乎伊朗王族与阿拉伯王族的对抗。如果说《列王纪》中的佐哈克故事更多是伊朗古代传说中有关上古闪族人入侵的苦难集体记忆在史诗中的投影，那么经伊本·阿比·黑尔之手再创作的《库什王纪》所载象牙库什的故事则更可能映射出伊斯兰时代伊朗人反抗阿拉伯人统治的社会信念。诗中有多处内容可作论据。

在诗歌序言部分“对伊斯兰王的赞颂”小标题下的内容中，诗人先以十余位传说中的著名伊朗君王和勇士来比喻塞尔柱穆罕默德一世：

以征服世界的诸王之王的名义——[他]学识如法里东，见解如亚历山大[2]；

[他有]凯尤玛尔斯[3]的名声，玛努切赫尔[4]的面容，夏沃什[5]的外表，胡山[6]的仁爱，

法拉马尔兹[7]的脖颈，法里布尔兹[8]的身材，鲁斯塔姆[9]的心灵，扎尔[10]的身躯，萨姆[11]的臂膀[12]；

他信仰[虔诚]如穆巴德[13]，公正如凯斯拉[14]，他出自帕山[15]的血统，品性如哥巴德[16]；

[他]力量如象，胆量如虎，奋力如海，恩惠如云；

他有见解地看待所有存在物，如凯霍斯鲁[17]从照世杯中观看；[18]

---

2 Sikandar，即Iskandar。

3 Gayūmars，伊朗神话中的人类始祖，第一位人王。

4 Manūchihr，伊朗传说中的上古明君，法里东的继位人，为法里东第三子伊拉治的外孙。

5 Siyāvakhsh，即Siyāvash，凯卡乌斯之子，凯霍斯鲁之父。

6 Hūshang，凯尤玛尔斯之孙，《列王纪》所载第二位人王。

7 Farāmarz，鲁斯塔姆之子。

8 Farīburz，凯卡乌斯另一子。

9 tahamtan，意为“身材强壮”，是鲁斯塔姆的称号之一。

10 Zāl，鲁斯塔姆之父。

11 Sām，鲁斯塔姆之祖父。

12 马提尼注曰：抄本中本联两行的最后一个词都是yāl，其中一个可能是bāl，意为从肩胛到指甲尖的手臂。笔者注：按伊朗传说，萨姆的武器是沉重的牛头大棒，普通人拿不动。鉴于萨姆膂力惊人，此处改为bāl，译为“臂膀”。

13 Mūbad，琐罗亚斯德教祭祀称谓。

14 kisrā，khusraw的阿拉伯语化，常专指阿努席尔旺。

15 Pashang，玛努切赫尔之父。

16 Qubād，凯扬王朝第一位帝王。

17 Kaykhusraw，夏沃什之子，凯扬王朝君主。

18 据伊朗古代神话，世界之主贾姆希德有一只神杯，当在其中倒入酒，神杯的主人可自杯中查看到发生于世界任何角落的事情，这只神杯被称作贾姆之杯（jām-i Jam），又名观世杯（jām-i jahānbīn）。此处译文取清代文人笔记《照世杯》之名作为其汉译名，也是约定俗成的译法。按《列王纪》，凯霍斯鲁时，伊朗将军比让（Bīzhan）曾被困于土兰的一口枯井中；在伊朗人营救他的过程中，凯霍斯鲁用照世杯查到他身陷何处。

他用一支箭把野驴与狮子钉在一起，［令它们］如同被巴赫拉姆·古尔[19]打翻的鹿。[20]

（第139—145联）

然后详细讲述这位苏丹战胜萨达伽的情况。该部分文字多次提及苏丹与大食人，即阿拉伯人作战，以及大食人的惨败。虽然这是一段记述“当代史”的诗文，其中隐含的诗人为“伊朗君王”大胜阿拉伯人而感到快意的情绪还是显而易见的。

由于大食人象牙库什是《库什王纪》的主角，是伊朗人与之斗争的对象，该史诗通篇暗含对大食人的批评。尽管诗人曾将阿拉伯语的《圣训》语句翻译成波斯语并加以引用，但用途仍是对大食人粗鄙的指责，举例如下。象牙库什在中国统治暴虐，抢夺民众的一切——财物、女人、孩子。因实在忍无可忍，上千人去向世界之主佐哈克控诉，但佐哈克却赞赏象牙库什的行为：

他对自己说：如果在每一个国度，都有一个像他那样的年轻管理者，

世界上就没有我的敌人了，不论是明里的还是暗里的都没有。

王这样对被压迫的人们说：“你们就不要再申诉抱怨了。

我已把那片疆土全都交给他，我已将他送上王位。

他可为所欲为，不惧怕任何人，你们得到我的答复也不过如此。”

（第4767—4771联）

这几联诗充分展现了佐哈克简单粗暴的暴君思维。象牙库什得知此事后，把申诉之人全部吊死在城外的树上，于是：

城市由于那件事陷入震动，再也没有人敢于去抱怨。

19　Bahrām-i Gūr，即萨珊王朝巴赫拉姆五世。

20　在伊朗文学传统中，巴赫拉姆·古尔以喜好打猎和擅射而著名，据说他曾在一头鹿以蹄搔头的一瞬间，用一支箭将它的蹄与头钉在一起。

这样，压迫每时每刻都在增加，他治下的所有人都伴着痛苦和悲伤。

你不会见到比那更糟的时代，王一直紧盯着不义暴虐之路。

（第4775—4777联）

此后，象牙库什强令原本信仰正教的中国贵族认可他的仪轨和信仰，对其绝对服从。诗人这时引用《圣训》的语句：

你要基于每个人的知识水平与其说话，[21]以使你不要遭受太多灾厄。

（第4786联）

诗人认为民众去向佐哈克申诉给自己招来了灾难，原因是大食统治者的智慧程度和文化水平低下。诗中继续讲到，人们错误地理解了阿丹之子塞特（Shayth）指引认主之道的话语，按照阿丹和塞特的面容制作偶像并对其礼拜；多年以后，当与塞特同时代的人们都故去，世间出现偏离正道的信仰——人们把那些偶像称为真主。本书讲到的大食名为盖斯·拉赫布伯（Qays Lahbūb）[22]的佐哈克就是这样的信仰异端之人。[23]而象牙库什在中国的暴虐也不仅在于他肆意强抢民财，还体现在他强令民众放弃原本崇信真神的正道，让偶像崇拜出现在中国。[24]象牙库什占领中国后的所作所为，有影射阿拉伯大军覆灭萨珊王朝之后在伊朗推行高压经济和文化政策的意味，即在《库什王纪》中，大食暴君对中国残酷统治的叙事，与伊朗人有关“野蛮的阿拉伯人”征服并统治“文明的伊朗人”的历史记忆有一定程度的关联。《库什王纪》全书着力讲述象牙库什在东方和西方世界的暴行，却几乎未提佐哈克治下伊

21 源于《圣训》所说：“你要基于人们的智慧程度与他们说话。”

22 在《历史与故事辑要》中作Qays Lahūb。据《库什王纪》，其巴列维语名为毕瓦尔阿斯布，亦即佐哈克。

23 Ibn Abī al-Khayr, *Kūshnāma*, pp. 404—405.

24 Ibn Abī al-Khayr, *Kūshnāma*, pp. 410—411.

朗之情形，或许是诗人在顾此而言他，有意布下迷阵。诗人借助“中国是流行偶像崇拜的国度”这一古代伊朗人固有的集体记忆片断，翻出阿拉伯人曾错误地走上异教歧途的“旧账”，也属对其鄙夷阿拉伯人的真实意图加以掩饰的策略。这段有关大食人统治者象牙库什的暴虐及其推行愚昧异教的情节，在诗中托于“非常聪慧的德赫甘吟诵者”[25]和“见多识广的讲述者”[26]之口说出，基本可以断定这些评论性话语是诗人加入的，即属于模仿菲尔多西夹叙夹议的方式创作而成的内容。而这些诗句反映出的反抗阿拉伯人的伊朗社会信念在《列王纪》中尚未表达得如此强烈。《库什王纪》的成书比《列王纪》晚约一百年，当时大塞尔柱帝国的国势已彻底压倒阿拔斯王朝的历史时代背景，可以作为对上述推论的解释。

从这个角度来说，《库什王纪》基于沉淀上千年的古伊朗人与古闪族人冲突的集体记忆，融入伊斯兰化时代数百年间伊朗人遭受阿拉伯人压迫的较新集体记忆，反映出诗歌创作时代伊朗人反抗阿拉伯人的社会信念。巧妙的是，该表达又躲藏在“反抗中国王”的表面之下。同时，得益于肇始自萨曼王朝时期复兴伊朗文化之潮流和塞尔柱伊朗国势压倒阿拔斯王朝的时局，逐渐公开化的伊朗人反抗阿拉伯人的社会信念又促使更多的与其有相同思想内核的伊朗族群古老集体记忆浮出水面。可见，作为集体记忆产物的《库什王纪》与当时的社会信念存在双向互动关系。正如莫里斯·哈布瓦赫所说：“社会信念，无论其起源如何，都具有双重性质。它们是集体的传统或回忆，但也是从对现在的理解中产生的观念或习俗。”[27]

三、从民族史诗到古今伊朗社会思想

“无论如何，人们应该知道口头叙述和书面叙述，都具有原型、模式或是神话的因素。这也包括那些书写的历史——有人称之为‘神话

25 Ibn Abī al-Khayr, *Kūshnāma*, p. 402.

26 Ibn Abī al-Khayr, *Kūshnāma*, p. 403.

27 哈布瓦赫：《论集体记忆》，第311页。

故事'(mythistory)——和被叙事者认为未加修饰的真实的、仅仅是回忆的传记故事。"[28]早期人类集体记忆的表现形式以神话与传说为主,或以口口相传的形式持续演化和流传,或以书面文本为载体被定型和保存。这些口传或书面的神话与传说既是史诗的主要素材来源,也存在于历史著作中,因此史诗和历史文献都是就人类集体记忆做叙事的产物。早期历史著作,诸如被认为是西方最早的历史著作希罗多德的《历史》,中国第一部通史性著作司马迁所撰《史记》等,均为某个文化共同体关于过去事件的重要文字记录,也都含有大量古代传说内容。

由文化背景相近的伊朗裔穆斯林学者在伊斯兰时代早期分别以阿拉伯语和波斯语撰写的《泰伯里历史》和《巴尔阿密历史》等通史性著作,都对古闪族和古伊朗早期传说做出综合整理,旨在重述伊朗古代传说与历史的《列王纪》《库什王纪》等伊朗民族史诗自然与之有部分内容相近的叙事。尤其是《库什王纪》,因其以大食人首领为主角,不仅讲述了大量伊朗古代传说,就库什—迦南—奈姆鲁德一系的古闪族勇士传说也以相当篇幅做出叙事,与穆斯林历史著作的文本关系非常紧密。《历史与故事辑要》《选史》等一些成书稍晚的波斯语历史著作所载又与伊朗民族史诗内容有所关联,这显示出在穆斯林历史著作和伊朗民族史诗两大类文献之间存在文本上的双向互动。海登·怀特指出:"有时,人们认为史学家的目的在于,通过'发现'、'鉴别'或'揭示'埋藏在编年史中的'故事'来说明过去,并且'历史'与'小说'之间的差别在于,史学家'发现'故事,而小说家'创造'故事。在史学家的工作中,'创造'也起部分作用,然而,这种关于史学家的任务的想法,模糊了这种'创造'的程度。"[29]穆斯林历史著作由史学家在史料中"发现"并部分"创造"故事而写就,伊朗民族史诗则由诗人在口传故事和散佚历史文献中"发现"并"创造"故事而写成,二者间必然有某些相通之处,且共同参与了对遥远的过往直至作品成书年代伊朗社会思想的记录与重塑,亦对后世伊朗社会思想具有潜移默化的影响,甚至

28 转引自伯克:《历史学与社会理论》,第121页。

29 海登·怀特:《元史学:十九世纪欧洲的历史想象》,陈新译,南京:译林出版社,2004年,第8页。

塑造作用。

毫无疑问，史诗的吟诵者会在再创作过程中掺杂其主观情感，“史诗中蕴涵着民间诗歌对往昔历史的解读，充溢着集体主义、爱国主义的激情”。[30]但绝对客观的历史叙事者是不存在的，即便是兰克史学，追求的也是相对客观。从原始材料的提供者层面来说，“文化背景极为不同的见证人对于同样一个事件，尤其是类似口头传说涉及的那些复杂事件，其记忆将不可避免地存在差异”。[31]甚至同一社会群体的回忆也不可靠，因为“依靠社会记忆的框架，个体将回忆唤回到脑海中。换言之，组成社会的各类群体在每时每刻都能重构其过去。但是，正如我们所看到的，在重构过去的行动中，这些群体往往同时也将过去歪曲了”。[32]然而，这种扭曲正是人类文化发展过程中不断生产和积累文本，并再作创新的原动力。同时，对史料做收集、鉴别、整理和编纂的著书立说者，也会受到自身文化背景的制约和影响，得出与历史事实（facts）不完全相符的结论，但承载着神话与传说的史诗与历史著作所载“历史结论”，都在一定程度上反映了人类过去的某种历史真实（truth）。

古代修史传统大多依赖于特定的记忆制度，尤其是君王们为自己建立的记忆制度，如档案和图书馆等，其内容实质上是君王的记忆，因为史料的保管、整理和编纂也是君王们遣人完成的。[33]所以各国古代官修史籍，包括王室贵族赞助所修之史，实际主要是上层的政治历史，而不是大众的社会历史。阿拉伯征服致使前伊斯兰时代伊朗的君王记忆损毁较严重，因而伊朗人在伊斯兰时代重述的历史从一开始就不是纯粹的上层历史。伊斯兰时代的伊朗学者和诗人大多依附于王公贵族的大小朝廷，无论在历史著作还是史诗作品的书写中，他们既使用宫廷史料，又吸收民间集体记忆。《泰伯里历史》《黄金草原》《巴尔阿密历史》等史地著作的资料来源均有“官方”与“民间”的双重渠道。至于《历史与故事辑要》等文献，本就难以分辨属历史著作还是文学作

30　梅列金斯基：《英雄史诗的起源》，第377页。

31　保罗·康纳顿：《社会如何记忆》，纳日碧力戈译，上海：上海人民出版社，2000年，第26页。

32　哈布瓦赫：《论集体记忆》，第303页。

33　雅克·勒高夫：《历史与记忆》，方仁杰、倪复生译，北京：中国人民大学出版社，2010年，第67页。

品。上文曾论及,《列王纪》的资料来源主要有成书于萨珊王朝晚期的正史文献《帝王纪》,以及从民间征集来的说书人提供的故事;《库什王纪》的散文体文本由一位圣裔贵人提供,而文本本身也明显带有曾在民间口口相传的印记。由菲尔多西创作为诗歌体裁的《列王纪》在伊朗社会中长期广为流传,对重塑伊斯兰时代的伊朗民族性起到重大作用——伊朗人通过该史诗接受并继承了前伊斯兰时代伊朗的历史传统,它也由此对后世的伊朗社会思想产生深远的影响。《库什王纪》等其他伊朗民族史诗的传诵不似《列王纪》般广泛,[34]但传世文本数量高于同时期的波斯语历史著作,且在后世伊朗文献传统中显现出影响,可见在"诗歌的国度"伊朗,诗歌体裁作品更易流传和保存。这也不意味着散文体著作一旦被写成诗歌之后便仅余文学价值。《列王纪》《库什王纪》等波斯语史诗保有审美文学范畴之外的多方面价值,值得在跨文化、跨学科的人文研究语境下被反复审视,且必定有助于我们了解伊朗过去和现在的社会思想。

在哈布瓦赫看来,"社会思想本质上必然是一种记忆,它的全部内容仅由集体回忆或记忆构成。但是,在其中,只有那些在每个时期的社会中都存在,并仍然在其现在的框架当中运作的回忆才能得以重构"。[35]《库什王纪》博杂的叙事传统,是从包括民间记忆在内的伊朗古代文化土壤中自然生长出来的。凭借该叙事传统,诗人将历史文献、民间故事与其生活时代的社会记忆融为一体。本研究就《库什王纪》里的伊朗上古诸王世系,伊朗人与异族冲突中产生的创伤记忆,伊朗社会观念中的天下观,伊朗人集体记忆里的中国形象等文化现象作出探讨,也是站在中国读者的立场上对古代伊朗人集体记忆的一种重构。重要的是,源出古代伊朗人集体记忆的上述文化现象均已融入动态的伊朗社会思想,在伊朗民族身份认同的建构中,长久以来潜移默化地起着形塑作用,甚至时至今日仍在其中运作,继续作为社会记忆与当代伊朗人的个体记忆发生着互动。

34 古时,诵唱《列王纪》片段既被用在伊朗军队出征前鼓舞士气的场合,也深入伊朗大众的社会生活——食肆、茶馆中有演唱《列王纪》的表演传统。

35 哈布瓦赫:《论集体记忆》,第313页。

图表目录

参考文献

常用外语工具书及名称缩略

BQ Ibn Khalaf Tabrīzī, Muḥammad Ḥusayn. *Burhān-i Qāṭiʿ* (《布尔汗词典》). Annotated by Muḥammad Muʿīn. Tehran: Amīr Kabīr, 1983 (SH 1362).

CPD MacKenzie, D. N. *A Concise Pahlavi Dictionary*. London: Oxford University Press, 1986.

EI2 Bosworth, C. E. et al., ed. *The Encyclopaedia of Islam* (2nd ed.). Prepared by a number of leading orientalists. Leiden: Brill, 1965—2004.

EIr Yarshater, Ehsan, ed. *Encyclopaedia Iranica*. London / Boston / Henley: Routledge & Kegan Paul, 1985— .

FFM Muʿīn, Muḥammad. *Farhang-i Fārsī* (《穆因大词典》). Tehran: Amīr Kabīr, 1985 (SH 1364).

FSNKJ Shahīdī Māzandarānī, Ḥusayn. *Farhang-i Shāhnāma: Nām-i kasān va jāy-hā* (《〈列王纪〉词典：人名与地名》). Tehran: Nashr-i Balkh, Bunyād-i Nayshābūr, 1998 (SH 1377).

LND Dehkhodā, Aliakbar. *Loghatnāme: Encyclopedic Dictionary* (《德胡达大辞典》). Edited by Mohammad Mo'in and Ja'far Shahidi. Tehran: Tehran University Publications, 1998—1999.

波斯语古籍

Al-Arrajānī, Farāmarz ibn Khudādād ibn ʿAbd Allāh al-Kātib. *Samak-i ʿAyyār* (《义士萨马克》), vol. I. Edited by Parvīz Nātil Khānlurī.

Tehran: Bunyād-i Farhang-i Īrān, 1968 (SH 1347).

Anvarī Abīvardī, Awḥad al-Dīn. *Dīvān-i Anvarī* (《安瓦里诗集》), vol. 2. Tehran: Bungāh-i Tarjuma va Nashr-i Kitāb, 1961 (SH 1340).

Asadī Ṭūsī, ʿAlī ibn Aḥmad. *Garshāsbnāma* (《戈尔沙斯帕传》). Edited by Ḥabīb Yaghmāyī and Parvīz Yaghmāyī. Tehran: Dunyā-yi Kitāb, 2010 (SH 1389).

Bahār, Malik al-Shuʿarāʾ, ed. *Mujmal al-tawārīkh wa-al-qiṣaṣ* (《历史与故事辑要》). Tehrān: Chāpkhāna-yi Khāvar, 1939 (SH 1318).

Bahār, Muḥammad Taqī, ed. *Tārīkh-i Sīstān* (《锡斯坦史》). Tehran: Muʿīn, 2002 (SH 1381).

Bakrān, Muḥammad ibn Najīb. *Jahānnāma* (《世界志》). Edited by Muḥammad Amīn Riyāḥī. Tehran: Ibn i Sīnā, 1963 (SH 1342).

Balʿamī, Abū ʿAlī Muḥammad ibn Muḥammad ibn. *Tārīkh-i Balʿamī: Takmila va tarjuma-yi Tārīkh-i Ṭabarī* (《巴尔阿密历史:〈泰伯里历史〉补遗与翻译》), vol. 1. Edited by Muḥammad Taqī Bahār (Malik al-Shuʿarāʾ). Tehran: Kitābfurūshī-yi Zavvār, 1974 (SH 1353).

————. *Tārīkhnāma-yi Ṭabarī* (《泰伯里历史书》). Edited by Muḥammad Rawshan. Tehran: Surūsh, 1985, (SH 1374).

Bīrūnī Khᵛārazmī, Abū Rayḥān. *Al-Tafhīm li-ʾavāʾil ṣināʿat al-tanjīm* (《占星学入门解答》). Edited by Jalāldīn Humāʾī. Tehran: Nashr-i Humā, 1988 (SH 1367).

Dabīrsiyāqī, Sayyid Muḥammad, ed. *Dāstān-i Kuk-i Kūhzād* (《库克・库赫扎德的故事》). Tehran: Muʾassasa-yi Chāp va Intishārāt-i Dānishgāh-i Tihrān, 2003 (SH 1382).

————, ed. *Safarnāma-yi Nāṣir Khusraw* (《纳赛尔・霍斯鲁游记》). Tehran: Zavvār, 1984.

De Goeje, M. J., ed. *Bibliotheca Geographorum Arabicorum: Viae Regnorum Auctore Abu Ishāk al-Fārisī al-Istakhrī*. Leiden: Brill, 1927.

Farāmarzī, ʿAlī Sulṭānī Gurd, ed. *Du Farasnāma mansūr va manẓūm* (Two manuals of horses in prose and poetry). Tehran: The Institute of

Islamic Studies McGill University, Tehran Branch in Collaboration with Tehran University, 1987 (SH 1366).

Ferdowsi, Abu'l-Qasem. *The Shahnameh (The Book of Kings)*, vol. 1. Edited by Djalal Khaleghi-Motlagh. New York: Bibliotheca Persica, 1988.

Firdawsī, Abū al-Qāsim. *Shāhnāma* (《列王纪》). Moscow Edition, vol. 1—2. Tehran: Hirmis, 2003 (SH 1382).

————. *Shāhnāma* (《列王纪》). Edited by Jules Mohl, vol. 1—4. Tehran: Intishārāt va Āmūzish-i Inqlāb-i Islāmī, 1990 (SH 1369).

Hamadānī, Muḥammad ibn Maḥmūd. *'Ajāyibnāma* (《奇迹志》). Edited by Ja'far Mudarris Ṣādiqī, Tehran: Nashr-i Markaz, 1996 (SH 1375).

Ibn Abī al-Khayr, Īrānshāh. *Bahmannāma* (《巴赫曼王纪》). Edited by Raḥīm 'Afīfī. Tehran: 'Ilmī va Farhangī, 1991 (SH 1370).

Ibn Abī al-Khayr, Īrānshān. *Kūshnāma* (《库什王纪》). Edited by Jalāl Matīnī. Tehran: 'Ilmī, 1998 (SH 1377).

Ibn Isfandiyār. *Tārīkh-i Ṭabaristān* (《泰伯里斯坦史》). Edited by 'Abbās Iqbāl Āshtiyānī, Tehran: Kalāla Khāvar, 1941 (SH 1320).

Ibn Ja'far al-Narshakhī, Abū Bakr Muḥammad. *Tārīkh-i Bukhārā* (《布哈拉史》). Translated by Abū Naṣr Aḥmad ibn Muḥammad ibn Naṣr al-Qubāvī, abridged by Muḥammad ibn Zufar ibn 'Umar, edited by Mudarris Rażavī. Tehran: Kitāb-furūshī-yi Sanā'ī, 1972 (SH 1351).

Iṣṭakhrī, Abū Isḥaq Ibrāhīm. *Masālik va mamālik* (《省道志》). Edited by Īraj Afshār. Tehran: Bungāh-i Tarjuma va Nashr-i Kitāb, 1961 (SH 1340).

————. *Mamālik va masālik* (《省道志》). Translated by Muḥammad ibn As'ad ibn 'Abd Allāh Tustarī, edited by Īraj Afshār. Tehran: Bunyād-i Mawqūfāt-i Duktur-i Muḥammad Afshār, 1994 (SH 1373).

Kaykāvūs ibn Iskandar, 'Unṣur al-Ma'ālī. *Qābūsnāma* (《卡布斯教诲录》). Edited by Ghulām Ḥusayn Yūsufī. Tehran: 'Ilmī va Farhangī, 1988 (SH 1366).

Khᵛājū Kirmānī. *Khamsa-yi Khᵛājū Kirmānī* (《哈朱·克尔曼尼五卷诗》). Edited by Saʿīd Niyāz Kirmānī. Kerman: Kirmān Shahīd Bāhunar University Press, 1991 (SH 1370).

Le Strange, G., and R. A. Nicholson, eds. *The Fārsnāma of Ibnu'l-Balkhī* (《伊本·巴尔黑的〈法尔斯志〉》). London: Messrs Luzac & Co., 1921.

Levy, Reuben, trans. *The Three Dervishes and Other Persian Tales and Legends*. London: Humphrey Milford, Oxford University Press, 1923.

Mawlavī, Jalāl al-Dīn Muḥammad ibn Muḥammad. *Maṯnavī-yi Maʿnavī* (《玛斯纳维》). Edited by Reynold A. Nicholson. Tehran: Hirmis, 2011 (SH 1390).

Minorsky, V., trans. and ed. *Ḥudūd al-ʿĀlam: The Regions of the World*. With the preface by V. V. Barthold. Oxford: Messrs. Luzac & Co., 1937.

Mīr-Khᵛānd, Mīr Muḥammad ibn Sayyid Burhān al-Dīn Khᵛāvandshāh. *Tārīkh Rawżat al-Ṣafāʾ* (《纯净花园历史》), vol. 1. Tehran: Markazī va Khayyām va Pīrūz, 1960 (SH 1338).

Mustawfī Qazvīnī, Ḥamd-Allāh. *Tārīkh-i guzīda* (《选史》). Edited by ʿAbd al-Ḥusayn Navāʾī. Tehran: Amīr Kabīr, 2008 (SH 1387).

Niẓāmī Ganjavī. *Kulliyāt-i Khamsa-yi Niẓāmī* (《内扎米五卷诗全集》). Edited by Shiblī Nuʿmānī, Tehran: Jāvīdān, 1987 (SH 1366).

Qazvīnī, Zakarīyā ibn Muḥammad ibn Maḥmūd Kamūnī. *ʿAjāʾib al-makhlūqāt wa-gharāʾib al-mawjūdāt* (《创造的奥妙》). By anonymous translator, edited by Masʿūd Ghulāmiya and Yūsif Bayg Bābāpūr. Qum: Majmaʿ-i Ẕakhāʾir-i Islāmī, 2012 (SH 1390).

Saʿdī, Muṣliḥ al-Dīn. *Kulliyāt-i Saʿdī* (《萨迪全集》). Edited by Muḥammad ʿAlī Furūghī. Tehran: Hirmis, 2006 (SH 1385).

Sutūda, Manūchihr, ed. *Haft kishvar yā Ṣuvar al-aqālīm* (《七地区或诸气候带之面貌》). Tehran: Bunyād-i Farhang-i Īrān, 1974 (SH 1353).

———, ed. *Ḥudūd al-ʿālam: Mīn al-mashriq ilā al-maghrib* (《世界境

域志》). Tehran: Kitābkhāna-yi Ṭahūrī, 1983 (SH 1362).

汉语古籍

《十三经注疏》整理委员会整理,李学勤主编,郭璞注,邢昺疏,李传书整理,徐朝华审定:《十三经注疏·尔雅注疏》,北京:北京大学出版社,1999年。
《十三经注疏》整理委员会整理,李学勤主编,毛亨传,郑玄笺,孔颖达疏,龚抗云等整理,刘家和审定:《十三经注疏·毛诗正义》,北京:北京大学出版社,1999年。
《十三经注疏》整理委员会整理,李学勤主编,郑玄注,贾公彦疏,赵伯雄整理,王文锦审定:《十三经注疏·周礼注疏》,北京:北京大学出版社,1999年。
班固:《汉书》,北京:中华书局,1962年。
常璩撰,刘琳校注:《华阳国志校注》,成都:巴蜀书社,1984年。
陈寿:《三国志》,北京:中华书局,1959年。
杜佑:《通典》,王文锦等点校,北京:中华书局,1988年。
范晔撰,李贤等注:《后汉书》,北京:中华书局,1965年。
房玄龄等:《晋书》,北京:中华书局,1974年。
顾颉刚注释:《禹贡》,侯仁之主编:《中国古代地理名著选读(第一辑)》,第1—54页,北京:科学出版社,1959年。
金富轼著,孙文范等校勘:《三国史记》,长春:吉林文史出版社,2003年。
礼县志编纂委员会:《礼县志》,西安:陕西人民出版社,1999年。
李昉等:《太平御览》,北京:中华书局,1960年影印本。
李延寿:《北史》,北京:中华书局,1974年。
郦道元原注,陈桥驿注释:《水经注》,杭州:浙江古籍出版社,2001年。
令狐德棻等:《周书》,北京:中华书局,1971年。
刘昫等:《旧唐书》,北京:中华书局,1975年。
马端临:《文献通考》,北京:中华书局,1986年影印本。
民族文化推进会编:《韩国文集丛刊》第三十三辑《河西全集》,首尔:

民族文化推进会,1989年。
民族文化推进会编:《韩国文集丛刊》第四十四辑《栗谷全书》,首尔:民族文化推进会,1989年。
民族文化推进会编:《韩国文集丛刊》第二百十九辑《春洲遗稿》,首尔:民族文化推进会,1998年。
民族文化推进会编:《韩国文集丛刊》第一百九十八辑《星湖全集》,首尔:景仁文化社,1999年。
民族文化推进会编:《韩国文集丛刊》第二百七十八辑《研经斋全集外集》,首尔:民族文化推进会,2001年。
欧阳修、宋祁:《新唐书》,北京:中华书局,1975年。
上海古籍出版社、上海书店编:《元史二种》,上海:上海古籍出版社、上海书店,1989年。
十三经注疏整理委员会整理,郑玄注,孔颖达疏,龚抗云整理,王文锦审定:《礼记正义(十三经注疏)》,北京:北京大学出版社,2000年。
司马光:《资治通鉴》,北京:中华书局,1956年。
司马迁:《史记》,北京:中华书局,1959年。
宋濂等:《元史》,北京:中华书局,1976年。
孙家鼐等主编,钱伟疆、顾大朋点校:《书经图说》,杭州:浙江人民美术出版社,2013年。
脱脱等:《宋史》,北京:中华书局,1977年。
汪大渊原著,苏继庼校释:《岛夷志略校释》,北京:中华书局,1981年。
王钦若等:《册府元龟》,北京:中华书局,1960年影印本。
魏收:《魏书》,北京:中华书局,1974年。
魏徵等:《隋书》,北京:中华书局,1973年。
谢肇淛撰,郭熙途校点:《五杂组》,沈阳:辽宁教育出版社,2001年。
徐兢:《宣和奉旨高丽图经》,北京:中华书局,1985年。
玄奘、辩机原著,季羡林等校注:《大唐西域记校注》,北京:中华书局,1985年。
杨建新等编注:《古西行记选注》,银川:宁夏人民出版社,1987年。
杨衒之撰,周祖谟校释:《洛阳伽蓝记校释》,北京:中华书局,1963年。

姚从吾校注:《张德辉「岭北纪行」足本校注》,姚从吾撰,姚从吾先生遗著整理委员会编:《姚从吾先生全集(七)——辽金元史论文(下)》,第285—348页,台北:正中书局,1982年。
袁珂校注:《山海经校注》,上海:上海古籍出版社,1980年。
张廷玉等:《明史》,北京:中华书局,1974年。
张星烺编注,朱杰勤校订:《中西交通史料汇编》,北京:中华书局,2003年。
赵汝适原著,杨博文校释:《诸蕃志校释》,北京:中华书局,1996年。
郑麟趾等著,孙晓主编:《高丽史》,重庆:西南师范大学出版社,北京:人民出版社,2014年。
周去非著,杨武泉校注:《岭外代答校注》,北京:中华书局,1999年。

其他语种古籍(含非汉语译本)

Ābādānī, Farhād, trans. *Andarznāma-yi Buzurgmihr Ḥakīm* (《智者博佐尔格梅赫尔劝谕书》). Esfahan: Dānishgāh-i Iṣfahān, 1971 (SH 1350).
Al-Bīrūnī, Abū'l-Rayḥān Muḥammad b. Aḥmad. *The Book of Instruction in the Elements of the Art of Astrology*. Translated by R. Ramsay Wright. London: Luzac & Co., 1934.
Albīrūnī. *The Chronology of Ancient Nations*. Translated and edited by C. Edward Sachau. London: W. H. Allen & Co., 1879; Frankfurt am Main: Institute of the History of Arabic-Islamic Science at the Johann Wolfgang Goethe University, 1998 (rep.).
Al-Mas'ūdī, Abī al-Ḥasan 'Alī ibn al-Ḥusayn ibn 'Alī. *Murūj al-dhahab wa-ma'ādin al-jawhar* (《黄金草原与珠玑宝藏》), vol. 1. Edited by Kamāl Ḥasan Mar'ī. Beirut / Sidon: al-Maktaba al-'Aṣriyya, 2005 (AH 1425).
Arrian. *Alexander the Great: The Anabasis and the Indica*. Translated by Martin Hammond. Oxford: Oxford University Press, 2013.
Dādagī, Farnbagh. *Bundahish* (《本达赫什》). Edited and translated by Mihrdād Bahār, Tehran: Tūs, 2016 (SH 1395).

Dūstkhᵛāh, Jalīl, trans. and ed. *Avistā: Nāma-yi mīnavī-yi āyīn-i Zartusht* (《阿维斯塔——琐罗亚斯德教圣书》). Tehran: Murvārīd, 1976 (MS 2535).

————, trans. and ed. *Avistā: Kuhantarīn surūd-hā va matn-hā-yi Īrānī (Avesta: The ancient Iranian hymns & texts)*, vol. 1. Tehran: Murvārīd, 1992 (SH 1371).

El-Cazwini, Zakarija Ben Muhammed Ben Mahmud. *Kosmographie: Die Denkmäler der Länder (Kitāb āthār al-bilād)*. Aus den Handschriften des Hn. Dr. Lee und der Bibliotheken zu Berlin, Gotha und Leyden, herausgegeben von Ferdinand Wüstenfeld. Göttingen: im Verlag der Dieterichschen Buchhandlung, 1848.

————. *Kosmographie: Die Wunder der Schöpfung (Kitāb ʿajāyib al-makhlūqāt)*. Aus den Handschriften der Bibliotheken zu Berlin, Gotha, Dresden und Hamburg, herausgegeben von Ferdinand Wüstenfeld. Göttingen: im Verlag der Dieterichschen Buchhandlung, 1849.

Ghazālī, Abū Ḥāmid Muḥammad. *Iḥyāʾ ʿUlūm al-Dīn* (《宗教学问的复兴》). Translated by Muʿayyid al-Dīn Muḥammad Khᵛārazmī, edited by Ḥusayn Khadīv Jam, vol. 3. Tehran: ʿIlmī va Farhangī, 1989 (SH 1368).

Ḥamawī Baghdādī, Yāqūt ibn ʿAbd Allāh. *Muʿjam al-buldān* (《地理词典》). Translated by ʿAlīnaqī Munzavī. Tehran: Sāzmān-i Mīrāṡ-i Farhangī, 2001.

Ḥitti, Philip Khūri. *The Origins of the Islamic State: Being a Translation from the Arabic, Accompanied with Annotations, Geographic and Historic Notes of the Kitāb Futūḥ al-Buldān of al-Imām abu-l ʿAbbās Aḥmad ibn-Jābir al-Balādhuri*, vol. 1. New York: Columbia University, London: P. S. King & Son, 1916.

Ibn Khordādhbeh. *Kitāb al-Masālik wa'l-Mamālik* (《道里邦国志》). Edited by M. J. De Goeje. Lugduni Batavorum: E. J. Brill, 1889.

Jamasp-Asana, J. D. M., ed. *Pahlavi Texts*, vol. 1. Bombay: Fort Printing

Press, 1897.

Kāšγarī, Maḥmūd. *Compendium of the Turkic Dialects (Dīwān Luγāt at-Turk)*, part 1. Edited and translated by Robert Dankoff and James Kelly. Harvard University Printing Office, 1982.

Kim, Wihyŏn, trans. *Kukyŏk Muye Tobo T'ongji* (《国译武艺图谱通志》). Seoul: Minjok Munhwasa, 1984.

Maçoudi. *Les Prairies D'or*, vol. 1. Edited and translated by C. Barbier de Meynard and Pavet de Courteille. Paris: Imprimerie Impériale, 1861.

Masʿūdī, ʿAlī ibn al-Ḥusayn. *Murūj al-ẕahab* (《黄金草原》), vol. 1. Translated by Abū al-Qāsim Pāyanda. Tehran: ʿIlmī va Farhangī, 2003 (SH 1382).

Minorsky, V., trans. and ed. *Sharaf al-Zamān Ṭāhir Marvazī on China, the Turks, and India*. London: Royal Asiatic Society, 1942.

Moran, William L., ed. and trans. *The Amarna Letters*. Baltimore / London: The Johns Hopkins University Press, 1992.

Navābī, Māhiyār, trans. "Yādigār-i Buzurgmihr" (《博佐尔格梅赫尔回忆录》). *Zabān va adab-i Fārsī: Nashriyya-yi Dānishkada-yi Adabiyāt va ʿUlūm-i Insānī-yi Dānishgāh-i Tabrīz* (《波斯语言文学：大不里士大学文学与人文学院学报》) 51, no. 2 (1959 [SH Pāyīz 1338]): 302–333.

Rāshid Muḥaṣṣil, Muḥammad-taqī, ed. and trans. *Dīnkard Haftum* (《〈丁卡尔特〉第七卷》), previously compiled by Āẕar-farnbagh Pisar-i Farukhzād and Āẕar-bād Pisar-i Umīd. Tehran: Pazhūhishgāh-i ʿUlūm-i Insānī va Muṭāliʿāt-i Farhangī, 2010 (SH 1389).

Reinaud, M., and De Slane, eds. *Géographie D'Aboulféda: Texte Arabe*. Paris: M. Le Garde Des Sezux, 1840.

Sachau, Edward C., trans. and ed. *Alberuni's India: An English Edition, with Notes and Indices*. London: Kegan Paul, Trench, Trübner & Co. Ltd, 1910.

Sanjana, P. D. B., ed. *Ganjeshayagan, Andarze Atrepat Maraspandan, Madigane Chatrang, and Andarze Khusroe Kavatan*. Bombay: Duftur

Ashkara Press, 1885.

Shāhmirsī, Parvīz Zāriʿ. *Kitāb Dədə Qorqud* (《先 祖 廓 尔 库 特 书》). Tehran: Takdirakht, 2013 (SH 1392).

Sharp, Ralph Norman, ed. *The Inscriptions in Old Persian of the Achaemenian Emperors*. Shīraz: The Central Council of the Celebration of the 25th Century of the Foundation of the Iranian Empire, 1964.

Sprenger, Aloys, trans. *El-Mas'ūdī's Historical Encyclopaedia, entitled "Meadows of Gold and Mines of Gems,"* vol. 1. London: The Oriental Translation Fund of Great Britain and Ireland, 1841.

Ṭabarī. *Bahrām Chūbīn: Az tarjuma-yi Tārīkh-i Ṭabarī* (《巴赫拉姆・楚宾——选自〈泰伯里历史的翻译〉》). Translated by Balʿamī, edited by Ẕabīḥ Allāh Ṣafā, Tehran: Amīr Kabīr, 1973 (SH 1352).

———. *The History of al-Ṭabarī (Ta'rīkh al-rusul wa'l-mulūk)*, vol. 2, *Prophets and Patriarchs*. Translated by William M. Brinner, edited by Ehsan Yar-Shater. Albany: State University of New York Press, 1987.

———. *The History of al-Ṭabarī (Ta'rīkh al-rusul wa'l-mulūk)*, vol. 4, *The Ancient Kingdoms*. Translated by Moshe Perlmann, edited by Ehsan Yar-Shater. Albany: State University of New York Press, 1987.

———. *The History of al-Ṭabarī (Ta'rīkh al-rusul wa'l-mulūk)*, vol. 18, *Between Civil Wars: The Caliphate of Muʿāwiyah*. Translated by Michael G. Morony, edited by Ehsan Yar-Shater. Albany: State University of New York Press, 1987.

———. *The History of al-Ṭabarī (Ta'rīkh al-rusul wa'l-mulūk)*, vol. 1, *General Introduction and From the Creation to the Flood*. Translated by Franz Rosenthal, edited by Ehsan Yar-Shater. Albany: State University of New York Press, 1989.

———. *The History of al-Ṭabarī (Ta'rīkh al-rusul wa'l-mulūk)*, vol. 14, *The Conquest of Iran*. Translated by G. Rex Smith, edited by Ehsan Yar-Shater. Albany: State University of New York Press, 1994.

Tarapore, J. C. *Pahlavi Andarz-Nāmak* (《巴列维语劝谕书》). Bombay: The Trustees of the Parsee Punchayet Funds and Properties, 1933.

ʿUriyān, Saʿīd, trans. *Mutūn-i Pahlavī* (《巴列维语文献》). Compiled by J. D. M. Jāmāsp-Āsānā. Tehran: Kitābkhāna-yi Millī-yi Jumhūrī-yi Islāmī-yi Īrān, 1992 (SH 1371).

Yaʿqūbī, Aḥmad ibn Abī Yaʿqūb. *Tārīkh-i Yaʿqūbī* (《雅古比历史》). Translated by Muḥammad Ibrahīm Āyatī. Tehran: Bungāh-i Tarjuma va Nashr-i Kitāb, 1963 (SH 1342).

Yule, Henry, trans. and ed. *Cathay and the Way Thither: Being a Collection of Medieval Notices of China*. Revised by Henri Cordier. London: Hakluyt Society, 1915.

波斯-阿拉伯语抄本

Afshār, Īraj, and Maḥmūd Umīd-Sālār, eds. *Mujmal al-tawārīkh wa-al-qiṣaṣ* (《历史与故事辑要》). Microfilmed copy, composed circa 520 AH (1126), copied in 751 AH (1350), Staatsbibliothek zu Berlin — Preussischer Kulturbesitz: Orientabteilung (HS or 2371). Tehran: Ṭalāya, 2001 (SH 1379).

Ibn Abī al-Khayr, Īrānshān. *Kūshnāmah* (《库什王纪》). Transcribed in AH 800 (1397). Persian manuscripts collected in British Library, No. Or 2780.

Qazvīnī, Zakarīyā ibn Muḥammad. *ʿAjāʾib al-makhlūqāt wa gharāʾib al-mawjūdāt* (《创造的奥妙》). Transcribed in 1280. Arabic manuscripts in Bayerische Staatsbibliothek, BSB shelfmark: Cod. arab. 464.

Qazvīnī, Zakarīyā ibn Muḥammad. *ʿAjāʾib al-makhlūqāt wa gharāʾib al-mawjūdāt*. Transcribed around the AH 9th century. Persian manuscripts in Kitābkhāna-yi Majlis-i Shawrā-yi Islāmī [Library of Islamic Consultative Assembly (The Parliamentary Library of Iran)], call no. 6712, registration no. 78833.

Qazvīnī, Zakarīyā ibn Muḥammad. *ʿAjāʾib al-makhlūqāt wa gharāʾib al-*

mawjūdāt. Transcribed around the AH 11th and 12th centuries. Persian manuscripts in Sāzmān-i Asnād va Kitābkhāna-yi Jumhūrī-yi Islāmī-yi Īrān (National Library and Archives of the Islamic Republic of Iran), call no. 17738.

Qazvīnī, Zakarīyā ibn Muḥammad. *'Ajā'ib al-makhlūqāt wa gharā'ib al-mawjūdāt*. Transcribed between 1750—1770. Arabic manuscripts in Bayerische Staatsbibliothek, BSB shelfmark: Cod. arab. 463.

Qazvīnī, Zakarīyā ibn Muḥammad. *'Ajā'ib al-makhlūqāt wa gharā'ib al-mawjūdāt*. Transcribed in 1838. Arabic manuscripts in Wellcome Library, London, shelfmark: WMS Arabic 18.

波斯文论著

'Afīfī, Raḥīm. "Pīshguftār" (《前言》). In Īrānshāh ibn Abī al-Khayr, *Bahmannāma* (《巴赫曼王纪》), edited by Raḥīm 'Afīfī, pp. 11—81. Tehran: 'Ilmī va Farhangī, 1991 (SH 1370).

Afshār, Īraj. "Guzārish" (《前言》). In Abū Isḥaq Ibrāhīm Iṣṭakhrī, *Mamālik va masālik* (《省 道 志》), translated by Muḥammad ibn As'ad ibn 'Abd Allāh Tustarī, edited by Īraj Afshār, pp. 13—49. Tehran: Bunyād-i Mawqūfāt-i Duktur-i Muḥammad Afshār, 1994 (SH 1373).

Anjavī Shīrāzī, Sayyid Abū al-Qāsim. *Firdawsīnāma: Mardum va Shāhnāma* (《菲尔多西之书：人民与〈列王纪〉》). Tehran: 'Ilmī, 1990 (SH 1369).

Āshtiyānī, 'Abbās Iqbāl. *Tārīkh-i Mughūl az ḥamla-yi Chingīz tā tashkīl-i dawlat-i Taymūrī* (《蒙古史：从成吉思汗的进攻到帖木儿政权的建立》). Tehran: Amīr Kabīr, 1985 (SH 1364).

Āydinlū, Sajjād. "Asp-i daryāyī dar dāstān-hā-yi pahlavānī" (《英雄故事中的海中马》). *Muṭāli'āt-i Īrānī* (《伊朗研究》) 7, no. 1 (2005 [SH Bahār 1384]): 15—38.

Bahār, Mihrdād. *Pazhūhish-ī dar asāṭīr-i Īrān* (《伊朗神话研究》). Edited by Katāyūn Mazdāpūr. Tehran: Āgāh, 1996 (SH 1375).

Bashīrī, ʿAlī Asghar. "Irtibāṭ-i manẓūma-yi *Kūshnāma* bā pādishāhān-i Kūsh dar hizāra-yi qabl az Mīlād dar Āfrīqā" (《诗作〈库什王纪〉与公元前一千纪非洲的库什诸王的联系》). *Āyina-yi mīrāṯ* (《遗产宝鉴》) 65, no. 2 (2020 [SH Pāyīz va Zimistān 1398]): 181—202.

Dashtbān, Zahrā. "Barrasī va muʿarrifī-yi barkh-ī az qahramānān-i asāṭīrī-yi manẓūma-yi *Kūshnāma*" (《〈库什王纪〉中部分神话英雄的研究与介绍》). *Muṭāliʿāt-i Īrānī* (《伊朗研究》) 17, no. 1 (2010 [SH Bahār 1389]): 87—104.

Dūstkh^{v}āh, Jalīl. "Pīshguftār" (《前言》). In *Avistā: Kuhantarīn surūd-hā va matn-hā-yi Īrānī (Avesta: The ancient Iranian hymns & texts)*, translated and edited by Jalīl Dūstkh^{v}āh, vol. 1, pp. 9—54. Tehran: Murvārīd, 1992 (SH 1371).

Furūzānfar, Muḥammad-ḥasan. *Aḥādīṯ va qiṣaṣ-i Maṯnavī* (《〈玛斯纳维〉中的圣训与故事》). Edited by Ḥusayn Dāvudī. Tehran: Amīr Kabīr, 2001 (SH 1380).

Karāchī, Rūḥ-angīz. "Pīshguftār" (《前 言》). In Rūḥ-angīz Karāchī (ed.), *Bānū-Gushaspnāma* (《巴努-古莎斯帕传》), pp. 9—48, Tehran: Pazhūhishgāh-i ʿUlūm-i Insānī va Muṭāliʿāt-i Farhangī, 2003 (SH 1382).

Khāliqī-Muṭlaq, Jalāl. "Yikī dāstān ast pur āb-i chashm" (《一个充满眼泪的故事》). In Jalāl Khāliqī-Muṭlaq, *Gul-i Ranj-hā-yi Kuhan: Barguzīda-yi maqālāt darbara-yi Shāhnāma-yi Firdawsī* (《古老的辛劳之花：关于菲尔多西〈列王纪〉之论文集萃》). Edited by ʿAlī Dihbāshī. Tehran: Nashr-i Markaz, 1993 (SH 1372).

Khusravī, Ashraf, and Sayyid Kāẓim Mūsavī. "Khirad-varzī va dīn-dārī: Asās-i huviyyat-i Īrānī dar *Shāhnāma*" (《崇尚理智与笃信宗教:〈列王纪〉中伊朗民族性的根基》), *Kāvishnāma: Zabān va adabiyāt-i Fārsī* (《探索学报：波斯语言文学》) 16, no. 1 (2008 [SH Bahār va Tābistān 1387]): 99—128.

Kiyā, Ṣādiq. *Shāhnāma va Māzandarān* (《〈列王纪〉与马赞达兰》).

Tehran: Tamadun-i Buzurg, 1975 (SH 1353).

Manshādī, Murtażā. "Payvand-i usṭūra va siyāsat dar *Shāhnāma*: Talāsh barāy bāz-tawlīd-i huviyyat-i millī-yi Īrāniyān" (《神话与政治在〈列王纪〉中的联结：伊朗人民族性再生产的努力》). *Mutāli'āt-i millī* (《民族研究》) 41, no. 1 (2010 [SH Bahār 1389]): 37—56.

Matīnī, Jalāl. "Māzandarān dar jang-hā-yi Kay Kāvus va Rustam bā dīvān" (《凯卡乌斯和鲁斯塔姆与群魔之战中的马赞达兰》). *Īrānnāma* (《伊朗学报》) 8, no. 2 (1984 Tābistān [SH 1363]): 611—638.

————. "Ravāyat-ī dīgar az dīvān-i Māzandarān" (《关于马赞达兰诸魔鬼的另一个传说》). *Īrānnāma* (《伊朗学报》) 9, no. 3 (1984 [SH Pāyīz 1363]): 118—134.

————. "Kūsh va Kūsh-i Pīlgūsh: Nabard-i pidar va pisar" (《库什与象耳库什：父与子的战斗》). *Īrānnāma* (《伊朗学报》) 10, no. 4 (1985 [SH Zimistān 1363]): 290—300.

————. "Ravāyāt-i mukhtarif darbāra-yi dawrān-i kūdakī va nawjavānī-yi Farīdūn" (《关于法里东童年和少年时期的多个不同传说》). *Īrānnāma* (《伊朗学报》) 13, no. 3 (1985 [SH Pāyīz 1364]): 87—132.

————. "Ravāyat-hā-yi gūnāgūn darbāra-yi mār-dūshī-yi Żaḥḥāk" (《关于佐哈克肩上之蛇的各种传说》). *Īrānnāma* (《伊朗学报》) 15, no. 1 (1986 [SH Bahār 1365]): 447—464.

————. "Tarjuma-yi manẓūm-i dīgar-ī az *Yādigār-i Buzurgmihr*" (《〈博佐尔格梅赫尔回忆录〉的另一部诗歌体翻译》). *Īrānnāma* (《伊朗学报》) 17, no. 3 (1986 [SH Pāyīz 1365]): 115—142.

————. "'Kūsh' yā 'Gūsh'?" (《"库什"还是"古什"？》). *Īrānnāma* (《伊朗学报》) 21, no. 3 (1987 [SH Pāyīz 1366]): 1—14.

————. "Dar justijū-yi takht-i Farīdūn" (《寻找法里东的宝座》). *Īrānshināsī* (《伊朗学》) 4, no. 4 (1989 Zimistān [SH 1368]): 747—760.

————. "Farīdūn va sarzamīn-i āftāb-i tābān" (《法里东与光辉的太阳之国土》). *Īrānshināsī* (《伊朗学》) 5, no. 1 (1990 [SH Bahār 1369]): 160—177.

————. “Ravāyat-ī dīgar darbāra-yi Īraj va Tūr va Salm va bakhsh kardan-i jahān” (《关于伊拉治、图尔与萨勒姆以及三分世界的另一个传说》). *Īrānshināsī* (《伊朗学》) 9, no. 1 (1991 [SH Bahār 1370]): 148—159.

————. “Khᵛāb-hā-yi Ahūrāyī-yi Ābtīn” (《阿贝廷的神启之梦》). *Īrānshināsī* (《伊朗学》) 10, no. 2 (1991 Tābistān [SH 1370]): 369—387.

————. “Pāyān-i zandigī-yi Jamshīd va sarguzasht-i khānidānash” (《贾姆希德生命的终结及其家族的经历》). *Yaghmā*, vol. *Yādnāma-yi Yaghmā* (《*Yaghmā*纪念特刊》), (1991 [SH 1370]): 355—364.

————. “Khaẕf-i khirad va dānish” (《理智与知识的略去》). *Īrānshināsī* (《伊朗学》) 30, no. 2 (1996 [SH Tābistān 1375]): 209—223.

————. “Muqaddama” (《导言》). In Īrānshān ibn Abī al-Khayr, *Kūshnāma* (《库什王纪》), editied by Jalāl Matīnī, pp. 25—141. Tehran: ʿIlmī, 1998 (SH 1377).

————. “Barkh-ī az nayrang-hā-yi kārzār dar *Kūshnāma*” (《〈库什王纪〉中的一些战斗计谋》). *Īrānshināsī* (《伊朗学》) 43, no. 3 (1999 Pāyīz [SH 1378]): 649—667.

————. “Chūgān dar *Kūshnāma*” (《〈库什王纪〉中的马球》). *Nāma-yi Farhangistān* (《学院学报》) 15, no. 1 (2000 [SH Tābistān 1379]): 190—194.

Muḥammadī, Ẕikr Allāh, and Muḥammad Bīṭarafān. “Intiqāl va taḥavvul-i andīsha-yi siyāsī-yi farra-yi Izadī az Īrān-i bāstān bi Īrān-i Islāmī” (《真神灵光政治思想从古伊朗向伊斯兰伊朗的过渡与演变》), *Sukhan-i tārīkh* (《历史的话语》) 16, no. 1 (2012 [SH Bahār 1391]): 3—36.

Muḥammadzāda, Siyyid ʿAbbās, and Vaḥīd Rūyānī. “*Sāmnāma* az kīst?” (《〈萨姆传〉由谁所作》), *Majalla-yi Dānishkada-yi Adabiyāt va ʿUlūm-i Insānī-yi Mashhad* (《马什哈德文学与人文学院学报》) 158, no. 3 (2007 [SH Pāyīz 1386]): 159—176.

Naḥvī, Akbar. “Mulāḥiẓāt-ī darbāra-yi *Farāmarznāma* va sarāyanda-yi ān”

(《关于〈法拉玛尔兹传〉及其吟诵者》). *Majalla-yi Dānishkada-yi Adabiyāt va ʿUlūm-i Insānī-yi Dānishgāh-i Tihrān* (《德黑兰大学文学与人文学院学报》) 164, no. 4 (2003 [SH Zimistān 1381]): 119—136.

————. "Muqqadama" (《导言》). In Shams al-Dīn Muḥammad Kūsaj, *Burzūnāma: bakhsh-i kuhan* (《旧布尔祖传》). Edited by Akbar Naḥvī, pp. 13—85. Tehran: Markaz-i Pazhūhishī-yi Mirāṡ Maktūb, 2008 (SH 1387).

————. "Dah dīv az Fārsī-yi Miyāna tā manẓūma-yi *Farāmarznāma*" (《从中古波斯语到〈法拉玛尔兹传〉诗作的十个魔鬼》). *Shiʿr-pazhūhī* (《诗歌研究》) 10, no. 4 (2011 [SH Zimistān 1390]): 167—186.

Qādirī, Tīmūr. "Akhlāq-i Īrānī bi ravāyat-i mutūn-i Pahlavī" (《巴列维语文献所述伊朗人的道德》). *Muṭāliʿāt-i Īrānī* (《伊朗研究》) 3, no. 1 (2003 [SH Bahār 1382]): 125—138.

Qāʾimī, Farzād. "Farrukhī yā Mukhtārī?... takmila, tavārud, iqtibās yā intiḥāl?" (《法罗西或穆赫塔里？补遗、偶合、摘录，抑或抄袭？》), *Justār-hā-yi nawīn-i adabī* (《文学新探》) 200, no. 1 (2018 [SH Bahār 1397]): 208—235.

————. "Justijū-yi manābiʿ-i jadīd-ī dar rābiṭa bā nām-i sarāyanda va takhmīn-i zamān-i sarāyish-i *Burzūnāma-yi kuhan*" (《对有关〈旧布尔祖传〉吟诵者之名以及推测其创作年代的一些新材料的探索》), *Shiʿr-pazhūhī* (《诗歌研究》) 43, no. 1 (2020 [SH Bahār 1399]): 122—149.

Raʾīs Niyā, Raḥīm. *Kūr-ūghlū dar afsāna va tārīkh (Koroghlu in Myth and in History)*. Tabriz: Nīmā, 1989 (SH1368).

Rajabzāda, Hāshim. "Zhāpun dar *Kūshnāma*" (《〈库什王纪〉中的日本》). *Kitāb-i māh-i tārīkh va jughrāfiyā* (《历史与地理月刊》) 56 and 57, no. 3 (2002 [SH Khurdād va Tīr 1381]): 65—71.

Ṣafā, Ẕabīḥ Allāh. *Ḥamāsa-sarāyī dar Īrān* (《伊朗史诗创作》). Tehran: Amīr Kabīr, 1954 (SH 1333).

————. *Tārīkh-i Adabiyāt-i Īrān* (《伊朗文学史》). Vol. 1. Tehran: Quqnūs, 1989 (SH 1368).

————. "Naẓar bi maʾkhaẕ-i *Shāhnāma* va dīgar ḥamāsa-hā-yi millī" (《关于〈列王纪〉与其他民族史诗的材料来源》). In *Namīram az īn pas ki man zanda-am: Majmūʿa-yi maqālāt-i kungra-yi jahānī-yi buzurgdāsht-i Firdawsī* (《自此以后我将永生——纪念菲尔多西世界大会论文集》). Edited by Ghulāmriżā Sutūda, pp. 47—55. Tehran: Intishārāt-i Dānishgāh-i Tihrān, 1995 (SH 1374).

————. *Tārīkh-i Adabiyāt-i Īrān* (《伊朗文学史》). Vol. 2. Tehran: Firdaws, 2005 (SH 1384).

Sulaymānī, Qahramān. "Ḥamāsa-yi *Kūshnāma*" (《史诗〈库什王纪〉》). *Kitāb-i māh-i adabiyāt va falsafa* (《文学与哲学月刊》) 19, no. 2 (1999 [SH Urdībihisht 1378]): 30—31.

Sutūda, Manūchihr. "Muqaddama" (《导言》). In *Haft kishvar yā Ṣuvar al-aqālīm*. Edited by Manūchihr Sutūda, pp. 11—22. Tehran: Bunyād-i Farhang-i Īrān, 1974 (SH 1353).

Ṭāvūsī, Maḥmūd. "Farra-yi Izadī va bāz-tawlīd-i ān dar andīsha-yi siyāsī-yi Īrān-i pas az Islām" (《真神灵光及其在伊斯兰时代伊朗政治思想中的再生产》). *Muṭāliʿāt-i Īrānī* (《伊朗研究》) 5, no. 1 (2004 [SH Bahār 1383]): 41—64.

Umīd-Sālār, Maḥmūd. "Yāddāsht-hā-yi *Kūshnāma*" (《〈库什王纪〉札记》). *Farhang-i Īrānzamīn* (《伊朗大地的文化》) 30, (2005 [SH 1384]): 312—336.

汉语论著

程金城:《〈英雄史诗的起源〉中译本序二》, E. M. 梅列金斯基:《英雄史诗的起源》,王亚民、张淑明、刘玉琴译,第9—18页,北京:商务印书馆,2007年。

程彤:《古代伊朗与中国马球运动文献、文物之比较》,《元史及民族与边疆研究集刊》2015年01期。

——————:《古代波斯与中国马球运动文献、文物之比较》,程彤主编:《丝绸之路上的照世杯——“中国与伊朗:丝绸之路上的文化交流”国际研讨会论文集》,第14—30页,上海:中西书局,2016年。
崔连仲主编:《世界通史·古代卷》,北京:人民出版社,1997年。
冯承钧原编,陆峻岭增订:《西域地名(增订本)》,北京:中华书局,1982年。
高田时雄:《Khumdan的对音》,朱凤玉、汪娟编:《张广达先生八十华诞祝寿论文集》,第965—976页,台北:新文丰出版公司,2010年。
拱玉书:《“升起来吧!像太阳一样”——解析苏美尔史诗〈恩美卡与阿拉塔之王〉》,北京:昆仑出版社,2006年。
侯文通:《我国矮马源流简析》,《农业考古》1990年01期。
胡适:《〈二侠五义〉序》,季羡林主编:《胡适全集·第3卷》,第471—503页,合肥:安徽教育出版社,2003年。
姜伯勤:《吐鲁番文书所见的“波斯军”》,《中国史研究》1986年第1期。
——————:《敦煌吐鲁番文书与丝绸之路》,北京:文物出版社,1994年。
姜清波:《入唐三韩人研究》,广州:暨南大学出版社,2010年。
金克木:《比较文化论集》,北京:三联书店,1984年。
金宜久:《伊斯兰教史》,北京:中国社会科学出版社,1990年。
靳文翰、郭圣铭、孙道天主编:《世界历史词典》,上海:上海辞书出版社,1985年。
李零:《波斯笔记(上)》,北京:生活·读书·新知三联书店,2019年。
李铁匠:《古代伊朗的王权观念》,《常熟理工学院学报》2006年05期。
刘复生:《宋代“广马”以及相关问题》,《中国史研究》1995年第3期。
刘明翰主编:《世界通史·中世纪卷》,北京:人民出版社,1997年。
刘永连:《九姓胡在朝鲜半岛史迹考略——九姓胡再次移民朝鲜半岛的路线及史态刍议》,陈春声主编:《海陆交通与世界文明》,第100—153页,北京:商务印书馆,2013年。
马雍:《萨曼王朝与中国的交往》,《学习与思考》1983年第5期。
孟华:《比较文学形象学论文翻译、研究札记(代序)》,孟华主编:《比较文学形象学》,第1—16页,北京:北京大学出版社,2001年。
穆宏燕:《波斯大诗人莫拉维和〈玛斯纳维〉(译者序)》,莫拉维(鲁米):《玛斯纳维全集(一)》,穆宏燕译,第11—18页,长沙:湖南文艺出版社,2002年。
————:《波斯古典诗学研究》,北京:昆仑出版社,2011年。
潘庆舲:《译序》,潘庆舲译:《九亭宫——古代波斯故事集》,第1—10页,上海:上海译文出版社,1982年。
朴真奭:《十一—十二世纪宋与高丽的贸易往来》,《延边大学学报(哲学社会科学版)》1979年第2期。
任继愈主编:《宗教大辞典》,上海:上海辞书出版社,1998年。
荣新江:《吐鲁番文书〈唐某人自书历官状〉所记西域史事钩沉》,《西北史地》1987年第4期。
————:《波斯与中国:两种文化在唐朝的交融》,刘东主编:《中国学术(总第十二辑)》,第56—76页,北京:商务印书馆,2002年。
————:《中古中国与粟特文明》,北京:三联书店,2014年。
孙培良:《萨珊朝伊朗》,重庆:西南师范大学出版社,1995年。
唐晓峰:《从混沌到秩序:中国上古地理思想史述论》,北京:中华书局,2010年。
王邦维:《龙驹、龙马与金花王》,《文史知识》2014年第5期。
王倩、尹虎彬:《从语义比较到文明探源——论比较神话学的近代转向》,《江西社会科学》2009年第6期。
王小甫:《"黑貂之路"质疑——古代东北亚与世界文化联系之我见》,《历史研究》2001年第3期。
王兴运:《古代伊朗文明探源》,北京:商务印书馆,2008年。
王一丹:《波斯、和田与中国的麝香》,《北京大学学报(哲学社会科学版)》,1993年第2期。
————:《波斯拉施特〈史集·中国史〉研究与文本翻译》,北京:昆仑出版社,2006年。
————:《巴达赫尚的红宝石》,荣新江、朱玉麒主编:《丝绸之路新探索:考古、文献与学术史》,第143—157页,南京:凤凰出版社,

2019年。
王以欣:《神话与历史: 古希腊英雄故事的历史和文化内涵》,北京: 商务印书馆,2006年。
王治来:《中亚通史·古代卷(上)》,乌鲁木齐: 新疆人民出版社,2004年。
————:《总序》,王治来:《中亚通史·古代卷(上)》,第1—10页,乌鲁木齐: 新疆人民出版社,2004年。
魏良弢:《喀喇汗王朝史稿》,乌鲁木齐: 新疆人民出版社,1986年。
————:《中国历史·喀喇汗王朝史 西辽史》,北京: 人民出版社,2010年。
魏庆征编:《古代伊朗神话》,太原: 北岳文艺出版社、山西人民出版社,1999年。
萧启庆:《元代科举与菁英流动: 以元统元年进士为中心》,萧启庆:《内北国而外中国: 蒙元史研究》,第185—215页,北京: 中华书局,2007年。
谢成侠:《二千多年来大宛马(阿哈马)和苜蓿传入中国及其利用考——中国畜牧兽医史料之一》,《中国畜牧兽医杂志》1955年第3期。
————:《中国养马史》,北京: 科学出版社,1959年。
许序雅:《中亚萨曼王朝史研究(增订本)》,北京: 商务印书馆,2017年。
薛宗正:《波斯萨珊王裔联合吐火罗抗击大食始末——兼论唐与大食中亚对峙形势的演变》,《新疆社会科学》1988年第6期。
杨森:《敦煌壁画中的高句丽、新罗、百济人形象》,《社会科学战线》2011年第2期。
杨志玖:《元代的阿儿浑人》,杨志玖:《元史三论》,第226—236页,北京: 人民出版社,1985年。
叶舒宪:《文学与人类学: 知识全球化时代的文学研究》,北京: 社会科学文献出版社,2003年。
易华:《夷夏先后说》,北京: 民族出版社,2012年。

余太山:《西域通史》,郑州:中州古籍出版社,2003年。
————:《嚈哒史研究》,北京:商务印书馆,2012年。
元文琪:《善恶·祥瑞·神权——波斯古经〈扎姆亚德·亚什特〉剖析》,《外国文学评论》1987年02期。
————:《帝王传奇中的神权观念——巴列维语名作〈阿尔达希尔·帕帕克的业绩〉主题探讨》,《国外文学》1991年01期。
————:《二元神论:古波斯宗教神话研究》,北京:中国社会科学出版社,1997年。
张岱年、方克立主编:《中国文化概论》,北京:北京师范大学出版社,2004年。
张广达:《出土文书与穆斯林地理著作对于研究中亚历史地理的意义(下)》,《新疆大学学报》1984年第2期。
————:《前言》,伊本·胡尔达兹比赫著,宋岘译注:《道里邦国志》,北京:中华书局,1991年。
————:《关于马合木·喀什噶里的〈突厥语词汇〉与见于此书的圆形地图》,张广达:《西域史地丛稿初编》,第57—82页,上海:上海古籍出版社,1995年。
————:《贵霜》,张广达:《文书 典籍与西域史地》,第42—43页,桂林:广西师范大学出版社,2008年。
————:《文书、典籍与西域史地》,桂林:广西师范大学出版社,2008年。
张海洋:《序二:慎终追远 正本清源》,易华:《夷夏先后说》,第5—20页,北京:民族出版社,2012年。
张鸿年:《波斯文学史》,北京:昆仑出版社,2003年。
————:《列王纪研究》,北京:北京大学出版社,2009年。
张绪山:《西摩卡塔所记中国历史风俗事物考》,上海社会科学院《传统中国研究集刊》编辑委员会编:《传统中国研究集刊(第一辑)》,第82—102页,上海:上海人民出版社,2006年。
钟敬文主编:《民间文学概论》,第二版,北京:高等教育出版社,2010年。

朱杰勤:《中国和伊朗历史上的友好关系》,《历史研究》1978年第7期。

英语论著

Akbarzadeh, Dayroosh. "Silla the founder or Silla the Kingdom: According to *Kūš-nāmeh* and selected Arabo-Persian Texts." *Acta Via Serica* 1, no.1 (2016): 25—32.

Badian, Ernst. "Rhoxane ii. Alexander's Wife." In *EIr*, edited by Ehsan Yarshater. Published September 30, 2015, updated April 6, 2018, https://iranicaonline.org/articles/rhoxane-alexander-wife.

————. "Stateira." In *EIr*, edited by Ehsan Yarshater. Published November 16, 2015, https://iranicaonline.org/articles/stateira.

Bailey, H. W. "Arya." In *EIr*, vol. 2, pp. 681—683.

Bietak, Manfred. "Egypt and the Aegean: Cultural Convergence in a Thutmoside Palace at Avaris." In *Hatshepsut: From Queen to Pharaoh*, edited by Catharine H. Roehrig et al., pp. 75—82. New York: The Metropolitan Museum of Art; New Haven / London: Yale University Press, 2005.

Boss, Shira J. "Encyclopaedia Iranica: Comprehensive research project about the 'Iranian Cultural Continent' thrives on Riverside Drive." In *Columbia College Today*. Published Nov. 2003, accessed Sept. 10, 2014, http://www.college.columbia.edu/cct_archive/nov03/features5.html.

Bosworth, C. E. "Sīstān." In *EI2*, vol. 9, pp. 681—685.

————. "Zābul, Zābulistān." In *EI2*, vol. 11, p. 371.

————. "K̲ottal." In *EIr*, edited by Ehsan Yarshater. Published April 20, 2009, https://iranicaonline.org/articles/kottal-province-of-medieval-islamic-times-in-modern-tajikistan.

Briant, Pierre. *From Cyrus to Alexander: A History of the Persian Empire*. Translated by Peter T. Daniels. Winona Lake: Eisenbrauns. 2002.

Bryan, Betsy M. "The 18th Dynasty before the Amarna Period (c.1550–1352 BC)." In *The Oxford History of Ancient Egypt*, edited by Ian Shaw, pp. 207–264. Oxford: Oxford University Press, 2002.

Cohen, D. "Kūsh." In *EI2*, vol. 5, pp. 521—525.

Compareti, Matteo. "Chinese-Iranian Relations xv. The Last Sasanians in China." In *EIr*, edited by Ehsan Yarshater. Published July 20, 2009, accessed July 26, 2017, https://iranicaonline.org/articles/china-xv-the-last-sasanians-in-china.

Cook, J. M. "The Rise of the Achaemenids and Establishment of Their Empire." In *The Cambridge History of Iran*, vol. 2, *The Median and Achaemenian Periods*, edited by Ilya Gershevitch, pp. 200—291. Cambridge: Cambridge University Press, 1985.

Dalley, Stephanie. "Nineveh, Babylon and the Hanging Gardens: Cuneiform and Classical Sources Reconciled." *Iraq* 56, (1994): 45—58.

Davies, W. Vivian. "Egypt and Nubia: Conflict with the Kingdom of Kush." In *Hatshepsut: From Queen to Pharaoh*, edited by Catharine H. Roehrig et al., pp. 49—59. New York: The Metropolitan Museum of Art; New Haven / London: Yale University Press, 2005.

Davis, Dick. "Reviews: Abu'l-Qasem Ferdowsi, *The Shahnameh*, vol. 3, edited by Djalal Khaleghi-Motlagh." *International Journal of Middle East Studies* 27, no. 3 (1995): 393—395.

Diakonoff, I. M. "Elam." In *The Cambridge History of Iran*, vol. 2, *The Median and Achaemenian Periods*, edited by Ilya Gershevitch, pp. 1—24. Cambridge: Cambridge University Press, 1985.

————. "Media." In *The Cambridge History of Iran*, vol. 2, *The Median and Achaemenian Periods*, edited by Ilya Gershevitch, pp. 36—148. Cambridge: Cambridge University Press, 1985.

Dulęba, Władysław. *The Cyrus Legend in the Šāhnāme*. Kraków: The Enigma Press, 1995.

Frye, Richard N. *The History of Ancient Iran*. München: C. H. Beck'sche

Verlagsbuchhandlung, 1983.

Gibb, H. A. R. *The Arab Conquests in Central Asia*. London: The Royal Asiatic Society, 1923.

Gnoli, Gherardo. “Farr(ah).” In *EIr*, vol. 9, pp. 312—319.

Grayson, A. K. “Assyria 668—635 B.C.: The reign of Ashurbanipal.” In *The Cambridge Ancient History*, vol. 3, part 2, *The Assyrian and Babylonian Empires and other States of the Near East, from the Eighth to the Sixth Centuries B.C.*, edited by John Boardman et al., pp. 142—161. Cambridge: Cambridge University Press, 1991.

————. “Assyria: Sennacherib and Esarhaddon (704—669 B.C.).” In *The Cambridge Ancient History*, vol. 3, part 2, *The Assyrian and Babylonian Empires and other States of the Near East, from the Eighth to the Sixth Centuries B.C.*, edited by John Boardman et al., pp. 103—141. Cambridge: Cambridge University Press, 1991.

Haig, T. W. “Kart (possibly Kurt),” revised by B. Spuler. In *EI2*, vol. 4, p. 672.

Harmon, William, and C. Hugh Holman. *A Handbook to Literature* (8th ed.). New Jersey: Prentice Hall, 1999.

Heller, B. “Namrūd.” In *EI2*, vol. 7, pp. 952—953.

Herzfeld, Ernst. *Zoroaster and his World*. Princeton: Princeton University Press, 1947.

Jason, Heda. *Ethnopoetry: Form, Content, Function*. Bonn: Linguistica Biblica, 1977.

Johnson, Siegfried S. “Cush.” In *The Anchor Bible Dictionary*, edited by David Noel Freedman, vol. 1, p. 1219. New York: Doubleday, 1992.

Katouzian, Homa. *The Persians: Ancient, Medieval and Modern Iran*. New Haven / London: Yale University Press, 2009.

Kent, Roland G. *Old Persian: Grammar Text Lexicon*. New Haven: American Oriental Society, 1950.

Kuhrt, Amélie. *The Ancient Near East c.3000—330 BC*, vol. 2. London /

New York: Routledge, 1995.

Laufer, Berthold. *Sino-Iranica: Chinese Contributions to the History of Civilization in Ancient Iran*. Chicago: Field Museum of Natural History Publication 201, 1919 (printed in China, 1940).

Lazard, G. "The Rise of the New Persian Language." In *The Cambridge History of Iran*, vol. 4, *The Period from the Arab Invasion to the Saljuqs*, edited by R. N. Frye, pp. 595—632. Cambridge: Cambridge University Press, 1975.

————. "Darī." In *EIr*, vol. 7, pp. 34—35.

Lee, Hee Soo. "Evaluation of *Kūshnāma* as a Historical Source in Regard to Descriptions of Basīlā." *Acta Koreana* 21, no.1 (2018): 15—36.

Lobban, Richard A. *Historical dictionary of ancient and medieval Nubia*. Lanham / Maryland / Oxford: The Scarecrow Press, Inc., 2003.

Luckenbill, Daniel David. *Ancient Records of Assyria and Babylonia*, vol. 2. Chicago: The University of Chicago Press, 1927.

MacKenzie, D. N. "Ērān, Ērānšahr." In *EIr*, vol. 8, pp. 534—535.

Nagy, Gregory. "Foreword." In Olga M. Davidson, *Poet and Hero in the Persian Book of Kings*, pp. ix–xi. Ithaca / London: Cornell University Press, 1994.

Nasr, S. H. "Spiritual Movements, Philosophy and Theology in the Safavid Period." In *The Cambridge History of Iran*, vol. 6, *The Timurid and Safavid Periods*, edited by Peter Jackson and Laurence Lockhart, pp. 656—697. Cambridge: Cambridge University Press, 1986.

O'Brien, John Maxwell. *Alexander the Great: The Invisible Enemy*. London / New York: Routledge, 1994.

Parpola, Simo. "The Assyrian Tree of Life: Tracing the Origins of Jewish Monotheism and Greek Philosophy." *Journal of Near Eastern Studies* 52, no. 3 (1993): 161—208.

Pellat, Ch. "Al-Aḥnaf b. Ḳays." In *EI2*, vol. 1, pp. 303—304.

Pelliot, Paul. *Notes on Marco Polo*, vol. 1. Paris: Imprimerie Nationale

Librairie Adrien-Maisonneuve, 1959.

Qarīb, Badr al-Zamān. "Introduction." In Badr al-Zamān Qarīb, *Farhang-i Sughdī: Sughdī-Fārsī-Inglīsī (Sogdian dictionary: Sogdian-Persian-English)*, pp. xiii—xxxvi. Tehran: Farhangān, 1995 (SH 1374).

Redford, Donald B. *From Slave to Pharaoh: The Black Experience of Ancient Egypt*. Baltimore / London: The Johns Hopkins University Press, 2004.

Rieu, Charles. *Supplement to the Catalogue of the Persian Manuscripts in the British Museum*. London: The British Museum, 1895.

Rose, Carol. *Spirits, Fairies, Gnomes, and Goblins: An Encyclopedia of the Little People*. Santa Barbara, CA: ABC-CLIO, 1996.

Rypka, Jan. *History of Iranian Literature*. Edited by Karl Jahn. Dordrecht-Holland: D. Reidel Publishing Company, 1968.

Saguchi, T. "Al-Shīlā or Al-Sīlā." In *EI2*, vol. 9, pp. 440—441.

Savory, R. M. "Ṣafawids: II. Economic and commercial history; trade relations with Europe." In *EI2*, vol. 8, pp. 771—774.

Scharfe, H. "Sacred Kingship, Warlords, and Nobility." In *Ritual, State and History in South India, Essays in Honour of J.C. Heesterman*, edited by A.W. Van den Hoek, et. al., pp. 309—322. Leiden / New York / Köln: E. J. Brill, 1992.

Schmitt, R. "Amytis." In *EIr*, vol. 1, p. 999.

————. "Atossa." In *EIr*, vol. 3, pp. 13—14.

Selz, Gebhard J. "Power, economy and social organization in Babylonia." In *The Babylonian World*, edited by Gwendolyn Leick, pp. 276—287. New York: Routledge, 2007.

Shahbazi, A. Shapur. "Yazdegerd I." In *EIr*, edited by Ehsan Yarshater. Published July 20, 2003, accessed April 9, 2018, https://iranicaonline.org/articles/yazdegerd-i.

Shaked, S. "Ayādgār ī Wuzurgmihr." In *EIr*, vol. 3, pp.127—129.

Shelley, Nathanael. "Kaššû. Cultural Labels and Identity in Ancient

Mesopotamia." In *Karduniaš. Babylonia Under the Kassites*, edited by Alexa Bartelmus and Katja Sternitzke, pp. 196—208. Boston / Berlin: Walter de Gruyter Inc., 2017.

Sykes, Percy. *A history of Afghanistan*, vol. 1. London: Macmillan, 1940.

Taylor, John. "The Third Intermediate Period (1069—664 BC)." In *The Oxford History of Ancient Egypt*, edited by Ian Shaw, pp. 324—363. Oxford: Oxford University Press, 2002.

UNESCO. "Preservation of the Koguryo Kingdom Tombs." Accessed May 27, 2019, http://whc.unesco.org/uploads/activities/documents/activity-275-1.pdf.

Van De Mieroop, Marc. "Mountain and Tree as Signs of the Nether World in Akkidian Art." In *Orientalia Lovaniensia Periodica*, edited by Universitaire Stichting Van België, pp. 69—74. Leuven: Departement Oriëntalistiek, 1979.

Vaziri, Mostafa. *Iran as Imagined Nation: The Construction of National Identity*. New York: Paragon House, 1993.

Vosooghi, Mohammad Bagher. "Geographical Location of Sillā in Muslim Astronomical Literature of the Thirteen to Sixteen Centuries CE." *Acta Koreana* 21, no.1 (2018): 65—79.

Watson, W. "Iran and China." In *Cambridge History of Iran*, vol. 3 (1), *The Seleucid, Parthian and Sasanian Periods*, edited by Ehsan Yarshater, pp. 537—558. Cambridge: Cambridge University Press, 1983.

Yamamoto, Kumiko. *The Oral Background of Persian Epics: Storytelling and Poetry*. Leiden / Boston: Brill, 2003.

Yarshater, E. "Zuhāk." In *EI2*, vol. 11, pp. 554—555.

————. "Introduction." In *EIr*, vol. 1, pp. 1—3.

其他语种论著（含非汉语译本）

Amiet, Pierre. "Combats mythologiques dans l'art mésopotamien du troisième et du début du second millénaire." *Revue Archéologique* 42,

(1953): 129—164.

Hŏ, Yunhŭi. "[Onŭrŭi Sesang] Ch'ŏnmato '1500 Nyŏnŭi Ohae': Mali Anira Kiriniŏnne" (《[今日之世界]天马图"1500年的误会"：它不是一匹马而是麒麟》). *Chosun Ilbo* (《朝鲜日报》), Sept. 28, 2009, http://news.chosun.com/site/data/html_dir/2009/09/28/2009092800044.html.

————. "Chamjadŏn Kŭmdong Ch'ŏnmado… 1500 Nyŏn Mane Mosŭp Tŭrŏnaeda" (《沉睡的金铜天马图……1 500年前的面貌呈现出来》). *Chosun Ilbo* (《朝 鲜 日 报》), March 4, 2014, http://srchdb1.chosun.com/pdf/i_service/pdf_ReadBody.jsp?Y=2014&M=03&D=04&ID=2014030400007.

————. "Malin'ga Kirinin'ga… Tashi Pulbut'ŭn Ch'ŏnmado Nollan" (《它是马还是麒麟……天马图争议再次火热起来》). *Chosun Ilbo* (《朝鲜日报》), April 14, 2014, http://premium.chosun.com/site/data/html_dir/2014/04/14/2014041400140.html.

Krebernik, M. "Melam." In *Reallexikon der Assyriologie und Vorderasiatischen Archäologie*, Band 8, Herausgegeben von D. O. Edzard, S. 35. Berlin: Walter de Gruyter, 1993.

Lee, Ki-baik. *A New History of Korea*. Translated by Edward W. Wagner with Edward J. Shultz. Seoul: Ilchokak, 1984.

Meyer, D. Rudolf, und Herbert Donner. Hrsg. *Wilhelm Gesenius Hebräisches und Aramäisches Handwörterbuch über das Alte Testament*. 18. Auflage, 4. Lieferung. Berlin und Heidelberg: Springer-Verlag, 2007.

Munhwachaech'ŏng (Cultural Heritage Administration). "Kukpo che 207 ho: Kyŏngju Ch'ŏnmach'ong changni ch'ŏnmado [慶州 天馬塚 障泥 天馬圖]" (National treasure no. 207: the paintings of the heavenly horse on the plates shielding from the dust unearthed at Ch'ŏnmach'ong in Gyeongju). Accessed Sept. 23, 2020, http://www.heritage.go.kr/heri/cul/culSelectDetail.do?VdkVgwKey=11,02070000,37&pageNo=1_1_1_0.

朴恩用, "韓國語와 滿洲語와의 比較研究(上)" (A Comparative Study of Manchu and Korean),《曉大論文集》(*Research Bulletin of Catholic University of Taegu-Hyosung*) 14, no.1 (1974): 101—282.

Räsänen, Martti. *Versuch eines etymologischen Wörterbuchs der Türksprachen*. Helsinki: Suomalais-ugrilainen Seura, 1969.

Röllig, W. "Kuš, Kuschiten." In *Reallexikon der Assyriologie und Vorderasiatischen Archäologie*, Band 6, Herausgegeben von Dietz Otto Edzard, S. 374—375. Berlin / New York: Walter de Gruyter, 1980—1983.

Yi, Ik. *Sŏngho Sasŏl* (《星湖僿说》), vol. 2. Seoul: Minmun'go, 1989.

汉译古籍及论著

阿甫基耶夫:《古代东方史》, 王以铸译, 上海: 上海书店出版社, 2007年。

阿里安:《亚历山大远征记》, E. 伊利夫·罗布逊英译, 李活译, 北京: 商务印书馆, 2012年。

艾绥迈伊:《安塔拉传奇》, 李唯中译, 长沙: 湖南文艺出版社, 2009年。

昂苏尔·玛阿里:《卡布斯教诲录》, 张晖译, 北京: 商务印书馆, 1990年。

[阿宝斯·艾克巴尔·]奥希梯扬尼:《伊朗通史》, 叶奕良译, 北京: 经济日报出版社, 1997年。

[彼得·]伯克:《历史学与社会理论》, 姚朋、周玉鹏、胡秋红、吴修申译, 上海: 世纪出版集团上海人民出版社, 2010年。

[埃尔顿·]丹尼尔:《伊朗史》, 李铁匠译, 上海: 东方出版中心, 2010年。

[贾利尔·]杜斯特哈赫选编:《阿维斯塔——琐罗亚斯德教圣书》, 元文琪译, 北京: 商务印书馆, 2010年。

菲尔多西:《列王纪全集》, 张鸿年、宋丕方译, 长沙: 湖南文艺出版社, 2001年。

[G.]费瑯辑注:《阿拉伯波斯突厥人东方文献辑注》, 耿昇、穆根来译,

北京：中华书局，1989年。
[莫里斯·]哈布瓦赫：《论集体记忆》，毕然、郭金华译，上海：上海人民出版社，2002年。
[海登·]怀特：《元史学：十九世纪欧洲的历史想象》，陈新译，南京：译林出版社，2004年。
————：《中译本前言》，海登·怀特：《元史学：十九世纪欧洲的历史想象》，陈新译，第1—9页，南京：译林出版社，2004年。
[麻赫默德·]喀什噶里：《突厥语大词典》，校仲彝等译，北京：民族出版社，2002年。
[保罗·]康纳顿：《社会如何记忆》，纳日碧力戈译，上海：上海人民出版社，2000年。
劳费尔：《中国伊朗编：中国对古代伊朗文明史的贡献，着重于栽培植物及产品之历史》，林筠因译，北京：商务印书馆，2001年。
[雅克·]勒高夫：《历史与记忆》，方仁杰、倪复生译，北京：中国人民大学出版社，2010年。
[G.]勒·斯特兰奇著，韩中义译注：《大食东部历史地理研究——从阿拉伯帝国兴起到帖木儿朝时期的美索不达米亚、波斯和中亚诸地》，北京：社会科学文献出版社，2018年。
李铁匠选译：《古代伊朗史料选辑》，北京：商务印书馆，1992年。
马尔夏克：《突厥人、粟特人与娜娜女神》，毛铭译，桂林：漓江出版社，2016年。
马坚译：《古兰经》，北京：中国社会科学出版社，2003年。
马苏第：《黄金草原》，耿昇译，北京：人民出版社，2013年。
[阿里·]玛扎海里：《丝绸之路——中国-波斯文化交流史》，耿昇译，北京：中华书局，1993年。
[E. M.]梅列金斯基：《英雄史诗的起源》，王亚民、张淑明、刘玉琴译，北京：商务印书馆，2007年。
莫拉维(鲁米)：《玛斯纳维全集》，穆宏燕、元文琪、张晖、王一丹、宋丕方译，长沙：湖南文艺出版社，2002年。
穆根来、汶江、黄倬汉译：《中国印度见闻录》，北京：中华书局，

1983年。
潘庆舲译:《九亭宫——古代波斯故事集》,上海:上海译文出版社,1982年。
————译:《魔幻山庄——波斯故事集锦》,上海:上海译文出版社,2001年。
萨迪:《蔷薇园》,张鸿年译,北京:商务印书馆,2017年。
[扎毕胡拉·]萨法:《伊朗文化及其对世界的影响》,张鸿年译,北京:商务印书馆,2011年。
[珀西·]塞克斯:《阿富汗史》,张家麟译,潘庆舲校,北京:商务印书馆,1972年。
王一丹主编:《伊朗民间故事》,沈阳:辽宁少年儿童出版社,2001年。
乌苏吉著,王诚译,邱轶皓审校:《〈动物之自然属性对"中国"的记载〉——据新发现的抄本》,《西域研究》2016年第1期。
西提:《阿拉伯通史》,马坚译,北京:商务印书馆,1995年。
希罗多德:《历史》,王以铸译,北京:商务印书馆,1997年。
伊本·胡尔达兹比赫著,宋岘译注:《道里邦国志》,北京:中华书局,1991年。
佚名著,王治来译注:《世界境域志》,上海:上海古籍出版社,2010年。
裕尔:《东域纪程录丛——古代中国闻见录》,考迪埃修订,张绪山译,北京:中华书局,2008年。
张晖译:《涅扎米诗选》,乌鲁木齐:新疆人民出版社,1987年。

致 谢

伊朗文明是为数不多延续至今的有数以千年历史的文明，在经历伊斯兰化的重大文化整合后，仍保有自身文化特征而塑造出伊朗—伊斯兰双核文化。诚如萨法所言，《列王纪》等几部反映这次文化传统过渡的著作，起到连结伊朗的前伊斯兰时代和伊斯兰时代的关键作用。在《列王纪》以外其他几部重要的伊朗民族史诗中，《库什王纪》因又称“中国王的故事”而引起我的注意。面对一部成书于九百年前、长逾两万诗行的波斯语古典格律诗，我也曾犹豫过是否要基于文本细读对其开展全面研究。博士论文选题之初，适逢德黑兰大学乌苏吉教授应荣新江老师之邀在北京大学汉学家基地做访问学者，得益于他的多次建议和鼓励，同时也因我一直对张鸿年老师所做《列王纪》翻译与研究工作抱有浓厚的兴趣，最终下定决心研究《库什王纪》，时值2011年底，迄今恰及十载。此刻呈于读者面前的这本小书以我的博士论文为基础，辅以博士后出站报告和几篇近年所撰小论文补缀修订而成，是对我十年来研究这部史诗所得的一次阶段性梳理和总结。同时它也是我学术道路的初探之作，且因对象文本内容包罗万象，本书论述所涉芜杂，错漏不足之处在所难免，恳请广大读者批评指正，以待来日纠错补足，在此先行谢过。此刻说到致谢，我的思绪不由得回溯至更早些时候。

1996年，怀着对“波斯”二字模糊的兴趣，我进入北京大学波斯语言文化专业，随李湘、程彤二位老师学习波斯语；他们更同叶奕良、曾延生、滕慧珠、王一丹等诸位师长一起将我领进波斯文学和伊朗学的殿堂。2003年起，我一度离开校园，响应国家“走出去”战略的号召，在伊朗工作数年，于深度接触伊朗社会方方面面的过程中，我深切体悟到其传统文化历久弥新的魅力。

2011年,我重回书斋,再投王一丹老师门下攻读博士学位。经数年社会工作后再做学术研究,起初确有艰难。行至今日,我走过的每一步与点滴所得,都离不开王老师的悉心教导。王老师不但对我的学位论文和各种习作均予仔细批阅,更常在如何走好学术之路的问题上对我做细致指点,为我答疑解惑,启发我的思路,帮我指明方向。王老师学识渊博、治学严谨,对人儒雅宽厚,对事一丝不苟,每时每刻都以言传身教的方式诠释着学者和师者的内涵,足令我终生受益。甚至在我"出师"之后,无论是在教学工作还是在科研活动中,仍继续得到王老师无微不至的关怀和不辞劳苦的指教。此番又劳动王老师作序,再叨师恩。自2015年夏起,在业师王一丹以及北京大学外国语学院宁琦老师、历史学系张帆老师等人的支持与帮助下,我以张帆老师为合作导师,以"《库什王纪》里的古代东亚世界"为主题从事博士后研究工作。其后,我走上教研岗位,一面做波斯语言文学教学,一面继续研究波斯语史诗,直至今日。回想起来,除承蒙前面提到诸位师长的关爱与支持,我还得到其他一众师友的大力提携和无私帮助。

初回校园之日,我便得到张鸿年先生的热切鼓励。在我登门求教之时,他更慨然惠赐伊朗史诗研究相关书籍,殷殷寄望之情溢于言表。2015年初,正当我的博士学位论文全稿即将告竣时,先生猝然驾鹤西去,拙稿终与先生缘悭一面,竟成我学术生涯中永远的遗憾。先生辞世后,他的夫人李湘老师将我唤去,托付以先生留下的数箱书籍,嘱我拣选与伊朗史诗研究有关的留作自用,其余代为捐赠北京大学伊朗文化研究所图书室。进行本研究过程中,我时常翻看有大量张老师笔迹的文献,不免睹物思人。谨将这本小书献给张鸿年先生。

在波恩大学访学期间,我受到廉亚明(Ralph Kauz)教授全方位的照顾,他还主动帮忙联系多所德国和奥地利的伊朗学研究中心与图书馆,使我有缘拜会哈立吉-穆特拉格教授等多位伊朗学前辈大家,收集到大量有价值的参考文献。

对《库什王纪》的研究要基于对其文本逐字逐句的准确理解与翻译,因仅有一份抄本传世,也仅有一部校勘本刊布,难度可想而知。阿拉梅·塔巴塔巴伊大学的贾拉里(Mohammadamir Jalali)老师近年任教于我所在的教研室,他投入大量的时间和精力,与我共同研读史诗的抄本和刊本,帮我解决了很多疑难之处。

另外,北京外国语大学穆宏燕老师不仅对我博士论文的大小标题拟定等多个关键问题予以指点,还曾帮我修改学术习作;我校历史学系朱玉麒老师在做文史相结合的研究以及这类论文写作方面多次为我指引方向;我校历史学系的荣新江、党宝海,外国语学院的王邦维、唐孟生、陈明、林丰民、陈岗龙,上海外国语大学的程彤,韩国汉阳大学的李熙秀等多位师长,则以提携我参加重大科研项目和高水平学术研讨会等方式帮助我开阔学术视野;就本书所及朝韩语、法语、苏美尔语和阿卡德语、巴列维语、古希伯来语、阿拉伯语等多语种文献及相关专业问题,我亲爱的同事们如王丹、孙凯、陈飞、吴赟培、梅华龙、廉超群、时光、沈一鸣等老师均曾予以帮助和提点;孙皓、李鸣飞、李昀、郑叶凡等学友曾向我提供研究所需文献资料;如此种种,曾给予我帮助和支持的人还有很多,此处所及不免挂一漏万,谨向所有帮助过和关心我的师长、学友一并表示衷心的感谢!

本书的出版得到北京大学东方文学研究中心的慷慨资助和中西书局的大力支持,多承陈明和刘寅春二位老师的牵线搭桥与热心关怀。负责具体编辑工作的姚骄桐女史为本书稿的大量增删修订付出了巨大的辛劳与耐心。在此,谨对诸位老师和各方幕后有关同仁致以诚挚的谢意。

最后,还要感谢我的母亲和妻子一直以来对我学习、工作无条件的支持和理解。她们二人连同我的两个女儿共同给了我一个温馨无比的家庭环境,使我每每在科研工作中略感疲惫之时,都能尽快振作起来继续前行。

此番求学问道十年间,于我有养育之恩的外祖,对我有教导和提携之恩的张鸿年、叶奕良老师相继谢世,我深切地感激并怀念他们。

新冠疫情肆虐已整整两年,值此辛丑岁尾,祈愿天下太平、海晏河清。

刘英军

二〇二一年十二月于燕园